60 ans de conflit israélo-arabe

Témoignages pour l'Histoire

www.editionscomplexe.com

ISBN 2-8048-0070-9
D/1638/2006/5

Boutros Boutros-Ghali
et Shimon Peres

60 ans de conflit israélo-arabe

Témoignages pour l'Histoire

Entretiens croisés avec André Versaille

« Questions à l'Histoire »

EDITIONS
COMPLEXE

Témoignages pour l'Histoire

S'il existe de nombreux livres sur le conflit israélo-arabe, celui-ci est une première historique : il n'est pas d'exemple où deux hommes politiques majeurs, toujours en fonction et adversaires dans un conflit dans lequel ils sont engagés[*], décident de se rencontrer afin de revisiter ensemble une histoire qu'ils partagent.

Boutros Boutros-Ghali, défenseur du tiers-monde, ancien Secrétaire général des Nations unies, a été le ministre des Affaires étrangères égyptien sous la présidence d'Anouar el-Sadate. En 1977, il accompagna le président égyptien lors de son voyage à Jérusalem qui fut à la base du changement radical de la donne au Moyen-Orient. Il a été ensuite, face à Moshé Dayan, l'un des principaux négociateurs des accords de paix israélo-arabes signés en 1979.

Shimon Peres, ancien Premier ministre, est l'homme de tous les combats d'Israël : c'est déjà lui qui, dans les années cinquante, fut chargé par Ben Gourion de trouver des armes alors que la région était soumise à l'embargo ; c'est également lui qui obtint la collaboration de la France pour construire la centrale nucléaire de Dimona. C'est enfin lui qui, en 1993, sera l'architecte des négociations secrètes d'Oslo avec l'OLP, prélude au premier accord d'autonomie pour les Palestiniens. Cette action lui vaudra de se voir décerner le prix Nobel de la paix en même temps qu'à Yitzhak Rabin et Yasser Arafat.

Ces deux acteurs essentiels du long conflit israélo-arabe appartiennent à la même génération (et ceci n'est pas sans importance). Ils ont accepté non pas de parler chacun de leur côté mais de prendre le risque de « croiser » leurs Mémoires

---

[*] Si la paix a été signée entre l'Égypte et Israël, le conflit israélo-arabe, pris dans sa globalité, n'en est pas pour autant terminé.

et de confronter leurs témoignages sur les grands événements auxquels ils ont participé et qui, de la première guerre israélo-arabe à nos jours, ont ponctué le plus vieux conflit contemporain.

Ce conflit est souvent perçu, d'un côté comme de l'autre, comme un drame sinon un mélodrame opposant des oppresseurs à des opprimés ; des sauvages à des civilisés ; des colonisés à des colonisateurs, des destructeurs sanguinaires à des bâtisseurs d'États. Chaque partie se considérant dans son droit absolu, elle n'aura de cesse de nier la part de légitimité de son ennemi, et encore plus sa « vérité ».

On ne s'en étonnera guère. Y a-t-il de la place pour la légitimité de l'Autre lorsqu'on s'est totalement engagé dans l'« épopée » de sa propre émancipation ? Ayant le sentiment de devoir bâtir son État dans une urgence d'autant plus pressante que son peuple était soumis, en Europe, à la persécution nazie, la communauté juive de Palestine pouvait-elle réellement prendre en compte la situation des Arabes ? Et les Palestiniens, tenaillés par le désir légitime de décolonisation, pouvaient-ils comprendre l'attachement à cette même terre de Juifs issus de pays colonisateurs ?

Aux yeux de chacun, son bon droit sera pendant des décennies, sinon jusqu'à aujourd'hui, d'une évidence telle, que sa contestation apparaîtra comme scandaleuse. L'indignation se substituera à l'analyse et, comme dans un mélodrame, le monde se réduira à une guerre entre deux forces fondamentalement antagonistes ; à une opposition qui se résume aux souffrances infligées par l'Autre ; à l'affrontement de deux principes exclusifs. Ce sera eux ou nous. Et, afin de discréditer, de déshonorer, de disqualifier l'ennemi, on l'attaquera sur sa « moralité ». Mais la vision sera plus « moralisante » que « morale », et la situation, « manichéenne ». Adossée à une double obsession mémorielle (cette obsession viscérale contagieuse dont on ne mesure pas assez les ravages collatéraux qu'elle provoque), la tentation « totalitaire » sera difficilement évitable. Aucun compromis ne sera possible : avec le mal, on ne transige pas, on ne discute pas. Et l'on ne renonce jamais.

Mais ce conflit n'est pas un mélodrame. Si l'on veut poursuivre dans la métaphore théâtrale, on pourra dire qu'il s'agit plutôt d'une tragédie, c'est-à-dire d'une histoire ambiguë où les protagonistes qui s'affrontent ont chacun leur part de légitimité, leur part de lumière comme leur part d'ombre, leur part de crimes comme leur part de noblesse.

Aujourd'hui, nous regardons ce conflit comme essentiellement israélo-palestinien. Nous oublions parfois que, jusqu'en 1967 au moins, la communauté internationale le voyait plus globalement comme israélo-arabe. D'où l'intérêt de confronter un Égyptien à un Israélien, et de ne pas réduire le conflit à la seule question palestinienne – même s'il est bien entendu que celle-ci reste plus que jamais au centre du conflit.

Nous avons choisi de commencer la discussion par la période précédant la Seconde Guerre mondiale. Le sionisme, alors, n'a pas encore remporté l'adhésion de la majorité du peuple juif, loin s'en faut ; de leur côté, les Arabes, qui ne sont pas encore entrés dans la modernité, aspirent à la décolonisation. Avec la guerre, le monde bascule. Les Juifs sont pris dans la tourmente d'un programme génocidaire, tandis que les Arabes voient dans ce conflit la possibilité de se libérer de la tutelle coloniale britannique. Ces années sont cruciales pour la prise de conscience politique de Shimon Peres comme de Boutros Boutros-Ghali : que signifie être sioniste dans les années quarante et qu'est-ce qu'être anticolonialiste arabe dans un monde qui verra bientôt l'émergence du tiers-monde ?

Ces entretiens croisés tournent autour des grandes dates qui scandent l'histoire du Moyen-Orient : 1947, plan de partage de la Palestine ; 1948-1949, naissance d'Israël, avortement de l'État palestinien ; 1952, révolution des Officiers libres en Égypte ; 1956, crise de Suez ; 1967, guerre des Six Jours ; 1970, réveil de la conscience nationale palestinienne ; 1973, guerre d'Octobre ; 1977, voyage de Sadate à Jérusalem ; 1978, accords de Camp David ; 1981, assassinat de Sadate ; 1982, guerre du Liban ; 1987, déclenchement de l'Intifada ; 1993, accords d'Oslo ; 1994, assassinat de Yitzhak Rabin ; 2004, mort de Yasser Arafat, etc.

Pour autant, il ne s'agit pas d'un livre d'Histoire au sens traditionnel : les acteurs ne se prétendent pas « objectifs ». Mais leur parole est une ressource essentielle en ce qu'elle nous permet d'avoir un accès direct à des informations de première main en même temps qu'à des visions et des stratégies politiques peu lisibles de l'extérieur. Ce livre nous présente ce que ne donnent pas les ouvrages d'Histoire traditionnels : les perceptions arabe et israélienne vécues de l'intérieur ainsi que leurs évolutions respectives. Car si les faits sont connus, leur interprétation est affaire d'état d'esprit, de mentalité et de vécu. Et c'est précisément de la confrontation de ces états d'esprit qu'il est ici question.

L'histoire qu'on va lire n'est ni académique ni lisse. Les deux débatteurs ont beau avoir un grand respect l'un pour l'autre, ils ne se font pas de cadeaux. Ils s'affrontent, chacun animé de la volonté de faire entendre son vécu – mais en même temps d'écouter celui de son interlocuteur – aussi insupportable soit-il à ses oreilles. Les positions sont clairement antagonistes et aucune aspérité n'a été limée : la discussion est politique et non diplomatique. Et cette franchise donne au débat une belle tonicité. Pour autant, les deux protagonistes ne sont

pas en service commandé : ils ont accepté de parler en leur nom propre. Privi-
lège de l'âge, et surtout de la reconnaissance internationale dont ils jouissent,
c'est avec une liberté de parole d'une étonnante fraîcheur qu'ils s'autorisent
de vigoureuses critiques envers leur propre camp. Alternance de vives passes
d'armes, de développements politiques et d'analyses des perceptions, Boutros
Boutros-Ghali et Shimon Peres nous offrent une formidable leçon de géopolitique qui ne fait pas l'économie de l'histoire des mentalités.

Après les avoir lus, de quelque côté qu'aillent nos sympathies, nous ne regar-
derons plus ce conflit de la même façon…

ANDRÉ VERSAILLE

REMERCIEMENTS

Au bout de la rédaction de cet ouvrage, il m'est agréable de pouvoir exprimer ma gratitude aux personnes que j'ai croisées pendant le long cheminement de sa composition.

J'ai donc le plaisir de remercier très chaleureusement le Professeur Raphaël Walden, qui, en plus d'avoir été présent lors de ces entretiens, a bien voulu lire le manuscrit au fur et à mesure de sa rédaction et me faire part de ses remarques toujours judicieuses. J'ai également bénéficié du concours de Uri Savir, le chef de la délégation israélienne à Oslo : les informations qu'il m'a fournies m'ont été très utiles pour la préparation du chapitre relatif aux négociations israélo-palestiniennes. De son côté, Benny Morris, le « chef de file des nouveaux historiens » israéliens a bien voulu m'éclairer sur plus d'un point d'Histoire de ce long conflit.

Avant d'entreprendre ce livre, je me suis entretenu avec Baudouin Loos, Henry Rousso et Dominique Vidal, et ces discussions stimulantes m'ont permis d'affiner mon projet.

La première version du manuscrit a été très attentivement lue par Sharon Galant, Michel Gross, Philippe Lemarchand, Rachel Samoul et Nathalie Skowronek. Leurs commentaires avisés m'ont été particulièrement précieux.

Je voudrais adresser des remerciements tout particuliers à Céline Trierweiler dont la belle connaissance du monde arabe en général, et palestinien en particulier, me fut extrêmement utile. Sa contribution lors de la mise au point finale du manuscrit fut très importante.

Boutros Boutros-Ghali, de son côté, a confié le texte à Leila Shahid, déléguée de la Palestine en France, à Mohles Kotb, ambassadeur d'Égypte, actuel secrétaire général des droits de l'Homme au Caire, à l'écrivain Sayed Yassen et au Dr Aly Saaman. Leurs lectures nous furent bien profitables. Annie Dyckmans a procédé à un dernier et très attentif examen du texte. Ce fut loin d'être inutile.

Une fois de plus, j'ai bénéficié de la complicité, du soutien et du travail (souvent ingrat) des membres de l'équipe de Complexe, parmi lesquels je remercie particulièrement Suzette Assaël, Élodie d'Athis, Anne-Lise Barbanès, Yang Chen, Louise Fromageau, Sylvie Ludinant, Yann Thouault et bien sûr mon assistante, Anne Wuilleret, ainsi que la responsable de fabrication, Anne Van Hees.

Ma complice depuis des années, Lydia Zaïd, très bonne connaisseuse du conflit israélo-arabe, et Hélène Abraham se sont chargées de la correction des épreuves avec une redoutable efficacité.

Je voudrais enfin exprimer toute ma gratitude à Boutros Boutros-Ghali et Shimon Peres pour la qualité de l'accueil qu'ils m'ont réservé pendant les dizaines et les dizaines d'heures que nous avons passées ensemble et pour leur disponibilité malgré un emploi du temps surchargé. Ils m'auront permis de vivre l'une de mes plus belles aventures éditoriales.

A. V.

PROLOGUE :
L'ÉVEIL À LA POLITIQUE

*Une vieille famille patricienne copte – « C'est la question éthiopienne
qui m'a amené à m'engager en politique » – Pionnier en Palestine –
Marx et Lénine, ou les prophètes de la Bible ? – Les Juifs du Yichouv
et les Arabes – La famille Boutros-Ghali et la question palestinienne*

ANDRÉ VERSAILLE : Je vous propose de commencer notre parcours par l'évo-
cation de vos itinéraires respectifs pour retrouver ce qui vous a éveillés à la
chose politique.

Boutros Boutros-Ghali, vous êtes né au Caire en 1922. Vous appartenez à
une vieille famille patricienne copte et vous baignez dans la politique depuis
votre plus jeune âge.

BOUTROS BOUTROS-GHALI : Oui, j'appartiens à une famille de la haute bourgeoisie qui a donné à l'Égypte de grands serviteurs de l'État, des politiciens, des
écrivains et des intellectuels. Mon grand-père maternel, Mikhail Charobim était
magistrat, écrivain politique et historien. Il a consacré à l'histoire de l'Égypte
cinq brillants volumes. Son fils aîné, Chafik Charobim, fut un peintre fort connu.
Son cadet, Wadie Charobim, après avoir obtenu un doctorat en entomologie à
l'Université de Montpellier, a consacré sa vie à l'étude des vers à soie.

Mon arrière-grand-père paternel, Ghali Narouz fut à l'origine de la fortune
familiale. Ses fonctions de gérant des biens du frère du khédive lui permirent
de faire admettre son fils Boutros à l'école des Princes, réservée aux enfants de
la famille royale. Mon grand-père Boutros-Ghali Pacha s'y lia d'amitié avec
les futurs dirigeants du pays et occupa dès l'âge de trente-cinq ans le poste de
secrétaire d'État à la Justice. S'inspirant du droit français, il posa les fonde-
ments de la législation égyptienne. À trente-six ans, il fut nommé ministre des
Finances. Durant les dix-sept années suivantes, il fut chargé tantôt du portefeuille des Affaires étrangères, tantôt de celui de l'Intérieur. Il fut le signataire
de la Convention de 1899 qui a abouti à la création du Condominium anglo-

égyptien au Soudan, avant d'être nommé, en 1908, Premier ministre. Malheureusement, deux ans plus tard, il succombait sous les coups d'un fanatique qui
considérait qu'il avait trahi les intérêts de l'Égypte.

Ses deux fils aînés ont respecté la tradition familiale. L'aîné, Naguib Pacha
Boutros-Ghali, dirigea les Affaires étrangères durant le protectorat britannique,
de 1914 à 1922. Il fut ensuite ministre de l'Agriculture. Son cadet, Wassef Pacha
Boutros-Ghali, auteur de plusieurs ouvrages et recueils publiés en France au lendemain de la Première Guerre mondiale, a occupé plus d'une fois le poste de
ministre des Affaires étrangères. Il est intéressant de relever que les frères avaient
choisi des partis politiques opposés. Wassef appartenait au Wafd, parti majoritaire,
tandis que Naguib appartenait à un parti minoritaire. En revanche, mon père, le
benjamin de la famille, Youssef Boutros-Ghali, marqué par l'assassinat de son
père, détestait la politique. Il se consacra à la gestion du patrimoine familial.

Dans les années trente, mon cousin, Mirrit Boutros-Ghali, le fils de Naguib, a
créé la Société d'archéologie copte, une société savante aujourd'hui dirigée par
mon frère Wassef. Mirrit, fin analyste, consacra plusieurs études à la politique
égyptienne qui firent beaucoup de bruit à l'époque. Dans l'un de ces ouvrages,
il proposait notamment une réforme agraire, qui allait pour le moins à l'encontre des intérêts de la famille, et qui a en partie inspiré les Officiers libres dans les
années cinquante. Son frère, Gueffery, rallié au parti wafdiste, fut élu député.

Je n'ai pas vécu les années d'emprisonnement – sur ordre des Britanniques
– de mon oncle Wassef ni sa condamnation à mort par un tribunal militaire. Mais
il m'a raconté, plus tard, le sentiment de fierté qui l'avait envahi lorsque le juge
prononça son arrêt de mort (mourir pour l'Égypte !) – avant d'annoncer, après un
silence calculé, que cette peine serait commuée en une condamnation à perpétuité.

Enfants, nos héros n'étaient donc ni Robin des bois ni Saladin, mais le
grand-père assassiné par un fanatique, l'oncle Wassef luttant contre l'occupation militaire britannique, le cousin Mirrit et ses écrits précurseurs. Dans un
autre ordre d'idées, je vouais une admiration sans bornes à l'amiral japonais
Togo qui avait mis en déroute la flotte russe en 1905, à l'empereur Haïlé Sélassié d'Éthiopie qui avait combattu l'envahisseur italien, et à Gandhi ; autant de
grandes figures qui avaient lutté contre le colonialisme occidental.

C'est dans cet environnement que j'ai grandi, dans ce climat propice à
l'écriture, à l'art et à la politique, que certains membres de la famille combi-
naient avec talent. Si je rêvais de devenir un écrivain célèbre, je restais obsédé
par l'image de l'homme d'État. Souvent d'ailleurs, il m'arrivait de croire que je
pourrais associer ces deux voies différentes mais complémentaires. Mes études
à la faculté de droit du Caire terminées en 1946 (les études juridiques étaient à
cette époque la voie traditionnelle vers la carrière politique en Égypte), j'ai opté
pour la recherche, l'écriture et l'enseignement en obtenant un poste de profes-

seur à l'Université du Caire. Mais la politique n'était pas pour autant absente, car mes recherches, mes publications, mes cours portaient sur les sciences politiques et les relations internationales.

ANDRÉ VERSAILLE : Comment les Musulmans regardaient-ils la minorité copte dans la première partie du XXe siècle ?

BOUTROS BOUTROS-GHALI : Les Frères musulmans supportaient mal que les Coptes accèdent à de hautes fonctions politiques. Que mon grand-père puisse devenir le chef du gouvernement était inadmissible à leurs yeux : « *Comment ? sur les douze ou treize millions d'Égyptiens on n'avait trouvé qu'un Chrétien qui soit digne de devenir président du Conseil ?* » Comme c'était la première fois qu'un Chrétien accédait à la magistrature suprême, la méfiance et les rumeurs allaient bon train : « *Il a dû être appuyé par Londres ou par le khédive…* » En réalité, mon grand-père n'était pas anglophile, mais il était très occidentalisé – comme toute ma famille, d'ailleurs. Profondément nationaliste, mais politiquement réaliste, il tenait pour nécessaire que l'Égypte s'ouvre à l'Occident.

Je précise que, loin d'être rare, ce sentiment était assez répandu en Égypte – chez les Chrétiens, comme chez les Musulmans. On croit généralement que les non-Musulmans étaient en faveur de l'occidentalisation de l'Égypte par crainte qu'un islam majoritaire ne fasse d'eux des citoyens de seconde catégorie. C'est une idée fausse, car beaucoup de non-Musulmans avaient occupé des fonctions importantes en terre d'Islam. C'était même une des caractéristiques des sultans ottomans que de s'entourer de conseillers issus des minorités : avoir des ministres non musulmans les mettait à l'abri d'un coup d'État. Ce n'était pas dans le but d'acquérir une pleine citoyenneté que les Chrétiens militaient pour une occidentalisation de l'Égypte – puisque, dans les faits, ils possédaient déjà un pouvoir non négligeable, mais pour favoriser l'entrée du pays dans la modernité.

À ces pro-Occidentaux s'opposaient les fondamentalistes islamiques qui estimaient que l'Égypte, faisant partie de l'Empire ottoman, se devait de rester ancrée dans le monde musulman. Le mouvement fondamentaliste que nous voyons à l'œuvre actuellement, et qui exige le retour aux valeurs de l'islam pur et dur, prêche le refus, voire la haine de l'Occident et manifeste la volonté de chasser les « Croisés » de la terre d'Islam, ne date pas d'aujourd'hui.

ANDRÉ VERSAILLE : Quel est le premier événement qui va vous amener à vous engager en politique ?

BOUTROS BOUTROS-GHALI : C'est la question éthiopienne. J'avais treize ans en 1935 quand l'Éthiopie a été conquise par Mussolini et que le Négus a dû s'exiler. J'ai ressenti cette situation comme une insupportable agression contre l'ensemble du monde pauvre. Peu après, lorsque Haïlé Sélassié est passé par le canal de Suez, j'ai été bouleversé. J'ai même vendu des timbres au profit d'un fonds d'aide à l'Éthiopie. J'étais en révolte, non contre l'Italie en tant que telle, mais contre l'intolérable tutelle que l'Europe exerçait sur le monde africain et le monde arabe, sur ce que l'on n'appelait pas encore le tiers-monde.

ANDRÉ VERSAILLE : Shimon Peres, vous, vous êtes né en 1923, dans le *shtetl* de Vichneva, en Pologne. Issu d'une famille de sionistes convaincus, vous arrivez en Palestine en 1934 ; c'est donc à l'âge de onze ans que vous faites votre *aliya*.

SHIMON PERES : Oui, mon père, marchand de bois, avait été pratiquement acculé à la cessation de ses affaires à cause des taxes insupportables qui frappaient son commerce. Mais de toute façon, il était depuis longtemps décidé à émigrer avec sa famille en Palestine. Il est donc parti en éclaireur monter une affaire de bois à Tel-Aviv, ville nouvelle, fondée quelque vingt-cinq ans auparavant. Deux ans plus tard, il nous a fait venir, ma mère, mon frère et moi.

ANDRÉ VERSAILLE : Vous arrivez donc en Palestine, comment vous apparaît-elle ?

SHIMON PERES : À Vichneva, j'avais de la Palestine une image idéale, grandiose, paradisiaque. En arrivant sur place, tout m'étonna. À commencer par la nature : je venais d'un pays où le ciel était perpétuellement gris ; ici le ciel était toujours bleu. Là-bas les arbres étaient grands et solides ; ici ils étaient petits et chétifs. Même les membres de ma famille, que j'avais rejoints à Rehovot, étaient très différents de ceux de Pologne : grands, forts, basanés… Je me souviens aussi des senteurs des oranges que je goûtais pour la première fois et dont le parfum m'enivrait. La nourriture aussi était différente : c'est en Palestine que j'ai découvert les salades de crudités et le yaourt.

Je visitais avec ravissement les kibboutzim, qui incarnaient à mes yeux la vraie vie, la vie égalitaire et fraternelle. À ce moment, je pensais que l'homme idéal, c'était le pionnier. Tout me semblait beau, plein de promesses, et je me sentais profondément heureux d'être là.

J'étais passé d'un monde à un autre, qui, loin d'être figé comme le précédent, était en pleine évolution : je voyais des usines se monter, l'université de Jérusalem attirer de plus en plus d'esprits brillants, Toscanini venir diriger l'orchestre symphonique de Tel-Aviv…

Ma vie quotidienne se transformait du tout au tout : j'ai commencé par changer de tenue, troquant mon vêtement de citadin contre la chemise ouverte et le short. J'abandonnai également les traditions religieuses : je ne respectais plus ni les shabbats ni les prescriptions de la casherout, je ne portais plus de kippa et la synagogue du samedi matin ne faisait plus partie de mon rituel hebdomadaire. J'allais pratiquer du sport, puisque le développement physique était un élément important de l'idéologie sioniste qui entendait façonner le Juif nouveau. Même les conversations avec mes amis avaient changé : elles ne roulaient plus sur les goys redoutés ; ceux-ci étaient remplacés par les Arabes. Appréhendions-nous plus les Arabes que les goys en Russie ? Disons que ce n'était pas la même peur : si nous nous trouvions devant un nouvel ennemi, au moins celui-ci n'était-il pas notre maître. Il pouvait s'avérer plus dangereux que le précédent, mais nous pouvions nous défendre.

ANDRÉ VERSAILLE : À partir de quel âge prenez-vous conscience de l'importance du projet sioniste auquel vous allez consacrer votre vie ?

SHIMON PERES : Lorsque je suis entré au lycée, je me suis retrouvé au sein d'un milieu de jeunes issus de familles aisées, plutôt de droite. Mais je me sentais de gauche, et j'étais le seul élève de ma promotion à défendre des idées socialistes. C'est donc tout naturellement qu'en 1937, j'ai rejoint un des mouvements de jeunesse socialiste, l'Hanoar Haoved (la Jeunesse ouvrière), qui me semblait le plus proche de l'idéal sioniste tel que je le concevais. De plus, l'Hanoar Haoved avait engendré un grand nombre de kibboutzim dont étaient issus de très bons écrivains et poètes, ainsi que des officiers qui allaient occuper des fonctions importantes dans la Haganah, organisation militaire alors illégale qui s'armait clandestinement. Je m'imprégnais d'une morale prolétarienne, grâce notamment à David Cohen, le fondateur du mouvement, qui nous racontait des histoires hassidiques qu'il mâtinait de socialisme : il trouvait le moyen de faire coexister le penseur hassidique Rabbi Nahman de Breslav et Karl Marx. Et cela m'enchantait.

Situé non loin de Lydda (actuellement Lod), le village de jeunesse Ben Shemen avait été fondé par l'Hanoar Haoved afin d'accueillir des orphelins venus de l'étranger et d'en faire des pionniers. Chaque année deux jeunes du Yichouv étaient invités à rejoindre Ben Shemen. L'année de mes dix-sept ans, après avoir obtenu mon diplôme, mon chef de groupe me proposa de quitter Tel-Aviv pour entrer dans ce village. J'ai immédiatement accepté, et avec enthousiasme. J'étais excité par ce projet d'aller défricher la terre, de rendre féconds des sols depuis si longtemps desséchés, de repousser les agressions des Arabes qui essayeraient en vain de détruire cette œuvre magnifique... Comme vous le voyez, j'étais totalement intoxiqué par l'idéal sioniste.

À quinze ans, peu avant la guerre, j'ai rejoint la Haganah. Pour y entrer, il fallait subir une espèce d'initiation. C'était une cérémonie assez solennelle qui se tenait à la nuit tombante. Pour la circonstance, on avait installé une bougie et mes camarades avaient apporté un revolver et une Bible sur laquelle j'ai prêté serment. Dès le lendemain, j'ai commencé à m'entraîner au tir et, très rapidement, j'ai été chargé de monter la garde. Je passais la nuit en faction dans une guérite en béton à la sortie du village : on m'avait donné un fusil et assigné un poste dont j'étais nommé le responsable. Un bien beau titre ! En réalité, ce poste occupait deux personnes : moi, le chef, et mon subordonné... Vous voyez comme j'étais devenu important !

André Versaille : Engagé dans la jeunesse pionnière sioniste, comment se passe votre vie quotidienne dans le Yichouv, la communauté juive en Palestine, et comment se poursuit votre apprentissage politique ?

Shimon Peres : À Ben Shemen, je partage mon temps entre le travail (le jour) et l'étude (le soir), tout en défendant le camp contre les Arabes qui, la nuit venue, nous tiraient dessus. Les déplacements de jour étaient toujours risqués, et notre bus était régulièrement lapidé. À part ça, nous passions notre temps libre en discussions politiques ou idéologiques. Celles-ci tournaient principalement autour de l'identité du mouvement sioniste : notre mouvement était-il socialiste, voire révolutionnaire, ou bien s'appuyait-il sur la Bible ? À l'époque, comme l'ensemble de la gauche mondiale, les jeunes pionniers progressistes et idéalistes que nous étions étaient fascinés et galvanisés par l'Union soviétique et le message de fraternité qu'elle nous paraissait répandre. À cela s'ajoutait le fait que la Russie était le pays d'origine de beaucoup d'entre nous, ce qui rendait la « patrie du socialisme » d'autant plus proche : les classiques russes, Tolstoï, Dostoïevski, Pouchkine, Tchekhov ou Gogol étaient nos livres de chevet ; et bien des chants hébreux que nous entonnions avec ferveur autour des feux de bois étaient en réalité des adaptations d'airs populaires russes.

André Versaille : Le communisme avait-il fortement imprégné le sionisme de gauche ?

Shimon Peres : Oui, mais le mouvement ouvrier était déchiré entre deux grandes tendances : celle, marxiste-léniniste, de l'Hashomer Hatsaïr, et une autre plutôt social-démocrate, celle du mouvement travailliste. L'Hashomer Hatsaïr prônait la lutte des classes, la révolution et le collectivisme, tandis que le mouvement travailliste défendait l'idée d'un socialisme spécifiquement sioniste et récusait le concept de lutte des classes, considérant que les conditions socio-économiques dans lesquelles nous vivions étaient telles qu'il n'y avait pas de classes. Nous reprochions à l'Hashomer Hatsaïr de vouloir appliquer artificiellement à Israël un socialisme importé, alors que notre projet était de créer une « nation de travailleurs ».

De l'autre côté de l'échiquier politique se tenait le Betar, mouvement de jeunesse émanant du sionisme de droite dont les uniformes (chemises brunes, casquettes à visière, etc.) rappelaient désagréablement les mouvements d'extrême droite européens.

ANDRÉ VERSAILLE : Nous sommes alors en pleine période stalinienne.

SHIMON PERES : Oui, et dans bien des kibboutzim que ces mouvements avaient créés, la photo du petit père des peuples, « *soleil des nations* », trônait à la place d'honneur du réfectoire.

ANDRÉ VERSAILLE : Et quand, en août 1939, Staline signe un pacte de non-agression avec Hitler ?

SHIMON PERES : Je vous laisse imaginer notre désespoir ! Je dis « notre », parce que même pour les travaillistes non marxistes, comme ceux du parti Mapaï, cet accord fut vécu comme une trahison suprême. Il faudra attendre l'attaque de l'Union soviétique en 1941 par les troupes nazies et la mise en place de la grande Alliance entre les pays démocratiques et l'URSS, pour que nous, militants de gauche toutes tendances confondues, « oubliions » notre honte.

ANDRÉ VERSAILLE : Vous-même, avez-vous été tenté par le marxisme ?

SHIMON PERES : Jeune, avant la guerre, je me sentais, comme je vous l'ai dit, « de gauche », mais sans ancrage précis. Ce qui m'a orienté vers une vision travailliste antimarxiste, c'est un séminaire donné à Ben Shemen lors duquel deux brillants conférenciers se sont affrontés. Le premier, Yoske Rabinowitz, très cultivé, tenait le marxisme pour une authentique science qui posait correctement les questions auxquelles la dialectique hégélienne apportait les réponses justes. Il ne faisait pas de doute pour lui que l'Union soviétique était inexorablement en marche vers des lendemains radieux. L'autre orateur était Berl Katznelson, codirigeant avec Ben Gourion du parti travailliste Mapaï. Antimarxiste et antiléniniste convaincu, il s'appliqua méthodiquement à démolir la vision idéaliste que l'on pouvait avoir de l'Union soviétique, en rappelant notamment comment les communistes avaient trahi toutes leurs promesses : liberté individuelle, liberté nationale, liberté religieuse ou intellectuelle, abolition de la peine de mort, société sans classes, etc. Il montra à quel point Staline exerçait un pouvoir despotique et cruel, et combien le mensonge et la terreur régnaient en URSS.

Katznelson m'avait totalement convaincu, et, à la suite de ce séminaire, lui et moi avons noué des relations qui eurent un impact très important dans ma vie. C'est notamment par lui que j'ai rencontré Ben Gourion.

ANDRÉ VERSAILLE : Ben Gourion, qui était peu séduit par le marxisme.

SHIMON PERES : C'est peu dire ! Contrairement à la majorité des sionistes qui se sentaient très proches des idées socialistes et marxistes, Ben Gourion n'inscrivait pas du tout le Mapaï dans la mouvance socialiste. Il a toujours préféré parler de « travaillisme » plutôt que de « socialisme ». Radicalement anticommuniste, il croyait l'homme essentiellement mû par un idéal spirituel. La froide vision économique marxiste lui paraissait dogmatique et le communisme stalinien, une fausse route. Il ne se référait donc ni à Marx, ni à Lénine, ni à Rosa Luxembourg : il leur préférait les prophètes Amos et Isaïe. Il estimait d'ailleurs que le droit des Juifs sur la Palestine prenait sa source dans la Bible, et il se référait souvent au royaume d'Israël de l'époque des Prophètes, dont il connaissait bien l'organisation politique. Selon lui, le judaïsme était inconcevable sans le retour sur cette même terre qui lui donne son plein sens. Cela allait très loin, puisqu'il estimait que, pendant les deux mille ans de sa dispersion, le peuple juif avait été improductif, que la Diaspora avait marqué historiquement un arrêt dans le développement de la vie juive, dont elle n'avait fait que dévier le caractère juif. Même s'il avait de l'admiration pour les grands hommes juifs comme Freud ou Disraeli, il ne les voyait pas comme un exemple de l'accomplissement de la vie juive. Il ne considérait donc pas Israël comme une réponse à la vie diasporique, plutôt tragique, mais comme une continuation de l'époque biblique après deux millénaires de latence. Il était convaincu qu'après cette espèce de vide historique, la création de l'État d'Israël redonnerait à la vie juive le souffle qu'elle avait perdu après la destruction du second temple de Jérusalem. C'est pourquoi il accordait tant d'importance à l'immigration des Juifs en Israël.

André Versaille : Ces discussions concernent l'identité du sionisme. Mais nous sommes là dans le débat théorique. Qu'en était-il des discussions relatives à la question palestinienne proprement dite ?

Shimon Peres : L'autre perpétuel débat avait trait, en effet, à la question du partage de la Palestine. Ce point n'opposait pas seulement la droite à la gauche ; il divisait la gauche elle-même, entre ceux qui voulaient à tout prix que l'on établisse un compromis avec les Arabes (certains allaient jusqu'à admettre la solution d'un État binational au sein duquel les Juifs et les Arabes pourraient vivre en bonne harmonie) et ceux qui ne croyaient guère à cette fraternité judéo-arabe et refusaient toute idée de partition de la Palestine, estimant qu'elle devait revenir tout entière aux Juifs.

Face à cette question Ben Gourion avait une vision réaliste. Ayant compris que la position maximaliste pouvait être fatale au sionisme, il estimait plus sage de se contenter d'une partie de la Palestine et de se mettre enfin à construire l'État juif, plutôt que de poursuivre un projet plus ambitieux mais visiblement chimérique.

André Versaille : À cette époque, comment les Arabes palestiniens sont-ils regardés par les Juifs du Yichouv ?

SHIMON PERES : Le credo sioniste était la recherche d'« *une terre sans peuple pour un peuple sans terre* ». Et nous considérions, plus ou moins sincèrement, la Palestine, non pas comme une terre « vide » mais comme traversée par des populations sans domicile fixe à cinquante ou cent kilomètres près. En outre, nous ne percevions pas les Palestiniens comme un peuple distinct des Arabes de la région. Vous remarquerez d'ailleurs que lorsque l'ONU décidera de partager la Palestine, la résolution parlera de la création de deux États, l'un juif, l'autre « *arabe* », et non pas « *palestinien* », ce qui montre bien que, dans la conscience internationale de l'époque, les Palestiniens n'étaient pas regardés comme un peuple spécifique.

En outre, le fait que le dirigeant palestinien, le mufti de Jérusalem Hadj Amin el-Husseini, s'était révélé d'un extrémisme et d'un antisémitisme forcené, jusqu'à se ranger ouvertement du côté des nazis (sa fameuse visite à Hitler, le 28 novembre 1941, ne laissait planer aucun doute sur ses sympathies), nous avait confortés dans l'idée que la revendication nationaliste palestinienne était largement entachée d'antisémitisme. Cela explique que, dans sa majorité, le Yichouv n'était pas très attentif à la « cause palestinienne ».

Néanmoins, l'homme qui avait créé Ben Shemen et qui le dirigeait, le Dr Siegfried Lehmann, était un authentique homme de paix. Cet humaniste cultivé, raffiné, appartenait au groupe Brit Shalom dont faisaient partie le philosophe Martin Buber et le directeur de l'université hébraïque de Jérusalem, le Dr Magnes. Ce groupe, soutenu par Albert Einstein, militait ardemment pour un rapprochement judéo-arabe. Sous l'influence de Lehmann, nous allions visiter pratiquement chaque samedi des villages arabes. Ces rencontres se passaient fort bien : nous étions accueillis très chaleureusement selon la tradition de l'hospitalité sémite, et les discussions relatives à l'avenir de la Palestine restaient toujours empreintes de cordialité.

Comme vous le voyez, nous étions dans une contradiction totale : une fois par semaine nous tentions de jeter un pont entre les Arabes et nous, tandis que les nuits nous devions régulièrement nous défendre contre les attaques lancées par des Arabes dont certains étaient peut-être de ceux qui nous avaient reçus le samedi précédent...

ANDRÉ VERSAILLE : Et du côté égyptien, comment la famille Boutros-Ghali regarde-t-elle la question palestinienne ?

BOUTROS BOUTROS-GHALI : Depuis le début du siècle, ma famille a été sensible à cette question. Theodore Herzl est d'ailleurs venu voir mon grand-père, alors ministre des Affaires étrangères, pour lui proposer de créer une colonie juive dans le Sinaï. Mon grand-père avait marqué son accord à la condition que ces Juifs prennent la nationalité égyptienne.

Plus tard, dans les années trente, mon oncle, ministre des Affaires étrangères, qui fit entrer l'Égypte à la Société des Nations en 1937, prononça un discours dans lequel il déclara que la question palestinienne ne se résoudrait que dans le cadre d'une coexistence harmonieuse entre Juifs, Chrétiens et Musulmans.

Cela étant, il faut bien reconnaître que le problème palestinien était considéré comme très marginal par la population égyptienne, bien plus soucieuse d'obtenir le départ des Anglais et la complète indépendance du pays. Jusqu'à la Seconde Guerre mondiale, la question palestinienne n'était d'ailleurs pas perçue comme particulièrement dramatique car le nombre de Juifs qui arrivaient en Palestine était très limité, et il le sera encore plus à partir de 1939 avec la promulgation par les Britanniques du « Livre blanc ».

I – La Seconde Guerre mondiale

La Palestine dans la tourmente de la Seconde Guerre mondiale –
« Nous continuions à prôner l'évacuation des Britanniques, même
au prix du sang… » – Juifs et Arabes face à l'avancée allemande
– Conférence sioniste extraordinaire à New York –
Ben Gourion, le pragmatique, et Begin, l'idéologue – Terrorisme juif
– Création de la Ligue arabe – Découverte du génocide

ANDRÉ VERSAILLE : En septembre 1939, la guerre commence en Europe. Elle deviendra bientôt mondiale.

BOUTROS BOUTROS-GHALI : Oui, et l'opinion publique égyptienne est alors *grosso modo* divisée en trois courants. Le premier considère que l'Égypte n'a rien à gagner à participer à cette guerre : c'est notamment le cas des fondamentalistes musulmans qui estiment qu'il s'agit d'une guerre entre « Croisés ». Le deuxième courant, plutôt pro-Allemand, pense que si l'Allemagne devait l'emporter, les Britanniques seraient contraints d'abandonner l'Égypte qui accéderait alors à l'indépendance. Enfin, le troisième courant se compose de gens plus occidentalisés qui saisissent la signification du nazisme, de sa doctrine raciste, et craignent qu'une victoire de l'Allemagne n'entraîne la domination de celle-ci sur l'Égypte et fasse des Égyptiens des citoyens de second ordre.

En 1940-1941, à l'Université, nous continuions à prôner l'évacuation des Britanniques, même au prix du sang (et de notre sang). Je me souviens à ce propos d'un professeur de littérature anglaise qui, voulant nous tourner en ridicule, avait écrit au tableau : « *Evacuation with blood = menstruation.* » Nous étions donc pratiquement aussi hostiles aux Anglais qu'aux Allemands. Et si nous ne souhaitions pas la victoire des nazis, nous espérions tout de même qu'après le conflit, l'Angleterre se retrouverait tellement affaiblie qu'elle n'aurait plus d'autre choix que d'accorder sa pleine indépendance à l'Égypte.

André Versaille : Et dans le Yichouv, comment voit-on le début de cette guerre ?

Shimon Peres : Comme vous pouvez l'imaginer, nous étions effarés devant l'avance fulgurante des armées allemandes un peu partout en Europe. La défaite si rapide de la Pologne nous avait semblé incroyable. Et l'effondrement de la France, alors ! Bien sûr, nous redoutions par-dessus tout l'arrivée prévisible des nazis au Moyen-Orient. D'où notre totale ambiguïté envers les troupes britanniques que nous considérions comme une armée ennemie occupant notre pays, mais que nous espérions en même temps, et de toute notre âme, voir contenir l'avance des colonnes de blindés allemandes. Par ailleurs, nous éprouvions une grande admiration pour Winston Churchill qui était parvenu à déterminer son peuple à résister héroïquement aux incessants bombardements allemands.

André Versaille : Quelques mois avant le déclenchement de la Seconde Guerre mondiale, le 17 mai 1939, Londres avait publié son « Livre blanc » dont vient de parler Boutros Boutros-Ghali et qui limitait sérieusement le quota des Juifs autorisés à immigrer en Palestine ainsi que les achats de terres par les Juifs. Comment cela est-il vécu par le Yichouv ?

Shimon Peres : Mal, bien sûr, mais là encore, nous allions vivre cette situation dans la contradiction puisque, dès le début de la guerre, notre mot d'ordre sera : « *Combattre le "Livre blanc" comme si nous n'étions pas en guerre, et lutter aux côtés des Britanniques comme s'il n'y avait pas de "Livre blanc".* » Et de fait, beaucoup de membres du Yichouv, dont mon père, s'engageront dans la brigade juive qu'avait créée en son sein l'armée britannique, tandis que d'autres rejoindront la Haganah.

Pendant la guerre, 25 000 à 28 000 Juifs sont entrés dans l'armée britannique ; et si au Yichouv, nous étions opposés à la politique de Londres en Palestine, à l'intérieur de l'armée, les relations étaient bonnes puisque nous avions les mêmes préoccupations et combattions le même ennemi. Les Anglais n'avaient pas de raison de se plaindre de nous, car il était patent que nous étions prêts à lutter jusqu'au bout pour contribuer à la victoire sur les nazis.

Il n'y aura guère que les groupes sionistes extrémistes comme le Lehi et l'Irgoun qui combattront avec la même conviction et la même violence les Britanniques et les Allemands.

André Versaille : Pendant de longs mois, les armées allemandes volent de victoire en victoire jusqu'à débarquer en Afrique du Nord. Comment réagit-on au Caire lorsque l'on voit que des troupes nazies ne sont plus qu'à quelques encablures du territoire égyptien ? Croit-on alors que l'Allemagne sortira vainqueur de la guerre ?

BOUTROS BOUTROS-GHALI : Lorsque les Allemands parviennent à El-Alamein, à 60 kilomètres d'Alexandrie, Le Caire est en effervescence : les ambassades américaine et britannique s'empressent de brûler leurs archives et l'on construit à la hâte des tranchées au pied des pyramides pour tenter d'empêcher l'entrée des forces allemandes au Caire. Bon nombre d'Égyptiens pensent alors que l'Allemagne sortira victorieuse de la guerre et l'on assiste à l'émergence de mouvements politiques pro-Allemands. Il faut préciser que, contrairement à l'idée que l'on pouvait se faire dans le Yichouv, telle que la rapporte Shimon Peres, le fait d'être du côté des Allemands n'impliquait pas nécessairement une quelconque sympathie pour l'idéologie nazie qui souvent n'était pas même perçue : il s'agissait essentiellement d'appuyer la puissance qui pouvait nous débarrasser des Anglais. Il n'y avait pas d'accointance idéologique, seulement l'obsession de se défaire de l'occupation britannique et plus généralement de l'occupation étrangère. Y avait-il de l'antisémitisme dans ces mouvements ? Pas nécessairement ; disons qu'ils étaient xénophobes de manière globale, et surtout anticolonialistes. Ils s'attaquaient donc à tout ce qui symbolisait ou représentait la présence étrangère. Cette attitude est à mettre en relation avec ce qui se passera, quelques années plus tard, en janvier 1952, lors de l'incendie du Caire : les foules détruiront les grands magasins, les hôtels, les cinémas, et il est difficile de dire si ces actes de vandalisme trouvaient leur origine dans la haine du luxe ou dans celle des étrangers, ou plus subtilement encore dans la haine de l'étranger qui avait les moyens de fréquenter ces lieux de prestige alors que la grande majorité de la population ne pouvait se le permettre.

ANDRÉ VERSAILLE : La guerre embrase le monde, les troupes nazies accumulent les victoires. Pourtant les sionistes continuent de travailler au projet d'un État juif. À partir de quand le projet sioniste vous semble-t-il devenir réaliste ?

SHIMON PERES : C'est difficile à dater, mais je dirais qu'en tout cas en mai 1942, lors de la Conférence sioniste extraordinaire dite de Biltmore, à New York, nous acquerrons la conviction que notre État verra le jour avant longtemps. Il devient clair que ce projet n'a plus rien d'une utopie et que la présence britannique va s'achever : les Anglais eux-mêmes commencent à renâcler.

C'est lors de cette Conférence que le mouvement sioniste international discute de l'idée du partage de la Palestine en deux États proposée, en 1937, par une commission d'enquête britannique, la Commission Peel. Pour la droite comme pour l'aile révisionniste du mouvement sioniste, et ce depuis Jabotinsky, son fondateur, l'État juif devait s'étendre sur toute la Palestine, y compris sur la rive orientale du Jourdain. Pour Ben Gourion, en revanche, il s'agissait de se mobiliser le plus rapidement possible en faveur de la création d'un État juif. Les persécutions antisémites étant de plus en plus tragiques, il pensait que la seule planche de salut pour les Juifs était la création d'un État-refuge qui leur soit propre. À la différence de la droite, Ben Gourion estimait que la rapidité de sa création était bien plus importante que sa dimension.

En fin de compte, le « plan Biltmore » soutiendra le principe de la partition de la Palestine et se prononcera en même temps en faveur de l'immigration illégale en Eretz Israël. Personnellement, j'adhérais tout à fait à ces positions.

André Versaille : Pourtant la droite, et notamment Begin, le dirigeant de l'Irgoun à partir de 1943, continuera à lutter ouvertement pour un État juif sur toute la Palestine.

Shimon Peres : Oui, et les deux tendances continueront à rivaliser jusqu'en 1948.

En fait, tout opposait Begin à Ben Gourion : le premier était un idéologue qui affectionnait la rhétorique, alors que le second était un pragmatique qui détestait toute rhétorique, ne s'intéressait qu'à l'évolution de la situation sur le terrain et basait sa politique sur les réalités des rapports de force.

André Versaille : D'aucuns prétendent pourtant que les buts de Ben Gourion et de Begin étaient semblables et qu'ils ne différaient que sur les moyens d'y parvenir. Ainsi, pour Ben Gourion, l'acceptation du partage n'aurait été qu'un premier pas : une fois l'État établi, les Israéliens pourraient en envisager l'agrandissement.

Shimon Peres : Même selon cette interprétation des choses, Ben Gourion, en ce qu'il savait faire la part entre le rêve et la réalité, se montrait plus réaliste que Begin. Cela dit, je ne crois pas du tout que Ben Gourion avait des arrière-pensées de conquête. La meilleure preuve en est qu'après la victoire de la guerre des Six Jours, en 1967, il se dira en faveur de la restitution des territoires conquis (à l'exception de Jérusalem) en échange de la paix. Franchement, c'est un mauvais procès que rien ne vient étayer. Tous ceux qui ont connu Ben Gourion vous le diront, c'était un homme d'une très grande intégrité.

André Versaille : Pendant la guerre, Churchill se prononce clairement en faveur du projet sioniste. En octobre 1941, il déclare : « *Je peux dire d'emblée que si la Grande-Bretagne et les États-Unis sortent victorieux de cette guerre, la création d'un grand État juif en Palestine peuplée de millions de Juifs constituera un des grands points de discussion de la Conférence de la Paix.* » Qu'est-ce qui motivait Churchill à soutenir les sionistes ?

Shimon Peres : Churchill avait été proche de ces Anglais qui, autour de Lord Balfour, avaient considéré que le peuple juif avait droit à un « *foyer national* » : la Grande-Bretagne avait bien créé la Transjordanie en 1921, pourquoi refuserait-elle la création d'un État juif à côté de celle-ci ? Ensuite, la persécution nazie l'avait convaincu de la nécessité de cet État, ne serait-ce que comme refuge. Enfin, ses relations avec les élites politiques américaines, au sein desquelles les Juifs jouaient un rôle non négligeable, ont dû renforcer cette conviction.

ANDRÉ VERSAILLE : Au début de l'année 1944, l'Irgoun et le Lehi reprennent avec plus de violence leur lutte contre les forces britanniques et optent délibérément pour le terrorisme. Les attentats visent les centres d'impôts, les commissariats et les offices d'immigration. Au Caire, le 6 novembre 1944, des activistes du Lehi assassinent Lord Moyne, ministre résidant au Moyen-Orient (pour mémoire, celui-ci s'était opposé au plan de sauvetage des Juifs hongrois au mois de mai, qui prévoyait d'échanger des Juifs en instance de déportation contre des camions). Ces exactions terroristes sont apparemment condamnées par la Haganah.

SHIMON PERES : Nous étions profondément choqués par le terrorisme en général et par l'assassinat de Lord Moyne en particulier. Pour des raisons morales, bien sûr, mais nous pensions que ce meurtre était, de surcroît, une terrible erreur politique : Moyne était un ami personnel de Churchill, qui ressentira cet assassinat comme une atteinte personnelle et il encouragera les autorités égyptiennes à exécuter les coupables. C'est également à la suite de ce meurtre que Churchill va retirer son soutien au plan de partage de la Palestine.

Nous étions tous contre les Britanniques, mais nous refusions le terrorisme auquel recouraient le Lehi et l'Irgoun. La Haganah et l'Irgoun n'avaient pas les mêmes positions sur la stratégie à suivre. La Haganah estimait qu'il fallait mettre en place une résistance armée capable de lutter contre l'ennemi arabe, mais qu'en même temps, la coopération avec la puissance britannique était indispensable pour mieux asseoir notre force. Elle avait la conviction que seules les situations de fait pourraient entraîner l'établissement d'un État juif, c'est pourquoi elle prônait la multiplication des colonies juives. De son côté, l'Irgoun, qui n'avait fondé presque aucune colonie, menait peu d'actions antiarabes et beaucoup plus d'actions antibritanniques.

ANDRÉ VERSAILLE : Il existait pourtant des liens entre la Haganah, l'Irgoun et le Lehi.

SHIMON PERES : C'est vrai, mais c'étaient des liens informels. Il est évident que dans notre situation, il était difficilement concevable de considérer les combattants de l'Irgoun et du Lehi comme des ennemis et nous voulions à tout prix éviter tout conflit sérieux entre nous. Néanmoins, il nous est arrivé plus d'une fois de nous ranger du côté des Britanniques pour combattre les terroristes, lorsque nous estimions que leurs actions portaient plus de préjudices à la cause sioniste qu'elles ne la favorisaient. Ainsi, après l'assassinat de Lord Moyne par le Lehi ou après que l'Irgoun eut pendu des soldats anglais en mesure de représailles à l'exécution de Juifs, la Haganah a-t-elle tenté de se coordonner avec l'armée anglaise pour empêcher l'extrême droite de commettre ce type d'exaction.

ANDRÉ VERSAILLE : Et ce fut efficace ?

SHIMON PERES : C'était selon : parfois oui, parfois non.

ANDRÉ VERSAILLE : Du côté arabe, les représentants de sept pays arabes (l'Égypte, la Transjordanie, la Syrie, le Liban, l'Irak, l'Arabie saoudite et le Yémen) se réunissent du 25 septembre au 7 octobre 1944, à Alexandrie, pour fonder la Ligue arabe (la Charte est officiellement signée au Caire le 22 mars 1945).

BOUTROS BOUTROS-GHALI : Oui, il s'agit de favoriser l'unité des pays arabes et de coordonner la politique de ses États membres. Il ne faut pas oublier qu'au moment de la création de la Ligue arabe, il n'y a pas un seul pays arabe qui ne soit occupé par des forces étrangères. On pourrait donc qualifier la Ligue arabe d'association d'États en voie de libération. Vous remarquerez ensuite qu'entre autres dispositions, sa charte consacre un important paragraphe à la question palestinienne. L'un des articles stipule qu'« *il ne peut être porté atteinte aux droits des Arabes* [palestiniens] *sans danger pour la paix et la stabilité dans le monde arabe* » ; que les États arabes sont « *les premiers à regretter les terribles souffrances infligées aux Juifs d'Europe.* [...] *Mais le problème de ces Juifs ne devrait pas être assimilé à celui du sionisme, car il ne peut exister de plus grande injustice ni de plus grave agression que de résoudre le problème des Juifs d'Europe en* [...] *infligeant une autre injustice aux Arabes de Palestine.* » On mesure à cette lecture l'importance que revêtent à ce moment-là pour le monde arabe la Palestine et Jérusalem, menacées par l'immigration juive.

ANDRÉ VERSAILLE : La Palestine ou Jérusalem ?

BOUTROS BOUTROS-GHALI : La Palestine et Jérusalem.

ANDRÉ VERSAILLE : Comment les Égyptiens, par exemple, considèrent-ils Jérusalem ?

BOUTROS BOUTROS-GHALI : Jérusalem est un Lieu saint extrêmement important, tant pour les Musulmans (c'est la troisième ville sainte de l'islam) que pour les Coptes. S'il en a les moyens, tout Musulman, vous le savez, se doit de faire au moins une fois dans sa vie un pèlerinage à La Mecque et, lorsqu'il en revient, il est devenu un « *Hadj* ». Les Coptes, quant à eux, se rendent en pèlerinage à Jérusalem, dont ils retournent, eux aussi, auréolés puisqu'ils sont alors considérés comme « *Mouqaddas* », comme « bénis ». Jérusalem constitue donc une ville doublement sainte pour la population égyptienne : étape capitale dans le voyage de Mahomet, aux yeux des Musulmans, elle est en même temps, pour les Coptes, la ville qui abrite le tombeau du Christ.

ANDRÉ VERSAILLE : La position que va prendre la Ligue arabe en faveur des Palestiniens n'est pas sans ambiguïté : si ses États soutiennent conjointement les demandes fondamentales des Palestiniens, ils s'arrogent le droit de désigner le représentant de ces derniers tant que la Palestine n'aura pas accédé à l'indépendance. Toute initiative politique palestinienne reviendra donc pour longtemps aux chefs d'États arabes ; de même, les décisions politiques importantes concernant la résistance arabe au sionisme se prendront au Caire et non à Jérusalem. Les États de la Ligue arabe agissent donc en nom et place des Palestiniens, dépossédant ceux-ci de leur projet. Comment expliquez-vous cette politique ?

BOUTROS BOUTROS-GHALI : Les États arabes se substituent aux Palestiniens pour la simple et bonne raison que ceux-ci ne sont pas admis à siéger dans les conférences internationales. Ce phénomène, que vous qualifiez de « dépossession », n'a rien d'exceptionnel dans ce genre de situation. On trouve de nombreux précédents dans l'histoire de la décolonisation et des mouvements de libération : des États indépendants parrainent des nations qui ne le sont pas ; ce fut le cas pour les Tunisiens, les Marocains ou les Algériens.

Cela étant, il est très difficile d'apprécier le degré d'engagement des autorités arabes en faveur de la Palestine, car le monde arabe était alors divisé sur les priorités politiques. Certains privilégiaient la lutte pour l'indépendance de tous les États arabes ; d'autres estimaient qu'il valait mieux commencer par lutter pour l'indépendance totale de l'Égypte (qui en 1945-1946 était toujours sous contrôle anglais), car une fois celle-ci émancipée, nous serions mieux armés pour défendre les autres causes arabes ; enfin, pour les fondamentalistes, la Palestine passait avant tout.

Si l'on veut comprendre les positions arabes sur la Palestine, il faut replacer l'histoire du conflit judéo-arabe dans le contexte plus large du processus de la décolonisation.

ANDRÉ VERSAILLE : À cette époque, les autorités arabes sont pro-occidentales et pas particulièrement anticoloniales. Comment la conscience politique anticolonialiste pénètre-t-elle la population ?

BOUTROS BOUTROS-GHALI : Si les autorités soumises à une occupation étrangère étaient de fait amenées à collaborer avec les Alliés qui avaient gagné la guerre, la population n'était pas dans le même état d'esprit. La conscience politique anticolonialiste avait pénétré l'Afrique arabe dès le lendemain de la Première Guerre mondiale : lorsqu'en 1919, le président Wilson avait prôné parmi ses quatorze points le droit à l'autodétermination des peuples, les nations colonisées se sont senties confortées dans leurs revendications. En Égypte, seule une infime minorité des politiciens restera en faveur d'une relation privilégiée avec Londres. Pour le reste, la conscience anticolonialiste était forte.

André Versaille : La Seconde Guerre mondiale se termine en 1945. Avec le retour des déportés, le monde découvre le système concentrationnaire nazi dans toute son ampleur, en même temps que l'un de ses effets les plus monstrueux : le génocide des Juifs. Comment cette découverte est-elle reçue dans le Yichouv ?

Shimon Peres : Nous étions au courant de persécutions, mais nous n'imaginions pas de génocide proprement dit. Nous ne savions pas qu'il existait, en plus des camps de concentration, des camps d'extermination utilisant des chambres à gaz. Ce n'est qu'à la fin de la guerre que nous mesurerons toute l'horreur de la tragédie. Personne n'était préparé à apprendre que le tiers de notre peuple, en ce compris les enfants, avait été massacré. Plus les choses se précisaient, plus ce fait fut difficile à comprendre et encore plus à admettre.

Cette brutale découverte eut évidemment une influence sur notre détermination à combattre : la création d'un État juif s'avérait désormais indispensable. Sa légitimité devenait d'autant plus évidente que la plupart des États fermaient leurs portes aux survivants du génocide. Sans la Shoah, l'État juif se serait bâti de toute façon, mais plus lentement. C'est la Shoah qui en a accéléré le processus : il y avait urgence manifeste.

Et très vraisemblablement le génocide a-t-il provoqué la sympathie de pas mal de peuples pour la cause sioniste : on ne pouvait plus nier que le peuple juif avait droit à un État.

André Versaille : Du côté arabe, comment la découverte de ce génocide est-elle perçue ?

Boutros Boutros-Ghali : Disons-le nettement, quelle que fut son horreur, le monde arabe ne se sentait pas impliqué dans ce génocide. Il s'agissait de monstruosités commises par des Européens sur des Européens : ce drame faisait partie des drames de la guerre, et en l'occurrence, d'une guerre dans laquelle les Arabes n'étaient pas partie prenante. Ce désintérêt peut vous paraître choquant, mais je vous ferai remarquer qu'il est à peu près analogue à celui des Occidentaux face au génocide du Rwanda en 1994 ou du Darfour en 2004 et en 2005. Reconnaissez que les Occidentaux, de manière générale, sont restés assez indifférents face aux tragédies africaines.

Pour une partie de l'opinion arabe, en favorisant la création d'Israël, les Occidentaux se mettaient en règle avec leur conscience au détriment des Arabes. En même temps, cet État juif (donc occidental) en Palestine était manifestement appelé à devenir une tête de pont qui pouvait servir de base militaire occidentale, d'autant plus stratégique du fait des ressources pétrolières de la région.

II – Naissance d'Israël, avortement de l'État palestinien

Vers le partage de la Palestine – Appui de Truman, hostilité de Marshall
– Proclamation de l'État d'Israël – La guerre de 1948 –
Climat de méfiance dans le camp arabe – Deir Yassine – Avortement
de l'État palestinien – Naissance du problème des réfugiés palestiniens
– « La démographie, c'est la bombe atomique arabe »

ANDRÉ VERSAILLE : La Ligue arabe appelle à la lutte totale contre l'entreprise sioniste. Comment ressent-on la chose dans le Yichouv ?

SHIMON PERES : Ce n'est pas vraiment une surprise : nous savions que les Arabes n'allaient pas baisser les bras et que le combat se poursuivrait encore longtemps. À ce moment, Ben Gourion va vouloir que nous nous préparions à la guerre car il est convaincu que, même si le futur État juif se créait en toute légalité, les Arabes allaient nous attaquer. Dès lors, il n'y avait plus qu'une minorité pour croire à la possibilité d'un compromis avec les Arabes : ceux qui défendaient l'idée d'un État binational, ce qui pour la majorité du Yichouv était absolument exclu.

ANDRÉ VERSAILLE : Aujourd'hui, avec le recul historique, pensez-vous qu'un État binational aurait pu être une solution ? Qu'elle aurait épargné bien des guerres ?

SHIMON PERES : Non, je pense que c'était une utopie. Pour s'en convaincre, il suffit de voir les difficultés auxquelles ont été confrontés les États bi- ou multi-nationaux comme le Liban ou l'ex-Yougoslavie. On ne peut pas construire une démocratie dans un pays où c'est la démographie qui dicte sa loi. Si dans un État la majorité et la minorité politiques appartiennent au même peuple, la démocratie peut fonctionner ; mais si majorité et minorité sont divisées selon une ligne de partage national ou ethnique, la politique sera inévitablement teintée d'ethnicité et la démocratie sera bafouée.

BOUTROS BOUTROS-GHALI : Je partage votre point de vue. Je crois qu'il aurait été très difficile de faire cohabiter deux peuples si différents. Bien plus, on aurait eu le sentiment d'une nouvelle colonisation. Il n'est qu'à voir les problèmes des pieds-noirs en Algérie, alors qu'à la différence des Juifs en Palestine, les Français étaient implantés en Algérie depuis plusieurs générations. Nous aurions connu une situation semblable : d'un côté, des colons dominateurs, soutenus par les puissances coloniales ou ex-coloniales, de l'autre, des « indigènes » avec en toile de fond des cultures et des traditions extrêmement différentes.

Mais vous dites, Shimon, que, dans une démocratie, la démographie ne peut pas dicter sa loi. Si l'on suit votre raisonnement, Israël, qui est un État spécifiquement juif où la majorité est juive, et la minorité, arabe, ne peut donc pas être considéré comme totalement démocratique.

SHIMON PERES : C'est vrai. La démocratie ne suppose pas seulement que l'État gouverne selon le vœu de la majorité, mais également dans le respect des droits de la minorité. Nous savons qu'Israël ne pourra se considérer comme une nation totalement démocratique qu'à la condition que les droits des non-Juifs soient garantis de manière absolue.

ANDRÉ VERSAILLE : En 1946-1947, la question de la garantie des droits des Arabes était-elle une préoccupation d'une partie du Yichouv, ou bien l'urgence de construire l'État juif l'emportait-elle sur toute autre considération ?

SHIMON PERES : Ce n'est pas comme cela que se posait la question : le plan de partage prévoyait la création de deux États et il était évidemment prévu que chacune des populations de ces deux États serait très largement « homogène ». La question du respect des droits de la minorité ne se posait donc pas.

BOUTROS BOUTROS-GHALI : Je ne vous suis pas. Le partage de la Palestine aurait certainement laissé une minorité arabe dans l'État juif et probablement une minorité juive dans l'État arabe. La preuve en est que beaucoup d'Arabes sont restés en Israël. Et je ne vois pas au nom de quoi on les en aurait chassés alors qu'ils y avaient leur maison, quand bien même un État palestinien se serait créé. À moins bien sûr que l'on ne procède à un « nettoyage ethnique ». Que cette question n'ait pas été abordée ne signifie pas qu'elle ne se serait pas posée si deux États avaient été créés.

ANDRÉ VERSAILLE : En 1947, le mandat britannique touche à son terme. Comment cette période de transition est-elle vécue sur le terrain ?

SHIMON PERES : Nous sentions clairement que l'avènement de l'État juif était proche. Après la fin de la persécution des Juifs en Europe, cette perspective faisait de 1947 une année exaltante. Exaltante, mais certainement pas dépourvue d'énormes difficultés qui, cette fois, ne provenaient ni des Arabes ni des Anglais, mais de nous-mêmes. En effet, plus nous sentions l'échéance se rapprocher, plus les divisions politiques à l'intérieur du Yichouv se faisaient âpres. La droite dite « sécessionniste » (Irgoun et Lehi) refusait d'obtempérer à la direction élue du Yichouv et prétendait poursuivre la lutte armée tant que la totalité de la Palestine ne serait pas accordée aux Juifs. À gauche, la décision de Ben Gourion de dissoudre les troupes de l'organisation militaire indépendante Palmach, pour les incorporer à la Haganah, provoqua des dissensions entre partis mais aussi à l'intérieur même du Mapaï de Ben Gourion.

En fait, Ben Gourion était confronté à une difficulté double et contradictoire : il fallait hâter le départ des Anglais et mettre sur pied de façon concomitante une véritable armée nationale sous un commandement unifié, chose indispensable si l'on voulait défendre efficacement le jeune État contre les armées arabes qui n'allaient pas manquer de déferler sur nous ; en même temps, il s'agissait de se dépêcher de construire les structures du futur État juif, de manière à ce que, le moment venu, un État souverain, mais également démocratique, puisse voir le jour sans trop de difficultés et soit capable d'accueillir les immigrants juifs qui voulaient s'établir en Eretz Israël.

ANDRÉ VERSAILLE : Le 1er septembre 1947, la Commission spéciale des Nations unies pour la Palestine, l'UNSCOP, remet son rapport à l'Assemblée générale de l'ONU. Ce rapport conclut unanimement à la nécessité de mettre fin au mandat britannique sur la Palestine, et par 8 voix sur 11, se déclare en faveur du partage de la Palestine en deux États.

Les Juifs vont alors entreprendre une vaste campagne aux États-Unis et faire le siège de Washington afin de gagner les Américains à leur cause. Et ils obtiendront finalement leur appui. Comment expliquez-vous que les Juifs, dont une grande partie de la population vient d'être décimée, aient pu l'emporter sur les Arabes pourtant bien plus nombreux et représentant une force ainsi qu'un enjeu géopolitique d'une tout autre signification ? Les Arabes ne semblent d'ailleurs pas avoir perçu l'importance ni du rang ni du rôle des États-Unis.

BOUTROS BOUTROS-GHALI : Ce qu'il faut comprendre, c'est qu'à cette époque, les Arabes n'ont que très peu de contacts avec le monde extérieur, et sont dépourvus de cette culture de l'international que les Juifs possèdent. Il est vrai que les Juifs ont été décimés, mais ceux qui ont échappé au génocide, les Juifs américains entre autres, et qui faisaient partie de la diaspora active, étaient, eux, rompus aux contacts internationaux. Les Juifs qui ont fait avancer la cause sioniste appartenaient à une élite en provenance de pays extrêmement avancés. Le cosmopolitisme des Juifs, qu'on leur a par ailleurs reproché, leur a donné une véritable connaissance des mécanismes de la communauté internationale, alors que les

Arabes gardaient une mentalité provinciale. Savez-vous que jusqu'au milieu des années cinquante, un Égyptien qui émigrait était très mal vu, l'émigration étant considérée comme une trahison ? L'idée qu'une diaspora égyptienne puisse constituer une force susceptible d'être utilisée n'apparaîtra que beaucoup plus tard. Les situations respectives des diasporas étaient également différentes : contrairement à la diaspora juive qui a toujours été très solidaire, la diaspora arabe, les « turcos », avait émigré en Amérique latine pour fuir le sous-développement du Machrek avec lequel elle ne conservera guère de liens très solides.

Les Arabes avaient donc beau être bien plus nombreux que les Juifs, ils n'avaient ni leurs réseaux ni leur connaissance de la diplomatie internationale moderne.

Ce handicap des populations arabes et plus généralement musulmanes peut partiellement s'expliquer par l'histoire de l'Empire ottoman où les Affaires extérieures étaient souvent confiées à des non-Musulmans, issus de minorités (Juifs, Bulgares, Grecs, Arméniens, etc.).

ANDRÉ VERSAILLE : Pour quelles raisons les États-Unis vont-ils soutenir les sionistes ?

SHIMON PERES : Il faut d'abord prendre en compte l'importance de la Bible aux États-Unis : des dizaines de millions d'Américains ont été élevés non seulement avec le Nouveau Testament mais aussi avec l'Ancien. Et pour beaucoup d'entre eux, comme pour la plupart des partis religieux, le retour des Juifs dans leur patrie ancestrale témoigne de l'accomplissement des visions des Prophètes.

Par ailleurs, tout le monde sait que les États-Unis comptent une très agissante communauté juive, et celle-ci s'est massivement engagée dans la cause sioniste. Parmi ces Juifs, certains faisaient partie du cercle des intimes de Truman, et plusieurs lui avaient apporté une aide importante lors de sa campagne présidentielle, ce qui n'a pas peu contribué à son élection. De manière générale, je pense que le soutien américain à la cause sioniste est pour une bonne part le fait du Président. Non seulement Truman avait plusieurs amis juifs très influents, mais il semble avoir été personnellement très ému par les persécutions que les Juifs venaient de subir pendant la guerre ; le projet sioniste lui semblait donc être de nature à « résoudre la question juive ». En même temps, séduits par l'état d'esprit travailliste qui régnait dans le Yichouv, les syndicats ont également apporté leur soutien aux sionistes. Enfin, le fait que l'URSS allait se prononcer en faveur des sionistes ne pouvait pas laisser Washington indifférent.

ANDRÉ VERSAILLE : Pour autant, le combat n'était pas gagné puisque le très important ministre des Affaires étrangères américain, George Marshall, l'homme du Plan qui porte son nom, s'opposait absolument à l'idée de création d'un État juif au Moyen-Orient. Selon lui, cette implantation provoquerait des guerres interminables dans lesquelles les États-Unis risquaient d'être entraînés. Marshall ira jusqu'à menacer Truman de ne pas le soutenir lors des prochaines élections s'il persistait dans son appui au plan de partage de la Palestine...

SHIMON PERES : Marshall, le secrétaire d'État Acheson, et le ministre de la Défense Forestal, étaient opposés à la création d'un État juif. D'une part, ils estimaient que cet État ne serait pas viable ; d'autre part, ils pensaient que la rancœur et l'opposition des Arabes seraient insurmontables. Marshall nous restera d'ailleurs très défavorable après la création d'Israël. Je me souviens qu'au lendemain de la proclamation de l'État juif, il a immédiatement appelé Moshé Sharett, alors ministre des Affaires étrangères, pour l'enjoindre de ne pas faire de Jérusalem notre capitale. Évidemment, Ben Gourion a aussitôt transféré à Jérusalem le gouvernement provisoirement établi à Tel-Aviv...

BOUTROS BOUTROS-GHALI : L'instabilité chronique de cette région, les événements des soixante dernières années, les tragédies quotidiennes auxquelles on assiste en Palestine et, enfin, le fait que l'on ne voit toujours pas se dessiner de solution, montrent que Marshall avait vu juste.

SHIMON PERES : Marshall aurait eu raison, si les turbulences au Moyen-Orient avaient toutes été la résultante de la création de l'État d'Israël. Mais il n'en est évidemment rien. Ce n'est pas Israël qui a déstabilisé le Moyen-Orient, loin s'en faut. Celui-ci est surtout instable du fait des dissensions et des guerres interarabes et arabo-musulmanes (au demeurant bien plus meurtrières que les conflits avec Israël). Prenez la seule guerre irano-irakienne : elle dura sept ans et fit un million de victimes... Peut-on la relier à Israël ? Il y a eu bien d'autres guerres : la guerre égypto-yéménite, la guerre civile soudanaise, etc. La liste est longue. Cette vision d'un Moyen-Orient déstabilisé par l'établissement de l'État juif relève d'une vision faussée de l'Histoire.

ANDRÉ VERSAILLE : En 1947, la guerre froide a commencé. Étonnamment, l'une des seules questions sur laquelle Américains et Soviétiques se retrouveront sera précisément celle du partage de la Palestine. Comment s'explique cette convergence de vues ?

BOUTROS BOUTROS-GHALI : Alors que pour nous, Arabes, l'implantation d'Israël s'apparentait à une forme de néo-colonialisme, les Américains considéraient que la création d'un État juif et d'un État arabe indépendants dans une colonie britannique allait dans le sens de leur politique anticoloniale. Les Russes, quant à eux, pensaient que l'existence d'un État juif leur permettrait de prendre pied dans cette région, fief du monde occidental capitaliste.

SHIMON PERES : Disons que les Soviétiques voulaient voir le Moyen-Orient débarrassé des Anglais et de manière générale des puissances coloniales occidentales. Dès lors, n'importe quelle situation susceptible de contribuer au départ des Britanniques avait leur suffrage.

ANDRÉ VERSAILLE : En septembre 1947, les Britanniques déclarent qu'ils vont progressivement quitter la Palestine. Comment l'annonce de ce départ est-elle vécue sur place ?

BOUTROS BOUTROS-GHALI : Au moment où les Britanniques s'apprêtent à quitter la Palestine, ils occupent toujours l'Égypte et la Jordanie. C'est une contradiction difficilement compréhensible pour les Arabes : ceux-ci sont donc persuadés que les Juifs vont remplacer les Britanniques dans leur rôle de colonisateurs.

SHIMON PERES : Pour notre part, nous étions ravis. Ce départ allait dans le sens d'une libération de la Palestine.

ANDRÉ VERSAILLE : Vous ne craigniez pas que l'évacuation des troupes britanniques, qui constituaient tout de même un tampon entre les Arabes et les Juifs, entraîne le déclenchement de violentes hostilités de la part des Arabes ?

SHIMON PERES : Ce déclenchement était inéluctable et nous en étions conscients. Le départ des Anglais avait l'avantage de clarifier la situation sur le terrain, d'autant plus que nous considérions les Britanniques plus proches des Arabes que de nous. Non sans raison puisque tous les jours, l'armée anglaise faisait la chasse aux combattants juifs, qu'ils fussent de la Haganah, du Lehi ou de l'Irgoun. Chaque jour on voyait des Bérets rouges fouiller des villages juifs à la recherche de caches d'armes. J'ajouterais que Londres était objectivement très engagé aux côtés de la Transjordanie.

ANDRÉ VERSAILLE : Finalement, le 29 novembre 1947, l'Assemblée générale des Nations unies se prononce majoritairement en faveur de la partition : concrètement, 55 % de la Palestine sont alloués aux Juifs qui ne constituent pourtant que 37 % de la population et ne possèdent que 7 à 8 % du territoire. Un statut international est réservé pour Jérusalem et Bethléem. Notons en passant que la majorité onusienne n'est pas énorme : trente-trois pays se sont prononcés en faveur du partage contre treize, tandis que dix pays se sont abstenus. Compte tenu du nombre de suffrages requis, la résolution était rejetée à trois voix près. Quel est alors l'état d'esprit dans les chancelleries arabes ?

BOUTROS BOUTROS-GHALI : Pour le monde arabe, la Palestine est indiscutablement une terre arabe, au même titre que Bahreïn ou le Yémen. Et la Palestine qui, à l'instar des autres pays arabes colonisés, veut s'émanciper se voit brusquement amputée de plus de la moitié de son territoire. Cette situation est donc vécue comme une injustice intolérable. Au moment où l'on pense que l'ère coloniale est en passe de s'achever, que le processus de décolonisation est bien entamé (l'Inde vient d'acquérir son indépendance), voilà que des Européens s'implantent en terre arabe, avec l'intention d'y créer un État occidental. Pour nous, il s'agit d'évidence d'un fait colonial : c'est le retour du royaume des Croisés, sous la forme, cette fois-ci, d'une alliance judéo-chrétienne, et c'est insupportable. En signe de protestation, les représentants des pays arabes à l'ONU quittent l'Assemblée générale en déclarant nulle la résolution qui vient d'être votée.

ANDRÉ VERSAILLE : Ce qui n'empêchera pas six mois plus tard, le 14 mai 1948, la proclamation de l'État juif. Shimon Peres, quel souvenir gardez-vous de ce moment ?

SHIMON PERES : Ce jour-là, j'étais avec quelques amis aux côtés de Ben Gourion. Immédiatement, les États-Unis et l'Union soviétique, suivis par plusieurs nations, reconnurent le nouvel État. Dans la rue, les gens chantaient et dansaient. La population était très excitée. Mais les sentiments étaient mélangés : une appréhension légitime pointait sous la joie d'y « être enfin parvenu », d'avoir réussi le « miracle » après tant de souffrances inimaginables.

Ben Gourion, lui, présentait un visage triste. Il ne parlait pas beaucoup. Il y avait un étonnant contraste entre son inquiétude et les cris de joie que nous entendions éclater un peu partout. Il avait le regard lourd, comme si finalement l'avènement de l'État pour lequel il avait tant combattu ne représentait plus rien. Il écoutait les bruits du dehors avec un sourire mélancolique. Et puis je l'ai entendu dire : « *Tous les gens qui chantent ce soir ne se rendent pas compte que demain la guerre va commencer. Demain il y aura du sang et des larmes… Les institutions internationales sont impuissantes ; c'est par la guerre que l'État d'Israël se réalisera.* »

ANDRÉ VERSAILLE : Du côté arabe, c'est la colère et la consternation. Jean Lacouture raconte que le jour de la proclamation de l'État d'Israël, il est au Maroc où il a été invité comme journaliste au palais du sultan Mohammed Ben Youssef, à l'occasion de la visite du général Juin. Surpris par l'atmosphère générale de désastre qui règne au Palais (il parle même d'un « *mélange de deuil et de honte* »), il en demande la raison à son compatriote, le grand arabisant Jacques Berque, également présent. Celui-ci lui explique qu'un État juif vient de s'implanter en Palestine et que ce fait est ressenti comme une « *insupportable humiliation* ». « *À plus de quatre mille kilomètres d'ici ?* », demande Lacouture. « *Il s'agit d'une terre "arabe"*, répond Berque, *et tout Arabe dans le monde ne peut être que blessé par la création d'un État juif en terre arabe.* » Qu'est-ce qui est tellement « *insupportable* », tellement « *humiliant* » ?

BOUTROS BOUTROS-GHALI : Dans l'esprit des Arabes, ces Juifs sont des citoyens issus de puissances coloniales avec lesquelles ils gardent des liens forts. Israël est une « *colonie dont la métropole est diffuse* », comme le disait avec humour Edgar Faure. La création d'un État juif en terre arabe vient rompre une continuité géographique, et les Arabes craignent que l'établissement de réseaux internationaux occidentaux ne contribue à les maintenir dans un état de tutelle. Le problème n'est pas tant que cet État soit juif, c'est surtout qu'il soit non arabe. À titre de comparaison, je dirais que cette implantation non arabe était aussi préoccupante que le fut celle des pieds-noirs en Algérie.

ANDRÉ VERSAILLE : Immédiatement après la proclamation de l'État d'Israël, sept armées arabes, dont l'égyptienne, la syrienne, la transjordanienne et l'irakienne attaquent Israël.

SHIMON PERES : Oui, bien que la création de l'État d'Israël fût légale, puisqu'une majorité de trente-trois États avait voté en faveur du plan de partage, les États-Unis, le Royaume-Uni et la France allaient imposer un embargo sur la vente d'armes dans la région (de la Palestine et d'Israël), ce qui nous mettra en très grande difficulté étant donné que les Arabes étaient dès le départ bien plus armés que nous. Les États-Unis nous soutenaient, mais pas au point de nous fournir des armes pour nous défendre. Une quinzaine d'années plus tard, alors ministre de la Défense, j'étais invité à déjeuner à la Maison-Blanche par l'envoyé spécial Averell Harriman. Celui-ci voulut bien admettre que l'embargo fut une « *erreur* ». Je lui fis tout de même remarquer que ce qui pour les États-Unis ne fut qu'une « *erreur* » faillit être fatal pour notre tout jeune État… L'Occident avait beau applaudir le petit Israël, il ne nous laissait pas moins isolés et militairement très démunis face aux Arabes.

ANDRÉ VERSAILLE : Un embargo sur les armes à destination de la Palestine est décrété, mais un pays fournira (secrètement) des armes à l'État juif : c'est la Tchécoslovaquie, un pays communiste.

SHIMON PERES : Oui, par une ironie de l'Histoire, c'est un pays communiste qui nous a soutenus militairement. Les Tchèques nous ont vraiment aidés : ils nous ont vendu des armes de toutes les catégories, jusqu'aux avions Messerschmitt ; ils ont permis à nos parachutistes de s'entraîner sur leur sol ; ils ont accepté de nous servir de point de transit pour les avions que nous sortions en contrebande des États-Unis, etc. Qu'est-ce qui a convaincu Prague d'établir des relations secrètes extrêmement serrées avec nous ? Est-ce le fait que le dirigeant, Rudolf Slansky, bien que communiste pur et dur, se soit tout de même senti solidaire de cette communauté juive (à laquelle il appartenait lui-même) qui essayait de revivre ? Est-ce dû à l'habileté diplomatique de Shmuel Mikunis, responsable du Parti communiste israélien, qui avait réussi à obtenir du Kremlin qu'il permette à son satellite de faire une brèche dans l'embargo ? Est-ce l'exceptionnel entregent de Ehud Avriel, notre ambassadeur à Prague ? Tous ces facteurs ont dû jouer dans des proportions que nous ne connaîtrons jamais. Ajoutons tout de même que la Tchécoslovaquie traversait alors une passe économique difficile et, qu'en tant que fabriquant d'armes, elle ne voyait pas d'un mauvais œil l'ouverture d'un nouveau marché. Et sans doute le paiement cash des livraisons, en dollars américains, devait-il amplifier le mouvement de bonne volonté originelle.

Durant toute cette guerre, notre principal problème fut l'acquisition des armes. Pour contourner l'embargo, nous avons dû recourir à toute une série de stratagèmes. Ainsi des Israéliens eurent-ils entre autres l'idée de fonder une société productrice de films en Angleterre : prétendant devoir tourner une séquence de film de guerre, ils louèrent trois avions. Une fois les caméras en place, les appareils décollèrent... et mirent le cap sur Israël.

ANDRÉ VERSAILLE : Si, d'une certaine manière, Prague obéissait à la volonté de Moscou, pourquoi l'URSS n'a-t-elle pas fourni elle-même des armes ?

SHIMON PERES : Le Kremlin a toujours été prudent et je pense qu'il préférait rester dans l'ombre pour ne pas s'aliéner les Arabes.

ANDRÉ VERSAILLE : La guerre se déroule, mais dans le camp arabe la méfiance semble régner entre les différents partenaires de la Ligue. Ainsi le Palestinien Amin al-Husseini craint-il que l'intervention de l'Égypte, de la Syrie et de la Transjordanie n'ait pour conséquences l'annexion de territoires palestiniens par chacun de ces pays limitrophes. Il semble surtout se méfier du roi Abdallah de Transjordanie et craindre que celui-ci ne profite de la guerre pour en tirer un avantage territorial.

BOUTROS BOUTROS-GHALI : Il y a effectivement, à ce moment, un manque de coopération réelle entre les États arabes. N'ayant accédé à l'indépendance que très récemment, ils avaient entretenu peu de relations : l'interdiction faite aux colonies de communiquer directement entre elles entravait l'émergence d'une solidarité tiers-mondiste ou panarabe. Les contacts étaient verticaux : Alger-Paris, Delhi-Londres, en aucun cas Delhi-Alger ou Alger-Le Caire. Il n'était par exemple pas possible pour un Égyptien de se rendre directement en Algérie. Ainsi, en ce qui me concerne, c'est à Paris, où je faisais mes études au lendemain de la Seconde Guerre mondiale, que j'ai pu nouer des contacts avec des Maghrébins ; et ce n'est qu'après l'indépendance de l'Algérie que j'ai pu m'y rendre pour la première fois. Par ailleurs, il ne faut pas sous-estimer l'influence des ex-puissances coloniales alors encore très importante dans certains pays arabes : elles ont savamment entretenu une rivalité entre ces États.

ANDRÉ VERSAILLE : Depuis deux ans, Abdallah est en négociation secrète avec l'Agence juive. Il semble qu'il fut favorable à la partition de la Palestine – mais entre les Juifs et lui.

BOUTROS BOUTROS-GHALI : C'est exact. Abdallah caressait alors le projet d'annexer la Cisjordanie. À cette époque, les dirigeants arabes de la région ne marchent pas du même pas. La Ligue arabe se partageait en deux courants : d'un côté le courant hachémite (Transjordanie-Irak) en faveur de l'annexion de la Cisjordanie afin de constituer un grand royaume ; de l'autre, le courant égypto-saoudien partisan de la création d'un État palestinien indépendant.

SHIMON PERES : Pour Abdallah et toute sa famille, les Palestiniens constituaient un ferment de désintégration de l'État hachémite. Il était persuadé que les Palestiniens, dont la majorité était issue de Transjordanie, regardaient son royaume avec appétit et en menaçaient l'intégrité. C'est ce qui explique qu'il nous faisait plus confiance qu'aux Palestiniens. Golda Meir le rencontrera en 1947 pour essayer de conclure un accord, mais cet événement qui aurait été spectaculaire ne s'est pas produit.

ANDRÉ VERSAILLE : Sur le papier les Arabes sont deux fois plus nombreux que les Juifs (1,2 million à 1,3 million contre 650 000) et plus armés. Pourtant ce sont les forces israéliennes qui vont l'emporter. Comment cela s'explique-t-il ? Supériorité de l'entraînement ? de l'organisation ? de la motivation ? différence de mentalité : d'un côté une société traditionnelle pour laquelle l'indépendance politique et l'État-nation restent encore des valeurs abstraites ; de l'autre, un idéal nationaliste fort, consolidé par l'expérience du Génocide ?

SHIMON PERES : La victoire ne fut pas le fait d'une supériorité de l'entraînement mais certainement de la détermination. Les Israéliens étaient dos au mur, ou plutôt à la mer. Ne pouvant se réfugier ni même se retirer nulle part ailleurs, ils étaient conscients qu'une défaite militaire aurait entraîné une nouvelle Shoah. Nous ne luttions pas seulement pour notre indépendance mais également pour nos vies. Cette guerre fut une « guerre sans alternative ».

Je pense qu'il faut également prendre en compte la force du sentiment national. C'était plus qu'une guerre rationnelle pour un territoire. Nous avions vraiment la sensation d'enfin bâtir notre pays. Prenons l'exemple de la bataille de Jérusalem : celle-ci fut privilégiée, alors que plusieurs généraux estimaient qu'il fallait concentrer toutes les forces dans le Néguev, étant donné son enjeu militaire. Néanmoins, Ben Gourion, considérant que Jérusalem était la clef de notre avenir, fit de ce combat une priorité.

ANDRÉ VERSAILLE : Il semble que les armées arabes ne s'étaient pas vraiment préparées à la guerre (Glubb Pacha, commandant britannique de l'armée transjordanienne, affirmera même qu'il n'y avait aucune préparation commune de quelque nature que ce soit). Les autorités arabes avaient-elles supposé que la victoire serait aisée ?

BOUTROS BOUTROS-GHALI : Oui, je pense que les États arabes étaient persuadés, vu leur supériorité numérique, qu'ils étaient en mesure de gagner rapidement la guerre contre des colons dépourvus d'une armée organisée. Les Arabes ont incontestablement sous-estimé les forces et la détermination israéliennes.

Et puis nous en revenons toujours au même point, à savoir que vous avez affaire à des populations qui ne sont pas entrées dans la modernité, qui restent encore dans le sous-développement, et ne parviennent que très mal à s'organiser militairement. Organiser une coalition demande un degré de sophistication militaire et un sens de la synchronisation qui n'étaient manifestement pas à la portée des états-majors arabes de l'époque. Sans compter les rivalités entre Saoudiens et Hachémites, et les diverses ambitions particulières.

ANDRÉ VERSAILLE : Le 9 avril 1948, avant la création de l'État d'Israël et l'entrée en guerre des armées arabes, un commando de l'Irgoun va attaquer le village de Deir Yassine et massacrer sa population, soit environ deux cents habitants.

BOUTROS BOUTROS-GHALI : Il s'agit d'une opération qui vise à réaliser un nettoyage ethnique comparable à celui qui aura lieu plus tard en Yougoslavie et qui, lui, sera condamné.

SHIMON PERES : C'est un massacre, mais il est clairement et, d'une manière générale, vigoureusement condamné dans le Yichouv. Sans aucune ambiguïté.

ANDRÉ VERSAILLE : L'événement sera médiatisé par les radios arabes qui gonfleront l'horreur des faits « *pour pousser les armées arabes à intervenir* ». Hazem Noussaibi, journaliste à la radio palestinienne, déclarera plus tard : « *Ce fut la plus tragique erreur que nous ayons commise en 1948. Manifestement nous ne comprenions pas la mentalité de notre peuple. Dès l'instant où les habitants apprirent ce qui était arrivé à Deir Yassine, ils furent pris de panique.* »

Quoi qu'il en soit, Deir Yassine semble avoir eu un impact considérable, d'une part sur la population palestinienne dont une partie fuira, et d'autre part sur certains dirigeants arabes, surtout en Égypte, qui décideront de s'engager plus avant dans la guerre contre le Yichouv.

BOUTROS BOUTROS-GHALI : Oui, ce massacre a eu un réel impact en Égypte, et qui va perdurer.

ANDRÉ VERSAILLE : Dans la mémoire populaire occidentale (même parmi les sympathisants d'Israël), Deir Yassine restera comme une tache sur le visage de l'aventure sioniste, même si on en exonérera la Haganah.

L'histoire officielle d'Israël prétend que la fuite des Arabes hors de Palestine est due aux appels des autorités arabes qui les ont enjoints de partir afin de faire « place nette » et permettre à leurs armées de faire la guerre aux Juifs. Cependant, depuis que les archives israéliennes se sont ouvertes, ceux que l'on a appelés les « nouveaux historiens », et d'abord le premier d'entre eux, Benny Morris, ont retouché cette histoire officielle. Ainsi Benny Morris a-t-il mis en évidence des responsabilités israéliennes dans la fuite des Arabes.

SHIMON PERES : J'ai lu ces historiens, et ce que je puis vous dire, en tant que témoin tout de même privilégié (à cette époque j'étais souvent aux côtés de Ben Gourion), c'est que Ben Gourion n'a jamais ordonné quelque expulsion que ce soit. Au contraire, il pensait que forcer les Arabes à quitter Israël aurait été une faute énorme, une erreur tragique. Ben Gourion avait une éthique. Il considérait qu'une guerre est jugée deux fois : la première sur les champs de bataille, la seconde par l'Histoire. Et pour rien au monde il n'aurait voulu que, dans les livres d'Histoire, son nom soit associé à des expulsions d'Arabes.

En revanche, des discours enflammés à la radio, appelant les Arabes à quitter leurs villages pendant qu'on allait « *jeter les Juifs à la mer* », n'ont pas été rares et sont le fait de dirigeants comme le mufti de Jérusalem.

Ceci étant, il est évident que, comme dans toute guerre, il y a eu des exactions, mais celles-ci furent le fait d'initiatives isolées et subalternes et non pas ordonnées par les autorités militaires ou politiques.

BOUTROS BOUTROS-GHALI : Je ne partage pas du tout votre interprétation. Vous nous resservez la version officielle destinée à masquer le nettoyage ethnique auquel s'est livrée l'armée israélienne. Comme le rappelle André Versaille, les nouveaux historiens israéliens ont eu le courage de reconnaître les responsabilités israéliennes. Saluons à cet égard le courage de Benny Morris.

ANDRÉ VERSAILLE : Les sionistes ayant pour but de créer un État spécifiquement juif, et les Juifs n'étant pas encore très nombreux en Israël, n'était-il pas clair pour tout le monde que moins il y aurait d'Arabes sur ce territoire, mieux ce serait pour l'avenir du pays ? Dès lors, même si les ordres n'étaient pas explicitement donnés, un consensus tacite n'existait-il pas au sein de l'armée ?

SHIMON PERES : Quand bien même, en quoi cela prouve-t-il que des expulsions ou des massacres aient été commis ? Vous évoquez Deir Yassine : mais Deir Yassine est justement l'une des rares exceptions qui confirment la règle. Je peux vous dire que Ben Gourion voulait, dans toute la mesure du possible, que cette guerre se fasse sans effusion inutile du sang de l'ennemi ; que les armes ne soient pas souillées.

ANDRÉ VERSAILLE : Et cela vous semble-t-il possible ? Pouvez-vous concevoir que l'on puisse guerroyer proprement ?

SHIMON PERES : Je ne dis pas que l'on peut faire une guerre propre, mais je pense que l'on peut se donner pour principe de refuser de faire la guerre salement. Il y aura toujours des saletés, mais elles seront alors exceptionnelles et le fait d'initiatives personnelles, non une façon générale de se conduire militairement.

ANDRÉ VERSAILLE : En 1949, la guerre terminée et les armistices signés, Israël se retrouve avec un territoire bien plus grand que celui qui lui avait été alloué par les Nations unies. Pour autant, ses frontières ne sont que des lignes d'armistice.

Israël a conquis 6 300 km². Ce nouvel État fait 20 000 km², et avec l'afflux des immigrants compte une population d'environ 850 000 à 900 000 personnes, dont quelque 150 000 Arabes. Il est entouré de quatre États arabes hostiles : l'Égypte (un million de km², 20 millions d'habitants), le Liban (10 000 km², 1,2 million d'habitants), la Syrie (190 000 km², 3 millions d'habitants), la Jordanie (97 000 km², 150 000 habitants). (Précisons tout de même que les statistiques démographiques du monde arabe de l'époque sont fort peu fiables.)

Comment les Israéliens perçoivent-ils l'agrandissement de leur pays ? Certains pensent-ils qu'il faudra restituer ces territoires, ou bien cette nouvelle configuration géopolitique qui annule l'État palestinien (avec la « complicité objective » de l'Égypte et de la Transjordanie qui occupent respectivement la bande de Gaza et la Cisjordanie) est-elle considérée comme un fait accompli imposé par l'Histoire ?

SHIMON PERES : En 1949, nous estimions que le plan de partage n'était de toute façon pas viable : d'une part, les deux territoires étaient trop imbriqués, et d'autre part, nous avions besoin de frontières défendables. Ces nouvelles lignes d'armistice nous paraissaient mieux convenir que le tracé de frontières prévu par le plan de partage. Nous avions accepté ce plan de partage, mais comme il ne fut pas respecté par les Arabes qui venaient de nous agresser, nous n'avons eu aucun scrupule à nous installer à l'intérieur de ces nouvelles frontières.

ANDRÉ VERSAILLE : De leur côté, comment les États arabes regardent-ils cette nouvelle réalité israélienne née de l'armistice ? À l'époque – et pour très longtemps –, les gouvernements arabes ne reconnaissent pas l'État d'Israël (qu'ils qualifient d'« entité sioniste »). Les Arabes pensent-ils à cette époque qu'Israël n'est qu'un État provisoire ?

BOUTROS BOUTROS-GHALI : Oui, nombreux sont alors les Arabes (mais aussi des non-Arabes) à penser qu'Israël est un État éphémère qui disparaîtra comme le royaume des Croisés, un État destiné à être englouti par l'explosion démographique arabe.

ANDRÉ VERSAILLE : La conséquence la plus tragique de cette première guerre est la destruction de la société palestinienne et la naissance du problème des réfugiés dont le nombre se situerait aux environs de 700 000. Ils se retrouvent partagés entre la bande de Gaza (200 000), la Jordanie (environ 350 000, principalement en Cisjordanie), le Liban (100 000) et la Syrie (60 000). La moitié des réfugiés s'établit dans des villes et des villages existants, l'autre moitié s'installe dans des camps. Enfin, les tracés des lignes d'armistice vont séparer des membres de mêmes familles.
Comment se passent alors les relations entre Juifs et Arabes à l'intérieur du nouvel État juif ?

SHIMON PERES : Compte tenu de la situation, les relations sont les meilleures possibles. La minorité arabe ne voulait absolument pas passer pour une cinquième colonne et de fait, elle restera loyale à l'État. C'est ce qui explique que nous traverserons les guerres suivantes sans trop de difficultés intérieures.

ANDRÉ VERSAILLE : Le 22 septembre 1948, le Haut Comité arabe avait proclamé l'établissement à Gaza, alors sous autorité égyptienne, du « Gouvernement de toute la Palestine », avant de créer, huit jours plus tard, un Conseil national palestinien. Pendant ce temps-là, le roi Abdallah convoque à Amman le « Premier Congrès palestinien » qui fait *de facto* concurrence au « Gouvernement de Gaza » – qu'il dénonce d'ailleurs. En fait, le « Gouvernement de toute la Palestine » n'aura qu'une existence virtuelle en tant que subdivision de la Ligue arabe jusqu'en 1959, lorsque Nasser le dissoudra officiellement.
Comment cela s'explique-t-il ? Que représentent alors les Palestiniens pour les États arabes ?

BOUTROS BOUTROS-GHALI : L'existence même de deux autorités qui veulent représenter la Palestine est une preuve supplémentaire de la division du monde arabe entre le courant hachémite et le courant égypto-saoudien que je mentionnais précédemment.

ANDRÉ VERSAILLE : De quelle autonomie, de quelle liberté de manœuvre ce « gouvernement » jouit-il ? Ne sommes-nous pas dans une situation que l'on peut qualifier de « coloniale » ?

BOUTROS BOUTROS-GHALI : Absolument pas ! D'une part, l'Égypte n'a jamais songé à annexer ce territoire ; d'autre part, les Palestiniens ne se sont pas sentis traités comme des colonisés : il s'agit là de conflits « inter-arabes ». Même si c'est difficile à comprendre, lorsqu'un État arabe « occupe » ou « protège » une autre population ou un autre État arabe, il n'est pas considéré comme colonialiste. En revanche, quand un État occidental « occupe » ou « protège » un État arabe, cette situation est vécue comme coloniale.

ANDRÉ VERSAILLE : Vous voulez dire que peu importe que la situation soit ou non objectivement coloniale, si le peuple en situation de colonisé n'éprouve pas ce sentiment ? C'est ce qui expliquerait que personne ne proteste contre l'occupation des territoires palestiniens non conquis par les Israéliens d'un côté par l'Égypte, de l'autre par la Transjordanie (qui devient alors la Jordanie) et qu'il faudra attendre la défaite arabe de juin 1967 et la conquête de ces mêmes territoires par les Israéliens pour que l'on parle d'« occupation » ?

BOUTROS BOUTROS-GHALI : Parce que c'est tout à fait différent : contrairement aux Israéliens, ni les Égyptiens ni les Jordaniens n'ont parlé d'annexer ces territoires et ont toujours défendu l'entité palestinienne. Leur présence se justifiait, en outre, pour empêcher un nouvel expansionnisme israélien.

ANDRÉ VERSAILLE : La Transjordanie a quand même annexé la Cisjordanie pour devenir la Jordanie ; quant à l'Égypte, elle a annexé de fait la bande de Gaza. Et de toute manière, ces territoires sont restés sous occupation pendant près de vingt ans.

BOUTROS BOUTROS-GHALI : Ce n'est pas pareil ! Les autorités palestiniennes avaient une autonomie inconcevable dans une situation d'occupation. Elles participaient aux réunions de la Ligue arabe, nouaient des relations internationales, etc.

ANDRÉ VERSAILLE : Comment expliquez-vous qu'au lendemain de l'armistice de 1949, les Palestiniens vivant en Égypte, en Syrie et au Liban ne pourront pas acquérir la citoyenneté de leur pays et seront traités comme des citoyens de seconde catégorie ? Amman, quant à elle, va octroyer la citoyenneté aux Palestiniens qui ont immigré dans le royaume hachémite. Pour autant, la situation des Palestiniens en Jordanie – même si ceux-ci représentent alors la majorité de la population – n'est pas idéale : les formations de combat de la Légion arabe leur sont interdites, et il leur est particulièrement difficile d'obtenir des postes élevés dans l'administration civile. Qu'est-ce qui explique que les réfugiés palestiniens n'aient pas été mieux accueillis par les pays arabes ?

BOUTROS BOUTROS-GHALI : Prenons le cas de l'Égypte : les Palestiniens n'ont pas été traités comme des citoyens de seconde catégorie, mais comme des Arabes étrangers. Gaza étant considéré comme un autre pays, les Gazaouites ne pouvaient donc pas plus s'établir librement au Caire ou à Alexandrie que des

Syriens ou des Libanais. Gaza aurait parfaitement pu être annexé par l'Égypte, mais nous tenions à maintenir cette bande comme une entité indépendante, prémices de l'État palestinien.

On ne peut pas dire non plus que les Palestiniens aient été considérés comme des citoyens de deuxième catégorie en Jordanie. Aujourd'hui encore, alors que la Jordanie a abandonné toute souveraineté sur la Cisjordanie, la représentation palestinienne au Parlement est importante, il y a des ministres d'origine palestinienne. Sans compter que l'actuel roi de Jordanie a épousé une Palestinienne, tout comme l'avait fait son père, d'ailleurs.

ANDRÉ VERSAILLE : Pensez-vous qu'un mariage royal soit significatif de la situation d'une population ?

BOUTROS BOUTROS-GHALI : Je vous donne cet exemple parmi d'autres pour vous montrer qu'il n'y a aucune relation de type colonial entre les deux populations. Aurait-il été imaginable, par exemple, que le président français René Coty ou le général de Gaulle épousent une Algérienne ?

ANDRÉ VERSAILLE : Tout de même, qu'est-ce qui explique le désintérêt du monde arabe à l'endroit des Palestiniens jusqu'en 1967 ?

BOUTROS BOUTROS-GHALI : La colonisation encore et toujours : dans les années cinquante et soixante, le monde arabe est encore largement colonisé. Dans ce contexte, chaque population arabe se bat d'abord pour elle-même. Il est évident que les Algériens, pris dans leur guerre de libération contre la France, se préoccupent d'abord de leur propre émancipation avant de penser à la Palestine. De même, la révolution nassérienne de 1952 sera tout entière focalisée sur le redressement de l'Égypte. Par ailleurs, le monde arabe n'est pas stabilisé, certains États sont en conflit : confrontation militaire entre l'Algérie et le Maroc en 1963 ; question du Sahara, ensuite ; etc. Par la force des choses, le problème palestinien passe au second plan.

ANDRÉ VERSAILLE : Aujourd'hui on parle de la nécessité de bâtir un État palestinien sur ces mêmes territoires jadis occupés par l'Égypte et la Jordanie : qu'est-ce qui fait que l'on n'a pas créé cet État en 1949, alors que rien ne s'y opposait ?

BOUTROS BOUTROS-GHALI : En 1949, étant donné le déséquilibre entre un million de Juifs et cent millions d'Arabes, ceux-ci se disaient qu'il suffisait d'attendre, que dans quelques années l'État juif serait inévitablement submergé. Et dans l'imaginaire arabe, jusqu'à aujourd'hui, il reste cet espoir de « noyer » l'État juif dans une mer arabe musulmane. C'est le leitmotiv du Front du refus. Dans leur perception, les Arabes considèrent que la démographie joue en leur faveur. Il s'agit donc de résister et d'attendre…

Aujourd'hui, la majorité des Palestiniens acceptent l'idée de renoncer à un État recouvrant la totalité de la Palestine. En 1949, c'était inconcevable. À ce moment-là, le refus arabe d'Israël était total et l'établissement d'un État palestinien sur un territoire encore plus petit que celui prévu par le plan de partage revenait à entériner une situation qu'aucun pays arabe ne pouvait admettre : la libération complète de la Palestine était le préalable à la création d'un État palestinien. C'est ce qui explique que les accords d'armistice n'aient pas été suivis de traités de paix. Dès lors, les belligérants vont s'enfermer dans une négation réciproque de l'Autre qui empêchera tout dialogue : du côté arabe, l'État d'Israël, dont aucune carte arabe ne mentionnait même l'existence, est nié ; du côté israélien, le peuple palestinien n'existe pas.

ANDRÉ VERSAILLE : Au lendemain de la Seconde Guerre mondiale, on verra de gigantesques transferts de populations. Vingt-deux millions rien qu'en Europe, de manière, dit-on, à éviter les problèmes de minorités nationales qui avaient empoisonné les relations internationales dans l'entre-deux-guerres. À l'époque cette décision semble relever de la sagesse (et, effectivement, ces pays, relativement plus homogènes que par le passé, ont joui d'une plus grande tranquillité). Aujourd'hui, on parlerait de « nettoyage ethnique ». Quoi qu'il en soit, en quelques années ces millions de réfugiés ont retrouvé une « vie normale ». Qu'est-ce qui fait que depuis plus de cinquante ans la majorité des Palestiniens n'ont pas été tirés de leur condition de réfugiés ?

BOUTROS BOUTROS-GHALI : C'est volontaire ! La démographie, c'est l'arme secrète des Arabes, leur bombe atomique. C'est l'une des raisons qui font que l'Égypte a voulu maintenir les Palestiniens à Gaza, en territoire fermé. L'université d'Haïfa a publié un rapport dans lequel il apparaît clairement qu'à l'horizon 2010, les Arabes représenteront 53 % de la population globale d'Israël (territoires arabes occupés compris).

ANDRÉ VERSAILLE : Après la guerre de 1948, il semble que, tant dans le monde arabe qu'en Israël, on pense à une deuxième manche. Jusqu'où les Arabes sont-ils prêts à rouvrir militairement les hostilités pour « sauver l'honneur arabe », « effacer les traces de l'agression sioniste » et « rendre justice au peuple palestinien » ?

BOUTROS BOUTROS-GHALI : Je vous répondrais que, avant 1952, les responsables égyptiens étaient partagés entre deux tendances : ceux qui voulaient poursuivre la guerre contre Israël, et ceux qui pensaient que les problèmes majeurs de l'Égypte résidaient dans ses rapports avec le Soudan et dans la gestion des eaux du Nil. Avec l'avènement de Nasser, les choses sont plus claires : la guerre avec Israël sera reprise tôt ou tard.

ANDRÉ VERSAILLE : Du côté israélien, d'aucuns prétendent que Ben Gourion aurait estimé avoir perdu l'occasion d'occuper toute la Palestine en 1948-1949, et qu'il aurait attendu un prétexte pour reprendre les armes et « achever le travail ».

SHIMON PERES : Il s'agit là d'histoire purement spéculative, qui ne se base sur rien de solide. Je vous rappelle que lors de la guerre d'Indépendance, nous avions conquis El Arish, en Égypte, et que Ben Gourion a enjoint nos forces de s'en retirer. Cette idée de chercher ou d'attendre un prétexte pour reprendre les armes est totalement fausse. D'autant plus, qu'au début des années cinquante, nous nous trouvions devant d'énormes problèmes d'accueil des réfugiés juifs en provenance surtout du monde arabe. Et je peux vous assurer que ces questions urgentes nous absorbaient beaucoup trop pour nous laisser le loisir de penser à reprendre les armes et « achever » je ne sais quel « travail »…

III – Décolonisation et émergence du tiers-monde

Chute de Farouk – Avènement de Nasser – Israël veut briser l'embargo
– Des relations franco-israéliennes étroites – Nasser à Bandung :
tiers-mondisme et « non-alignement » – Israël et le tiers-monde
– Soutien de Nasser aux Algériens

ANDRÉ VERSAILLE : En juillet 1952, le roi d'Égypte, Farouk, est destitué par un groupe de militaires qui prennent le nom d'Officiers libres. Ils ont à leur tête des vétérans de la guerre de 1948 : Naguib, Nasser et Sadate. Pourquoi ce coup d'État ? Et de quel projet de société ces officiers sont-ils porteurs ?

BOUTROS BOUTROS-GHALI : Les Officiers libres sont mus par la haine du colonialisme, de la féodalité et de la corruption à laquelle ils attribuent, avec l'état de délabrement de l'armée, la défaite de 1948. Nasser, qui a participé aux combats, est revenu du front avec un amer sentiment de trahison. Au départ, les Officiers libres veulent donc assainir le pays et, en même temps, rendre son prestige à l'armée.

ANDRÉ VERSAILLE : Ce qui frappe dans ce coup d'État, c'est la « douceur » avec laquelle la monarchie est renversée : le roi est pratiquement « prié » de prendre congé. On pourrait presque parler d'un « putsch de velours ». Le moins que l'on puisse dire, c'est que les Officiers libres n'ont pas une mentalité de bolcheviks. Comment ce coup d'État est-il regardé dans le monde arabe ?

BOUTROS BOUTROS-GHALI : Les autres États arabes, généralement conservateurs, regardent ce coup d'État avec inquiétude. En revanche, il suscite beaucoup de sympathie et d'espoir dans la majorité de la population égyptienne qui comprend qu'une véritable révolution a eu lieu : non seulement le roi a été chassé, mais ce sont des hommes du peuple qui sont désormais aux commandes. Ceux-ci promettent de faire des réformes, de mettre un terme au système féodal et de confisquer les terres aux riches pour les redistribuer aux pauvres. Tous les membres de l'ancienne équipe au pouvoir ont été limogés, emprisonnés et, pour la plupart, privés de leurs droits politiques. C'est désormais au tour des hommes de ma génération de prendre le pays en main. Cette génération a donc l'espoir de jouer un rôle dans la nation, ce qui ne pouvait que susciter l'enthousiasme dans toutes les classes de la société – d'autant que la population égyptienne compte alors une majorité de jeunes.

À l'étranger, Washington considère ce coup d'État avec bienveillance : la volonté affichée des Officiers libres de remettre de l'ordre dans le pays et de l'assainir leur a assuré l'appui des Américains et de l'opinion occidentale.

SHIMON PERES : Les Américains, très attentifs aux premières années de Nasser, vont chercher à gagner les sympathies du jeune chef d'État. Ainsi verra-t-on le secrétaire d'État, Foster Dulles, effectuer une visite au Caire au cours de laquelle il offrira, entre autres présents, un revolver en argent à Nasser. Cette attitude ne fera que conforter notre opinion sur l'orientation pro-arabe de Washington qui va d'ailleurs courtiser les promoteurs de cette « troisième voie » tiers-mondiste que sont Nehru, Tito et Nasser. L'enjeu est de taille et face à celui-ci, Israël ne pèse pas lourd.

ANDRÉ VERSAILLE : Pendant ce temps, le gouvernement israélien s'attelle à la consolidation de l'économie nationale et à la propagation de l'idéal sioniste dans la diaspora en vue de faire « monter », le plus vite possible, un maximum de Juifs en Israël.

SHIMON PERES : Oui. Cependant, les années qui suivirent la guerre d'Indépendance furent des années de crise économique, ce qui ne facilitait guère l'accueil des immigrants qui arrivaient en grand nombre (jusqu'à 200 000 par an) et dont il fallait assurer l'installation. Nous manquions à tel point d'argent que nous avons même envisagé de réduire le budget de la Défense.

Lorsque les Officiers libres ont pris le pouvoir, nous avons donc été très attentifs. Nous avions été favorablement impressionnés par la manière dont ils s'étaient débarrassés du roi Farouk. Comme vous venez de le rappeler, contrairement à ce qui s'était passé dans d'autres coups d'État, le roi n'a pas été tué mais renvoyé avec ses favorites et ses biens. Il y avait donc là une manière, je dirais presque « élégante » de prendre le pouvoir.

Quant à Nasser, il nous est apparu au début comme un homme charismatique, soucieux du bien de son peuple, et Ben Gourion pensait que nous allions pouvoir traiter avec lui et peut-être même aboutir à la paix. Aussi a-t-il tenté à plusieurs reprises de prendre contact avec le raïs, notamment par l'intermédiaire de Tito à qui il avait proposé d'organiser une rencontre. Mais la réponse de Tito fut extrêmement négative, car il savait que jamais Nasser n'accepterait de rencontrer un officiel israélien. Un ancien ministre américain, Anderson, fut ensuite envoyé en mission secrète auprès du raïs. Une autre fois, un important journaliste britannique était allé sonder le président égyptien. Mais Nasser avait à chaque fois refusé toute idée de contact avec Israël. En fait, il était persuadé que s'il entreprenait des pourparlers, il risquait sa vie.

Par la suite, Nasser a voulu armer et surarmer l'Égypte, ce qui a commencé à nous inquiéter.

ANDRÉ VERSAILLE : Pour Nasser et les Officiers libres, la guerre avec Israël est-elle à nouveau d'actualité ?

BOUTROS BOUTROS-GHALI : Oui, les Officiers libres avaient proclamé dès le départ qu'ils avaient renversé la monarchie parce qu'elle avait perdu la guerre du fait de la corruption qui avait gangrené l'armée. Même s'il ne le disait pas explicitement, Nasser était en faveur d'une revanche militaire.

Cela étant, au début, Nasser se déclare essentiellement préoccupé par la réforme agraire, ce qui lui vaut une popularité certaine, car toute l'Égypte ne parle alors que de ça : les grands propriétaires (dont ma famille) se sentent spoliés, tandis que les paysans rêvent de la redistribution des terres.

ANDRÉ VERSAILLE : Qu'est-ce qui fait que les Soviétiques, qui ont soutenu le Yichouv puis Israël à sa naissance, se détournent peu de temps après de l'État juif pour se mettre du côté des Arabes ?

BOUTROS BOUTROS-GHALI : Je pense que l'une des raisons qui poussent l'Union soviétique à se détourner d'Israël et à se rapprocher des Arabes tient à la totale inféodation d'Israël aux anciennes métropoles occidentales – sans parler des liens particuliers qu'il entretient avec les États-Unis, notamment par le truchement de la diaspora juive américaine.

SHIMON PERES : La question ne se pose pas en ces termes. La guerre froide fut essentiellement une guerre idéologique : les Américains étaient convaincus que la démocratie allait l'emporter, tandis que les Soviétiques étaient persuadés que le communisme était l'avenir du monde. Le combat ne visait donc pas l'accroissement des territoires, mais des adhésions idéologiques : pour chacun des deux adversaires, le nombre des ralliements devait montrer au monde que son idéologie l'emportait.

Je pense donc que les Soviétiques se sont servis d'Israël pour attirer les Arabes dans leur camp : « *Éloignez-vous de l'Occident, nous lâcherons alors Israël et nous vous armerons sans compter.* » Et de fait, l'URSS, qui avait commencé par nous soutenir, se rapprochera des Arabes en leur vendant pour des milliards de dollars d'armes assorties de crédits à très longs termes.

Nasser va donc se tourner davantage vers le bloc communiste pour renforcer son armement. En septembre 1955, un accord pour la livraison d'armes est signé entre l'Égypte et la Tchécoslovaquie. Cet accord porte sur des quantités importantes, aussi bien de chars et de canons que de chasseurs et de bombardiers, et menace brusquement l'équilibre des forces dans la région. L'importance des livraisons d'armes à l'Égypte nous met en danger car nous sommes alors loin de posséder des armes en quantité et en qualité suffisantes pour faire face à la menace.

L'accord tripartite entre Washington, Londres et Paris qui avait décrété un embargo sur la livraison d'armes au Moyen-Orient était toujours d'application.

ANDRÉ VERSAILLE : Comment expliquez-vous que les États-Unis, qui ont soutenu les revendications des sionistes, ont ensuite refusé de vendre des armes à l'État d'Israël ?

SHIMON PERES : Je pense que c'est également dû à la guerre froide : le monde se divise alors en deux parties et chacune d'elles se trouve liée par des traités militaires. La priorité pour les États-Unis étant la lutte contre l'influence de l'URSS, ils fournissent des armes en abondance à leurs alliés pour les protéger du communisme. La menace pesant sur Israël n'étant pas liée au communisme, les Américains ne se sentent pas tenus de nous soutenir autrement que politiquement (et plus tard financièrement) ni de passer de traités militaires avec nous. D'autant que plusieurs pays arabes comme la Jordanie, l'Irak et certains émirats sont, à ce moment-là, toujours proches de la Grande-Bretagne et nullement de l'Union soviétique, sans parler de l'Arabie saoudite très liée à Washington. Quant à l'Égypte, au début des années cinquante, elle n'est pas encore vraiment inféodée à l'URSS et s'oriente plutôt vers le « non-alignement ». Même si le « non-alignement » est hostile à l'Occident capitaliste, l'ambiguïté de cette doctrine fait que le monde arabe reste plutôt distant du camp soviétique. Apparemment du moins.

ANDRÉ VERSAILLE : Ben Gourion a quitté le pouvoir en 1953. Le ministre des Affaires étrangères, Moshé Sharett, le remplace. Celui-ci a passé son enfance parmi les Arabes et entreprend d'infléchir la position d'Israël envers ses voisins. Pensant que la paix est la meilleure façon d'acquérir la sécurité pour Israël, Moshé Sharett va essayer d'établir un contact officieux avec Nasser afin de réduire la tension entre les deux pays et tenter une ébauche de négociation.

Dès lors un fossé de plus en plus profond se creuse entre, d'une part, les « activistes » comme Ben Gourion, qui sont persuadés que les représailles sont impératives et que seules les démonstrations de force amèneront les Arabes à mettre un terme à leurs agressions et, d'autre part, les « modérés » comme Sharett, qui prônent une riposte graduée aux attaques terroristes tout en doutant de leur efficacité. Avec le recul, comment jugez-vous ces deux positions ?

SHIMON PERES : Disons que sa façon de vouloir à tout prix miser sur une hypothétique bonne volonté des Arabes conduisait Moshé Sharett à minimiser leur refus viscéral de notre existence. Il portait donc tout naturellement ses efforts vers des contacts secrets avec Nasser, plutôt que sur un renforcement de la sécurité par des moyens militaires. Or, Ben Gourion, Dayan, moi-même et bien d'autres, nous ne faisions pas du tout confiance à Nasser dont l'hostilité se manifestait tant dans les paroles que dans les actes.

ANDRÉ VERSAILLE : Vous ne pensez pas que la rigidité de Ben Gourion et de ses proches, donc de vous-même, a pu empêcher l'ébauche d'un rapprochement avec l'Égypte ?

SHIMON PERES : Franchement, je ne le pense pas. Je ne vois pas grand-chose dans la carrière de Nasser qui aurait pu faire croire à une volonté de paix. Le monde arabe était à cette époque – et pour longtemps – dans le rejet absolu de notre existence. Comme l'explique Boutros, nous étions perçus comme un fait colonial (ce qui était évidemment faux), et juif de surcroît, ce qui était encore plus insupportable pour les Arabes qui avaient toujours connu les Juifs comme un peuple dominé. Il faut se souvenir de l'état d'esprit arabe dans les années cinquante et soixante : il n'y avait aucune brèche dans ce front uni contre nous (excepté sans doute la position aussi originale qu'isolée adoptée par le président tunisien Bourguiba dans les années soixante). Vous ne vous étonnerez donc pas que, quelques années après le génocide, nous privilégiions avant tout notre sécurité. Nous n'imaginions pas faire dépendre notre vie de l'éventuelle « volonté de paix » des pays arabes, qui, eux, étaient bien armés.

ANDRÉ VERSAILLE : Sans doute, mais les états-majors arabes étaient-ils en mesure de mettre Israël en péril ?

SHIMON PERES : Le péril n'était pas du tout imaginaire au point que notre gouvernement décréta que l'ensemble de la population devait provisoirement contribuer au renforcement des fortifications. Le pays se transforma alors en une nation de volontaires : jeunes, vieux, ouvriers ou commerçants, cadres ou ménagères, fonctionnaires, ministres ou étudiants se sont portés volontaires pour édifier à la pelle et à la pioche des travaux défensifs.

Cependant, nous restions très isolés. Nous avons donc décidé de nous procurer des armes par tous les moyens : en Italie, à Cuba, partout où cela était possible.

ANDRÉ VERSAILLE : Et c'est vous qui serez chargé de trouver des armes.

SHIMON PERES : Oui, Ben Gourion m'avait nommé vice-directeur général, puis directeur général du ministère de la Défense, et confié la tâche de réorganiser l'ensemble des services. Il fallait moderniser notre armement et nous procurer davantage de chars, d'avions et de canons. Le souvenir de toutes les difficultés auxquelles nous avions dû faire face restait cuisant : pendant la guerre d'Indépendance, certaines unités n'avaient reçu leurs fusils qu'une fois en route pour le front. Il fallait donc remédier à cette pénurie et nous préparer militairement à l'éventualité d'une nouvelle guerre.

La question était de savoir qui nous fournirait ces armes. Le ministère des Affaires étrangères pensait aux Américains, estimant que les États-Unis pourraient assouplir leur politique d'embargo. Je n'y croyais pas trop, d'autant que le Congrès venait d'adopter une loi stipulant que si les États-Unis vendaient des armes à un pays non-membre de l'OTAN, l'Administration américaine se réservait le droit de contrôler leur usage. Israël n'échappait pas à cette législation, et nous savions qu'en achetant des armes américaines, nous perdrions aussitôt notre indépendance de jugement et d'action.

J'étais donc plutôt favorable à la France, dont l'un des grands principes de la politique étrangère de l'époque était l'interdépendance, forme d'alliance que je préférais à une dépendance américaine directe. Je décidais alors d'aller rencontrer des responsables français.

ANDRÉ VERSAILLE : La France va puissamment aider Israël. Qu'est-ce qui explique que les Français vous prêteront une oreille attentive ?

SHIMON PERES : Dans les années cinquante, Israël était extrêmement populaire en France, tant dans la classe politique que dans la presse, le monde intellectuel et la population en général (cela a bien changé, vous l'aurez probablement remarqué…). De plus, pas mal d'anciens résistants, comme Maurice Bourgès-Maunoury, Abel Thomas, Paul Raynaud, Jacques Chaban-Delmas, le général Marie Pierre Koenig ou André Malraux, se hissaient aux postes de commande de l'État, et ceux-ci éprouvaient visiblement de la sympathie pour nous qui combattions pour notre survie (André Malraux était un fervent partisan d'Israël : lors d'une de nos rencontres, il m'avait même dit que s'il avait été plus jeune, il se serait engagé pour combattre à nos côtés pendant la guerre d'Indépendance). Tout se passait comme s'ils se sentaient un peu responsables de notre existence. Comme les socialistes étaient au pouvoir à la fois en France et en Israël, nous partagions la même vision du monde et avions souvent l'occasion de nous retrouver lors de rencontres de l'Internationale socialiste.

ANDRÉ VERSAILLE : La communauté juive française a-t-elle joué un rôle dans ce rapprochement ?

SHIMON PERES : Non, pas du tout. Avant que ne commence l'âge d'or des relations entre Israël et la France, les Juifs français se sentaient majoritairement assimilés. Ils ne portaient qu'une attention faible et lointaine à Israël, certains allant même jusqu'à cacher leur judéité. Par un étrange paradoxe, ce n'est pas, comme on aurait pu s'y attendre, la communauté juive française qui a favorisé les contacts entre les deux gouvernements, c'est à l'inverse le rapprochement franco-israélien qui réveillera chez elle le sens militant.

ANDRÉ VERSAILLE : Comment ce rapprochement va-t-il concrètement se dérouler ?

SHIMON PERES : Je me suis rendu en France en 1954, et je me suis adressé aux dirigeants des différents partis politiques, sans exception. Je leur ai expliqué qu'Israël était un petit État indépendant qui, menacé par des voisins totalement hostiles à son existence, avait besoin d'armes pour assurer sa survie. Nous ne demandions qu'une chose : que la France joue son rôle dans l'établissement d'un équilibre des armements au Proche-Orient. Si cela ne se faisait pas d'urgence, le déséquilibre allait encore s'accroître au profit des Arabes qui, eux, continuaient de s'armer : l'Égypte par la Tchécoslovaquie (donc par Moscou), et l'Irak par Londres.

Au début, plusieurs responsables refusaient de comprendre l'urgence et la gravité de notre situation. Mais j'eus la chance de rencontrer Abel Thomas, directeur général du ministère de l'Intérieur, qui me présenta à son ministre, Maurice Bourgès-Maunoury. Celui-ci avait également en charge les Affaires algériennes. Étant donné la situation difficile en Algérie, Bourgès-Maunoury et son entourage étaient très attentifs à tout ce qui touchait le monde arabe. Avec la guerre d'Algérie, nous allons nous retrouver unis face au même ennemi arabe. Nos relations s'en trouveront naturellement approfondies jusqu'à mettre en place une coopération entre les services de renseignement dans la lutte secrète contre l'ennemi commun égyptien.

Lorsqu'en 1956, les élections remirent les socialistes au pouvoir, Guy Mollet devint le chef du gouvernement, et Bourgès-Maunoury reçut le portefeuille de la Défense. Je me suis expliqué avec les responsables du nouveau cabinet et nous nous sommes engagés dans un accord secret par lequel les Français nous livreraient l'armement dont nous avions besoin. Avec le gouvernement de Guy Mollet, une ère d'étroite coopération franco-israélienne allait commencer. Coopération qui, en rééquilibrant les forces antagonistes au Moyen-Orient, allait nous permettre de résoudre la plupart de nos problèmes de sécurité.

ANDRÉ VERSAILLE : Pourtant, le Quai d'Orsay a traditionnellement opté pour une politique disons, pour parler vite, proche du monde arabe.

SHIMON PERES : Oui, depuis les Croisades, les Affaires étrangères françaises appliquent une politique de « *présence française au Levant* » (vous remarquerez qu'en France on parle de « *présence* », alors qu'en Angleterre on avoue les

« *intérêts de la Couronne* ») : contrôle de l'Afrique du Nord, construction du canal de Suez, influence non négligeable en Égypte, mandats en Syrie et au Liban et, dans toute cette zone, pénétration de la culture française.

Le Quai d'Orsay prônait une « *politique de réserve* » au Proche-Orient, ce qui impliquait la réduction des livraisons d'armes à toutes les parties antagonistes. Il prétendait donc avoir une vision « élevée » (mais en réalité un peu abstraite) de la géopolitique. À la Défense, compte tenu de la guerre d'Algérie, on regardait les choses avec plus de pragmatisme. Cependant, afin de ne pas compromettre la politique du Quai d'Orsay, nos accords de coopération sont restés secrets.

Pour être tout à fait honnête, j'ajouterais que la réticence du Quai d'Orsay s'explique d'autant mieux que les agents secrets britanniques faisaient tout pour saper la position française dans cette région qui relevait de la sphère d'influence anglo-saxonne.

ANDRÉ VERSAILLE : En même temps, les années cinquante voient l'accélération de l'anticolonialisme et l'émergence de l'idéologie tiers-mondiste. En 1955, la Conférence afro-asiatique des pays non alignés se tient à Bandung. Elle marque l'avènement du tiers-monde, sa naissance politique. Léopold Sédar Senghor parlera de Bandung comme de « *l'événement le plus important depuis la Renaissance…* ».

BOUTROS BOUTROS-GHALI : La formule peut paraître exagérée, mais elle est à la mesure de l'immense espoir que la Conférence a suscité chez des millions de déshérités : le tiers-monde allait enfin pouvoir jouer un rôle sur la scène internationale.

À l'époque, je voyais Bandung comme le lieu de naissance d'un monde nouveau, et j'ai donné des dizaines de conférences dans lesquelles je déclarais que si la liberté s'était levée à l'Ouest, dans le monde capitaliste, et l'égalité à l'Est, dans le monde communiste, la fraternité, elle, avait été oubliée. Et cette fraternité, c'est nous, le tiers-monde, qui allions l'incarner : qu'importait la faiblesse de nos institutions, nous allions la transcender par la fraternité !

ANDRÉ VERSAILLE : Et à l'époque, on y croit ?

BOUTROS BOUTROS-GHALI : Oui. Et j'étais le premier à y croire.

ANDRÉ VERSAILLE : Pourtant, parmi les ténors de Bandung, nous trouvons en première place le Premier ministre chinois Zhou Enlai, à qui l'on peut tout reprocher, sauf d'être excessivement fraternel.

BOUTROS BOUTROS-GHALI : Certes. Mais ce n'est pas de Zhou Enlai dont je parle. L'idéologie tiers-mondiste va se développer au sein de la jeunesse du monde arabe et africain, à qui on a enfin offert des idées nouvelles, formidablement mobilisatrices !

ANDRÉ VERSAILLE : Et en Israël, comment voit-on la conférence de Bandung ?

SHIMON PERES : Comme un leurre, évidemment ! D'ailleurs, je ne pense pas que pour les pays arabes, il s'agissait en priorité de lutte anticolonialiste. Pour eux, le combat tournait autour de l'éradication de l'État juif. Ils ont donc échangé leur participation au mouvement de Bandung contre la mise à l'index d'Israël. Il y a eu un marché « donnant-donnant » : « *Vous luttez à nos côtés contre l'État juif que vous incluez parmi les pays impérialistes et colonialistes, et nous, Arabes, nous épousons votre combat.* » Et le marché fut conclu. Il n'y avait aucune raison pour que la Yougoslavie ou l'Inde nous combattent, sinon pour entraîner les Arabes dans leur lutte. Il ne s'agissait pas d'accointance idéologique mais d'alliance tactique, de rapprochement d'intérêts de deux mondes qui cherchaient à élargir leur sphère d'influence.

D'ailleurs, si l'on prend quelque distance avec le langage tiers-mondiste convenu, on voit difficilement ce qui rapprochait Nehru, Nasser, Tito et Zhou Enlai, sinon qu'il s'agissait de dirigeants politiques qui voulaient jouer, chacun à sa manière, un rôle géopolitique important dans leur région et dans le monde. Bandung était un théâtre où chaque acteur déployait son talent pour se hisser au-dessus des autres, mais dans la complicité.

De plus, Bandung reposait sur un mensonge : cette conférence se voulait un rassemblement des pays non alignés, or ce non-alignement était une pure fiction : ils étaient alignés contre l'Occident, et plus encore contre nous et c'était un combat chimérique, car ni la Chine, ni la Yougoslavie, ni l'Inde n'étaient mises en danger par l'Occident.

En réalité, pendant les décennies 1950 et 1960, qui sont des années de guerre froide, bien des États qui siégeaient à Bandung étaient très proches de l'Union soviétique, à commencer par le plus important d'entre eux, la Chine de Mao. En Israël, nous pensions que ce contexte de guerre froide aurait des conséquences funestes au Proche-Orient, car l'URSS ne manquerait pas d'attiser le conflit israélo-arabe afin de pouvoir y jouer un rôle. Nous n'avions pas tort puisque c'est à ce moment que Zhou Enlai va présenter Chepilov (qui allait devenir le ministre des Affaires étrangères de l'URSS) à Nasser et que se noueront les liens privilégiés entre Moscou et Le Caire. Même l'Inde de Nehru est à cette époque proche de Moscou. Ceci est d'autant plus « inexplicable » ou malhonnête que contrairement aux puissances coloniales anglaises et françaises qui sont amenées à lâcher leurs colonies, l'Union soviétique s'est engagée depuis 1945 dans une politique coloniale en Europe centrale.

BOUTROS BOUTROS-GHALI : Je vois trois erreurs dans votre commentaire. Première erreur, la Conférence de Bandung n'a jamais prétendu constituer un rassemblement des pays non alignés puisqu'un certain nombre d'États ont réaffirmé à cette occasion leur alignement sur le monde occidental (le Pakistan, l'Irak, les Philippines…). Le non-alignement est né six ans plus tard, en 1961, à Belgrade, et n'associait pas certains États présents à Bandung. Deuxième erreur : pour Tito, Zhou Enlai et d'autres, Israël, composé de colons venus des anciens pays colonisateurs, constituait un nouveau fait colonial. Dernière erreur : durant la période de la guerre froide, les États non alignés avaient pour objectif de réconcilier le monde occidental avec le monde soviétique. Seule une infime minorité de non-alignés se sentait plus proche de Moscou que de Washington, la grande majorité se tenait à équidistance des deux blocs, ce qui était la philosophie du non-alignement : équidistance et neutralité entre les deux blocs, mais solidarité avec les États du Sud pauvres et en voie de décolonisation.

ANDRÉ VERSAILLE : Un peu avant Bandung, Nasser publie sa *Philosophie de la Révolution*.

BOUTROS BOUTROS-GHALI : Avec ce livre, Nasser a voulu s'inscrire dans le mouvement tiers-mondiste et le non-alignement qu'il appréhende alors de manière un peu primaire : son livre semble d'ailleurs écrit par un étudiant de première année. C'est lors de son séjour à Bandung qu'il se verra prodiguer par Nehru un enseignement qui lui fera vraiment prendre conscience de la réalité du tiers-monde comme de la nécessité pour l'Égypte de participer résolument à la lutte anticolonialiste planétaire.

Le rapport de Nasser à la Conférence de Bandung est d'ailleurs assez ambigu. Je crois que, sur place, il a dû se sentir humilié de ne pas être réellement dans le mouvement, de ne pas avoir bien pris la mesure de ce qui s'y passait. Néanmoins, il a compris tout l'intérêt qu'il avait à s'inscrire dans ce mouvement, et de retour de Bandung, il va s'appuyer sur l'idéologie du non-alignement pour se poser en dirigeant tiers-mondiste.

ANDRÉ VERSAILLE : En Israël, y avait-il des voix qui demandaient un rapprochement avec ces pays « non alignés » ?

SHIMON PERES : Non, parce que même si nous l'avions souhaité, nous n'aurions eu aucune chance d'être admis dans ce cercle d'États devenus radicalement anti-israéliens. À l'Assemblée des Nations unies, nous les avons toujours vus voter contre nous. Sans compter que plusieurs de ces pays, comme la Chine ou l'Inde, ne nous avaient toujours pas reconnus.

BOUTROS BOUTROS-GHALI : Effectivement, indépendamment du fait qu'une grande partie des non-alignés ne vous avait pas reconnus, dans la mesure où vous étiez alignés et alliés aux États occidentaux, puissances coloniales, vous ne pouviez pas être admis dans ce mouvement.

SHIMON PERES : Cela ne nous empêchera pas de nous rapprocher de certains pays du tiers-monde, d'Asie ou d'Afrique noire.

ANDRÉ VERSAILLE : Pourtant, ces pays devaient normalement se considérer comme plus proches des autres pays du tiers-monde qui, eux, étaient anti-israéliens.

SHIMON PERES : Pas obligatoirement, car ces pays voyaient tout ce que nous pouvions leur apporter en matière agricole ou militaire et ils étaient d'autant plus désireux de bénéficier de notre coopération qu'ils voyaient bien que nous ne pouvions pas constituer un danger. D'ailleurs, Ben Gourion pensait que le tiers-monde allait jouer un rôle important dans l'avenir, qu'il serait le nouveau monde de demain. Il estimait que nous avions un devoir, ou du moins une mission, envers ces pays, celle d'aider à leur développement. Israël qui, dans ses premières années, avait été en quelque sorte un pays « assisté » puisque pour survivre il avait dû recevoir de l'argent, des armes et des matières premières, pouvait désormais offrir la richesse de son expérience, et était prêt à en faire bénéficier de jeunes États.

ANDRÉ VERSAILLE : Comment les choses se sont-elles passées ?

SHIMON PERES : Notre ouverture en direction du tiers-monde a commencé avec la Birmanie par une coopération militaire et agricole qui dura deux ans. Plusieurs fermiers birmans sont venus étudier dans nos *moshavim* les systèmes d'irrigation et les modes d'exploitation agricole, tandis que des instructeurs israéliens ont été envoyés sur place pour aider à la mise en valeur et à la défense de territoires incultes le long des frontières. En Afrique, nous avons d'abord pris contact avec le Ghana et l'aide que nous lui avons apportée fut importante. Plusieurs ministres ghanéens ont effectué des séjours chez nous pour étudier notre système éducatif, notre système de santé, ainsi que l'organisation de notre agriculture et de notre défense. Dans de nombreux domaines, nous avons envoyé des experts israéliens instruire leurs cadres, et nos universités furent ouvertes aux étudiants ghanéens. Nous avons en particulier exporté au Ghana les principes de la jeunesse pionnière combattante. Ce système particulier à Israël consiste à offrir aux soldats la possibilité d'employer une partie de leur temps du service militaire à la création de kibboutz. Un tel système fut mis en place au Ghana, notamment pour permettre la mise en valeur des régions arides.

Après le Ghana, nous avons établi des relations avec la Guinée, la Côte d'Ivoire, l'Ouganda, le Sénégal, le Mozambique, la Tanzanie, ainsi que le Kenya. Là également, notre coopération fut agricole et militaire. Nos experts y partaient comme instructeurs, tandis que de jeunes Africains venaient s'instruire chez nous. Ces échanges prirent peu à peu tellement d'importance que nous avons dû créer un département des Affaires africaines.

ANDRÉ VERSAILLE : Pourtant, ces coopérations ne se maintiendront pas. Pourquoi ?

SHIMON PERES : À cause de la pression arabe qui se faisait de plus en plus forte. Comme vous le savez, dans son livre, *Philosophie de la Révolution*, Nasser délimite trois cercles dont l'Égypte était appelée à devenir le centre : le cercle arabe, le cercle africain et le cercle musulman. Aussi, les États arabes qui étaient très actifs sur le terrain vont promettre des aides importantes à ces pays d'Afrique noire (promesses qu'ils ne vont finalement pas tenir), tant et si bien que nos liens avec eux vont se défaire après la guerre des Six Jours.

ANDRÉ VERSAILLE : La guerre d'Algérie commence en novembre 1954 et devient très vite, pour les tiers-mondistes occidentaux, la guerre de décolonisation emblématique. Face à ces militants, les Français non tiers-mondistes vont voir dans ce qu'ils continueront longtemps à appeler « *les événements d'Algérie* » une tentative de subversion de l'ordre établi. À ce moment, Nasser, imprégné de l'esprit de Bandung et bientôt considéré par le monde comme le porte-parole de l'arabisme, et de manière générale par le tiers-monde comme un de ses dirigeants, est soupçonné de prêter main-forte aux rebelles algériens en leur fournissant des armes et en leur permettant de s'entraîner sur le sol égyptien.

BOUTROS BOUTROS-GHALI : Il est exact que l'Égypte a vendu une quantité importante d'armes au FLN algérien. En revanche, il n'y avait pas tellement de camps d'entraînement en Égypte.

SHIMON PERES : En 1956, nous l'avons rappelé, Guy Mollet est arrivé au pouvoir. C'est un homme que Nasser inquiète. Il éprouve une antipathie instinctive à l'égard du nouveau maître de l'Égypte qu'il qualifie d''« *apprenti dictateur* » : il ne considère pas son aide au FLN comme un témoignage de solidarité avec les Algériens colonisés, mais comme la manifestation d'un panarabisme dangereux. Et Guy Mollet est hostile à tous les « pan » : panarabisme, pangermanisme, panslavisme, etc. Néanmoins, en France, les avis sont partagés : face au clan Guy Mollet qui pense qu'en s'attaquant à Nasser, on prive le FLN de son premier soutien, il y a ceux qui estiment que des liens plus forts avec le monde arabe pourraient amener Nasser à renoncer à son aide aux Algériens, et à accepter de considérer les « *événements d'Algérie* » comme une affaire franco-française.

BOUTROS BOUTROS-GHALI : Il semble que ni la France, ni Guy Mollet, ni Israël n'aient compris les liens qui unissaient l'Égypte à l'Algérie. À ce moment-là, le monde arabe est absolument solidaire : il n'a jamais été plus uni que pendant la période de la décolonisation. L'objectif était clair et les ennemis ne l'étaient pas moins. Les problèmes ont commencé une fois la décolonisation achevée. Et si plus tard, malgré tous ses déboires, Arafat pourra poursuivre son combat avec le soutien des États arabes, c'est parce que, aux yeux du monde arabe, il s'agit d'un dernier épisode de la lutte de décolonisation.

IV – SUEZ : DE LA CRISE À LA GUERRE

« Je prends le Canal ! » – « Un nouvel Hitler ! »
– Israël réfléchit à une guerre préventive –
Alliance franco-anglo-israélienne – La campagne de Suez
– Nasser : de la défaite militaire à la « victoire politique » –
Israël vainqueur, classé « agent de l'impérialisme occidental »

ANDRÉ VERSAILLE : Cette même année 1956, Nasser essaie de faire financer un grand barrage à Assouan par les Américains. Les négociations commencent, puis, brusquement, le 13 juillet 1956, le secrétaire d'État, Foster Dulles, annonce que Washington renonce à financer le barrage en raison, dit-il, de l'état désastreux de l'économie égyptienne.

BOUTROS BOUTROS-GHALI : Je ne crois pas que ce fut la vraie raison. Je pense plutôt que les accords de ventes d'armes passés entre la Tchécoslovaquie et l'Égypte, depuis septembre 1955, ont mécontenté les États-Unis qui ne croyaient pas au non-alignement et considéraient que chaque État devait clairement choisir son camp.

ANDRÉ VERSAILLE : Un peu plus tard, le 26 juillet 1956, à Alexandrie, Nasser prononce un grand discours à l'occasion du quatrième anniversaire du renversement de la monarchie. Il entame son laïus en stigmatisant « *l'impérialisme américain qui humilie et insulte les Égyptiens* ». Puis soudain, voici qu'il déclare que, puisque les Américains refusent de lui accorder les crédits nécessaires pour financer le barrage d'Assouan, il « *prend le Canal* » ! Et de fait, il nationalise immédiatement la Compagnie du canal de Suez qui *grosso modo* appartenait aux Anglais et aux Français. C'est un coup de théâtre auquel apparemment personne ne s'attendait. Qu'avez-vous pensé de ce geste ce jour-là ?

BOUTROS BOUTROS-GHALI : Permettez-moi de vous faire d'abord remarquer que la Compagnie du canal de Suez était une société anonyme dont les actions étaient réparties entre de nombreux actionnaires et qu'elle n'appartenait ni aux Français, ni aux Anglais, mais à l'Égypte. De plus, la Compagnie du canal devait de toute façon revenir douze ans plus tard à l'Égypte, puisque le bail signé en 1858 devait prendre fin en 1968. Je pense que Nasser était donc en droit de nationaliser la société chargée de sa gestion. Cela dit, pour répondre à votre question, au moment de l'annonce de la nationalisation, je me trouvais à La Haye, et ma première réaction a été de penser que nous prenions un risque démesuré.

ANDRÉ VERSAILLE : Lorsqu'il lance ce geste de défi, Nasser pense-t-il que les Occidentaux ne réagiront que mollement, et en tout cas pas militairement ?

BOUTROS BOUTROS-GHALI : Nous sommes alors un an après Bandung, dans une période où le tiers-monde se sent porté par le vent de l'Histoire. Alors, ce geste que les Occidentaux jugent insensé ne l'était peut-être pas aux yeux de Nasser. Je pense qu'il le voyait comme un coup audacieux mais pas absurde. Il a pu se dire que, suite à son initiative, une négociation allait être entamée et que celle-ci pourrait procurer des bénéfices à l'Égypte.

La population égyptienne a d'ailleurs réagi avec enthousiasme à ce coup d'éclat. En revanche, une partie de l'ancienne classe dirigeante, qui avait été dépossédée de ses biens et écartée du pouvoir, espérait que cet événement mettrait fin au régime nassérien. Quant aux populations du monde arabe, elles se sont totalement mobilisées en faveur de Nasser : il était le héros qui avait osé défier les grandes puissances coloniales.

En ce qui me concerne, cette nationalisation ne me paraissait pas du tout illégitime, et je me suis exprimé à plusieurs reprises publiquement, lors de conférences ou dans des articles, pour en expliquer la légitimité. Car si j'étais opposé à la politique économique socialiste de Nasser, j'adhérais tout à fait à sa politique étrangère : non-alignement, assistance à l'Afrique, tiers-mondisme, arabisme et surtout ouverture de l'Égypte sur le monde extérieur. Concernant la politique intérieure, sa lutte contre les Frères musulmans (chose que l'on ne souligne pas assez) et les communistes (malgré des rapports qui allaient devenir de plus en plus étroits avec l'Union soviétique) avait également mon soutien, tout comme sa volonté de freiner le repli identitaire. Cela m'a paru suffisamment important pour que je lui accorde mon appui.

ANDRÉ VERSAILLE : Vous étiez donc d'accord avec tout ce que faisait Nasser, à l'exception de sa politique économique « socialiste » ? Pourquoi ? L'héritier d'une grande famille ne pouvait pas accepter la redistribution des biens ?

BOUTROS BOUTROS-GHALI : La politique économique de Nasser ne se limitait pas à la réforme agraire. Il s'agissait surtout de remplacer le secteur privé par un secteur public aux mains d'une bureaucratie incompétente et corrompue, ce qui ne me paraissait pas pouvoir donner de bons résultats. Quant à la réforme agraire, il ne suffit pas d'opérer une redistribution des terres, encore faut-il s'assurer que ceux auxquels on les octroie possèdent un minimum de compétences et de moyens pour les mettre en valeur. Or, cette redistribution s'est faite sans tenir compte de la qualité des terres, ce qui a plongé le pays dans une situation économique difficile, car les paysans n'avaient pas les moyens d'exploiter des terres pauvres nécessitant des engrais et des soins particuliers.

ANDRÉ VERSAILLE : Par contre, vous pensiez que sur le plan de la politique étrangère Nasser faisait avancer son pays ?

BOUTROS BOUTROS-GHALI : Oui. C'est tout de même grâce à lui que l'Égypte va jouer un rôle à l'échelle internationale, qu'il s'agisse de son appui à la décolonisation du monde arabe et du continent africain, de son jeu au sein du mouvement des non-alignés, de son combat en faveur de la cause du sous-développement, etc. L'Égypte, sous son impulsion, est devenue un grand acteur sur l'échiquier international.

ANDRÉ VERSAILLE : Pourtant, Nasser n'a pas opéré ce rapprochement avec l'Occident que vous appeliez de vos vœux.

BOUTROS BOUTROS-GHALI : Lorsque je dis que j'aspirais à voir l'Égypte s'ouvrir à l'Occident, j'entends, plus largement, s'ouvrir à la modernisation. Le rapprochement avec la Russie communiste constitue dès lors une ouverture à l'Occident. Certes, l'URSS n'est pas l'Occident capitaliste, mais c'est l'Occident tout de même (et le marxisme est une idéologie occidentale).

ANDRÉ VERSAILLE : La nationalisation du canal de Suez provoque la colère des Occidentaux qui vont qualifier Nasser de « *nouvel Hitler* » : cette nationalisation est comparée à la militarisation de la Rhénanie, et une absence de réaction équivaudrait à se conduire comme les « Munichois » de 1938.

BOUTROS BOUTROS-GHALI : Oui, et dans le même temps, on verra la presse occidentale gloser sur le fait que jamais les Égyptiens ne seraient capables de faire fonctionner correctement le Canal, et qu'il finirait par s'ensabler.

Il faut cependant reconnaître qu'au-delà de cette caricature, la crainte que nourrissent les Occidentaux à l'égard de Nasser est sans doute excessive, mais pas tout à fait sans fondement : à cette époque, Le Caire, au cœur du front anticolonial, est devenu la métropole de tous les mouvements indépendantistes ou tiers-mondistes qu'elle finance ou arme. Et cet activisme anticolonialiste se fait sentir sur tout le continent africain, tandis que les empires anglais, français et portugais périclitent.

ANDRÉ VERSAILLE : Les Anglais et les Français, principaux actionnaires de la Compagnie de Suez, n'acceptent pas ce coup de force et décident de lancer une opération militaire contre l'Égypte. Ils vont s'allier à Israël pour la mener à bien. Comment les choses se passent-elles et quels sont les intérêts qui poussent Israël à se joindre aux Français et aux Anglais ?

SHIMON PERES : Nous avions, bien entendu, nos propres intérêts dans cette campagne. Fin 1955, Nasser nous avait fermé le détroit de Tiran (blocus qu'il renforça encore en nous fermant l'espace aérien du golfe d'Aqaba, ce qui nous obligea à suspendre nos vols vers l'Afrique du Sud). Il s'agissait clairement d'un *casus belli*. Parallèlement, le rapprochement de l'Égypte avec l'Union soviétique qui lui fournissait des armes extrêmement sophistiquées, alors que nous étions toujours victimes d'un embargo, allait accroître notre inquiétude. À cela il faut ajouter les exactions terroristes exécutées par des fedayin palestiniens armés par Le Caire, et dont beaucoup arrivaient de Gaza. À la veille de la campagne du Sinaï, notre situation était donc particulièrement préoccupante.

C'est pourquoi nous nous sommes préparés à lancer une guerre préventive contre l'Égypte avec un triple objectif : rouvrir le détroit de Tiran, détruire les bases des fedayin et briser l'armée égyptienne avant que celle-ci ne soit capable de se servir de ses nouvelles armes soviétiques.

ANDRÉ VERSAILLE : La France et l'Angleterre sont-elles dès le début tout à fait décidées à intervenir militairement ? Et de leur côté, comment les États-Unis considèrent-ils la situation ?

SHIMON PERES : Les États-Unis, estimant que le temps jouait contre Nasser, étaient partisans d'attendre et de faire tomber le raïs plus tard par un coup d'État ; la Grande-Bretagne aurait préféré recourir pendant deux mois encore à des moyens pacifiques ; par contre la France préconisait une action immédiate, ce que j'eus personnellement l'occasion de vérifier. En août 1956, en effet, au cours d'un de mes voyages à Paris, le ministre de la Défense, Bourgès-Maunoury, me laissa entendre que la France envisageait de prendre des mesures militaires contre Nasser. Celles-ci pourraient revêtir la forme d'une action directe contre lui, avec l'éventuelle collaboration de l'Angleterre. Outre la nationalisation du Canal, la France reprochait à Nasser son aide aux rebelles du FLN algérien. Bourgès me demanda alors combien de temps il faudrait à l'armée israélienne pour atteindre Suez en traversant le Sinaï. Je répondis qu'il fallait compter une dizaine de jours. Ma réponse fit sourciller certains généraux qui participaient à cette réunion. Mon estimation leur semblait bien trop courte. Bourgès-Maunoury me dit : « *Shimon, vous êtes trop optimiste. Mes experts pensent qu'il faudrait compter environ trois semaines.* »

ANDRÉ VERSAILLE : Si vous avez pu répondre spontanément de façon si précise, c'est que des plans avaient déjà été élaborés, non seulement pour faire sauter le verrou du détroit, mais carrément pour attaquer l'Égypte.

SHIMON PERES : Oui, car, comme je vous l'ai dit, nous craignions par-dessus tout les nouvelles armes égyptiennes fournies par les Tchèques. De retour en Israël, j'ai rapporté à Ben Gourion et Dayan mes entretiens avec les Français. Ils étaient évidemment très intéressés, mais Ben Gourion a aussitôt déclaré que jamais l'armée israélienne ne se mettrait au service de pays étrangers : si nous devions nous engager dans cette guerre, et quand bien même elle se ferait en alliance avec les Français et les Anglais, nous la ferions d'abord pour notre compte.

ANDRÉ VERSAILLE : Et comment a réagi la classe politique israélienne à ce projet ?

SHIMON PERES : Elle était divisée. À droite, le Herout de Menahem Begin réclamait une guerre préventive, tandis que Ben Gourion restait partagé parce qu'il redoutait le bombardement des villes israéliennes par les forces égyptiennes.
Cela étant, nous ne nous serions pas lancés dans la campagne de Suez si la France et l'Angleterre n'avaient pas envisagé d'intervention. Nous ne pouvions pas nous engager seuls dans une guerre pour libérer le détroit de Tiran, car Israël aurait été alors condamné par la communauté internationale. La collaboration de la France et de l'Angleterre permettait de bloquer une éventuelle résolution anti-israélienne au Conseil de sécurité de l'ONU. En outre, l'engagement de la Grande-Bretagne auprès d'Israël empêchait d'office toute manœuvre militaire britannique contre nous. Car Ben Gourion ne faisait pas du tout confiance à celle qu'il appelait « Albion », « *la perfide Albion* » : il pensait que le gouvernement britannique, qui avait signé un accord militaire avec la Jordanie, était prêt à payer n'importe quel prix pour gagner complètement la confiance arabe, y compris celui d'une guerre contre nous. Cette appréhension se trouvait confortée par l'attitude du Premier ministre britannique, Sir Anthony Eden, qui maintenait visiblement une politique pro-arabe active et soutenait officiellement la Jordanie : ainsi, après notre raid de représailles contre la station de police jordanienne de Qalqilya, le 10 octobre 1956, le chargé d'affaires britannique avait mis en garde Ben Gourion : en vertu de l'accord militaire jordano-britannique, la Grande-Bretagne se devait d'assister les Jordaniens victimes d'attaques de notre armée.

ANDRÉ VERSAILLE : Quels sont les facteurs qui ont décidé la France et l'Angleterre à s'engager dans une opération militaire ?

SHIMON PERES : Pour ce qui est de la France, deux événements ont vraisemblablement pesé : le 20 octobre, un navire égyptien chargé d'armes destinées aux rebelles du FLN avait été intercepté par la France ; le même jour, le résultat des élections législatives jordaniennes fut connu : les pronassériens remportaient la majorité, plaçant du même coup la Jordanie dans le camp égyptien et antibritannique. Cette évolution rapide de la situation engageait la France à agir d'autant plus vite qu'il serait extrêmement difficile pour les forces françaises basées en Algérie de rejoindre Suez en hiver.

ANDRÉ VERSAILLE : Vous finissez donc par parvenir à un accord avec les Anglais et les Français. Sur quelles bases ?

SHIMON PERES : Ben Gourion a posé ses conditions, à savoir que nous serions partenaires à égalité avec la France et la Grande-Bretagne. Nous avons élaboré une stratégie commune. Cependant, si nous étions prêts à coordonner le calendrier de la campagne, nous n'étions pas prêts à coordonner nos opérations. Le principe de l'accord était le suivant : Israël lancerait seul une opération contre Le Caire et ce « prétexte israélien » permettrait aux Français et aux Anglais d'intervenir dans un deuxième temps pour « séparer les belligérants ».

Ben Gourion, je vous l'ai dit, redoutait par-dessus tout les bombardements égyptiens : l'armée de Nasser possédait des quantités importantes de bombardiers Ilyouchine, qu'elle pouvait impunément lancer contre les villes israéliennes, puisque Israël ne disposait pas de bombardier. Aussi Ben Gourion était-il résolu à obtenir des Français et des Britanniques un parapluie aérien en échange du prétexte israélien que nous allions leur fournir.

Le 22 octobre, à Sèvres, nous nous sommes finalement mis d'accord, la France, la Grande-Bretagne et nous, sur l'intervention en Égypte. Et une bonne semaine plus tard, le 29 octobre, les troupes israéliennes investissaient le Sinaï.

Le plan israélien comportait trois opérations combinées : le parachutage de nos forces à Mitla, à cinquante kilomètres du canal de Suez, l'avancée des blindés à l'ouest traversant la péninsule pour atteindre le Canal, enfin la progression de notre armée le long du golfe d'Eilat jusqu'à Charm el-Cheikh.

ANDRÉ VERSAILLE : Et la campagne s'est déroulée selon le plan prévu ?

SHIMON PERES : Oui et non. Nos forces ont gagné le Canal en quatre jours, et deux jours plus tard, elles ont atteint le sud du golfe d'Aqaba, détruisant les batteries égyptiennes qui contrôlaient le détroit. L'armée égyptienne en déroute a aussitôt battu en retraite, fuyant le champ de bataille et abandonnant d'énormes quantités d'armes et de matériel. Au total, près de quatre mille soldats égyptiens ont été faits prisonniers, contre seulement quatre combattants israéliens. La bande de Gaza est également tombée entre nos mains après une bataille acharnée. Au total, nous avons perdu 190 hommes et 800 soldats ont été blessés. On estime que les Égyptiens ont perdu entre 1 000 et 3 000 soldats.

Il était convenu que, le 30 octobre à midi, la Grande-Bretagne adresse à l'Égypte et à Israël un ultimatum exigeant le cessez-le-feu et le retrait des deux forces à au moins quinze kilomètres du Canal et que douze heures plus tard, les Britanniques commencent à bombarder les aérodromes égyptiens. L'ultimatum, accepté par Israël, fut, comme prévu, refusé par l'Égypte. Le 2 novembre, Israël prit les deux grandes villes de Gaza et d'El Arish, et le 3 novembre, nos troupes avaient conquis presque tout le Sinaï. Pour nous, la guerre était pratiquement terminée et nous n'attendions plus que le débarquement des forces françaises et britanniques.

Cependant, la France et la Grande-Bretagne, qui ne pensaient pas qu'Israël mènerait cette campagne aussi rapidement, avaient prévu d'intervenir le 6 novembre et n'envisageaient pas d'en avancer la date. C'est finalement le 5 novembre, avec une avance de vingt-quatre heures sur l'horaire convenu, mais avec un retard de près de trois jours par rapport à la campagne israélienne du Sinaï, que les parachutistes français et anglais se sont emparés de Port-Saïd et de Port-Fouad.

ANDRÉ VERSAILLE : Comment cette agression est-elle vécue par les Égyptiens ?

BOUTROS BOUTROS-GHALI : Le sentiment anticolonial redouble de vigueur et, dans la foulée, la haine anti-israélienne. L'Égypte est mobilisée derrière Nasser et prête à défendre son indépendance récemment acquise : « *C'est l'impérialisme occidental dans toute son horreur qui revient et veut reconquérir l'Égypte ! Nous allons nous battre pour reprendre ce canal de Suez que nous avons construit à la sueur de notre front !* »

ANDRÉ VERSAILLE : Et les autres États arabes sont à l'unisson ?

BOUTROS BOUTROS-GHALI : Là, les choses sont moins tranchées : pour tout dire, ces États sont dans l'expectative, d'autant que plusieurs d'entre eux sont encore inféodés à l'Occident.

ANDRÉ VERSAILLE : La victoire israélienne est acquise, mais les Soviétiques vont se manifester.

SHIMON PERES : Oui, le président du Conseil des ministres soviétique, Boulganine, envoie une mise en garde à Paris et à Londres, menaçant de recourir aux missiles nucléaires. Il adresse également une lettre à Ben Gourion, le menaçant en termes à peine voilés de la destruction d'Israël. Comme vous pouvez l'imaginer, la perspective d'une intervention soviétique dans la région, alimentée par des dépêches faisant état de préparatifs soviétiques pour envoyer des volontaires au Moyen-Orient, suscita une grande émotion en Israël.

André Versaille : L'Urss menace d'intervenir en utilisant l'arme nucléaire, mais ce sont finalement les États-Unis qui obligeront la coalition tripartite à faire demi-tour, sauvant ainsi l'Égypte et surtout Nasser d'une défaite humiliante.

Shimon Peres : Et, de fait, les forces franco-britanniques quitteront Suez au bout d'une semaine sans avoir pu reprendre le contrôle du Canal. Quant à nos forces, elles se retireront seulement le 5 mars 1957, après qu'Israël eut obtenu des garanties, et en particulier après que les grandes puissances maritimes (les États-Unis, la France, la Grande-Bretagne et le Canada) se furent engagées à garantir la liberté de la navigation dans le golfe d'Aqaba pour les bateaux israéliens.

André Versaille : Comment cette défaite militaire de l'Égypte est-elle vécue par le monde arabe ?

Boutros Boutros-Ghali : Au début, nous pensions qu'il s'agissait d'une agression uniquement israélienne. Ce n'est que plus tard que nous apprendrons que les Israéliens avaient été appuyés par les Anglais et les Français. Ce constat va avoir une double conséquence. Premièrement, elle va permettre à Nasser de transformer sa défaite militaire en victoire politique : pour un pays du tiers-monde, être vaincu par une coalition de trois armées occidentales modernes n'est pas humiliant. Deuxièmement, la conviction que, sans les Anglais et les Français, jamais les Israéliens ne nous auraient battus semble avoir encouragé Nasser, quelque dix ans plus tard, à provoquer une nouvelle confrontation avec Israël.

André Versaille : Malgré le rôle décisif de Washington, dans l'imaginaire arabe, ce ne sont pas les Américains qui ont tiré l'Égypte d'affaire, ce sont les Soviétiques.

Boutros Boutros-Ghali : Non, dans l'imaginaire arabe, ce ne sont ni les Russes ni les Américains qui ont tiré d'affaire l'Égypte : Suez est une « *victoire de la diplomatie tiers-mondiste unie derrière l'Égypte* ». C'est aussi le soutien du peuple égyptien à l'égard de son chef qui a eu le courage de tenir tête aux deux plus grands empires du XIXe siècle. Cela explique que l'on a pu transformer cette défaite militaire en une formidable victoire politique, non seulement de l'Égypte, mais de l'ensemble du tiers-monde arabe contre « *l'impérialisme occidental* ». La nationalisation du Canal était déjà considérée comme une victoire en elle-même ; le fait que, malgré la guerre menée par les Occidentaux, le Canal soit resté propriété égyptienne a renforcé le sentiment de cette victoire : « *Nous avons arraché le Canal aux forces impérialistes, nous y sommes parvenus ! Nous avons tenu ! Ils ont été obligés d'évacuer tout le territoire égyptien, y compris la bande de Gaza.* »

ANDRÉ VERSAILLE : Si l'opinion internationale considère que les Français et les Anglais ont perdu la face, il n'en est pas de même pour les Israéliens qui gagnent à cette occasion leur brevet de petit David l'emportant sur le Goliath arabe.

BOUTROS BOUTROS-GHALI : Oui, mais ce fut une victoire israélienne sans lendemain, puisque, sur injonction de Washington, l'armée israélienne sera, elle aussi, obligée de se retirer des territoires égyptiens, y compris de la bande de Gaza.

SHIMON PERES : L'essentiel n'est pas là. Rien de fondamental n'avait changé entre les Arabes et nous, voilà l'important. Même si cette victoire fut brillante et suscita une énorme joie en Israël, ce triomphe ne suffira pas à garantir la paix. Contrairement à l'immense majorité des pays, Israël ne semblait pas installé dans la durée. Derrière le succès se cachait toujours la menace de nouvelles guerres. Nous conservions le sentiment qu'à chaque instant, nous étions en situation de survie, comme si notre existence physique et politique devait être régulièrement remise en cause.

ANDRÉ VERSAILLE : À partir de cette « victoire politique », Nasser devient le leader incontesté du monde arabe, et sera considéré comme un des dirigeants les plus importants du tiers-monde.

SHIMON PERES : Oui, mais nous en restons là au niveau du discours : Nasser a perdu son armement ; nous avons fait 4 000 prisonniers ; nous avons détruit les bases des fedayin et, bien sûr, fait sauter le blocus du détroit de Tiran. Que signifie devenir un « *leader incontesté* » lorsque ce leader vient de subir une défaite militaire aussi cuisante ? Les proclamations égyptiennes n'étaient que des vocalises et la « victoire » de Nasser restait purement rhétorique. Quelle est la valeur d'une victoire rhétorique ? Nous sommes dans la propagande.

BOUTROS BOUTROS-GHALI : Mais voyons, la propagande est indissociable de la politique ! Déjà reconnu comme dirigeant tiers-mondiste à son retour de Bandung, Nasser, avec la nationalisation du canal de Suez, va en effet acquérir une stature de héros dans le tiers-monde. Bien plus, pour la population égyptienne, si la « *triple et lâche agression* » anglo-franco-israélienne s'est soldée, dans un premier temps, par une victoire militaire, elle s'est transformée en défaite militaire et politique avec le retrait des troupes imposé par Washington. À partir de là, l'Égypte va jouer un rôle croissant dans le monde arabe et en Afrique, suscitant la crainte des régimes arabes inféodés à l'Occident.

SHIMON PERES : Précisément, je crois que c'est cette illusion entretenue par une rhétorique à toute épreuve qui provoquera la tragédie de l'Égypte. Elle l'entraînera à développer une politique de grandeur qu'elle sera bien incapable d'assumer. Pire, cette vision que Nasser aura de son pouvoir lui fera perdre tout sens de la mesure et, comme vous venez de le dire, le poussera onze ans plus tard à s'engager dans une politique désastreuse qui provoquera la guerre des Six Jours.

Je veux bien croire qu'en prenant le pouvoir avec les Officiers libres, l'objectif premier de Nasser ait été de combattre la corruption et de relever le pays. Malheureusement, la tâche n'était pas aisée et son équipe s'est avérée incompétente. Alors, très vite, plutôt que de s'attaquer à un travail ingrat de redressement du pays, et afin de prévenir toute désillusion de la part de sa population, il a trouvé comme expédient une politique étrangère agressive censée rendre leur honneur aux Arabes.

Boutros Boutros-Ghali : Décidément, vous semblez accorder bien peu de crédit au processus de décolonisation du monde arabe et du monde africain auquel l'Égypte a activement contribué, ainsi qu'à la politique du non-alignement. De même, vous passez sous silence les efforts déployés par l'Égypte en matière d'industrialisation et de modernisation de la société.

André Versaille : Après la campagne de Suez, Nasser va chasser les étrangers d'Égypte. Pourquoi ?

Boutros Boutros-Ghali : En réalité, ce sont trois populations qui ont dû quitter le pays : les Juifs, les Français et les Anglais. Les autres communautés étrangères comme les Grecs par exemple, ou les Arméniens, inquiets de ce climat xénophobe vont, pour certains, choisir d'émigrer.

André Versaille : Si l'on considère la richesse cosmopolite et intellectuelle de villes comme Le Caire et Alexandrie au début des années cinquante, et ce qu'il adviendra très vite de ces mêmes villes, ne peut-on pas parler de « décadence » ?

Boutros Boutros-Ghali : Cette décadence n'est pas tant due au renvoi des minorités étrangères qu'à l'explosion démographique. En réalité, cet âge mythique du cosmopolitisme égyptien a pris fin en 1952 avec le coup d'État des Officiers libres. Pour ma part, j'ai considéré que ce renvoi des étrangers était une terrible erreur, et je l'ai d'ailleurs écrit à l'époque. Par contre, la petite bourgeoisie et la majorité de la population ont immédiatement vu le profit qu'elles pouvaient en tirer, en occupant les places vacantes.

André Versaille : Le fait qu'Israël ait rejoint les ex-puissances coloniales dans leur agression contre l'Égypte aura pour effet de classer clairement l'État juif dans le camp occidental. Aux yeux des Arabes et des anticolonialistes, Israël est devenu l'agent de « l'impérialisme occidental ».

SHIMON PERES : Sans doute, mais c'était déjà le cas avant la campagne de Suez.

ANDRÉ VERSAILLE : Mais cette fois, de manière plus définitive, non ? Dans une lettre adressée au roi Hussein de Jordanie, le 13 mars 1961, Nasser écrit : « *Concernant* [...] *Israël, nous pensons que l'épine enfoncée dans le cœur du monde arabe doit en être extraite.* »

SHIMON PERES : Quelle différence ? C'est le même discours arabe depuis 1948. En contrepartie de cette mise à l'index, la fulgurante victoire de Tsahal va donner à Israël un prestige incommensurable.

BOUTROS BOUTROS-GHALI : Je suis d'accord avec vous, Suez n'a pas changé grand-chose à l'image que le monde arabe avait d'Israël qui, depuis le début, a été considéré comme une puissance coloniale occidentale implantée dans le cœur du monde arabe.

SHIMON PERES : Je vous raconte une anecdote : lors de la campagne du Sinaï en 1956, Ben Gourion a reçu une lettre de Nehru qui lui disait en substance : « *J'ai bien entendu les raisons que vous invoquez pour justifier votre campagne : la multiplication des actions terroristes, la situation conflictuelle avec l'Égypte, etc. On peut comprendre ces raisons, mais elles ne vous donnent pas le droit d'engager une opération militaire de cette envergure. Vous auriez dû vous adresser aux Nations unies : c'eût été moins coûteux en vies humaines et plus efficace.* »
Un peu plus tard il y eut le conflit entre l'Inde et la Chine dans le Ladakh, et Nehru justifia son intervention militaire par la multiplication des accrochages qui éclataient régulièrement dans cette région. Alors Ben Gourion renvoya au Premier ministre indien la lettre que celui-ci lui avait faite, en lui écrivant : « *Je m'étonne que vous ayez déclenché les hostilités militaires. Je pense que vous auriez dû vous adresser aux Nations unies : c'eût été moins coûteux en vies humaines et plus efficace...* »

ANDRÉ VERSAILLE : Après Suez, y a-t-il eu en Israël un débat sur la politique étrangère que devait suivre le pays : s'arrimer aux Occidentaux ou tenter de s'intégrer dans le monde arabe ?

SHIMON PERES : À cette époque, l'idée de pouvoir s'intégrer au monde arabe était absolument illusoire. Il n'y avait guère que les communistes ou les gauchistes qui y croyaient. Et ils étaient tout à fait minoritaires. Il faut se rappeler que le refus arabe était alors total. Non seulement refus de faire la paix avec nous mais refus de l'existence même de l'État juif. Ce n'est qu'après quatre guerres que les pays arabes vont commencer à envisager une cohabitation.

En revanche, nous avons profité de la victoire de Suez et du prestige qu'elle nous conféra, pour resserrer davantage nos relations avec l'étranger et consolider notre diplomatie. C'est ainsi que nous avons développé la théorie de la périphérie : il s'agissait de constituer autour d'Israël, et en dehors des pays arabes limitrophes, une ceinture d'États amis avec lesquels nous entretiendrions des relations suivies, l'objectif à long terme étant d'y inclure au moins certains pays arabes. Cette théorie de la périphérie s'appliquait à quatre pays : le Soudan, l'Éthiopie, l'Iran et la Turquie.

V – Entre deux guerres

Évolution de la politique étrangère de Paris au Moyen-Orient –
Échec de la République arabe unie – Enlèvement et procès d'Eichmann
– Paul VI en Terre sainte, déception des Juifs –
Rapprochement difficile entre Israël et les Allemands

ANDRÉ VERSAILLE : Avec la campagne de Suez, les relations entre Jérusalem et Paris se sont encore resserrées. Non seulement les Français vont continuer à armer Israël, mais en plus, ils vont vous permettre de construire la centrale nucléaire de Dimona. C'est vous, Shimon Peres, qui êtes à l'origine de cette initiative.

SHIMON PERES : J'étais convaincu que notre avenir dépendait du développement du nucléaire. Que celui-ci résoudrait à la fois la question énergétique et celle de notre pénurie d'eau. J'ai immédiatement été traité de fantaisiste, tant par des hommes politiques que par des experts scientifiques qui affirmaient que, faute de moyens et de savants, Israël ne pourrait jamais bâtir une industrie nucléaire. Ben Gourion lui-même, qui écoutait leurs critiques, restait réservé. Quant à moi, je misais sur la nouvelle génération de scientifiques. Les conversations que j'avais eues avec plusieurs d'entre eux m'avaient montré que je pouvais compter sur la force de leur enthousiasme. Et de fait, le défi à relever a fortement stimulé ces jeunes ingénieurs, si bien que Ben Gourion a finalement soutenu cette initiative.

ANDRÉ VERSAILLE : Le projet accepté, vous sollicitez – et obtenez – l'aide des Français. C'est, je crois, le seul cas dans l'Histoire où un État va aider un autre État à se doter de l'arme nucléaire. Pourquoi la France s'engage-t-elle dans cette voie ?

SHIMON PERES : À cette époque, les Français, qui étaient notre plus fort soutien, nous considéraient comme des alliés sûrs. Je voudrais préciser qu'il n'était question que de nucléaire civil. On ne parlait pas de « bombe atomique ». Et je ne pense pas que les Français étaient décidés à nous prêter leur concours pour construire la bombe elle-même. Les Français nous ont vendu un réacteur nucléaire afin de nous permettre de progresser dans nos recherches et notre développement. D'ailleurs Dimona n'était pas une très grande centrale.

ANDRÉ VERSAILLE : Tout de même, c'est bien parce que les Français vont vous en fournir les éléments, que vous serez à même de vous doter d'un arsenal nucléaire, de passer du nucléaire civil au nucléaire militaire.

SHIMON PERES : L'option militaire n'a pas été abordée : nous sommes restés de part et d'autre dans le flou, pour ne pas dire dans l'ambiguïté.

ANDRÉ VERSAILLE : Si je comprends bien, nous resterons ici aussi dans le flou, pour ne pas dire dans l'ambiguïté ?

SHIMON PERES : Écoutez : en 1961, le président Kennedy m'a demandé si Israël allait introduire la bombe atomique au Moyen-Orient. Je lui ai répondu qu'Israël ne serait pas le premier pays qui introduirait des armes nucléaires au Moyen-Orient.

Un jour, après que nous avions fait la paix avec l'Égypte, Amr Moussa, alors ministre des Affaires étrangères, avec lequel j'entretenais d'excellentes relations, m'a demandé de visiter Dimona. Je lui ai dit : « *Mais voyons, ce serait insensé de ma part : si je vous fais visiter Dimona, vous verriez qu'il n'y a rien, et du coup nous perdrions notre principal élément de dissuasion – et vous pourriez redevenir notre ennemi...* » Je ne lui ai donc pas fait visiter Dimona.

Ce qui est important pour Israël, ce n'est pas ce qu'est réellement Dimona, mais ce que l'on suspecte cette centrale d'être. Il nous suffit que nos ennemis soient convaincus que avons la capacité de nous défendre et de leur infliger une riposte dangereuse. C'est cela, la dissuasion.

ANDRÉ VERSAILLE : Ambiguïté, ambiguïté, quand tu nous tiens...

Cependant les années passent et, en 1962, la guerre d'Algérie s'achève. Du coup, la politique gaulliste au Moyen-Orient change : aux yeux des Israéliens, elle devient « pro-arabe ».

BOUTROS BOUTROS-GHALI : Cette idée que de Gaulle était le grand ami des Arabes est une idée israélienne. Le basculement de la politique française au Moyen-Orient n'est pas aussi marqué que vous le pensez. En ce qui nous concerne, nous ne considérions pas que la politique française était devenue pro-arabe : de totalement pro-israélienne, elle était seulement devenue plus équilibrée. S'il est vrai que certains diplomates du Quai d'Orsay étaient notoirement pro-arabes, il y en avait bien d'autres qui ne l'étaient nullement. Par ailleurs, vous sous-estimez l'importance et l'influence du lobby sioniste en France.

André Versaille : Quoi qu'il en soit, les Israéliens comprennent-ils, à ce moment, que la lune de miel franco-israélienne est terminée ?

Shimon Peres : Non, nous pensions pouvoir maintenir nos liens d'amitié avec les Français. Après tout, nous étions un pays totalement indépendant (le seul dans la région à ne pas avoir de base étrangère, ni américaine ni soviétique, sur notre sol), nous continuions de leur acheter notre matériel militaire, enfin nous avions tissé de véritables liens de coopération et même de véritables amitiés, tant avec des membres de la classe politique qu'avec les militaires.

En fait, c'est Couve de Murville, plus que de Gaulle, qui va vouloir changer ces relations. La politique moyen-orientale française sous de Gaulle peut se diviser en deux phases : avant et après Couve de Murville aux Affaires étrangères. Couve, qui avait été si longtemps ambassadeur au Caire, avait épousé la position arabe et avait donc mal vécu la guerre de Suez faite par la France à l'Égypte.

Il y avait, à cette époque, deux grands ambassadeurs dans la région : Couve de Murville en Égypte, et Pierre Gilbert en Israël. Évidemment en concurrence, les deux ambassadeurs n'étaient pas très disciplinés : chacun se sentait autorisé à expliquer à sa manière la politique française au Moyen-Orient. Devenu ministre des Affaires étrangères, Couve qui estimait que la politique française au Moyen-Orient sous la IVe République avait été beaucoup trop pro-israélienne va inaugurer une nouvelle politique au Moyen-Orient.

André Versaille : Entre-temps, en 1956, le Maroc et la Tunisie se sont également émancipés. Comment ces indépendances ont-elles été vécues dans le monde arabe ?

Boutros Boutros-Ghali : Ces indépendances nous paraissaient à la fois annonciatrices du rêve de la grande nation arabe et de la naissance du non-alignement, avec l'illusion que nous, le tiers-monde, nous représentions la troisième force du monde. En ce qui me concerne, j'écrivais des articles dans lesquels je comparais la future fédération des pays arabes aux fédérations italiennes et allemandes de 1870. Après tout, au XIXe siècle, tant l'Italie que l'Allemagne étaient morcelées en une série de petits royaumes qui se querellaient entre eux, tout comme les États arabes dans cette deuxième partie du XXe siècle. Comme chez nous, leur mouvement unificateur se heurtait à des manœuvres de sabotage de la part des grandes puissances ; mais, comme nous, ils bénéficiaient d'une continuité géographique et d'une unité linguistique. Et même si notre volonté unificatrice se heurtait, pour l'heure, à l'opposition de l'Occident et d'Israël, il n'y avait aucune raison pour que nous ne parvenions pas à surmonter ces obstacles, comme l'avaient fait l'Allemagne et l'Italie, au siècle passé. Et je concluais, à la lumière de ces deux précédents, que demain le monde arabe serait un, d'Agadir à Aden.

En 1956, avec la « victoire politique » de Suez, ce rêve semble encore plus accessible. Le processus est engagé, au point que deux ans plus tard, en février 1958, l'Égypte et la Syrie vont s'unir pour créer la République arabe unie (RAU), et Nasser sera acclamé par des foules en délire à Damas. Un mois après, le Yémen rejoint la fédération. Face à ce mouvement unificateur, Israël est perçu comme une enclave, un port franc, un peu à la manière de Hong Kong en Chine.

ANDRÉ VERSAILLE : Comment expliquez-vous que ce mouvement unificateur échouera, que la République arabe unie ne perdurera que deux ans et que, quelques années plus tard, en 1965, l'Égypte fera la guerre au Yémen ?

BOUTROS BOUTROS-GHALI : Cela s'explique à mon avis par les rivalités pour le leadership, l'incompétence notoire des cadres supérieurs arabes, et enfin par l'opposition du monde extérieur : ni la France, ni la Grande-Bretagne, ni Israël n'avaient intérêt à ce que cette union perdure. Or, on sait bien que toute fédération naissante a besoin de l'appui et de l'assistance des grandes puissances.

ANDRÉ VERSAILLE : Oui, mais vous venez de dire que dans les cas de l'Italie et de l'Allemagne, les manœuvres de sabotage extérieures étaient restées inefficaces. De quelle façon l'Occident et Israël auraient-ils pu empêcher l'union du monde arabe ? D'ailleurs, l'union de l'Égypte et de la Syrie s'est faite sans que qui que ce soit n'ait pu s'y opposer.

BOUTROS BOUTROS-GHALI : Disons les choses autrement : il n'y a pas eu une seule grande puissance qui ait béni cette union. Pas même l'Union soviétique qui, en 1958, était à peine présente dans le monde arabe, alors que la Grande-Bretagne a encouragé l'unification de l'Inde, composée de plusieurs royaumes, ainsi que l'unification du Nigeria.

ANDRÉ VERSAILLE : N'avez-vous pas l'impression que vous reproduisez là le discours de victimisation souvent déclamé par le monde arabe qui n'arrête pas d'expliquer son retard, sa division et son blocage par l'action néfaste de l'Occident ?

BOUTROS BOUTROS-GHALI : Je suis d'accord avec vous, c'est pourquoi je vous ai donné comme première raison l'incapacité des cadres arabes qui sont, pour la plupart, des militaires dépourvus de culture politique. Il n'empêche qu'à cette raison endémique, il faut ajouter qu'il a toujours manqué au monde arabe le « grand frère » qui aurait pu l'aider.

ANDRÉ VERSAILLE : Lorsque, après son coup d'État militaire de septembre 1961, la Syrie se retire de la République arabe unie, cette rupture est-elle uniquement le résultat d'oppositions idéologiques ?

BOUTROS BOUTROS-GHALI : Cette scission est due à la mauvaise collaboration et au mauvais climat entre Damas et Le Caire. L'administration égyptienne, incapable d'établir un véritable partenariat entre l'Égypte et la Syrie, préférait continuer sa gestion sur le mode autoritaire et centralisé.

Et bien sûr, cette rupture est vécue dans le monde arabe comme une gifle. Mettez-vous à la place d'un Arabe qui suit les « victoires » ou les progrès arabes : 1952, l'Égypte accomplit sa révolution ; 1956, elle nationalise la Compagnie du canal de Suez, peu après elle parvient à faire échec à deux grandes puissances coloniales et à Israël, liguées dans une agression commune ; 1958, première union arabe significative, la République arabe unie. Et voilà qu'en septembre 1961, juste après qu'a eu lieu à Belgrade la Conférence au sommet des pays non alignés (6 septembre), la République arabe unie se disloque.

On remarquera en passant que c'est à ce moment-là que Nasser durcit son régime et l'oriente vers un socialisme plus radical, dont la grande bourgeoisie sera la première à faire les frais.

ANDRÉ VERSAILLE : Cette scission entraînera un conflit entre l'Égypte et le Yémen, Nasser accusant le roi du Yémen d'encourager les forces réactionnaires.

En septembre 1962, un colonel yéménite nassérien renverse la monarchie et instaure une République dont il se proclame président, ce qui provoque la guerre civile entre républicains et royalistes. Les royalistes seront soutenus par l'Arabie saoudite, et les républicains par Nasser. Quel est le jeu de Nasser dans cette guerre ?

BOUTROS BOUTROS-GHALI : Je pense qu'après l'échec cuisant qu'a constitué l'éclatement de la République arabe unie, Nasser a ressenti le besoin de montrer qu'il continuait à jouer un rôle de chef de file dans le monde arabe. Il va donc soutenir les républicains en se contentant, au début, de n'envoyer que quelques troupes sur place. Toutefois, à l'instar de ce qui se passe à l'époque au Vietnam, le conflit va s'enliser. C'est la crise de 1967, annonciatrice de la guerre des Six Jours, qui amènera Nasser à rapatrier ses troupes.

Cela dit, cette attitude de soutien aux « forces progressistes » n'était pas nouvelle : l'Égypte a aidé le FLN pendant la guerre d'Algérie, les Somaliens dans leur lutte pour l'indépendance, l'ANC et le PAC en Afrique du Sud, etc. Dès son avènement, Nasser a participé activement à la lutte anticoloniale en envoyant des armes aux différents mouvements de libération.

Il faut aussi savoir que le Yémen, État bien plus ancien que l'Arabie saoudite, a toujours été en compétition avec Riyad. En soutenant les républicains, Nasser s'attaque du même coup à l'Arabie, qui fait figure de monarchie « réactionnaire » par opposition aux pays « progressistes » tiers-mondistes dont il se veut le leader.

ANDRÉ VERSAILLE : Du côté d'Israël, un événement va faire grand bruit : en mai 1960, on apprend qu'Adolf Eichmann, réfugié clandestinement en Argentine sous le nom de Ricardo Klement, a été enlevé par les services secrets israéliens, le Mossad. Pour mémoire, Eichmann fut l'homme chargé de la « section juive » de la Gestapo à Vienne, puis en Bohème et en Moravie. Il assurera ensuite les déportations massives de Juifs vers les camps d'extermination. Selon les documents de Nuremberg, Eichmann est responsable de la mort d'environ 1 400 000 Juifs appartenant à quatorze nationalités. Il n'empêche que le gouvernement argentin est furieux, car il considère l'action du Mossad comme une violation de son territoire. Comment l'enlèvement d'Eichmann est-il commenté dans le monde arabe ?

BOUTROS BOUTROS-GHALI : Cet enlèvement est condamné par les Arabes. Il montre à quel point les Israéliens ne respectent ni le droit international ni la souveraineté d'un pays étranger. Eichmann aurait dû être jugé par un tribunal international, et non par un tribunal israélien, trop affectivement impliqué par le génocide.

Comment peut-on imaginer que ces juges puissent être neutres face à un des responsables du génocide commis contre leur propre peuple ? Lorsqu'un tribunal international, que ce soit le Tribunal international de La Haye ou le Tribunal d'Arusha, juge un criminel de guerre, on évite toujours de faire figurer parmi les juges un de ses compatriotes, ou un compatriote des victimes. C'est élémentaire ! Et c'est la raison pour laquelle le tribunal de Nuremberg a pu être accusé d'avoir exercé une « justice de vainqueurs ».

Et même si d'aucuns peuvent considérer les juges de Nuremberg, ou les juges du tribunal de Jérusalem, comme impartiaux, il s'agit d'une question de principe. Et dans son principe, le fait, pour un État, d'enlever un homme, fût-il le plus grand des criminels de guerre, et de décider unilatéralement de lui infliger un procès, est attentatoire au droit international.

SHIMON PERES : Très bien. Du point de vue théorique, je vous suis parfaitement. Si nous avions été dans un monde où prévalait le droit international, Eichmann aurait dû être jugé par une cour de justice internationale. Mais nous n'étions pas dans un tel monde : non seulement Eichmann n'avait pas été poursuivi, mais il avait été protégé par les autorités argentines. Après les procès de Nuremberg, il n'y a plus eu réellement de volonté de retrouver les criminels de guerre nazis. Au contraire, un grand nombre de filières furent mises en place pour leur permettre d'échapper à la justice. Et beaucoup d'entre eux se retrouveront en Amérique latine, mais également dans le monde arabe, notamment, vous le savez bien, en Égypte. La question qui se pose est donc la suivante : pourquoi ces États n'ont-ils pas livré à la justice ces criminels et les ont-ils protégés ? Si ces États avaient été soucieux du droit international, Israël n'aurait pas dû recourir à l'enlèvement.

ANDRÉ VERSAILLE : Par contre, en Occident, une immense majorité de l'opinion publique applaudit à l'opération : même si certains peuvent voir matière à critique sur la façon dont les Israéliens se sont emparés d'Eichmann, la capture d'un très grand criminel de guerre est regardée comme un fait de justice.

Quelques mois plus tard, son procès s'ouvre à Jérusalem. Il s'agit du premier procès pour crime contre l'humanité depuis Nuremberg.

SHIMON PERES : Oui, et l'événement sera vécu de façon dramatique. Son procès aura un profond impact sur la société israélienne. Il aura indubitablement changé quelque chose dans les relations entre les Israéliens venus d'Europe, ayant connu le nazisme, et les jeunes Sabras. Pour la première fois, ces jeunes Israéliens ont pu entendre « en direct » des témoignages de survivants de la Shoah. L'impact de ce procès sera d'ailleurs international. Sur les Juifs de la diaspora, bien sûr, mais aussi sur les non-Juifs. C'est un événement majeur.

BOUTROS BOUTROS-GHALI : Pour les Européens qui sont responsables du Génocide, certes, que ce soient ceux qui l'ont commis ou ceux qui l'ont laissé faire. En revanche, les pays du tiers-monde ne se sentent concernés que de très loin par ce procès relatif à un génocide dans lequel ils n'ont pris aucune part.

ANDRÉ VERSAILLE : Un peu plus tard, Israël est une nouvelle fois sous les projecteurs : en 1964, le pape Paul VI se rend en visite en Terre sainte. Les Israéliens et les Juifs de la diaspora attendent beaucoup de ce voyage.

SHIMON PERES : Oui, d'autant plus que pendant la Seconde Guerre mondiale, le Vatican n'a pas manifesté une grande compassion à l'égard des Juifs persécutés. Il est resté dans une neutralité et une indifférence inacceptables. Le Vatican, qui se veut un centre moral à valeur universelle, ne pouvait pas se contenter de rester un établissement religieux qui essaie de prendre des positions selon ses intérêts politiques. Au lendemain de la guerre, l'Église avait à considérer une tragédie humaine sans précédent, et la moindre chose qu'elle aurait pu faire, c'était de reconnaître l'État juif. Elle ne l'a pas fait. Ce sera Jean-Paul II qui, plus de cinquante ans après, reconnaîtra Israël. Mais cette reconnaissance aurait dû se faire dès la création d'Israël.

Pour en revenir au voyage de Paul VI, il faut se reporter au début des années soixante pour saisir son impact. À cette époque, Israël était coupé de beaucoup de pays. Cette visite d'un personnage aussi important était proprement sensationnelle et avait fait naître beaucoup d'espoir chez les Israéliens. Les Juifs attendaient la reconnaissance d'Israël par le Vatican, mais le Pape ne fera pas un pas dans ce sens. La déception du monde juif sera forte.

André Versaille : Vous-même, avez-vous été déçu ?

Shimon Peres : Tout de même un peu, oui. Notez cependant que le seul fait que le Pape soit venu en Israël pouvait être interprété comme un premier signe, sinon d'une reconnaissance d'Israël, au moins d'une ouverture du Vatican envers nous. Paul VI était le premier pape des Temps modernes à se rendre sur les Lieux saints chrétiens et il le faisait sous un gouvernement juif : ce n'était vraiment pas rien. Toutefois, si la visite en elle-même fut un événement, son déroulement fut, il faut bien le dire, un peu banal...

Par ailleurs, je garde le souvenir d'une drôle d'anecdote. Lorsque nous avons appris l'annonce de la venue du pontife, on nous a également communiqué son itinéraire. Paul VI comptait passer par la Jordanie, ce qui était un chemin plutôt compliqué. Nous lui avons donc dépêché le chef de la sécurité pour essayer de comprendre la raison de l'emprunt de cette route. En discutant avec les organisateurs du voyage, notre envoyé s'est aperçu que le Vatican avait planifié le voyage sur une carte qui datait... d'avant la Première Guerre mondiale ! Nous n'avons pas pu nous empêcher de regarder ce fait comme un témoignage de l'incapacité du Vatican, généralement très informé des changements géopolitiques, de saisir l'évolution de la région des Lieux saints et de considérer l'établissement de l'État juif.

André Versaille : Comment expliquez-vous que le Vatican n'ait pas reconnu Israël pendant plus d'un demi-siècle ?

Shimon Peres : Comme beaucoup de catholiques vivent dans les pays arabes, le Vatican voulait et devait maintenir à tout prix de bonnes relations avec ces États afin d'éviter une quelconque mise en danger de ces minorités catholiques. Voilà pour l'aspect disons « géopolitique » de la question. Mais évidemment, il y a un autre facteur sous-jacent qui participe de l'explication de cette réticence, c'est l'énorme contentieux judéo-chrétien vieux de plusieurs siècles. L'errance du peuple juif était considérée comme le châtiment de celui-ci, elle témoignait de son erreur, de son péché de n'avoir pas reconnu le Christ, et de l'avoir tué. Le fait que les Juifs retrouvent leur foyer national et ne soient donc plus condamnés à l'errance, remettait en quelque sorte ce dogme en cause.

André Versaille : Sans doute, mais depuis Jean XXIII, et le concile Vatican II (1962-1965), les Juifs ont été lavés de l'accusation de déicide.

Shimon Peres : C'est vrai, et il faut évidemment saluer le geste de Jean XXIII. Néanmoins, ce n'est pas la suppression d'une mention dans les catéchismes qui peut effacer des siècles d'antisémitisme chrétien. Je pense qu'il était difficile pour la hiérarchie catholique d'accepter que des Juifs gouvernent le pays qui abrite les Lieux saints chrétiens. Il y avait là quelque chose de grinçant à leurs yeux.

BOUTROS BOUTROS-GHALI : En effet, je me rappelle que le grand orientaliste Louis Massignon déplorait que le tombeau du Christ soit gardé par des soldats juifs.

À propos de ce voyage, je voudrais rappeler une chose moins connue. Les Arabes chrétiens et musulmans avaient mis, eux aussi, beaucoup d'espoir dans cette visite, au regard, notamment, des prises de position du Vatican en faveur de l'internationalisation de Jérusalem. Ils croyaient que cette visite allait dans le sens de cette internationalisation qui aurait permis, dans une seconde phase, de faire de Jérusalem la capitale de la Palestine. Ce ne fut pas le cas.

ANDRÉ VERSAILLE : Si les relations d'Israël avec le Vatican étaient problématiques, que dire de ses rapports avec l'Allemagne ! Pourtant, dès les années cinquante, Ben Gourion va entamer un rapprochement avec Bonn pour obtenir de l'aide, puis normaliser ces rapports, et enfin établir des relations diplomatiques avec la RFA. Comment les choses sont-elles vécues en Israël ?

SHIMON PERES : Les opinions étaient très variées. Parmi ceux qui étaient opposés à ce rapprochement, on trouvait évidemment beaucoup de rescapés des camps de la mort, qui ne pouvaient pas pardonner à l'Allemagne, ainsi qu'une frange politique de droite alignée derrière Menahem Begin. Cette tentative de rapprochement israélo-allemand a provoqué des manifestations particulièrement dures : la Knesset a même été attaquée à coups de pierres. Mais Ben Gourion a tenu bon, car il estimait qu'il fallait regarder la jeune génération qui allait former la nouvelle Allemagne, et juger ce pays sur son futur, non sur son passé. S'il ne fallait pas oublier le passé, on ne pouvait pas ne pas prendre en compte l'avenir. Une nouvelle Allemagne, à laquelle on n'avait pas le droit d'imputer les crimes du Troisième Reich, était née, et ses dirigeants, notamment son chancelier, Adenauer, n'avaient rien de commun avec les nazis.

De leur côté, les Allemands savaient qu'ils ne seraient pas considérés comme civilisés tant qu'ils ne feraient pas la preuve de leur amende honorable vis-à-vis des Juifs qui venaient d'être victimes de leurs effroyables persécutions. Il existait d'ailleurs à cette époque un mouvement allemand qui s'appelait : « *Ne recommençons plus.* » Adenauer était de ceux qui avaient compris que l'Allemagne devait prendre un sérieux tournant, et que le changement devait être absolument éclatant. D'ailleurs, Ben Gourion avait rapidement vu qu'avec Adenauer des relations pouvaient être envisagées sur des bases saines. Et les deux hommes se sont très vite entendus.

ANDRÉ VERSAILLE : Avant de mettre en place des relations diplomatiques, le rapprochement avec l'Allemagne sera « *militaro-industriel* ».

Shimon Peres : Oui, nous cherchions toujours à renforcer notre potentiel militaire et, comme je vous l'ai expliqué, j'étais pour ma part favorable à l'orientation européenne, plutôt qu'américaine. Les rapports solides que nous avions développés avec la France m'incitaient à vouloir resserrer nos liens avec l'Europe. Je souhaitais donc que l'on établisse des contacts avec l'Allemagne, mais le Génocide rendait difficile tout projet de normalisation des rapports entre les deux pays. Le seul accord conclu entre nous concernait les réparations allemandes, et déjà cette question avait soulevé beaucoup de passions en Israël.

André Versaille : Vous allez donc travailler personnellement au rapprochement avec l'Allemagne.

Shimon Peres : Oui. Après la guerre du Sinaï, j'ai voulu suivre une démarche analogue à celle que j'avais entreprise avec les Français en essayant de nouer des contacts personnels avec des responsables politiques et en commençant par établir des relations entre les deux ministères de la Défense. C'est ainsi que j'ai pu rencontrer Franz Joseph Strauss, alors ministre de la Défense. À cette époque, un abîme séparait nos deux peuples et il était vraiment délicat d'aborder directement la question des relations entre Israël et l'Allemagne. Cependant, au cours de cet entretien, quelque chose qui ressemblait à un rapport de confiance s'était établi entre Strauss et moi, et j'ai pu librement lui donner mon point de vue sur la situation germano-israélienne et sur la manière dont je voyais son évolution. Je lui ai expliqué que la France nous fournissait des armes et des conseillers, tandis que les États-Unis nous offraient de l'argent pour payer ces armes. Je lui ai donc fait valoir que de son côté l'Allemagne, coupable du Génocide, et qui avait donc des responsabilités particulières envers Israël, pourrait nous aider également. Je voulais obtenir que l'Allemagne nous fournisse des armes sans aucune contrepartie, financière ou autre, et que nous établissions entre nos deux ministères des relations de confiance comme celles qui existaient déjà avec la France. Ce fut une longue discussion, mais au bout de six heures, Strauss me déclara d'une manière assez solennelle : « *Monsieur, je suis prêt à vous aider.* » Il venait d'accepter le principe de nous offrir des armes défensives (mais non pas offensives), à la condition toutefois que les autres partis allemands marquent leur accord. Quelques mois plus tard, nous avons commencé à recevoir en Israël du matériel d'excellente qualité, qui provenait soit des surplus de l'armée allemande, soit directement de leurs usines d'armement. Nous avons ainsi obtenu des avions de transport de troupes, des avions d'entraînement, etc. Je précise que ceci ne faisait pas partie des « réparations », ces dons étaient le résultat des relations privilégiées que nous avions nouées avec la République fédérale d'Allemagne.

ANDRÉ VERSAILLE : Et comment réagit l'opinion en Israël ?

SHIMON PERES : Au début, ces accords furent volontairement présentés de façon vague au public. D'abord parce que, comme on vient de le dire, la population israélienne n'était pas encore mûre pour accepter l'idée d'une collaboration étroite avec l'Allemagne, ensuite parce que, de leur côté, les milieux politiques allemands n'étaient pas tous favorables au développement d'une coopération avec Israël, et que la RFA était très attentive aux réactions arabes : les chrétiens et les libéraux avaient marqué leur accord, mais les sociaux-démocrates étaient plutôt réticents, de même que le ministère des Affaires étrangères. Heureusement pour nous, Adenauer considérait que l'Allemagne avait le devoir d'aider Israël. Il encouragea donc et défendit son ministre de la Défense. Cela n'empêchera pas la RFA de continuer à fournir des armes à l'Égypte, et en quantité plus importante qu'à Israël. Quoi qu'il en soit, on évitait d'expliquer ouvertement ce que nous essayions de mettre en place.

ANDRÉ VERSAILLE : Mais le secret ne sera pas gardé bien longtemps.

SHIMON PERES : Jusqu'au jour où un article dans la presse israélienne porta le débat sur la place publique. Cette information déchaîna les passions, d'autant plus qu'on apprit qu'Israël avait également livré à l'Allemagne des mitraillettes fabriquées chez nous. Cette affaire fut portée devant la Knesset, et Begin dénonça ce rapprochement avec l'Allemagne. J'ai alors essayé d'expliquer que ces relations étaient très importantes pour l'État d'Israël encore fragile, mais mon discours fut mal accueilli par la moitié de la Knesset. Je pense que cette proportion reflétait assez bien la division de l'opinion de la population en général. D'ailleurs, lorsque Franz-Josef Strauss est venu en Israël et que je l'ai invité chez moi, des manifestations se sont déroulées sous ma fenêtre où les manifestants scandaient « *Strauss-Peres, Raus !!!* »

Ensuite, en mars 1964, une série d'articles parus dans la presse américaine fit état de transactions secrètes d'armement entre l'Allemagne et Israël, ce qui mit le gouvernement de Bonn dans l'embarras. Ces informations, vous vous en doutez, provoquèrent la colère des États arabes, dont plusieurs firent aussitôt savoir qu'ils rompaient les relations diplomatiques avec Bonn. Certains allèrent même jusqu'à menacer d'en établir avec l'Allemagne de l'Est. Ces complications inattendues eurent pour conséquences immédiates un changement radical dans la politique allemande. Bonn décida de mettre fin à sa coopération avec Israël dans le domaine de la Défense. Ce fut une nouvelle d'autant plus inquiétante que l'Union soviétique venait de livrer à l'Égypte un grand nombre de blindés supplémentaires ultramodernes.

La pression des États arabes se fit de plus en plus forte, si bien que le chancelier Erhard, qui avait succédé à Adenauer, se trouva obligé de définir clairement la nature des relations entre Israël et la RFA. Un an plus tard, en 1965, dans une déclaration publique, il présenta le cadre dans lequel il souhaitait qu'elles se développent : il proposait d'établir des relations diplomatiques avec Israël ; affirmait la volonté allemande de ne plus fournir d'armes dans les zones de tensions et de remplacer l'accord de fourniture d'armes par un nouveau contrat qui serait négocié avec Israël. Ces pourparlers durèrent plusieurs semaines. Il fut finalement convenu que l'Allemagne paierait des armes acquises par Israël dans d'autres pays, notamment en France, si bien que Bonn ne fournirait pas d'armes à l'État hébreu et que ce dernier ne recevrait pas directement de l'argent de l'Allemagne. C'est ainsi que, pendant des années, Israël a reçu d'importantes quantités d'armes sans les payer. Enfin, le 13 mars 1965, les deux pays ont officiellement établi des relations diplomatiques.

ANDRÉ VERSAILLE : Et, au moment où celles-ci vont se nouer, les pays arabes vont s'insurger.

SHIMON PERES : Évidemment ! Mais les États arabes vont constamment s'insurger contre toutes les normalisations des relations entre Israël et les autres pays.

BOUTROS BOUTROS-GHALI : Comment en aurait-il été autrement ? Toute la politique arabe était fondée sur le fait qu'Israël n'existait pas, qu'il s'agissait d'un État fantoche provisoire. Donc toute reconnaissance d'Israël de la part d'un autre État contribuait à affaiblir la logique panarabe. Par ailleurs, nous avions le sentiment qu'avec ces réparations, Israël bénéficiait d'un régime de faveur. Dans ces conditions, pourquoi l'Arménie n'aurait-elle pas été en droit de revendiquer une indemnisation suite au génocide dont elle avait été victime ? Pourquoi les États africains n'auraient-ils pas été en droit de demander réparation pour les millions d'hommes et de femmes morts durant leur transport vers le Nouveau Monde et pendant des siècles d'esclavage ?

VI – La guerre des Six Jours et ses conséquences

Moscou, l'apprenti sorcier ? – Nasser renvoie les Casques bleus…
– …puis interdit le détroit de Tiran à Israël –
Gesticulation ou préparation à la guerre ? – « Vous ne serez pas seul,
sauf si vous décidez de faire cavalier seul » – Moshé Dayan, ministre
de la Défense – Hussein a-t-il été obligé de suivre l'Égypte et la Syrie ?
– Une victoire éclair – « Je veux redevenir un simple citoyen »

André Versaille : La guerre froide se poursuit par « conflits périphériques » interposés. Le Moyen-Orient en est l'un d'eux, et parmi les plus dangereux. Au mois de mai 1967, la situation entre l'Égypte, la Syrie et Israël se tend. Shimon Peres, dans votre livre, *David et sa fronde*, vous expliquez que ce sont les Soviétiques qui ont « informé » Anouar el-Sadate (alors président de l'Assemblée nationale égyptienne), venu en visite à Moscou, qu'Israël était en train de masser des troupes à la frontière syrienne. Pourtant, il n'y avait pas, à ce moment-là, de mouvement particulier de soldats israéliens dans cette zone, ce que confirmera le général Muhammad Fawzi, chef d'état-major égyptien, après avoir visionné les photos aériennes.

Quel jeu joue alors Moscou en donnant aux Arabes cette information manifestement fausse ?

Shimon Peres : Franchement, je ne suis sûr de rien. Il a toujours été difficile de connaître le véritable jeu des Soviétiques, tant ils sont passés maîtres dans l'art de l'intoxication et de la manipulation permanente.

Boutros Boutros-Ghali : Vous savez, lorsqu'un événement politique se produit, on croit très souvent qu'il résulte d'une intention précise, d'un calcul, et on parle de « complot ». Surtout dans le monde arabe où l'on voit des complots partout. Pour ma part, je considère que bien des guerres sont en réalité le fruit d'une conjoncture mal maîtrisée par des responsables incompétents. Je privilégie donc la thèse de l'erreur plutôt que celle du complot.

SHIMON PERES : Je pense que cette manœuvre était pour Moscou une façon de témoigner aux Arabes son intérêt à leur égard. En même temps, il me semble clair que le Kremlin a voulu créer un point de tension et de friction dans cette région d'où les Américains, embourbés dans leur guerre du Vietnam, étaient absents. Une manière donc de maintenir les États arabes sous pression tout en renforçant ses liens avec eux. Pour autant, je ne crois pas que les Soviétiques aient voulu la guerre.

ANDRÉ VERSAILLE : Pourtant Eugueni Pirline, ministre soviétique des Affaires étrangères de l'époque, racontera plus tard : « *Nous pensions que même si la guerre n'était remportée par personne, elle donnerait à notre pays de gros avantages sur le plan géopolitique, car l'Égypte aurait démontré sa capacité à faire la guerre avec nos armes et notre soutien militaire et politique. Nous espérions après ce conflit que l'équilibre des forces au Moyen-Orient serait différent.* »

SHIMON PERES : Je crois qu'il s'agissait surtout d'organiser une espèce de front de solidarité soviéto-arabe en poussant les Égyptiens à mobiliser leurs troupes dans le Sinaï afin de rassurer les Syriens qui se disaient menacés par Israël. En fait, la Syrie était devenue la terre d'accueil des terroristes palestiniens. Non seulement elle autorisait l'installation de leurs bases, mais elle les aidait financièrement, si bien que les villages agricoles situés en contrebas dans la vallée du Jourdain étaient souvent la cible de tirs d'artillerie. C'était une manière d'entretenir contre nous une guérilla à partir des hauteurs du Golan. Dans le même temps, Damas avait décidé de détourner les eaux du Jourdain, qui représentent pour les régions du nord de notre pays la seule source d'approvisionnement en eau. Israël a d'abord riposté à ces provocations en tirant sur les tracteurs qui creusaient le canal de déviation, puis, à chaque fois que les Syriens ouvraient le feu sur les exploitations agricoles, notre armée de l'air répliquait immédiatement en bombardant les batteries syriennes. Damas exploita à son avantage la situation en jouant les victimes. Cette campagne de propagande fut si bien orchestrée que l'URSS, qui soutenait Damas, demanda à l'Égypte de lui venir en aide. Cependant, la situation s'est précipitée et les Soviétiques en ont perdu le contrôle. Disons que Moscou a joué à l'apprenti sorcier et que cela ne lui a pas vraiment réussi.

ANDRÉ VERSAILLE : Curieusement, alors que c'est avec la Syrie que le climat s'envenime, c'est Nasser qui va s'emballer.

SHIMON PERES : Oui, en mars 1967, Nasser, qui jouissait dans le monde arabe d'un prestige grandissant, décida de concentrer des troupes dans le Sinaï.

Boutros Boutros-Ghali : Il s'agissait de corps expéditionnaires égyptiens qui, à la suite de l'accord de cessez-le-feu intervenu entre l'Égypte et l'Arabie saoudite, venaient de quitter le Yémen où ils avaient été engagés.

Shimon Peres : C'est cela. Au début, nous avons plutôt cru à une démonstration de propagande destinée au monde arabe. Mais très vite, nous avons compris, en voyant chaque jour des renforts supplémentaires grossir les rangs des troupes déjà en place dans le Sinaï, que l'Égypte se préparait à la guerre.

André Versaille : L'escalade vers le conflit armé commence le 16 mai 1967 avec la demande du président égyptien d'évacuer les 3 400 Casques bleus qui stationnaient dans le Sinaï, à la frontière avec Israël depuis la fin de la guerre de Suez. Pourquoi Nasser prend-il cette décision ?

Boutros Boutros-Ghali : Je crois qu'il a été pris par une espèce d'élan incontrôlé. On sait que ce genre de défi enflamme les foules. Sans compter que si le dénouement de l'intervention anglo-franco-israélienne de 1956 avait été ressenti politiquement comme une « victoire », l'armée égyptienne ne pouvait s'empêcher de le considérer militairement comme une défaite. L'état-major était donc assez favorable à une revanche. D'autant plus que, comme je l'ai rappelé tout à l'heure, l'armée restait persuadée que, sans l'appui des Français et des Anglais, Israël n'aurait jamais pu conquérir le Sinaï.

Shimon Peres : Je pense comme vous que Nasser s'est emballé un peu malgré lui. Je ne suis pas sûr qu'au début, il ait véritablement voulu déclencher une nouvelle guerre. Il ne s'agissait alors que de rodomontades, mais le monde arabe l'a tellement applaudi, que non seulement il n'a pas pu faire marche arrière, mais qu'il s'est senti poussé à aller plus loin pour ne pas perdre la face et pour accroître son crédit de héros du monde arabe.

Il lui est arrivé ce qui arrive à beaucoup de dictateurs : ils finissent par s'identifier à l'image idéale que la foule leur renvoie d'eux-mêmes. Et ils perdent la tête, ou en tout cas tout sens de la mesure et de la réalité. Non seulement Nasser a cru à son discours, mais par un curieux phénomène psychologique, son discours est devenu sa réalité : en déclarant qu'Israël serait vaincu, voire détruit, le raïs considérait la guerre comme déjà terminée et Israël détruit.

André Versaille : Nasser demande donc le départ des Casques bleus, et U Thant, le secrétaire général des Nations unies, accède sans tarder à la demande du Caire, levant ainsi le mince rideau qui sépare les deux pays.

Shimon Peres : En effet, et immédiatement après l'évacuation de la bande de Gaza et de Charm el-Cheikh par les Casques bleus, des escadrilles de Mig et de Soukhoï prennent position dans des bases aériennes inutilisées depuis longtemps.

André Versaille : Boutros Boutros-Ghali, comment jugez-vous cette façon d'obtempérer immédiatement aux désirs de Nasser, de la part de votre prédécesseur ? U Thant avait-il le choix ?

Boutros Boutros-Ghali : Franchement je ne comprends pas ce qui a poussé U Thant à agir de la sorte. C'était évidemment une erreur tragique. Avait-il le choix ? Je l'ignore. Il avait en tout cas la possibilité de temporiser : dès lors qu'il s'agissait d'évidence d'une action qui pouvait mettre en péril la sécurité dans la région, il aurait pu gagner du temps en expliquant, par exemple, qu'il allait soumettre la demande égyptienne au Conseil de sécurité. Gagner du temps relève de la diplomatie préventive. Bien sûr, les Casques bleus ne protégeaient pas vraiment l'Égypte ni Israël, mais ils avaient une valeur symbolique dans un contexte où il s'agissait d'empêcher un incident susceptible d'entraîner une confrontation.

Shimon Peres : U Thant a évidemment commis une très grande faute. Je crois qu'il a lui aussi subi le charme de celui qui apparaissait comme le héros du monde arabe.

Avait-il le choix ? Oui et non. Après tout, les Casques bleus étaient stationnés du côté égyptien de la frontière, et ceux-ci ne pouvaient pas y demeurer contre la volonté du Caire. Mais en même temps, l'installation des soldats de l'Onu sur la frontière était la condition de notre retrait du Sinaï après la campagne de Suez. En renvoyant les Casques bleus, Nasser rompait donc les accords d'armistice qu'il avait signés.

André Versaille : Le 22 mai, un pas supplémentaire est franchi dans l'escalade : Nasser interdit le détroit de Tiran aux bateaux israéliens, entraînant le blocus du port israélien d'Eilat.

Shimon Peres : Ce qui constituait un *casus belli*. Après la campagne de Suez, nous l'avons dit, les grandes puissances maritimes s'étaient engagées à garantir la liberté de navigation dans le golfe d'Aqaba pour toutes les nations. Elles avaient promis d'intervenir pour briser tout nouveau blocus éventuel décrété par l'Égypte. Le gouvernement israélien résolut donc, avant de prendre une décision, de consulter les principaux États signataires de cet engagement, afin de connaître leur position. À Londres, le Premier ministre Harold Wilson proposa donc qu'une patrouille maritime internationale franchisse le détroit de Tiran et obtienne ainsi sa réouverture. Le président américain Johnson, qui avait condamné le blocus égyptien, le qualifiant d'acte illégal, était également favorable à l'envoi dans le détroit d'une flotte internationale composée de navires battant pavillons de plusieurs puissances maritimes. Johnson posa deux préalables avant de prendre une décision définitive : il souhaitait que, d'une part, l'affaire soit portée devant l'ONU et que, d'autre part, le Sénat américain en débatte. Pour ce qui est de la France, de Gaulle fit comprendre à Abba Eban que « *la France de 1967 n'était plus celle de 1956* », et ajouta : « *Ne tirez pas les premiers.* » L'attitude du président français, qui annonçait déjà le refroidissement des relations franco-israéliennes, provoqua une grande déception en Israël.

Cependant, il apparaîtra bientôt clairement qu'une opération maritime internationale pour rouvrir le détroit de Tiran aurait peu de chance d'aboutir, le Canada, le Mexique et l'Italie n'étant guère disposés à y participer.

BOUTROS BOUTROS-GHALI : Je crois que le maréchal Amer, ministre de la Guerre, a sa part de responsabilité dans cette escalade, dans la mesure où il a persuadé Nasser que l'armée égyptienne serait victorieuse. Il avait déployé six divisions dans le Sinaï, des centaines de chars et des pièces d'artillerie, rappelé aux moins deux brigades du Yémen avant d'annoncer la mobilisation générale de l'armée. Cependant, ses troupes étaient en position défensive. Je pense que Nasser ne voulait pas vraiment la guerre, mais cherchait à travers une manœuvre politique d'intimidation à dissuader Israël d'une éventuelle attaque de la Syrie.

ANDRÉ VERSAILLE : Nasser a-t-il pu penser que les Israéliens ne réagiraient pas ? Ou bien que les Américains et les Soviétiques interviendraient à temps pour calmer le jeu ?

BOUTROS BOUTROS-GHALI : C'est une hypothèse qui a été émise, en effet. Scission de la RAU en 1961 ; embourbement au Yémen ; énormes problèmes économiques à l'intérieur : toutes ces difficultés auraient poussé Nasser à déclencher une spectaculaire action de diversion, comptant sur le fait que les deux super-puissances interviendraient. Nasser aurait alors « renoncé » à la confrontation. Bien évidemment, ce « renoncement » aurait été négocié lors d'une conférence internationale et l'Égypte en aurait tiré de substantiels bénéfices politiques.

SHIMON PERES : Je ne suis même pas sûr que Nasser ait eu en tête une stratégie bien arrêtée. Je crois vraiment qu'il considérait ses coups de menton comme autant de succès diplomatiques : il était devenu l'homme fort qui faisait apparaître Israël en état de faiblesse. Et peut-être que l'enthousiasme arabe général (ce phénomène d'hystérie collective est extrêmement mobilisateur et grisant) l'a intoxiqué au point de lui faire croire qu'il pourrait battre Israël, et qu'il serait devenu « *l'homme qui aura vengé l'honneur arabe* ».

ANDRÉ VERSAILLE : Quel est alors l'état d'esprit de l'armée égyptienne ?

Boutros Boutros-Ghali : Le moral était excellent. Cette crise avait uni le monde arabe qui resserrait les rangs autour de Nasser : le 30 mai 1967, le roi Hussein s'envole pour Le Caire et signe un pacte de défense mutuelle ; un général égyptien, Abdel Moneim Riad, est nommé commandant général de l'armée jordanienne ; un autre pacte d'assistance mutuelle est conclu entre l'Irak et l'Égypte ; une brigade mécanisée irakienne passe la frontière jordanienne et se dirige vers le Jourdain ; deux commandos égyptiens arrivent par avion en Jordanie… Bref, tout indiquait l'ampleur de cette nouvelle coalition. Par ailleurs, les médias avaient mobilisé les foules arabes et les avaient convaincues d'une victoire. Enfin, l'opinion publique était persuadée que cette prochaine guerre aurait lieu avec l'appui de l'URSS, « *comme l'Amérique et l'Europe avaient auparavant aidé Israël* ». Le déséquilibre entre les forces arabes et les forces israéliennes semblait tourner au profit de la coalition arabe : en effet, l'Égypte disposait de 150 000 à 180 000 soldats, 900 chars, 800 pièces d'artillerie. L'armée jordanienne de 56 000 soldats, 264 chars plus 30 chars appartenant aux Irakiens, et 194 pièces d'artillerie irako-jordaniennes. L'armée syrienne, quant à elle, comptait 70 000 hommes et environ 300 chars. Pour sa part, l'armée israélienne, forte d'environ 250 000 hommes, se composait aux trois quarts de réservistes.

André Versaille : Nous ne sommes plus dans la gesticulation : si ce n'est pas une préparation à la guerre, ça y ressemble bien.

Boutros Boutros-Ghali : Oui et non. Tout le monde sait qu'un accord militaire et la mise en œuvre d'une stratégie commune entre trois armées différentes nécessitent une longue préparation. C'est dire qu'un accord signé à la veille d'une guerre relève essentiellement de l'intimidation. Et je suis certain que les experts militaires israéliens devaient savoir à quoi s'en tenir à ce propos.

André Versaille : Et la population égyptienne, comment voit-elle cette marche vers la guerre ?

Boutros Boutros-Ghali : Les opinions sont comme toujours partagées. Une partie de la population considère que nous allons à l'aventure, que c'est une folie. Mais il s'agit là d'une minorité. La majorité, elle, galvanisée par les médias, croit que nos troupes, aguerries par la guerre du Yémen, vont écraser les forces israéliennes. Nasser semble tellement sûr de lui que beaucoup pensent qu'il doit avoir reçu des assurances de l'Union soviétique.

Moi-même, je balançais entre la conviction qu'il s'agissait d'une aventure périlleuse et la certitude que l'armée égyptienne allait remporter une victoire – limitée, il est vrai – parce qu'un cessez-le-feu, imposé par les États-Unis et les Nations unies, interviendrait dès le moment où la situation se dégraderait pour Israël.

ANDRÉ VERSAILLE : Dans le monde arabe, les manifestations guerrières se multiplient et l'on parle de plus en plus de « *destruction d'Israël* » et de « *jeter les Juifs à la mer* ».

BOUTROS BOUTROS-GHALI : Cela faisait partie de la propagande psychologique. Il s'agissait de rallier l'opinion publique. Nous savions bien que les États-Unis ne permettraient ni la destruction d'Israël ni l'expulsion des Juifs. Et bien entendu, la propagande israélienne utilisera abondamment cette rhétorique pour mobiliser la diaspora juive et obtenir l'appui de la communauté internationale.

ANDRÉ VERSAILLE : Shimon Peres, certains disent qu'en réalité, les Israéliens ont saisi l'opportunité d'attaquer l'Égypte avant que l'ONU ne calme la situation, la provocation de Nasser leur offrant une occasion unique de casser pour long-temps l'armée égyptienne. Ainsi, trente ans plus tard, Ezer Weizmann a raconté, lors d'une interview, qu'il était allé voir personnellement le Premier ministre Levi Eshkol et lui avait dit : « *Écoute, Levi, tu as derrière toi la meilleure armée que nous ayons eue depuis le roi David. Une occasion en or nous est donnée de terminer le boulot et d'en finir une fois pour toutes avec l'armée égyptienne. Nous n'avons pas le droit de la rater !* »

SHIMON PERES : C'est peut-être ce que disait Weizmann, mais je peux vous affirmer qu'à l'époque, la conviction du chef d'état-major, Yitzhak Rabin, était loin d'être aussi établie. Et en tout cas, cette assurance n'était certainement pas partagée par tous les chefs militaires.

ANDRÉ VERSAILLE : Mais peut-on soutenir qu'Israël ait véritablement été en danger ?

SHIMON PERES : Toute guerre met un pays en danger. Il n'y a jamais de garantie. En tout cas, en 1967, la situation semblait réellement dangereuse. Vous venez de rappeler les discours haineux, enflammés, des dirigeants ara-bes, et notamment ceux du leader de l'OLP, Ahmed Choukeiri, promettant de jeter les Juifs à la mer. Des slogans extrêmement meurtriers étaient lancés à jets continus par les Arabes de la région... Bien sûr, nous ne pensions pas qu'Israël fût en danger de mort, mais il faut dire que nous, les Israéliens, nous avions de bonnes raisons de ne pas prendre à la légère ces appels à la destruction, à ne les considérer que comme des effets rhétoriques. Nous étions alors à moins de trente ans de la Shoah...

ANDRÉ VERSAILLE : Abba Eban, alors ministre israélien des Affaires étrangè-res, s'envole pour Washington afin de rencontrer le président américain Lyndon Johnson.

Shimon Peres : Oui, Ben Gourion était d'avis qu'il ne fallait pas déclencher la campagne militaire tant que nous n'étions pas sûrs d'avoir à nos côtés une super-puissance capable de nous soutenir en cas de problème sérieux. Tout comme avant la campagne de 1956, il craignait le coût humain entraîné par le déclenchement d'une nouvelle guerre.

André Versaille : Abba Eban explique aux Américains qu'Israël est en danger. À quoi Johnson répond qu'Israël n'est nullement en danger : « *Nous avons fait faire une analyse de la situation par nos experts du Pentagone de laquelle il ressort que si vous les attaquez les premiers, vous l'emporterez en huit à dix jours, si ce sont les Égyptiens qui tirent les premiers, vous l'emporterez en moins d'une quinzaine de jours.* »

Shimon Peres : En allant rencontrer le président américain, il s'agissait pour Abba Eban de savoir comment les États-Unis se situaient par rapport à cette crise qui conduisait visiblement à un affrontement armé entre l'Égypte et Israël. Abba Eban est allé à Washington non pour demander de l'aide à proprement parler, mais pour rappeler aux Américains qu'au lendemain de la campagne de Suez, ils s'étaient engagés à garantir la liberté de navigation dans le détroit de Tiran. Johnson a été plutôt évasif (« *Nous ferons ce que nous pourrons* ») et, en tout cas, n'a rien promis de concret.

André Versaille : Les Américains avaient encore dit à Abba Eban : « *Vous ne serez pas seuls sauf si vous décidez de faire cavalier seul* », c'est-à-dire si vous prenez l'initiative militaire.

Shimon Peres : Oui, mais quand Meir Amit, le chef du Mossad, se rendra à son tour à Washington, non plus pour rencontrer le Département d'État, mais afin de s'entretenir avec les services de renseignements américains, l'accueil sera différent. Il faut dire que l'escalade égyptienne avait alors atteint un point de non-retour, ce qui explique l'écoute plus compréhensive que les services américains nous ont manifestée.

André Versaille : Peu avant la guerre des Six Jours, le gouvernement israélien ne semble plus bénéficier de la confiance de toute sa population. Il court alors une plaisanterie sur le Premier ministre Levi Eshkol : « *Lorsqu'on propose à Eshkol : thé ou café, celui-ci répond : "Moitié-moitié".* » Cette plaisanterie est-elle révélatrice du sentiment de la population israélienne quant à la capacité du Premier ministre à prendre ses décisions ?

Shimon Peres : Assez, oui. Voyez-vous, alors que la mobilisation des forces égyptiennes prenait des proportions inquiétantes, Eshkol (alors également ministre de la Défense) était passé à la radio et s'en était très mal sorti. Ce cafouillage lors d'une allocution que les Israéliens attendaient avec impatience a eu un effet catastrophique et lui a valu une grande chute de confiance dans la population : il est apparu alors comme un homme ayant perdu son sang-froid au point de s'avérer incapable d'énoncer clairement son argumentation. Eshkol, dont l'image politique était déjà ternie, fut tout à coup jugé inapte à diriger le pays.

La population avait foi en son armée, mais pas en son gouvernement. La confiance ne reviendra que lorsque Dayan sera nommé au poste de ministre de la Défense. La perspective de la guerre plongea le Parlement dans d'âpres discussions et engendra un tel climat d'instabilité que nous pensions devoir nous acheminer vers un gouvernement d'union nationale. Certains, comme Menahem Begin, proposèrent le retour de Ben Gourion au gouvernement. J'eus personnellement un entretien avec Begin à ce sujet. Il voulait savoir si, à mon avis, Ben Gourion était capable de reprendre la tête du pays et s'il était prêt à accepter le poste de Premier ministre. Je lui ai alors répondu : « *Capable, oui, mais prêt, je ne sais pas.* » J'étais moi-même partisan du retour de Ben Gourion, mais je ne pouvais pas présager de sa décision, puisqu'il avait refusé de participer à tout gouvernement qui conserverait Levi Eshkol à sa tête, tant son désaccord était profond avec la politique du Premier ministre. C'est d'ailleurs la raison pour laquelle il avait quitté, deux ans plus tôt, le parti travailliste, le Mapaï, et fondé le Rafi, parti que Dayan et moi avions rejoint.

L'opposition, composée du Herout (prédécesseur du Likoud) de Begin, du Rafi de Ben Gourion et du Mafdal, ne voyait pas du tout en Eshkol un homme apte à diriger le pays par ce temps de crise extrême. Alors Menahem Begin est allé voir Eshkol pour lui demander sinon de laisser sa place à Ben Gourion, au moins de lui confier le portefeuille de la Défense. Eshkol a refusé, arguant qu'il n'était pas possible à deux hommes aux vues aussi opposées de conduire une politique gouvernementale cohérente.

Mais la nation avait désormais besoin d'un homme fort pour conduire la guerre, et elle sentait bien qu'Eshkol n'avait pas la stature nécessaire. Dans le pays comme au Parlement, on demanda qu'il soit relevé de ses fonctions de ministre de la Défense, et remplacé par un véritable stratège. Les deux candidats possibles étaient d'une part le ministre du Travail, Yigal Allon, l'ancien chef du Palmach, et d'autre part, Moshé Dayan, qui en 1956 avait été le chef d'état-major de l'armée. L'unanimité se fit sur Dayan.

Eshkol a eu la sagesse, malgré l'hostilité patente que lui vouait le Rafi, d'accepter de nommer Moshé Dayan à la tête du ministère de la Défense. Il faut lui reconnaître le mérite d'avoir également rassemblé autour de lui des hommes venus d'horizons politiques différents, dont un des dirigeants de l'opposition, Menahem Begin, qui siégera au gouvernement, mais comme ministre sans portefeuille.

André Versaille : À ce moment-là, le gouvernement est bien décidé à lancer une guerre préventive contre l'Égypte ?

Shimon Peres : Pendant les jours qui ont précédé la guerre, l'état-major, dirigé par le général Yitzhak Rabin, voulait, en effet, lancer dans les plus brefs délais une attaque contre l'Égypte. Cependant, à cause des pressions américaines et européennes, notamment de la France, et d'informations invérifiables qui faisaient état d'une prochaine intervention américaine pour débloquer le détroit, le Premier ministre répugnait à donner son accord à l'attaque des forces égyptiennes. Mais par la suite, après analyse plus profonde de la situation sur le terrain, et des spéculations quant à la réaction de Washington dans le cas où, malgré ses injonctions, nous passerions tout de même à l'offensive armée, Eshkol a fini par donner son feu vert à l'état-major.

Après coup, cette temporisation qui dura quelque quinze jours s'est avérée payante : outre que ces deux semaines avaient permis à l'armée de mieux se préparer, l'opinion publique internationale (à l'exception de celle des pays arabes et musulmans, bien sûr) s'est massivement rangée de notre côté : Israël apparut clairement en position d'agressé, et notre initiative militaire parut justifiée.

Boutros Boutros-Ghali : Il faudrait préciser. Si vous entendez par « l'opinion publique internationale », certains pays d'Europe et les États-Unis, vous avez raison. Mais le tiers-monde dans son ensemble – Inde, Chine, Afrique – se sentait plus proche des Palestiniens et des Arabes que des Israéliens qu'ils considéraient comme des colons, des *white settlers*.

André Versaille : À l'aube du 5 juin, des bombardiers israéliens se lancent à l'assaut de l'aviation égyptienne au sol, tandis que les chars de Tsahal investissent le Sinaï. La guerre a commencé.

Shimon Peres : Oui, et trois heures plus tard, Dayan m'informa du brillant succès de notre armée de l'air : en trois heures, elle avait anéanti la presque totalité de l'armée de l'air égyptienne. Je pense qu'elle avait détruit près de cinq cents appareils, et bon nombre de terrains d'aviation égyptiens étaient désormais hors d'usage. L'action de notre armée de l'air a été suivie par celle de nos blindés qui ont pénétré dans le Sinaï, détruisant en deux jours les positions égyptiennes.

Cependant, la première journée, personne, ni en Israël ni à l'étranger, n'avait eu connaissance de cette action militaire, parce que Dayan avait ordonné aux porte-parole de l'armée de la tenir secrète. À l'inverse, Le Caire publiait des bulletins de victoire, ce qui fait qu'au premier jour de la guerre, le monde entier, abusé par les déclarations triomphantes de la radio égyptienne, était persuadé qu'Israël était en train de la perdre. Cette conviction était apparemment partagée par les Russes qui, certains qu'une victoire égyptienne serait imminente, retardèrent la réunion du Conseil de sécurité de l'Onu…

En fait, la guerre contre l'Égypte a été gagnée non pas en six jours mais en trois ou quatre heures. Dès que nous avions détruit l'aviation égyptienne, la victoire était acquise. Cependant la population israélienne, qui ignorait tout de ces faits d'armes, fut déprimée jusqu'à ce qu'elle apprenne la vérité.

André Versaille : Comment, de leur côté, les Égyptiens ont-ils vécu ces premières heures de guerre lors desquelles la radio égyptienne exaltait l'avance victorieuse de son armée vers Tel-Aviv ?

Boutros Boutros-Ghali : Le fait est que la radio annonçait à intervalles réguliers le nombre d'avions israéliens abattus, ce qui soulevait un enthousiasme général dans l'opinion publique. Je me souviens qu'on vous arrêtait dans les rues du Caire pour vous donner le dernier décompte des avions abattus.

Pour autant, si la presse arabe et les médias parlaient d'une victoire fulgurante et certaine, les experts savaient pertinemment que de toute façon les États-Unis interviendraient pour imposer un cessez-le-feu et arrêter une confrontation militaire si celle-ci devait tourner au désavantage d'Israël.

André Versaille : À ce moment, malgré le pacte de défense mutuelle, la Jordanie n'a encore effectué aucun mouvement de troupes. Et il ne semble pas que les Israéliens aient eu, au début, l'intention d'attaquer Amman.

Shimon Peres : En effet, Eshkol avait contacté le roi de Jordanie pour lui dire que s'il ne se mêlait pas de cette guerre provoquée par l'Égypte, nous ne l'attaquerions pas. Mais sans doute gagné par l'euphorie des informations égyptiennes Hussein décida-t-il d'engager ses forces aux côtés de celles de Nasser.

André Versaille : Le roi a-t-il cru Nasser qui, lors d'un entretien téléphonique, lui avait prétendu que les troupes égyptiennes progressaient victorieusement ?

Shimon Peres : Le roi prétendra plus tard n'avoir pas cru Nasser. Pourtant je reste persuadé que ce coup de fil a contribué à faire entrer la Jordanie dans la guerre. Hussein a tout de même dû être impressionné par les arguments que Nasser lui avait fournis par téléphone.

Hussein a prétendu avoir été obligé de suivre l'Égypte et la Syrie. Il dira avoir été entraîné dans la guerre par Nasser qui lui avait donné de fausses informations prétendant que l'armée israélienne avait été mise en déroute par les Égyptiens.

Boutros Boutros-Ghali : Personnellement, je n'en crois rien. Cette prétendue naïveté du roi Hussein est une légende forgée par la propagande israélienne pour maintenir son opinion publique dans l'idée que les dirigeants arabes n'étaient que des primitifs émotifs. Je ne peux pas imaginer que le roi Hussein n'ait pas eu la possibilité de s'informer sérieusement sur la situation qui régnait sur un terrain d'opération distant de quelques dizaines de kilomètres.

ANDRÉ VERSAILLE : Ce problème de l'information n'est peut-être pas déterminant. La vraie question est de savoir si Hussein aurait pu agir autrement.

BOUTROS BOUTROS-GHALI : Vous avez raison. En réalité, alors que l'ensemble du monde arabe s'embrasait et croyait l'heure de la revanche et de la libération enfin venue, il était impossible au roi Hussein, face à son peuple, de surcroît majoritairement palestinien, de ne pas participer à cette intervention militaire.

SHIMON PERES : C'est vrai, la marge de manœuvre du roi était très étroite. Dans une longue lettre qu'il m'écrira plus tard, Hussein m'expliquera qu'il n'avait pas pu refuser d'entrer en guerre, car le commandement de celle-ci était supposé être unifié entre Le Caire, Damas et Amman. Le roi ne pouvait donc pas rester en retrait du mouvement du monde arabe représenté par Nasser, mais les conséquences en furent désastreuses.

BOUTROS BOUTROS-GHALI : Il ne s'agit pas seulement de Nasser, il s'agit de tout le monde arabe qui était encore plus violemment anti-israélien que Nasser.

ANDRÉ VERSAILLE : Comment les gouvernements arabes suivent-ils cette guerre ?

BOUTROS BOUTROS-GHALI : Si les populations arabes sont unanimement derrière Nasser, il n'en va pas de même pour les gouvernements qui, au-delà d'une certaine solidarité, restent circonspects : car si l'Égypte gagne, elle renforcera encore sa position dans le monde arabe ; dans le cas contraire, une défaite égyptienne les affaiblirait, eux aussi. Dans le même temps, ces gouvernements ne peuvent pas ne pas tenir compte de leur opinion publique.

ANDRÉ VERSAILLE : Shimon Peres, même si le gouvernement israélien avait tenté de prévenir la confrontation armée avec les Jordaniens, l'entrée en guerre d'Amman vous donnait une occasion unique de conquérir la vieille ville arabe de Jérusalem.

SHIMON PERES : C'est exact. Il n'en reste pas moins que ce n'est pas nous qui avons déclenché les hostilités. Mais bien sûr, dès lors que nous avions été attaqués, il n'était pas question de ne pas riposter.

ANDRÉ VERSAILLE : Le vendredi 9 juin, le Conseil de sécurité des Nations unies lance un ordre de cessez-le-feu. Comment la progression de la guerre est-elle vécue en Égypte ?

Boutros Boutros-Ghali : Au début, compte tenu des informations triomphalistes, l'enthousiasme était délirant. Par la suite, bien sûr, il a fallu expliquer le pourquoi du cessez-le-feu.

Le jour de l'armistice, nous, les universitaires, avons été réunis à six heures du matin et Rifaat el-Mahgoub, le porte-parole du parti, nous a déclaré que l'on venait d'apprendre que mille à deux mille avions américains, stationnant en Espagne, étaient en train d'être repeints aux couleurs d'Israël afin de se porter en renfort des forces israéliennes. « *Vous comprendrez*, nous dit-il, *qu'il n'est pas possible de lutter contre les États-Unis et qu'il faut donc s'orienter vers un cessez-le-feu…* » Il reprenait là une des accusations lancées par le président Nasser, la veille, selon laquelle des avions américains venus de Crète avaient bombardé le territoire égyptien.

André Versaille : Et on le croit ?

Boutros Boutros-Ghali : Bien sûr que non, enfin ! Il s'adressait à des universitaires ! Mais pour éviter les questions et les critiques, il avait mobilisé des centaines d'étudiants qui occupaient les gradins supérieurs de l'amphithéâtre et qui hurlaient : « *Avec notre sang, nous te défendrons, ô Nasser !* » Cela étant, partagés entre la tristesse de la défaite et le désir de sauver l'honneur, nous aurions eu envie de le croire.

André Versaille : Le cessez-le-feu est aussitôt accepté par l'Égypte et Israël. La Syrie, quant à elle, attendra vingt-quatre heures avant de donner son accord. C'est au cours de ces vingt-quatre heures qu'elle perdra les hauteurs du Golan.

En six jours, Israël a donc remporté la victoire sur les trois fronts. L'Égypte, la Syrie, la Jordanie sont défaites. La totalité du Sinaï, la bande de Gaza, la Cisjordanie – Jérusalem-Est incluse – et le plateau du Golan ont été conquis par l'armée israélienne.

Shimon Peres : En réalité la guerre des Six Jours ne fut pas une guerre menée contre trois pays à la fois, mais une suite de trois guerres organisées par Moshé Dayan : deux jours contre l'Égypte, deux jours contre la Syrie, deux jours contre la Jordanie. Au début nous avions seulement l'intention d'attaquer l'Égypte face à laquelle nous n'avions aucune alternative. En revanche, nous n'avions pas de visée belliqueuse contre la Syrie et, comme je vous l'ai dit, moins encore contre la Jordanie.

André Versaille : Pensez-vous que l'affrontement armé aurait pu être évité ?

Shimon Peres : Oui, mais il aurait fallu pour cela que la communauté internationale adopte une attitude ferme envers Nasser.

André Versaille : Mais n'est-ce pas ce qui s'est passé ? Même l'Union soviétique a enjoint Le Caire de ne pas déclencher les hostilités armées.

Shimon Peres : Peut-être, mais avec quel résultat ? Manifestement, les Russes n'ont pas exercé une pression suffisante et Nasser n'a pas senti qu'il pouvait perdre le soutien de Moscou s'il persistait dans sa politique. Et, de fait, il ne l'a pas perdu.

Boutros Boutros-Ghali : De mon point de vue, je crois que si Eshkol avait tenu tête aux faucons de l'armée israélienne, la guerre aurait pu être évitée.

Je continue à penser que la bruyante propagande arabe a permis à Israël de se poser en victime et a renforcé le camp des « durs » en Israël, en faveur de la guerre, alors qu'une attitude plus modérée de part et d'autre aurait peut-être permis de trouver une solution pacifique.

Shimon Peres : Franchement j'en doute. Nasser s'était totalement intoxiqué, et nous n'avions aucun élément, aucun fait qui nous aurait permis de convaincre l'état-major de ne pas se lancer dans cette guerre.

André Versaille : Nasser, apparemment désespéré, annonce à la radio qu'il se retire du pouvoir : « *Je veux redevenir un simple citoyen* », déclare-t-il. Vous le croyiez ?

Shimon Peres : Non, bien sûr ! C'était du théâtre.

Boutros Boutros-Ghali : Je pense que vous vous trompez. Je crois que Nasser était sincère. Mais lorsque les foules égyptiennes l'ont exhorté à revenir sur sa décision et que l'ensemble du monde arabe, de la Mauritanie au Yémen, a repris cette exhortation, Nasser a décidé de continuer la lutte. Mise en scène ou pas, le fait qu'au-delà de l'Égypte, des millions d'hommes se soient mobilisés en faveur de Nasser, montre bien que le raïs était le chef du combat pour la libération de la Palestine.

Dès lors, on ne parlera pas de défaite mais de « grave accident », *Naksa* en arabe : « *Nous n'avons perdu qu'une bataille – et encore, non pas contre les Israéliens, mais contre une alliance américano-israélienne, et si Nasser a accepté un cessez-le-feu, c'est pour épargner aux peuples arabes des souffrances supplémentaires.* » Aussi incroyable que cela puisse vous paraître, malgré cette défaite, Nasser n'a pas perdu un seul instant sa popularité. Au contraire, un élan de solidarité arabe s'est largement manifesté envers celui qui avait perdu une bataille, et dont le prestige n'a fait que croître. Cette guerre a renforcé la solidarité du monde arabe autour de Nasser.

André Versaille : Comment cela s'explique-t-il ?

Boutros Boutros-Ghali : Quand un grand malheur frappe une famille, deux réactions sont possibles : soit les dissensions s'exacerbent, soit les membres de la famille s'unissent pour faire front face à l'adversité. Par ailleurs, en Égypte, la population n'a pas mesuré immédiatement l'ampleur de la défaite : l'autoritarisme du régime, le monopole de l'information, le soutien exalté de l'ensemble du monde arabe à l'Égypte ont largement atténué aux yeux des Égyptiens la dimension de cette *Naksa*. D'autant que la guerre, qui a été brève et s'est déroulée hors de la vallée du Nil, n'a occasionné que peu de dommages civils. C'est l'armée qui a souffert ; la population, dans son ensemble, ne subira les conséquences de la défaite que plus tard, lorsque Port-Saïd, Ismaïlia et Suez seront bombardées par les Israéliens pendant la « guerre d'usure », bombardements qui provoqueront l'exode d'un million d'Égyptiens qui iront se réfugier en Basse-Égypte.

ANDRÉ VERSAILLE : Il y a une chose que je ne comprends pas. Vous dites d'une part, que les Arabes ont vu la guerre des Six Jours non comme une défaite mais comme un « *accident* », et en même temps les Arabes n'arrêtent pas de parler de « *terrible humiliation* » et d'honneur à venger.

BOUTROS BOUTROS-GHALI : On a commencé par parler d'accident. Et ce n'est que plus tard que cette défaite sera qualifiée de « *terrible humiliation* ».

SHIMON PERES : L'on en revient à ce sentiment d'humiliation et d'honneur à venger, systématiquement évoqué. Je pense que cette obsession a empêché les Arabes de prendre la mesure de la catastrophe. Tout se passe comme s'il ne leur était pas possible d'y faire face. Alors ils poursuivront leur politique de boycott et de négation de notre existence en se disant que la prochaine fois, ils nous détruiront.

ANDRÉ VERSAILLE : Du côté israélien, comment la population a-t-elle vécu cette victoire ?

SHIMON PERES : Elle était littéralement hors d'elle-même. Sa joie était proportionnelle à la crainte éprouvée à la veille de la guerre. Et bien sûr, elle ressentait une immense fierté, car le monde n'arrêtait pas de nous féliciter pour les hauts faits d'armes de notre armée.

Cette guerre fut unique dans notre histoire. Jamais Israël n'a mené une campagne aussi brillante que décisive. La disproportion entre les pertes ennemies et les nôtres fut considérable. Nos ennemis avaient perdu deux fois et demie plus de chars que nous ; quant aux avions, on a calculé qu'au cours des six jours, nous avons perdu un appareil contre cinquante-quatre du côté arabe. Tandis que notre marine de guerre n'avait subi aucun dommage, onze bâtiments arabes ont été coulés et trois ports bombardés. J'étais personnellement d'autant plus satisfait de notre victoire que, pour la première fois aussi, l'arsenal mis en mouvement dans cette guerre était le fruit de mon travail en France, en Allemagne et en Israël même.

VII – UNE VICTOIRE EMPOISONNÉE

*Les leçons de la guerre – « Non à la paix, non à la reconnaissance,
non aux négociations » – Ambiguïté de la résolution 242*

ANDRÉ VERSAILLE : Et quelles leçons avez-vous tirées de cette guerre ?

SHIMON PERES : Cette guerre a montré que les garanties internationales n'avaient que fort peu de valeur. Les forces de l'ONU ont quitté Gaza et Charm-el-Cheikh dès que Nasser avait réclamé leur départ et sans qu'aucune voix ne s'élève pour protester. Et quand le président égyptien a décrété le blocus du détroit de Tiran, les grandes puissances maritimes sont restées passives.

Faute d'une paix véritable, Israël a donc décidé que ses frontières seraient celles qui conviendraient le mieux à sa sécurité et, en attendant l'établissement de leurs tracés définitifs, a maintenu les lignes d'armistice.

ANDRÉ VERSAILLE : Au lendemain de la guerre des Six Jours, les Israéliens pensent-ils qu'étant donné leur spectaculaire victoire, donc la démonstration de leur puissance, ils pourront enfin négocier la paix avec leurs voisins ?

SHIMON PERES : Non, nous pensions que tant que Nasser serait au pouvoir, nous n'avions aucune chance de conclure une paix. Néanmoins, le gouvernement s'est très vite proposé de se retirer du Sinaï et des hauteurs du Golan dans le cadre de la signature d'une paix globale basée sur le tracé des frontières du 4 juin 1967, mais les États arabes vont se murer.

BOUTROS BOUTROS-GHALI : C'est exact, il faut le dire, les Israéliens avaient proposé un retrait de territoires occupés, mais à la condition qu'il s'inscrive dans le cadre d'une véritable paix.

ANDRÉ VERSAILLE : Israël était prêt à se retirer du Sinaï et du plateau du Golan, dites-vous. Qu'en était-il de la Cisjordanie ?

SHIMON PERES : Nous n'avions pas mentionné la Cisjordanie, parce que celle-ci n'appartenait pas à la Jordanie. La communauté internationale, dans sa très large majorité, n'avait pas reconnu ce territoire comme faisant partie intégrante du royaume hachémite.

ANDRÉ VERSAILLE : Malgré son ampleur, ce fiasco militaire arabe n'entraîne aucune remise en question des politiques arabes. Au contraire, le sommet arabe de Khartoum, qui se tient de la fin août au début du mois de septembre 1967, adopte comme résolution la nécessité d'unir ses efforts pour « *effacer les conséquences de l'agression* » et « *assurer le retrait des forces agressives d'Israël des territoires arabes conquis depuis l'attaque du 5 juin* ». En outre, la résolution de ce sommet proclame trois « *Non* » : « *Non à la paix* », « *Non à la reconnaissance* », « *Non aux négociations* ».

SHIMON PERES : En proclamant leurs trois « *Non* », les Arabes s'unissaient pour nier l'ampleur d'une défaite qu'ils considéraient comme globalement arabe : « *Non, nous n'avons pas subi une défaite irréversible, nous n'avons perdu qu'une bataille.* »

ANDRÉ VERSAILLE : Boutros Boutros-Ghali, avec le recul, n'était-ce pas une erreur historique ?

BOUTROS BOUTROS-GHALI : Une ouverture de la part des Arabes était à ce moment-là inimaginable. Absolument inimaginable. Ces trois « *Non* » correspondaient pleinement au sentiment général éprouvé par les populations arabes. Car, même lorsque les régimes sont autoritaires, le pouvoir est obligé de tenir compte de l'opinion publique. Les Arabes n'ont voulu voir dans la défaite qu'un accident, et appelaient à la revanche.

Je ne parlerais pas d'« erreur historique » mais d'« impossibilité historique » : étant donné la mobilisation de cette opinion, il n'était pas possible à l'un des chefs d'État arabes de se risquer à entamer des pourparlers avec les Israéliens.

Il y aurait pu avoir quelques voix en faveur d'une ouverture des négociations, mais certainement pas après une défaite. Contrairement à l'analyse de Shimon Peres, je dirais que ce n'est pas un sentiment d'humiliation qui a dominé à Khartoum, mais au contraire la certitude que le temps jouerait en faveur du monde arabe et que tôt ou tard il prendrait sa revanche.

ANDRÉ VERSAILLE : Ne pensez-vous pas que les élites arabes sont responsables de cette espèce de banquise idéologique dans laquelle leurs populations semblent prises ?

BOUTROS BOUTROS-GHALI : Le fait que d'Agadir à Aden les populations arabes se lèvent comme un seul homme pour clamer leur entière solidarité avec

Nasser est-il imputable aux élites ? Je crois que, comme l'ensemble des Occidentaux, vous avez du mal à comprendre que, quelles que soient les luttes intestines qui déchirent le monde arabe, il existe un véritable sentiment de fraternité. La haine vis-à-vis du colonialisme occidental (et plus particulièrement israélien) n'est pas le fruit d'un bourrage de crâne, c'est quelque chose de très profondément ressenti, et cela à tous les niveaux de la population.

On verra d'ailleurs plus tard, au moment où Sadate tentera d'apaiser cette haine, que celle-ci sera récupérée par les fondamentalistes. Tous ces slogans haineux à l'encontre des Juifs, et qui ont été peu à peu abandonnés par les dirigeants politiques arabes, vont être repris par les fondamentalistes qui accroîtront de cette manière leur emprise sur les esprits. Ces slogans sont terriblement mobilisateurs parce qu'ils correspondent aux sentiments profonds du peuple. Pourquoi l'Iran, qui n'a aucun contentieux ni même de frontière avec Israël, passerait-il son temps à dénoncer Israël comme le diable, comme le cancer du monde musulman, si ce n'est parce que cela correspond profondément à l'opinion populaire ?

Si demain les fondamentalistes égyptiens étaient autorisés à former un parti politique – par définition antidémocratique puisqu'ils prônent une théocratie –, une certaine frange de la population voterait sans doute en leur faveur. Et cette haine à l'égard d'Israël se renforce chaque jour à cause des horreurs que commet la soldatesque israélienne dans les territoires palestiniens occupés.

André Versaille : Quelles que soient les raisons des Arabes d'en vouloir à Israël, cette attitude de refus total ne les enferme-t-elle pas dans un immobilisme préjudiciable à eux-mêmes en ce qu'elle contribue à la radicalisation des Israéliens, en leur donnant, de plus, bonne conscience ?

Boutros Boutros-Ghali : Je suis tout à fait d'accord avec vous. La focalisation qui s'opère sur l'implantation d'Israël au cœur du monde arabe est une des causes du retard et du sous-développement de celui-ci. Ainsi, depuis la première guerre arabo-israélienne jusqu'à la visite de Sadate à Jérusalem, en 1977, toute l'énergie de l'Égypte s'est concentrée sur la lutte contre Israël, aux dépens des problèmes intérieurs et de la politique égypto-soudanaise. Sadate, en signant un traité de paix, a non seulement libéré les territoires égyptiens occupés par Israël, mais il a aussi libéré l'imaginaire égyptien. Évidemment, les échecs successifs dans la recherche d'une solution au problème palestinien vont réactiver par la suite cette obsession anti-israélienne.

André Versaille : Du côté israélien, l'offre de paix était-elle tout à fait déterminée, ou s'agissait-il d'une proposition de pure forme, lancée sans risque, sachant à l'avance le refus arabe ?

SHIMON PERES : Concernant l'Égypte et la Syrie, je suis sûr que les Israéliens étaient prêts à signer la paix. Je dis bien avec les Égyptiens et les Syriens, pas avec les Palestiniens. D'autant moins que s'il y avait des frontières internationales avec l'Égypte et la Syrie, il n'y en avait pas avec la Cisjordanie.

J'ignore si la totalité des responsables israéliens avaient sérieusement considéré cette proposition de manière dynamique et déterminée, mais de toute façon les Arabes se sont immédiatement drapés dans un refus total. La joie d'un côté, l'amertume de l'autre, ont empêché les deux parties de regarder les choses en face de manière réaliste et constructive.

ANDRÉ VERSAILLE : Le 22 novembre 1967, le Conseil de sécurité des Nations unies adopte à l'unanimité la résolution 242 qui affirme quelques principes dont l'application est censée permettre l'instauration d'une « *paix juste et durable au Moyen-Orient* » : retrait des forces israéliennes *de* territoires occupés (version anglo-saxonne) ou *des* territoires occupés (version française) ; cessation de toute assertion de belligérance ; reconnaissance de la souveraineté, de l'intégrité territoriale et de l'indépendance de chaque État de la région et de son droit à vivre en paix à l'intérieur de frontières sûres et reconnues, à l'abri des menaces ou d'actes de force. Cette résolution affirme en outre la nécessité de « *réaliser un juste règlement du problème des réfugiés* ».

Première remarque : se retirer *de* ou *des* territoires occupés. D'où vient cette différence entre les versions anglaise et française ?

BOUTROS BOUTROS-GHALI : En français, c'est *des* ; en arabe, c'est *des* ; en russe, c'est *des* ; en chinois, c'est *des* ; etc. C'est Gideon Raphaël, alors représentant d'Israël à l'ONU, qui s'est arrangé pour que la version anglaise ne contienne pas l'article défini.

SHIMON PERES : En réalité, ce « flou » fait partie de ce que Kissinger appelait les « *ambiguïtés constructives* » : on se met d'accord sur un texte ambigu que chaque partie interprétera à son avantage. Cette façon d'agir a la vertu de débloquer la situation. Les parties ont la satisfaction d'avoir avancé puisqu'on est tout de même parvenu à un « accord », en espérant qu'avec le temps les points de vue se rapprocheront.

BOUTROS BOUTROS-GHALI : Oui, mais cette ambiguïté constructive est à double tranchant : elle peut être positive dans la mesure où le temps permet de trouver une solution pacifique, comme elle peut être négative si les choses n'évoluent pas : elle exacerbe alors le conflit.

ANDRÉ VERSAILLE : La résolution parle du « *problème des réfugiés* », sans même faire état de leur identité palestinienne, et nulle part il n'est fait mention de droits *nationaux* palestiniens. Même les États arabes ne demandent pas d'aménagement de ce paragraphe. Comment cela s'explique-t-il ? Cela signifie-t-il que, jusqu'en 1967, les Palestiniens ne sont pas considérés par la communauté internationale ni par le monde arabe comme un peuple spécifique, mais comme une fraction de la population jordanienne ou égyptienne réfugiée ?

SHIMON PERES : En effet, jusque-là, la communauté internationale ne voit pas les Palestiniens comme un peuple spécifique.

BOUTROS BOUTROS-GHALI : C'est faux : la communauté internationale, dans sa grande majorité, n'a jamais considéré la question palestinienne comme un problème de réfugiés. D'ailleurs, la première résolution de l'Assemblée des Nations unies concernant Israël et la Palestine (résolution 181) reconnaît la création de deux États pour deux peuples : un État palestinien pour le peuple palestinien, un État d'Israël pour le peuple juif. Quant aux États arabes, ils ont toujours considéré la Palestine comme un pays et les Palestiniens comme un peuple à part entière.

Néanmoins, les gouvernements arabes sont divisés sur la question de la Cisjordanie : fait-elle partie intégrante de la Jordanie ou doit-elle revenir aux Palestiniens ? En l'absence d'unanimité, ils laissent la résolution être votée telle quelle. La remettre en question en exigeant des modifications substantielles risquait de bloquer les choses. Les États arabes ne voulaient pas ajouter de nouvelles conditions qui compliqueraient la situation. La restitution des territoires était plus importante pour eux que la mention des droits nationaux des Palestiniens, dont l'exigence risquait de tout faire capoter…

ANDRÉ VERSAILLE : « Ambiguïté constructive », ici aussi ?

BOUTROS BOUTROS-GHALI : D'une certaine manière, oui.

ANDRÉ VERSAILLE : Si je vous suis bien, cela signifie que les États arabes étaient plus préoccupés par la restitution des territoires que par la reconnaissance des « *droits légitimes* » des Palestiniens ?

BOUTROS BOUTROS-GHALI : Non, cela signifie que les États arabes pensaient que la restitution des territoires occupés était un préalable indispensable à la réparation de préjudices dont les Palestiniens avaient été victimes. Les droits des Palestiniens ne sont pas négligés, mais c'est le pragmatisme qui l'emporte.

ANDRÉ VERSAILLE : À l'époque, la question palestinienne est-elle toujours considérée par les Israéliens comme un problème de réfugiés, ou commence-t-on à comprendre qu'il s'agit d'une question nationale ?

SHIMON PERES : Non, nullement comme une question nationale. Je reconnais que nous n'étions pas en avance sur l'ONU…

VIII– Occupation de la Cisjordanie et de la bande de Gaza

La politique de colonisation des territoires occupés commence –
Une occupation « à visage humain » ? – Israël, « fait colonial » ? –
Israël, « allié sûr de Washington »

ANDRÉ VERSAILLE : Dans une interview du 17 juin 1967, à la question posée par un journaliste relative à l'éventuelle volonté d'Israël de conserver les territoires investis et de s'agrandir, Levi Eshkol répondit : « *Non, Monsieur, Israël n'a nul besoin d'autres territoires. Nous voulons développer la terre que nous possédons. Ces terres demandent déjà la mise en œuvre de tant d'énergie, d'argent et d'intelligence qu'elles nous suffisent. Nous n'avons donc nul besoin de nouveaux territoires quels qu'ils soient.* » Cet état d'esprit est-il alors général en Israël ?

SHIMON PERES : En Israël, il y avait deux visions des choses : l'une défendue par Levi Eshkol, qui ne désirait pas conserver les territoires conquis, et l'autre, par le Herout (le parti de Begin) et les religieux, qui n'entendaient pas les restituer. Le Herout réclamait l'intégration à Israël de tous les territoires afin de bénéficier d'une « *profondeur stratégique* » sans laquelle, estimait-il, nous ne pourrions pas défendre le pays ; quant aux religieux, ils refusaient toute restitution des territoires parce qu'ils les considéraient comme saints.

ANDRÉ VERSAILLE : Mais, très vite, semble-t-il, la surprise passée, les Israéliens vont s'habituer à ce nouvel Israël dont la superficie a plus que quadruplé. Bientôt, des mouvements nationalistes ou religieux, qui considèrent ces « *conquêtes miraculeuses* » comme le début de la rédemption divine, vont commencer un mouvement d'implantation de colonies dans les « *terres libérées* ». Ces colonisations tous azimuts sont censées être irréversibles et aboutir inévitablement à l'annexion des territoires colonisés.

Shimon Peres, avec le recul, ne pensez-vous pas que cette politique de colonisation a sérieusement contribué à bloquer toute possibilité de règlement pacifique ?

Shimon Peres : Avec le recul, on peut dire cela, c'est vrai. Mais si l'on veut comprendre les choses, il faut se remettre dans la situation et l'état d'esprit d'il y a près de quarante ans. À cette époque, il n'y avait pas d'avancée vers quelque paix que ce soit. D'ailleurs, au début, nous concevions les implantations essentiellement comme des établissements militaires de défense.

Ainsi, contrairement à ce que l'on peut penser aujourd'hui, les colonies situées à l'est de Jérusalem étaient-elles au départ des avant-postes de camps militaires construits à ces endroits pour faire échec aux tentatives d'incursions palestiniennes à partir des camps de la rive-est du Jourdain. Quant à l'implantation de Yamit, dans le Sinaï, d'aucuns, comme Dayan lui-même, avaient pensé que celle-ci pouvait constituer une carte dans le marchandage qui aurait lieu lorsqu'un compromis avec l'Égypte serait possible. Sans compter que Yamit séparait l'Égypte de Gaza, ce qui lui donnait également un rôle stratégique. Je vous signale d'ailleurs que nous, les travaillistes, nous n'avons construit que très peu d'implantations : nous étions opposés à la multiplication des implantations et plus encore dans les zones où la population arabe était dense.

André Versaille : Reconnaissez tout de même que très vite, alors que les travaillistes sont encore au pouvoir, les implantations deviendront de véritables colonies de peuplement et qu'elles se multiplieront à grande vitesse. Quand bien même il ne s'agirait pas d'une politique d'annexion délibérée, ne pensez-vous pas que l'on pourrait qualifier ce « laisser-faire » des autorités israéliennes envers ces colons de « démission » ? Et que cette démission a produit une situation inextricable qu'il est devenu difficile de résoudre ?

Shimon Peres : On ne refait pas l'Histoire, et certainement qu'avec l'expérience historique acquise, je penserais différemment aujourd'hui. Cependant, je le répète, pour comprendre le sens de cette politique à ses débuts, il faut vous replacer dans l'état d'esprit des Israéliens face à des pays arabes avec lesquels nous avions essuyé trois guerres et qui refusaient alors toute idée non seulement de paix, mais même de reconnaissance de notre existence. Nous nous sentions absolument légitimes dans notre volonté de créer des implantations sur des territoires que nous entendions protéger contre les attaques extérieures. D'ailleurs, à cette époque, les implantations ne constituaient pas de grands ensembles, mais des petites colonies éparses. En 1977, quand Begin prit le pouvoir, il n'y avait en Cisjordanie qu'une trentaine de colonies. La plupart longeaient la vallée jordanienne, et formaient une barrière contre d'éventuelles incursions venant de l'est, de l'Irak et de la Jordanie. Le développement du mouvement d'implantations a vraiment été organisé par le Likoud. C'est Ariel Sharon, alors ministre de l'Agriculture et surtout président du comité ministériel en charge des colonies de peuplement, qui s'est profondément engagé dans ce processus qui changea la carte de la Cisjordanie.

ANDRÉ VERSAILLE : Mais à cette époque, vous-même, si je ne me trompe, vous étiez bien en faveur d'une immigration massive d'Israéliens juifs dans la vieille ville de Jérusalem, la Jérusalem arabe ?

SHIMON PERES : Non, j'étais en faveur d'un accroissement de la population juive israélienne à Jérusalem en général, pas particulièrement dans la vieille ville.

BOUTROS BOUTROS-GHALI : Quelles que soient les raisons historiques que vous donnez aujourd'hui, Shimon, les colonies de peuplement en Cisjordanie et à Gaza constituent le principal obstacle à une solution pacifique du conflit.

ANDRÉ VERSAILLE : À cette époque, tout le monde, en Israël, s'accordait-il sur la « nécessité » de ces implantations ?

SHIMON PERES : Oui, le consensus de la classe politique était d'autant plus fort que nous avions un gouvernement d'union nationale.
Par ailleurs, on avait pu entendre Ben Gourion déclarer qu'en échange d'une véritable paix, Israël devrait rendre les territoires occupés – à l'exception de Jérusalem.

ANDRÉ VERSAILLE : Tsahal a remporté une victoire « éclatante », mais peut-être aussi « empoisonnée » dès lors qu'Israël ne pourra plus faire semblant d'ignorer les Palestiniens dont une très importante partie vit maintenant à l'intérieur des territoires occupés. C'est en effet le paradoxe de cette guerre : de par l'occupation des territoires, Israël est devenu l'État devant gérer la population palestinienne la plus nombreuse. Comment ce phénomène nouveau est-il envisagé par les autorités israéliennes ?

SHIMON PERES : Nous avions un véritable débat relatif à l'avenir de ces territoires, et pas mal de projets furent proposés, comme le plan Allon (juillet 1967) qui préconisait la restitution de certains territoires mais le maintien d'une zone tampon au nord du Sinaï et le long de la vallée du Jourdain. D'autres plans recommandaient ce que l'on appelait alors un « *compromis fonctionnel* » : les Jordaniens et nous formerions un gouvernement commun pour administrer la Cisjordanie.

ANDRÉ VERSAILLE : Et qu'en pensait l'homme de la rue ?

SHIMON PERES : Je ne me souviens pas que, dans sa grande majorité, l'opinion publique se soit beaucoup intéressée à ces questions. Comme personne ne s'attendait à une victoire si éclatante, il ne venait pas à beaucoup de gens l'idée de critiquer le gouvernement. Disons que l'homme de la rue pensait qu'il serait bon d'essayer de trouver des solutions mais que ce n'était pas urgent…

ANDRÉ VERSAILLE : Et depuis le monde arabe, comment regarde-t-on les choses ?

BOUTROS BOUTROS-GHALI : De façon très différente, bien sûr... Pour certains, Israël va procéder tôt ou tard à un nouveau nettoyage ethnique et renvoyer les Palestiniens en Jordanie, ou encourager l'élite à émigrer en Europe et aux États-Unis ; d'autres craignent la création de réserves ; d'autres enfin pensent que ce qui a été accaparé par la force ne pourra être libéré que par la force et que le monde arabe sera amené à intervenir militairement pour libérer la Palestine.

ANDRÉ VERSAILLE : Au début, cette occupation est plutôt « tolérable ». Dans les territoires occupés, Moshé Dayan, qui avait en charge leur administration militaire, va prétendre vouloir établir un « régime d'occupation à visage humain ».

SHIMON PERES : Oui, et dans les premiers mois de l'occupation, la cohabitation au quotidien entre les Israéliens et les Palestiniens est aussi bonne que possible. Il faut cependant préciser que, totalement traumatisé par l'ampleur de la défaite, aucun Palestinien ne faisait mine de se rebeller.

BOUTROS BOUTROS-GHALI : Bien sûr ! Après le coup de massue de la défaite, la population palestinienne est atomisée. Et si elle ne se révolte pas tout de suite, c'est qu'elle s'attendait au pire, et que ce « pire », en effet, ne s'était pas encore produit. Il se produira avec l'expulsion de 350 000 nouveaux réfugiés qui viennent s'ajouter aux 700 000 Palestiniens déjà expulsés en 1948, et avec, dans les territoires occupés, la création de colonies israéliennes sur le territoire palestinien. Ce nettoyage exaspérera les Palestiniens.

SHIMON PERES : Non seulement le « pire » ne s'est pas produit, mais nous allions tout faire pour rendre cette occupation la moins insupportable possible. Pour commencer, nous avons décidé de laisser ouverts les ponts qui enjambaient le Jourdain, de manière à permettre aux Palestiniens de continuer leurs échanges commerciaux avec leurs partenaires de la rive est du fleuve et, chose évidemment nouvelle, pour les Palestiniens de Cisjordanie de venir travailler en Israël. Ce travail deviendra d'ailleurs très rapidement la principale source de revenu de la population palestinienne.

En tant que ministre sans portefeuille, j'étais chargé du développement économique des nouveaux territoires et du problème des réfugiés palestiniens. On estimait qu'ils étaient environ 350 000 en Cisjordanie et dans la bande de Gaza. Il était pratiquement impossible d'avancer un chiffre exact : les listes établies par l'UNRWA (Agence des Nations unies pour l'aide aux réfugiés palestiniens) étaient nécessairement fausses, puisqu'elles ne tenaient pas compte des réfugiés qui mouraient ou qui quittaient le camp. Personne, en effet, n'avait intérêt à signaler un départ ou un décès, qui aurait privé les familles de la subvention de l'absent versée par l'UNRWA. J'ai fait plusieurs visites dans les camps de Cisjordanie et de Gaza et, malgré la forte propagande anti-israélienne, j'ai reçu dans l'ensemble un accueil assez chaleureux. Invité dans les familles, j'avais le sentiment que ces hommes et ces femmes cherchaient à établir un contact direct et cordial. Les réfugiés vivaient dans des conditions choquantes, dans des bâtiments misérables, dépourvus d'eau et d'électricité. Des hommes désœuvrés traînaient leur ennui à l'ombre des maisons brûlantes de soleil. Aucun réfugié ne voulait travailler, car en tant que chômeurs, ils bénéficiaient d'une aide de l'Unrwa. Par ailleurs, la propagande encourageait à l'oisiveté pour mieux dénoncer « *l'horrible tragédie* » de ces familles réfugiées dans les camps. Il fallait donc en premier lieu améliorer leurs conditions de vie tout en restant d'une prudence extrême, car toute mesure positive risquait d'apparaître comme une volonté de récupération politique des réfugiés. Il fallait donner aux hommes la possibilité de travailler pour augmenter leur niveau de vie, sans que leur travail ne les prive des subventions de l'Unrwa qu'ils ne voulaient pas perdre. Nous avons contourné la difficulté en les autorisant à travailler sans être inscrits au registre du travail, si bien que, pour l'Unrwa, ils étaient toujours chômeurs. Le second objectif que j'ai fixé a été de leur permettre d'acquérir une formation professionnelle, car il était clair qu'en demeurant sans qualification, ils restaient condamnés à n'occuper que de petits emplois. Nous avons donc créé pour ces réfugiés des écoles professionnelles. Parallèlement, les maisons ont été peu à peu reconstruites, et l'eau courante ainsi que l'électricité installées dans les camps. Par la suite, nous avons construit à Gaza un hôpital ainsi qu'un centre commercial qui encouragea les échanges entre Juifs et Arabes. Nous avons également introduit nos méthodes d'agriculture et le rendement agricole dans ces territoires s'en est trouvé multiplié par six ou sept, tandis que des expériences pilotes relatives à de nouvelles cultures ont été réalisées. En quelques années, les camps avaient changé de visage, on y a vu apparaître des voitures, des postes de radio et de télévision.

ANDRÉ VERSAILLE : Pourtant, les opposants vont très tôt dénoncer une volonté d'« *annexion rampante* ». Et il semble bien que le général Dayan et l'état-major militaire s'efforcent de provoquer une émigration palestinienne à grande échelle.

SHIMON PERES : Mais non ! Il s'agit-là d'une vision purement idéologique.

BOUTROS BOUTROS-GHALI : Je ne crois pas du tout qu'il s'agisse d'une vision idéologique. Et d'ailleurs, l'expression « *émigration à grande échelle* » ne me semble pas appropriée. Il serait plus juste de parler de « *nettoyage ethnique* » : pendant la guerre et dans les semaines qui suivirent, 200 000 à 300 000 Palestiniens résidant en Cisjordanie et dans la bande de Gaza furent poussés à l'exil. Ils s'installèrent pour la plupart en Jordanie.

ANDRÉ VERSAILLE : Autre conséquence de la victoire israélienne, la perception d'Israël change radicalement : au niveau de la région, l'État juif est devenu une superpuissance et l'image du petit David luttant contre le géant Goliath arabe ne tient plus.

Lors de la guerre des Six Jours, la popularité d'Israël en Occident avait atteint son zénith : pendant quelques jours, il aura été l'un des pays les plus aimés. Mais son éclatante victoire fera que de plus en plus de monde considérera Israël comme un « *fait colonial* », pour reprendre l'expression utilisée par Maxime Rodinson dans son célèbre article des *Temps modernes* de mai 1967. Très vite, à l'instar de la grande majorité du tiers-monde, une bonne partie des « progressistes » et l'ensemble des tiers-mondistes verront en Israël un État impérialiste complice des États-Unis dans l'oppression du tiers-monde.

Décidément, comme l'écrira Walter Laqueur : « *Il n'y a rien de pire qu'une grande victoire, si ce n'est bien sûr une grande défaite.* » Et de fait, Israël va perdre la « bataille des images ».

SHIMON PERES : Cela dépend des pays. C'est vrai pour la France ou l'Italie, mais pas du tout pour les États-Unis. Là, Israël n'a pas du tout perdu la bataille des images.

En fait, après le Vietnam, la gauche internationale était à la recherche d'un peuple-victime, et elle a élu les Palestiniens. À partir de ce moment, Israël a excité la presse du monde entier. C'est incroyable, mais selon une étude de l'ONU, Israël est alors le troisième pays suscitant de l'information, après les États-Unis et l'Union soviétique…

BOUTROS BOUTROS-GHALI : Israël a toujours suscité des sentiments violents et contradictoires en Occident : amour, hostilité, culpabilité, etc. Il n'est donc pas surprenant que ce mélange détonant de sentiments puisse passer d'un extrême à l'autre. Par contre, en ce qui concerne les Arabes, cela ne changeait rien. Il n'est même pas sûr que les Arabes se soient rendu compte du changement de l'opinion occidentale.

ANDRÉ VERSAILLE : Et comment les Israéliens ont-ils senti ce mouvement de désamour de l'Occident ?

SHIMON PERES : Je pense que, à tout prendre, les Israéliens ont préféré constituer une nation forte et manquer de la sympathie universelle, que bénéficier de cette sympathie et se retrouver affaiblis.

ANDRÉ VERSAILLE : Oui, mais ce manque de sympathie ne s'explique-t-il pas aussi par la position intransigeante adoptée par Israël dans sa volonté de conserver les territoires occupés ?

SHIMON PERES : Dans leur majorité, les Israéliens ont toujours été prêts à se retirer des territoires, mais en échange d'une vraie paix avec nos voisins. Et nous le prouverons avec le retrait du Sinaï après les accords de Camp David en 1979.

ANDRÉ VERSAILLE : Du Sinaï, oui, mais pas de la Cisjordanie et encore moins de Jérusalem.

SHIMON PERES : Sur Jérusalem, je vous l'accorde, mais en ce qui concerne la Cisjordanie, si nous n'étions pas prêts à négocier avec l'OLP, nous étions tout à fait en faveur d'un *modus vivendi* avec la Jordanie.

À cette époque, nous pensions que les négociations de paix pouvaient être entamées avec les Jordaniens, mais certainement pas avec les organisations palestiniennes que nous ne regardions pas comme des interlocuteurs crédibles. Nous considérions les mouvements nationalistes palestiniens comme le Fatah, le FPLP puis l'OLP, comme des mouvements terroristes – ce qu'ils étaient d'ailleurs – avec lesquels aucune discussion n'était imaginable. Eux-mêmes n'envisageaient pas une quelconque possibilité de négociation avec nous.

ANDRÉ VERSAILLE : La défaite arabe va avoir entre autres conséquences de permettre à l'Union soviétique de pénétrer profondément en Égypte et en Syrie. Après la rupture des relations diplomatiques entre Jérusalem et Moscou le 10 juin 1967, bientôt suivie de celle des autres pays du pacte de Varsovie à l'exception de la Roumanie, l'URSS devient la grande puissance protectrice des Arabes.

BOUTROS BOUTROS-GHALI : Cette pénétration de l'URSS dans le monde arabe, qui a commencé en réalité en 1955 avec la fourniture d'armes à l'Égypte *via* la Tchécoslovaquie, va, en effet, s'accélérer après la guerre des Six Jours. À la demande du Caire, l'Union soviétique enverra massivement des armes, mais aussi des conseillers et des experts dans la région, et finira par y installer des bases. Les États arabes « progressistes » étaient en faveur de ce rapprochement. En revanche, les États « conservateurs » étaient inquiets, voire hostiles, mais se gardaient bien de le laisser paraître, parce que leur hostilité à l'égard d'Israël l'emportait sur tout.

ANDRÉ VERSAILLE : Après la guerre de 1956, la pression conjointe des États-Unis et de l'Union soviétique a obligé les Israéliens à restituer le Sinaï aux Égyptiens. En 1967, les États-Unis ne vont pas exercer une pression semblable, alors qu'Israël occupe bien plus de territoires qu'en 1956. Qu'est-ce qui a changé ?

SHIMON PERES : En 1956, les Américains nous ont regardés comme les agresseurs, alors qu'en 1967, il leur est apparu clairement que nous étions les agressés ; en outre, nous avons clairement déclaré que nous étions prêts à négocier notre retrait contre l'établissement d'une vraie paix, tandis que les États arabes proféraient leurs trois « *Non* ».

André Versaille : N'y a-t-il pas surtout une raison géostratégique plus déterminante ? Face à l'Égypte et à la Syrie qui semblent entrer définitivement dans l'orbite soviétique, les États-Unis n'arrivent-ils pas à la conclusion que seul Israël peut être un allié sûr et stable dans la région ?

Boutros Boutros-Ghali : Je partage votre analyse. En 1956, les États-Unis d'Eisenhower avaient une position beaucoup plus ferme vis-à-vis des Européens et des Israéliens pour lesquels ils éprouvaient certainement de la sympathie, mais dont ils n'étaient pas encore les alliés inconditionnels qu'ils deviendront par la suite.

J'ajouterais que si Washington avait accepté le fait que Nasser ait pu commettre une erreur en 1956, elle ne lui pardonnera ni son appui militaire aux forces républicaines yéménites qui représentaient une menace pour le pétrole saoudien ni sa conduite belliqueuse en 1967.

Nasser s'étant rendu impopulaire aux Occidentaux, ceux-ci le considéreront définitivement comme un dictateur, et les Américains ne seront pas mécontents de la « bonne leçon » que les Israéliens lui ont donnée.

Shimon Peres : Oui, et en plus du fait que Nasser s'était rapproché des Soviétiques et avait développé une relation personnelle avec leurs dirigeants, l'Égypte, qui faisait partie de ce mouvement des soi-disant « *non-alignés* », fut perçue comme une force « *extrémiste* » qui tentait d'unifier le monde arabe en un bloc antiaméricain.

IX – ESSOR DU MOUVEMENT NATIONAL PALESTINIEN

*La politique palestinienne des États arabes – Une « exception nostalgique »
palestinienne ? – Évolution de la mentalité palestinienne –
Multiplication des organisations palestiniennes – La bataille de Karameh
– Yasser Arafat, dirigeant de l'OLP – Septembre noir – Jeux olympiques
sanglants à Munich – Le terrorisme palestinien se développe*

ANDRÉ VERSAILLE : De 1949 à 1967, les États arabes n'ont pas fait grand-chose pour sortir les Palestiniens de leur situation de réfugiés…

BOUTROS BOUTROS-GHALI : Je suis totalement en désaccord avec vous. Les Arabes n'ont jamais considéré les Palestiniens comme des réfugiés, mais comme les citoyens d'un État palestinien colonisé par les sionistes.

Ainsi que nous l'avons vu, lors des travaux préparatoires du pacte de la Ligue arabe, en février 1945, le délégué égyptien avait proposé l'admission de la Palestine en tant que membre de la Ligue. Cependant, le délégué du Liban avait formulé des objections d'ordre juridique et pratique. Le compromis adopté, et qui figure en annexe du pacte de la Ligue, stipule : « *Si pour des raisons indépendantes de sa volonté, cette existence n'a pu s'extérioriser, cette circonstance ne constitue pas un obstacle à la participation de la Palestine aux travaux du Conseil de la Ligue.* » Après la création de l'État d'Israël, on estime essentiel de maintenir la population palestinienne dans son territoire. Et dans cette logique, Le Caire, Damas, Bagdad, le Koweït refuseront d'accorder leur nationalité aux réfugiés palestiniens. Seule Amman va s'écarter de cette ligne de conduite en donnant des responsabilités politiques et parlementaires aux Palestiniens installés en Jordanie. Le refus d'intégrer et de naturaliser les Palestiniens dans les pays arabes se fait précisément au nom du respect et de la protection des Palestiniens qui ont droit à une patrie légitime.

ANDRÉ VERSAILLE : Quite à sacrifier une, deux ou trois générations ?

BOUTROS BOUTROS-GHALI : Mais dans leur grande majorité, les réfugiés palestiniens refusent eux-mêmes d'adopter une autre nationalité. Ce serait renoncer à leur droit au retour et hypothéquer le devenir de l'État palestinien.

ANDRÉ VERSAILLE : Il y a eu des réfugiés, victimes de guerre, depuis l'aube de l'Histoire, et sur toute la terre. De manière générale, la nostalgie n'a eu qu'un temps et ces réfugiés ont fini par se refaire une vie sous d'autres cieux. À l'inverse, les Palestiniens sont exceptionnellement nostalgiques de leur terre. Non seulement ils n'imaginent pas pouvoir vivre dans un autre pays arabe, au sein de populations dont ils partagent pourtant la langue, la religion et une large partie de la culture, mais ils manifestent un attachement viscéral à leur lopin de terre particulier, à *leur* maison dans *leur* village, quand bien même ni l'un ni l'autre n'existeraient plus.

Comment expliquez-vous cette « exception nostalgique » palestinienne qui perdure maintenant depuis plus d'un demi-siècle ?

BOUTROS BOUTROS-GHALI : Je voudrais d'abord vous rappeler l'article 13 de la Déclaration universelle des droits de l'Homme qui stipule que « *toute personne a le droit de quitter son pays, y compris le sien et d'y revenir* ». Faut-il aussi rappeler la résolution 194 de l'Assemblée générale des Nations unies qui donne aux Palestiniens un droit de retour dans leur patrie ?

À présent, pour répondre à votre question, je crois que cette nostalgie, naturelle au départ, a été nourrie par une idéologie nationaliste exacerbée largement dispensée dans les camps de réfugiés. Ce rappel de la patrie perdue, martelé tous les jours par les nationalistes, mêlé à un sentiment de haine à l'égard de l'occupant, s'est enraciné si profondément dans les esprits qu'il ne permet plus aux Palestiniens d'imaginer vivre en dehors de la « patrie ». En outre, le fait que les Juifs soient parvenus à revenir sur une terre où leurs ancêtres vivaient il y a deux mille ans, encourage d'autant plus le droit au retour des Palestiniens sur cette même terre où habitaient leurs pères, il y a à peine un demi-siècle : « *Si les Juifs ont attendu deux mille ans pour créer leur État, nous, Palestiniens, nous pouvons bien attendre le temps de deux, trois ou même quatre générations pour bâtir le nôtre.* »

ANDRÉ VERSAILLE : Jusqu'en 1967, on ne mentionne guère dans la communauté internationale les droits « nationaux » palestiniens : la question palestinienne est essentiellement perçue comme un problème de réfugiés. On ne parle d'ailleurs pas jusqu'à ce moment-là de conflit israélo-palestinien mais de conflit israélo-arabe.

BOUTROS BOUTROS-GHALI : La communauté internationale parle de conflit israélo-arabe, mais le monde arabe utilise également celui de conflit israélo-palestinien. Mais, vous avez raison, il y a effectivement un décalage entre le discours de la communauté internationale qui parle du droit des « réfugiés » et celui des Arabes qui parlent de « droits nationaux ».

ANDRÉ VERSAILLE : La défaite arabe de 1967 va provoquer un changement dans la mentalité d'une part croissante des Palestiniens : ceux-ci vont de moins en moins se conduire comme des réfugiés assistés, et de plus en plus comme des combattants nationalistes. Parallèlement, les mouvements palestiniens vont s'émanciper de la tutelle des gouvernements arabes.

Je vous propose de revenir un moment sur la genèse du principal de ces mouvements, l'Organisation de libération de la Palestine. L'OLP est née suite à une résolution initiée par Nasser au Sommet arabe du Caire qui se tient du 13 au 16 janvier 1964. En collaboration avec le Premier ministre syrien, Amin al-Hafez, et du président irakien, 'Abd al-Salam 'Aref, Nasser va constituer un organe palestinien, mais qui lui soit inféodé. Il veut favoriser l'émergence d'une force de combat palestinienne capable d'agir en Israël, certes, mais en même temps, en contenir les éventuelles velléités d'indépendance. Cette force doit être maintenue dans le giron des États égyptiens et syriens. Cette tutelle est si évidente que les premières opérations des groupes nationalistes al-Fatah ou al-Assifa interviendront en partie en réaction à la formation de l'OLP, afin de montrer au monde que les militants palestiniens refusent d'être une force subalterne du monde arabe.

Quel sera dès lors le jeu des États arabes envers les Palestiniens ? On a parfois l'impression que l'OLP s'est créée, non pas avec une aide franche des gouvernants arabes, mais apparemment en dépit de ceux-ci. N'avez-vous pas l'impression que les Palestiniens ont également dû imposer leur cause aux États et gouvernants arabes pour qui les Palestiniens étaient surtout un prétexte pour refuser le dialogue avec les Israéliens ?

BOUTROS BOUTROS-GHALI : Je pense qu'il faut distinguer ceux qui désiraient conserver les territoires qu'ils administraient et qui effectivement ne parlaient pas volontiers d'« État palestinien » ; et ceux qui, en revanche, avaient intérêt à contrer cette volonté d'annexion rampante et qui prônaient ouvertement la création d'un État palestinien.

Comme je l'ai dit auparavant, la Palestine bénéficiait d'un statut particulier de membre associé au sein de la Ligue arabe. Seul le Conseil de la Ligue avait le droit de choisir les délégués de la Palestine. Ce choix s'est très vite avéré malaisé, étant donné les divergences entre les différentes factions politiques palestiniennes. La Ligue s'est alors efforcée de former un front de libération regroupant ces diverses mouvances. Le 12 mars 1969, Yasser Arafat est reconnu par la Ligue arabe comme le représentant de la Palestine. C'est lui qui parviendra à éliminer la tutelle de la Ligue arabe. En fait, c'est à l'Arabie saoudite qu'on le doit. Elle considérait en effet que le représentant de la Palestine devait dorénavant être élu par le peuple palestinien et non désigné par la Ligue arabe. Dès lors, les Palestiniens vont représenter un enjeu géopolitique pour les États arabes. Cet enjeu fluctuera au gré des divisions qui traverseront le monde arabe. Chaque gouvernement souhaitera maintenir les Palestiniens dans son giron, car ceux-ci constituaient incontestablement un atout diplomatique. Plus le temps passera, plus il sera bon pour un État arabe d'être proche des Palestiniens. Les États-Unis étant désireux de voir cette région pacifiée, le pays arabe susceptible de servir d'interlocuteur avait l'assurance de voir son crédit renforcé à Washington. Les États arabes sont donc entrés en compétition. Enfin, indépendamment de la solidarité arabe, du souci des réfugiés, de l'hostilité générale à l'égard d'Israël, la question palestinienne permettait aux gouvernements de détourner l'attention de leurs citoyens des problèmes internes. Le slogan qui avait cours à l'époque était : « *Aucune voix ne doit être plus forte que la voix de la bataille.* »

André Versaille : À l'époque, la Charte de l'OLP stipule que la résolution de partage de la Palestine de 1947 n'a aucune validité, et l'Organisation se donne pour objectif de détruire « *l'entité sioniste* » par la lutte armée. En outre, elle conteste le principe que les Juifs puissent avoir un quelconque lien historique ou même spirituel avec la Palestine. Par conséquent, après la destruction prévue d'Israël, seule une minorité de Juifs pourrait demeurer en Palestine, mais en tant que minorité religieuse, et certainement pas nationale.

Après la grande défaite de 1967, ce projet de destruction de l'État juif garde-t-il aux yeux des Arabes une quelconque crédibilité ou s'agit-il de pure rhétorique ?

Boutros Boutros-Ghali : En 1968, ce « programme » ne paraît pas moins réaliste à beaucoup que la lutte pour l'indépendance de l'Algérie quinze ans plus tôt. Auprès des extrémistes et des fondamentalistes, ce projet garde certainement toute sa crédibilité. En revanche, les modérés ont de plus en plus conscience que la paix passe par la reconnaissance de l'existence de l'État israélien.

André Versaille : Les mouvements palestiniens se multiplient et des différences idéologiques distinguent les organisations entre elles : Fatah de Yasser Arafat, FPLP de Georges Habache, FDLP de Nayef Hawatmeh, Saïka d'obédience syrienne, etc. Ces mouvements nationalistes ne sont pas islamistes. On les trouve plutôt proches de l'extrême gauche et s'ils sont violemment anti-israéliens, plusieurs d'entre eux (le FPLP, le FDLP) n'ont pas de mots assez durs à l'encontre des monarchies arabes considérées comme réactionnaires.

BOUTROS BOUTROS-GHALI : C'est tout à fait vrai. Il faut se rappeler que le communisme est alors à son apogée, et la gauche arabe pense que la libération de la Palestine est indissociable d'un changements de régime au Caire, à Amman et à Riyad... Elle estime d'ailleurs que la *Naqba* (la Catastrophe de 1948) n'est pas tant due à l'avancée technologique israélienne qu'au retard du monde arabe.

Ont-ils tout à fait tort ? Si le monde arabe avait su se moderniser et acquérir la haute technologie comme l'ont fait les Israéliens, il aurait constitué une force. Il est donc clair que les défaites arabes successives sont aussi le fait du retard du monde arabe. Nous retrouvons ici le schéma colonial : si Israël gagne ses guerres, c'est parce qu'il est face à des pays ex-colonisés, encore sous-développés.

ANDRÉ VERSAILLE : À partir du début des années soixante-dix, l'OLP, et plus généralement les mouvements nationalistes palestiniens, vont de plus en plus souvent recourir au terrorisme.

SHIMON PERES : Oui, voyant que les États arabes ne pouvaient pas les « délivrer » d'Israël, les mouvements palestiniens vont multiplier les actions terroristes sans pitié et sans distinction, puisqu'ils iront jusqu'à perpétrer des attentats meurtriers contre des synagogues et des écoles primaires juives hors d'Israël. Les organisations palestiniennes forment alors une coalition meurtrière tenue par des fanatiques religieux et des nationalistes extrémistes. Et bien sûr, l'amplification de ce terrorisme fermera encore plus toute possibilité de dialogue entre l'OLP, ou quelque mouvement palestinien que ce soit, et nous. Pour notre part, nous nous sommes considérés en état de légitime défense avec le droit de réduire les fedayin. Seule une petite minorité d'Israéliens ne haïssait pas l'OLP et pensait pouvoir traiter avec elle. Tout le reste de la population soutenait la lutte du gouvernement contre elle.

De plus en plus, les opérations terroristes étaient appuyées par les pays arabes limitrophes. Dès lors, lorsque les commandos opéraient depuis la Jordanie, la Syrie ou l'Égypte, nous répliquions de plus en plus profondément dans ces pays, en vue d'obliger les gouvernements à brider les mouvements palestiniens et les empêcher de lancer des opérations à partir de leurs territoires.

Mais parallèlement à ces actions de représailles, nous avons voulu traiter les « *raisons* » de ce terrorisme. Nous avons doublé le budget de l'éducation ; nous avons ouvert des universités, bref nous avons travaillé à élever le niveau de vie en général des Palestiniens.

ANDRÉ VERSAILLE : Qu'espéraient les États arabes en armant les fedayin ?

BOUTROS BOUTROS-GHALI : Les États arabes n'espéraient rien. Ils n'avaient pas d'idée précise sur l'issue de ce combat. En revanche, ils se sentaient obligés d'aider les Palestiniens dans leur guerre de libération, en leur fournissant une aide diplomatique auprès de la communauté internationale et de ses organisations, ainsi qu'une aide financière et matérielle. Et ceci malgré les conflits interarabes que j'évoquais tout à l'heure. Comme je vous l'ai dit, il s'agit pour le monde arabe d'une guerre de décolonisation.

ANDRÉ VERSAILLE : Les accrochages entre fedayin et soldats israéliens iront en se multipliant. Parmi ceux-ci, il faut rappeler celui du 21 mars 1968 : en représailles à l'explosion d'un bus scolaire sur une mine où deux adultes perdirent la vie et dix enfants furent blessés, les Israéliens décideront de détruire le camp palestinien de Karameh, dans l'ouest de la Jordanie. Cependant, la résistance des fedayin ayant été bien plus opiniâtre que les soldats israéliens ne s'y étaient attendus, ceux-ci devront se retirer sans avoir rempli leur mission. Il n'en faudra pas plus pour que les Palestiniens ne fassent de cet épisode une épopée qui restera dans la mémoire d'une génération de Palestiniens comme le symbole de la résistance héroïque et la preuve de la vulnérabilité de Tsahal.

SHIMON PERES : Karameh fut une victoire plus jordano-palestinienne que palestinienne, car l'armée jordanienne s'est massivement impliquée dans la bataille. Par ailleurs, il ne faudrait pas en exagérer la portée : il s'agit d'une victoire locale et ponctuelle.

BOUTROS BOUTROS-GHALI : Locale, ponctuelle ou non, Karameh constitue un grand moment pour les Palestiniens. C'est l'histoire d'un peuple colonisé qui parvient à faire reculer la puissance coloniale. Mythe ou pas, cette « victoire » va susciter l'enthousiasme de nombreux jeunes Palestiniens. Des milliers d'entre eux vont quitter le lycée ou l'université pour rejoindre les fedayin et le nombre de militants passera en quelques mois de deux à trois mille à dix, voire quinze mille hommes. Cette « victoire » a eu également pour effet de resserrer, au moins temporairement, les rangs de la communauté arabe autour des Palestiniens. Ainsi, le roi Hussein lui-même déclarera : « *Je deviens un résistant !* » Enfin, l'OLP parviendra à se libérer un peu de la tutelle des États arabes, gagnera en prestige et obtiendra d'être mieux subventionnée : le Koweït, par exemple, lui allouera l'impôt de cinq pour cent levé sur ses résidents palestiniens.

ANDRÉ VERSAILLE : Parmi les fedayin de Karameh se trouve Yasser Arafat, membre fondateur du Fatah, une des principales factions de l'OLP. Quelques mois plus tard, en février 1969, celui-ci sera élu à la tête du Comité exécutif de l'OLP. Pourquoi lui ? Qui est alors Arafat, et comment est-il regardé par les Arabes ?

BOUTROS BOUTROS-GHALI : Arafat avait fait des études d'ingénieur à l'université du Caire. Il était plutôt proche des Frères musulmans égyptiens et assez mal vu des intellectuels palestiniens qui ne le jugeaient pas assez représentatif. Il va néanmoins montrer certaines capacités qui vont peu à peu lui permettre de s'imposer et de devenir le chef des Palestiniens. Son autorité ne se démentira pas jusqu'à sa mort, malgré les nombreux revers et critiques qu'il essuiera au cours de sa carrière. Une fois installé à la tête de l'OLP, il bénéficiera toujours plus de l'appui de la grande majorité du monde arabe.

ANDRÉ VERSAILLE : Implanté de plus en plus solidement en Jordanie (le quartier général du Fatah est transféré de Damas à Amman), le mouvement palestinien devient, en quelques mois, un État dans l'État. Comment se passe la cohabitation entre les nationalistes palestiniens armés et les Jordaniens ?

BOUTROS BOUTROS-GHALI : Les rapports sont difficiles. Cela étant, si la famille royale est hachémite et l'armée essentiellement composée de Jordaniens, en homme d'État habile, le roi Hussein nommera des Palestiniens à des fonctions politiques importantes. Il parviendra à intégrer aisément la première vague de réfugiés palestiniens, mais il semble que la seconde vague ait eu besoin de plus de temps.

ANDRÉ VERSAILLE : Plus les mouvements palestiniens acquièrent de la puissance, plus les heurts avec les forces jordaniennes se multiplient. Le pouvoir monarchique ne paraît-il pas vaciller ?

BOUTROS BOUTROS-GHALI : Je ne pense pas. D'abord l'armée jordanienne est bien plus organisée que le mouvement palestinien, divisé en plusieurs factions ; ensuite les principaux protagonistes du Moyen-Orient, de même que la communauté internationale, n'ont pas intérêt à un changement de régime en Jordanie, et encore moins à voir les Palestiniens renverser la monarchie.

ANDRÉ VERSAILLE : Hussein semble aller de concession en concession. Ainsi, après une prise d'otages, le 11 juin 1970, de trente-trois personnes par le FPLP de Georges Habache, il cédera aux exigences des activistes en limogeant le commandant en chef de l'armée, le ministre de l'Intérieur et le général de brigade dont les chars avaient ouvert le feu sur les camps palestiniens. Un peu plus tard, le 10 juillet, le gouvernement jordanien signe un compromis avec Arafat au terme duquel l'OLP obtient le contrôle total des camps de réfugiés, tandis que les fedayin s'engagent à tenir leurs hommes armés hors du centre ville d'Amman.

En septembre, les tensions sont de plus en plus fortes. Hussein déclare que son armée ne tolérera aucune bravade. Mais le FPLP ne tient pas compte de la déclaration royale. Après une tentative d'attentat contre le roi, il décide de détourner simultanément trois avions de ligne occidentaux (des compagnies TWA, Swissair et Pan Am) sur la Jordanie. L'opération réalisée, le commando palestinien prend en otages des centaines de Britanniques, d'Américains et d'Allemands. Ensuite, après avoir relâché la plupart des otages, tout en gardant prisonniers cinquante-quatre d'entre eux, il fait exploser les trois avions (vidés de leurs passagers) sur le tarmac de l'aéroport de Zarqa, sous l'œil des caméras de télévision du monde entier.

C'en est trop pour le monarque, et celui-ci va lancer son armée dans un assaut de très grande envergure contre les bases de l'OLP. Les combats seront très durs, au point que des combattants palestiniens iront jusqu'à se réfugier en Israël pour échapper aux troupes bédouines.

La Syrie menace d'intervenir pour apporter son soutien à l'OLP. Pour la contrecarrer, Nixon et son conseiller, Henry Kissinger, contactent les Israéliens et les poussent à se manifester dans le ciel jordanien pour obliger les chars de Damas, qui avaient traversé la frontière, à rebrousser chemin. Libérée de la menace syrienne, la Jordanie poursuit vigoureusement sa guerre contre les mouvements palestiniens. Yasser Arafat caché à Amman envoie sur la chaîne de la radio palestinienne un appel au secours à destination des gouvernements arabes leur demandant d'intervenir. Ceux-ci se réunissent au Caire pour un sommet d'urgence présidé par Nasser. Il est décidé d'envoyer une délégation à Amman pour demander à Hussein d'arrêter la guerre. Cette délégation est conduite par le président du Soudan, Noumeiri. Celui-ci racontera plus tard que la discussion avec Hussein dura toute la nuit, jusqu'à l'aube, mais que le roi ne s'est pas laissé fléchir. Noumeiri décide alors de rejoindre secrètement Arafat dans son abri, pour l'emmener à l'ambassade d'Égypte. Là, le dirigeant de l'OLP se déguise, et le voilà bientôt inséré dans la délégation arabe, un enfant dans les bras et flanqué d'une « épouse », traversant incognito les contrôles de l'aéroport jordanien et s'embarquant dans l'avion qui le ramène au Caire.

Boutros Boutros-Ghali : Oui, et devant cet affrontement le monde arabe se fractionne une nouvelle fois. Certains condamnent haut et fort ce « septembre noir » qu'ils considèrent comme une guerre fratricide qui affaiblit le monde arabe. D'autres, plus discrets, approuvent la réaction énergique du roi Hussein parce qu'elle permet de maintenir le *statu quo* dans la région. Parallèlement, les régimes autoritaires ne peuvent qu'approuver cette réponse musclée qui sert d'avertissement aux populations qui pourraient manifester des velléités de révolte contre leur régime. Les événements sont d'ailleurs peu relatés dans la presse et de façon assez ambiguë : il s'agit de tourner la page le plus vite possible.

André Versaille : Que pensez-vous de la réaction du roi ? *A posteriori*, vous semble-t-elle avoir une certaine légitimité ?

Shimon Peres : Aucune autorité étatique ne pouvait tolérer qu'une minorité étrangère constitue un État dans l'État et dicte sa loi aux autorités légales. Tôt ou tard, cette guerre aurait eu lieu. En faisant exploser les trois avions sur le tarmac de l'aéroport jordanien, le commando ne pouvait ignorer qu'il commettait un acte qu'aucun État ne pouvait admettre, et que par conséquent le gouvernement riposterait, et avec une grande vigueur.

BOUTROS BOUTROS-GHALI : Il est vrai que si ces événements s'étaient déroulés en Égypte ou en Syrie, les autorités auraient réagi de la même façon. Pour autant, il ne s'agit pas d'une « *minorité étrangère* ». Vos concepts ne s'appliquent pas à la réalité du monde arabe. Tous ces territoires constituaient une province de l'Empire ottoman. Palestiniens, Jordaniens, Irakiens, Syriens vivaient sous le même régime, appartenaient au même empire, partageaient la même religion, les mêmes traditions, la même langue, la même culture.

ANDRÉ VERSAILLE : Oui. Mais si, depuis Mahomet, le monde arabe est perpétuellement en train de se faire la guerre, peut-on raisonnablement le considérer comme une authentique entité, et réduire ses guerres à des guerres « civiles » ? C'est un peu comme si on considérait les guerres européennes depuis le XVIIIᵉ siècle comme des « guerres civiles », sous prétexte qu'il s'agit d'un même monde qui pratique la même religion.

BOUTROS BOUTROS-GHALI : C'est totalement différent. Comme je vous l'ai déjà dit, c'est le même peuple, qui parle la même langue, qui procède à des mariages mixtes. Vous ne pouvez pas comparer les provinces ottomanes du Machrek arabe aux États européens. C'est le colonialisme franco-anglais qui a découpé toute cette région pour créer des États artificiels comme il l'a fait en Afrique…

ANDRÉ VERSAILLE : Quoi qu'il en soit, les parties se sont « réconciliées ». Le bilan de cette guerre, bientôt appelée « Septembre noir », sera lourd : 3 500 civils et 900 combattants tués du côté palestinien selon les chiffres de l'OLP (d'autres sources parlent de près de 10 000 morts). Nasser s'entremettra personnellement pour réconcilier les deux parties. Le 27 septembre, il réunit au Caire le roi Hussein et Yasser Arafat et leur fait signer un accord qui met provisoirement fin aux hostilités.

Cette « réconciliation » aura été l'ultime acte politique de Nasser. Le dernier jour de la conférence du Caire, il meurt brusquement, terrassé par une crise cardiaque. Sa mort, après dix-huit années de règne sans partage, plonge tout le monde arabe dans la désolation.

Cependant, moins d'un an plus tard, en juillet 1971, les autorités jordaniennes décideront de liquider radicalement les bases palestiniennes. Et après quelques jours de durs combats, l'OLP est définitivement expulsée de Jordanie. La tentative palestinienne de faire de la Jordanie une base contre Israël a échoué.

Les organisations palestiniennes vont alors s'installer au Liban. Là, les camps palestiniens deviendront La Mecque du terrorisme où des groupes terroristes du monde entier (les Brigades rouges, la Bande à Baader, etc.) viendront s'entraîner. Comment ce terrorisme, qui se banalise, est-il regardé par les Arabes ?

BOUTROS BOUTROS-GHALI : Pour commencer, cette présence des terroristes étrangers est très exagérée. Elle a une valeur symbolique plus que réelle. Pour ce qui est du terrorisme palestinien, comme vous l'imaginez, il n'est pas du tout condamné dans le monde arabe comme il l'est en Occident. Pour l'opinion publique arabe, les terroristes palestiniens sont des résistants qui risquent leur vie pour une « *cause sacrée* ». Ce sont des héros, et nulle part on n'a autant conscience que « *le terrorisme est l'arme du pauvre* ».

ANDRÉ VERSAILLE : Dans le monde arabe, on n'imagine pas une émancipation palestinienne sans le recours au terrorisme ?

BOUTROS BOUTROS-GHALI : Le terrorisme a existé de tout temps. Un terroriste ne fait pas de grande différence entre le fait de tuer un soldat (qui après tout n'est peut-être qu'un civil qui fait à ce moment-là son service militaire) et un civil. Le but est de frapper l'ennemi là où ça fait le plus mal.

Il y a chez ceux qui condamnent le terrorisme (et dont je fais partie) une discrimination à la base. On ne regarde pas du tout de la même façon le « terrorisme individuel » et le « terrorisme d'État ». On sera bien plus horrifié par l'explosion d'un autobus transportant des civils que par le largage d'une bombe qui fait comme « dommage collatéral » le même nombre de victimes civiles. Je le répète, à titre personnel, je condamne le terrorisme. Néanmoins, je crois que le « terrorisme individuel » est très souvent provoqué par le « terrorisme d'État ». De même que la manière dont les prisonniers irlandais ont été traités dans les prisons anglaises a provoqué des vocations terroristes, le terrorisme palestinien me paraît largement la réponse à l'occupation israélienne. Oui, je crois qu'il y a un lien de causalité dans ces cas. Et puis, le terrorisme reste l'arme du désespoir.

ANDRÉ VERSAILLE : Avez-vous vraiment le sentiment qu'Abou Nidal, Carlos ou Ben Laden soient de grands désespérés ? N'avez-vous pas l'impression que cette vision dostoievskienne du terroriste est à la fois romantique et fausse ? Que si l'on veut appréhender le terrorisme, il faut le traiter dans sa complexité et faire la différence entre le terrorisme qui cible le chef de police tortionnaire, le général responsable de telle tuerie, et le terrorisme aveugle qui fait sauter des autobus ou place une bombe dans un bâtiment civil ?

Que pensez-vous, par exemple, de l'action des terroristes de l'Armée rouge japonaise entraînés au Liban qui, le 30 mai 1972, ouvrent le feu à l'aéroport de Lydda en Israël et tuent vingt-sept personnes et en blessent soixante et onze, pour la plupart des Portoricains catholiques venus en pèlerinage en Terre sainte ? Considérez-vous ces Japonais comme des désespérés ?

Boutros Boutros-Ghali : Chaque situation a sa spécificité propre. Et je tiens à répéter que je suis le premier à condamner le terrorisme. Il dessert plus la cause qu'il veut défendre qu'il ne la sert.

André Versaille : Dans les années soixante-dix, on assiste à un sérieux développement du terrorisme palestinien, et comme vous le rappelez, Shimon Peres, sans distinction. Pourtant à cette époque, Israël ne semble pas très soutenu par les pays occidentaux dans sa lutte contre le terrorisme.

Shimon Peres : Les États occidentaux ne se sentent pas concernés. Après tout, se disent-ils, ce terrorisme est une conséquence de la victoire israélienne : que les Israéliens se débrouillent avec ce problème qui ne regarde qu'eux. Le terrorisme est alors perçu comme un problème local, et les Occidentaux n'imaginent pas qu'il puisse devenir un danger international.

Pour les Israéliens, il ne fait pas de doute que cette amplification du terrorisme est le fait de l'OLP et de Yasser Arafat, considéré comme un implacable ennemi.

André Versaille : Lors des Jeux olympiques de Munich de 1972, un commando palestinien séquestre des athlètes israéliens et demande en échange de leur libération, celle de deux cents Palestiniens incarcérés dans les prisons israéliennes. Les Israéliens refuseront de négocier. Des commandos de la police allemande donneront l'assaut, mais ce sera un échec : les terroristes assassineront les athlètes israéliens avant d'être abattus par les forces de l'ordre.

Shimon Peres : À Munich… Admettez que l'endroit n'était pas vraiment judicieusement choisi. Cet attentat deviendra le symbole du terrorisme palestinien. C'est l'un des exemples les plus évidents de la recherche de l'exploitation médiatique de la cause palestinienne. Mais cette prise d'otages a été très fermement condamnée par l'opinion publique internationale et a évidemment contribué à relier les mouvements de fedayin au terrorisme.

Boutros Boutros-Ghali : Nous avons condamné cet acte de terrorisme pour le crime sanglant qui avait été perpétré, mais aussi parce qu'il a fait du tort à la cause palestinienne et a renforcé l'image selon laquelle les victimes seraient les Israéliens, alors que les victimes sont en fait les Palestiniens.

André Versaille : C'est, semble-t-il, à ce moment-là, que Golda Meir, Premier ministre israélien, aurait donné ordre au Mossad de liquider un grand nombre de responsables palestiniens, où qu'ils se trouvent.

SHIMON PERES : Jamais Golda n'a donné un tel ordre. Ce qui est vrai, c'est que le Mossad a été chargé de liquider les responsables de la tuerie de Munich, mais pas tous les chefs palestiniens. Il n'y a jamais eu de décision de liquidation générale.

BOUTROS BOUTROS-GHALI : D'après mes informations, Golda Meir et le comité de défense du cabinet avaient résolu, en secret, d'autoriser le Mossad à assassiner les meneurs de Septembre noir et du FPLP, là où ils pouvaient être localisés. Un commando spécial, mis sur pied par le Mossad, a reçu pour mission de retrouver et d'assassiner les terroristes. « *Qu'ils dressent une liste noire et se mettent à l'ouvrage.* » Des lettres piégées ont été adressées aux dirigeants de l'OLP en Algérie, en Libye, à celui du Croissant rouge à Stockholm, ainsi qu'à des étudiants palestiniens à Bonn et à Copenhague. Je peux vous citer des exemples d'assassinats : le 8 décembre 1972, le représentant de l'OLP à Paris, Mohamed El-Hamchari ; le 9 avril 1973, à Beyrouth, Abou Youssef, Kamal Adwan, Kamal Nassir, porte-parole de l'OLP ; et le 28 juin 1973, Mohamed Boudia, chef présumé des opérations de Septembre noir en Europe. Vous voyez que le terrorisme d'État israélien est aussi cruel que le terrorisme de libération des Palestiniens.

SHIMON PERES : Non, parce que toutes les personnes que vous citez étaient des terroristes et responsables à divers titres d'exactions. Ces assassinats étaient ciblés, et nos agents n'ont jamais pratiqué le terrorisme aveugle qui frappe des civils, femmes, enfants, etc.

ANDRÉ VERSAILLE : Shimon Peres, avec le recul, considérez-vous que, malgré sa cruauté, le terrorisme a finalement été « *payant* » ?

SHIMON PERES : Non. Je pense, au contraire, que s'ils avaient opté pour la voie politique, les Palestiniens auraient gagné en temps et en efficacité. Les terroristes nous ont fait souffrir, évidemment, mais, provoquant notre riposte, ils ont encore plus souffert. Surtout, le terrorisme a été contre-productif en ce sens qu'il a légitimé nos représailles les plus sévères et amené des faucons à la tête du gouvernement israélien. Même ceux qui auraient pu infléchir le gouvernement vers plus d'ouverture se sont raidis. Si les organisations palestiniennes n'avaient pas recouru au terrorisme le plus aveugle mais s'étaient transformées en mouvement proprement politique, nous aurions entamé beaucoup plus tôt des négociations avec elles. Nous y aurions d'ailleurs été contraints sous la pression de la communauté internationale. La grande erreur des Palestiniens, c'est d'avoir surestimé leur force militaire et sous-estimé leur force politique. Comparez la politique de Nelson Mandela à celle de Yasser Arafat : laquelle des deux a-t-elle été la plus intelligente et finalement la plus efficace ?

BOUTROS BOUTROS-GHALI : Je pense que votre comparaison est fallacieuse. Nelson Mandela avait le soutien de la majorité de la population sud-africaine et de la communauté internationale, alors que Arafat n'était soutenu que par une minorité de Palestiniens opprimés, et ne bénéficiait pas de l'appui de la communauté internationale.

SHIMON PERES : C'est précisément ce que je prétends. C'est parce qu'ils se sont lancés dans le terrorisme le plus féroce que les mouvements palestiniens n'ont été soutenus que par une minorité et qu'ils n'ont pas bénéficié de l'appui de la communauté internationale.

BOUTROS BOUTROS-GHALI : Je reste persuadé que ce sont les actions terroristes, comme le détournement de trois avions sur Amman, qui ont alerté le monde sur la situation des Palestiniens. C'est à partir de là que l'on va vraiment commencer, en Occident, à parler des Palestiniens, à s'intéresser à leur sort.

X – LA GUERRE D'OCTOBRE 1973

*L'avènement d'Anouar el-Sadate – Sadate veut faire bouger les choses –
Le Caire renvoie les conseillers soviétiques – « Nous considérions tous
Sadate comme un bouffon… » – Dayan ne croit pas que les Arabes
oseraient se lancer dans une nouvelle guerre – 6 octobre 1973, les avions
égyptiens et syriens attaquent – Humeur sombre en Israël, liesse en Égypte
– Bilan de la guerre – Israël a-t-il été en danger ? – Une « fausse guerre » ?*

ANDRÉ VERSAILLE : Le 28 septembre 1970, soit le lendemain de la « réconcilia-tion » entre Hussein et Arafat, Nasser, nous l'avons dit, a succombé à une crise cardiaque. Anouar el-Sadate, le vice-président, lui succède à la tête de l'Égypte. Comment les Occidentaux le considèrent-ils ? Jean Lacouture raconte que, ayant été l'interviewer en compagnie d'Éric Rouleau à Alger, lors de la conférence tiers-mondiste de 1972, ils étaient sortis consternés de l'entretien, tant Sadate leur avait paru un homme tout à fait médiocre. Et de fait, beaucoup semblent considérer le nouveau raïs comme un « président de transition ».

BOUTROS BOUTROS-GHALI : Au début, les Égyptiens, eux aussi, l'ont tenu pour un président de transition. Mais, dans son ensemble, la population égyp-tienne l'a considéré comme un chef d'État appelé à poursuivre l'œuvre de son prédécesseur et elle l'a accepté en tant que tel. Cela étant, il faut dire que, jus-qu'à la guerre d'Octobre, les élites égyptiennes ne le prendront guère au sérieux étant donné les diverses images qu'il donnait de lui-même.

SHIMON PERES : Il est vrai que les multiples visages qu'il voulait se donner (être un jour le Napoléon du monde arabe et le lendemain son Nehru) faisaient que nous non plus, nous ne le prenions pas trop au sérieux. Nous aurions pour-tant dû remarquer un changement majeur dans sa politique : son rapprochement avec les Américains et les Européens de l'Ouest.

ANDRÉ VERSAILLE : Dès son intronisation, Anouar el-Sadate va en effet vouloir se rapprocher des Américains et des Occidentaux et essayer, par leur entremise, d'entamer un processus de paix avec les Israéliens, qui semblent rester sourds à ces velléités pacifiques.

Sadate fera plusieurs discrètes tentatives d'ouverture vers les Israéliens. Ainsi, le 28 décembre 1970, soit trois mois après son accession au pouvoir, évoque-t-il, dans un entretien au *New York Times*, la possibilité de conclure un accord de paix avec Israël à la condition que celui-ci évacue tous les territoires conquis en 1967. C'est une remise en question des trois « *Non* » de Khartoum. Quelques mois plus tard, dans son discours au Parlement égyptien du 4 février 1971, Sadate présente ce qu'il appelle une « *initiative de paix* ». Il s'agit d'obtenir le retrait israélien de la région du canal de Suez, de rouvrir la voie navigable et de mettre en place un cessez-le-feu durable. Il semblerait que pour Sadate, cet accord intérimaire devait entraîner un processus de négociation vers la paix. Enfin, en réponse à un mémorandum de Gunnar Jarring (chargé par l'Onu d'une mission de paix au Proche-Orient), Le Caire exprime sans ambiguïté, et pour la première fois dans un document officiel, sa volonté de paix avec Israël à condition qu'Israël se retire totalement des territoires occupés.

Boutros Boutros-Ghali : Vous remarquerez que ces tentatives ont à peine été perçues. Je me souviens que peu après sa visite à Jérusalem en 1977, Sadate m'avait demandé de rédiger un « Livre blanc » rappelant les initiatives qu'il avait prises en faveur de la paix depuis son arrivée au pouvoir. La publication de ce « Livre blanc » devait démontrer à l'opinion publique internationale que le voyage à Jérusalem n'était pas un geste aussi improvisé et ponctuel qu'il le paraissait. Si spectaculaire qu'il fût, il ne s'inscrivait pas moins à la suite de plusieurs tentatives de dialogue avec les Israéliens. Celles-ci n'avaient cependant pas été perçues par Israël. Ni par le monde arabe, d'ailleurs.

André Versaille : Israël ne paraît pas croire à la volonté de paix du Caire et refuse toute idée de retour aux frontières de juin 1967. Le gouvernement de Golda Meir a décidé de choisir le *statu quo* plutôt que de renoncer aux territoires occupés. Pourtant, le secrétaire d'État américain Rogers, lui, paraît convaincu de la sincérité de Sadate. Quant au sous-secrétaire d'État américain, Joseph Sisco, il dira : « *Israël sera tenu pour responsable du rejet de la plus belle occasion de paix depuis la création de l'État.* » Abba Eban, alors ministre israélien des Affaires étrangères, avait coutume de dire que « *les Arabes ne ratent jamais l'opportunité de rater une opportunité de faire la paix* ». En l'occurrence, il semble que ce soient plutôt les Israéliens qui « *ratent des opportunités* ».

Shimon Peres : Il est vrai que, aveuglés par les préjugés que nous nourrissions envers les dirigeants arabes, et en particulier à l'encontre de Sadate, nous ne parvenions pas à regarder objectivement la situation. Nous nous sommes totalement trompés sur le compte du nouveau président égyptien. Nous le

tenions effectivement pour un homme falot, médiocre, un président de transition, comme vous dites. Nous sommes totalement passés à côté des potentialités de Sadate.

Je me souviens d'une réunion avec Kissinger qui revenait d'une rencontre
avec le président égyptien (c'était après la guerre de Kippour). Il nous avait
parlé du raïs en termes très chaleureux, déclarant que c'était un homme très
intelligent, voire un visionnaire. Nous ne l'avons pas cru ; nous pensions que
Kissinger était encore en train de nous faire un de ces numéros dont il avait
le secret. Bref, nous avons mis du temps à comprendre que Sadate était un
président d'une autre étoffe que celle à laquelle les dirigeants arabes nous
avaient habitués.

ANDRÉ VERSAILLE : Le chef de l'état-major égyptien, Chazli, racontera plus
tard que Sadate, voyant que Kissinger refusait de s'occuper du conflit israélo-
arabe « *parce que celui-ci n'était pas brûlant* » (les Américains sont alors
embourbés au Vietnam), en conclut que seule une crise au Proche-Orient pourrait amener Washington à s'impliquer dans le conflit. Il semble qu'en mai 1971,
Sadate avait acquis la conviction qu'une guerre pourrait débloquer la situation.
En juin 1971, il se dit prêt à « *sacrifier un million de soldats égyptiens* » pour
reconquérir les territoires occupés. Un peu plus tard, en mars 1972, il déclare
devant le Parlement égyptien : « *La guerre est inévitable. Quels que soient les
sacrifices et quel qu'en soit le prix à payer, nous ne céderons pas un centimètre
de notre terre ou de la terre arabe.* »

À cette époque, l'Union soviétique, qui, depuis 1967, s'était engagée à aider
l'Égypte à « *effacer les conséquences de l'agression israélienne*, fournissait
des armes au Caire et lui envoyait des conseillers militaires. Pourtant, sur le terrain, les relations entre Russes et Égyptiens ne semblent pas très bonnes. Pour
quelles raisons ? Comment la population égyptienne, en général, voyait-elle
cette présence soviétique sur son territoire ?

BOUTROS BOUTROS-GHALI : La coexistence entre les militaires égyptiens et
soviétiques n'était pas toujours facile. Disons que les mentalités étaient très
dissemblables. Quant à la population, elle percevait les Russes comme des
étrangers dont elle ne pouvait tirer aucun profit économique, contrairement aux
riches touristes occidentaux.

ANDRÉ VERSAILLE : À partir d'un certain moment, Sadate va considérer que
l'assistance soviétique présente plus d'inconvénients que d'avantages, et décidera de renvoyer la majorité des conseillers soviétiques. Ceux-ci quitteront
l'Égypte le 18 juillet 1972. Sadate pensait-il que cette présence de Moscou était
préjudiciable à ses relations avec les États-Unis, seule puissance à ses yeux
capable d'influencer Israël ?

Boutros Boutros-Ghali : Sadate était effectivement persuadé que la solution du problème arabo-israélien dépendait des États-Unis. Mais il faut ajouter une autre raison à ce renvoi : celle du coup d'État tenté, un an après la prise de pouvoir de Sadate, par une équipe de militaires prosoviétiques, dirigée par Ali Sabri et encouragée par Moscou. C'est d'abord cette tentative de putsch qui va amener Sadate à marginaliser puis à éliminer la présence soviétique. Ce qui est passé dans l'Histoire pour un geste de haute politique étrangère est également motivé par des considérations de politique intérieure et d'autoprotection.

André Versaille : Cette décision du renvoi de très nombreux conseillers militaires soviétiques n'a pu être prise sans avoir reçu des assurances de soutien de la part de Washington.

Boutros Boutros-Ghali : Il est vraisemblable qu'avant de se séparer des conseillers soviétiques, Sadate ait pris certaines assurances du côté américain, mais je n'en sais rien. Sadate détestait les requêtes directes. Je me souviens que pendant les négociations de Camp David, je l'exhortais souvent à être plus explicite envers Washington. Je lui disais : « *Monsieur le Président, si vous ne demandez pas clairement aux Américains, et par écrit, ce que vous voulez obtenir d'eux, ils ne vous accorderont rien.* » Mais Sadate, habité par ce sens de la dignité propre à notre monde, trouvait humiliant de se placer dans une position du quémandeur. Je pense donc qu'un dialogue s'est noué entre Le Caire et Washington mais de manière assez informelle et que Sadate a plus ou moins tenu les Américains au courant de son intention de renvoyer les Soviétiques.

Shimon Peres : Il est très possible que Sadate n'ait pas reçu d'assurance formelle de Washington. Néanmoins, il ne pouvait pas ignorer qu'en renvoyant les Russes, les Américains ne manqueraient pas de le soutenir.

Avec le recul, le renvoi des Soviétiques était un signe évident du rôle historique que pouvait jouer Sadate dans la région. Aujourd'hui, des années après l'effondrement de l'empire soviétique, nous avons du mal à nous rappeler l'importance de la pénétration soviétique dans la région, et donc à mesurer l'incroyable audace de Sadate. Et pourtant, nous, Israéliens, n'avons pas prêté à ce geste l'attention qu'il eût fallu.

André Versaille : Comment le monde arabe regarde-t-il cette initiative ?

Boutros Boutros-Ghali : Je ne suis pas sûr que les États arabes en aient bien saisi toute la portée. Cependant, la moitié de ces États étant hostile au communisme et l'autre moitié inféodée aux États-Unis, le rapprochement égypto-américain sera plutôt bien perçu.

ANDRÉ VERSAILLE : Il semblerait qu'en renvoyant les Soviétiques, Sadate ait gagné sur tous les tableaux : d'une part, Washington se rapproche du Caire, et d'autre part, Moscou, de crainte de compromettre sa position au Moyen-Orient, poursuivra ses livraisons d'armes à l'Égypte. Enfin, les Israéliens, considérant que le rapprochement entre Le Caire et Washington rend toute initiative militaire à leur endroit hautement improbable, baisseront la garde.

Pourtant, de manière secrète et en collaboration avec la Syrie, l'Égypte prépare l'offensive militaire.

Les services secrets israéliens ne semblent se douter de rien. Jérusalem ne pensait-il pas qu'en l'absence d'ouverture de négociations, les États arabes allaient, tôt ou tard, reprendre les armes ? Le général Elie Zeïra, chef des renseignements militaires israéliens, paraît être resté jusqu'au bout convaincu de la très faible probabilité d'une attaque arabe. Il qualifiera d'ailleurs ceux qui redoutaient cette attaque de « *paniqués* » et d'« *alarmistes* ». Ainsi les Israéliens vont-ils ignorer plusieurs signaux, dont la mise en garde du roi Hussein de Jordanie, qui rencontre secrètement Golda Meir pour la prévenir de mouvements de troupes syriens suspects. Étrangement, Golda Meir ne prendra pas la peine de faire vérifier cette information.

SHIMON PERES : Lors de cet entretien, le roi a fait part de ses « appréhensions », sans être plus explicite. Vous vous imaginez bien que si Hussein avait été précis, la commission d'enquête mise en place peu après la guerre du Kippour, et destinée à rechercher les responsabilités des autorités israéliennes dans cette guerre, n'aurait jamais relaxé Golda Meir et Moshé Dayan.

ANDRÉ VERSAILLE : Depuis son accession au poste de Premier ministre, Golda Meir avait déjà rencontré secrètement huit fois le roi de Jordanie. Quelles sont à l'époque les relations entre les autorités israéliennes et Hussein ?

SHIMON PERES : Nous avions des relations paradoxales puisqu'elles étaient à la fois officieuses et très proches. N'oubliez pas que Hussein (et avant lui Abdallah) n'avait pas été pleinement accepté par le monde arabe. Il se sentait entouré d'États arabes qui contestaient la légitimité de sa dynastie, ce qui n'était pas le cas d'Israël. Sans parler de l'OLP dont la plupart des dirigeants tenaient le roi pour un « *réactionnaire à la solde de l'Occident* ». Nous avons vu comment les relations entre les mouvements palestiniens et Amman ont explosé en septembre 1970.

Ces relations entre le roi et nous, finalement solides malgré leur caractère informel, nous convenaient autant qu'à lui. Elles étaient les plus proches possibles car, étant donné la position délicate de Hussein dans le monde arabe, en aucun cas la Jordanie n'aurait pu se permettre d'être le premier pays arabe à faire la paix avec Israël.

André Versaille : Quoi qu'il en soit, peu de temps avant les attaques conjointes des armées égyptienne et syrienne, les Israéliens avaient presque toutes les informations en main. Ils n'en tirèrent pourtant pas les conclusions qui s'imposaient. Comment cela s'explique-t-il ? À l'époque, le Mossad consacrait-il plus d'énergie à surveiller les mouvements terroristes qu'à espionner les États arabes ? L'état-major israélien, après la victoire de 1967, estimait-il que les Arabes ne se lanceraient plus inconsidérément dans une nouvelle guerre ? Le directeur du Mossad, Zvi Zamir, déclarera plus tard : « *Nous ne pouvions croire qu'ils en étaient capables. Nous les méprisions.* » Ce mépris s'adresse surtout à Sadate et il est d'ailleurs partagé par les Américains. Henry Kissinger confessera plus tard : « *Nous considérions tous Sadate comme un bouffon, comme un clown. Je tenais Sadate pour un personnage d'*Aïda. »

Boutros Boutros-Ghali : Je me souviens que peu de temps avant le déclenchement de la guerre, l'opinion publique égyptienne parlait de Sadate avec beaucoup de scepticisme. On ne prenait pas du tout au sérieux ses velléités d'attaquer Israël : « *Sadate nous promet de faire la guerre mais il ne la fera jamais ! Ce sont des mots !* » C'est dire si le secret de la préparation militaire avait été bien gardé.

Shimon Peres : Il est vrai que quelques jours avant l'attaque, nous avions eu vent des préparatifs militaires de l'Égypte et de la Syrie. Mais nous avions l'habitude de recevoir des informations de ce type, et elles se révélaient souvent fausses. C'est pourquoi nous les maniions avec circonspection. Pourtant les informations reçues en septembre étaient très précises puisqu'elles donnaient même la date de l'attaque. Cependant, comme rien ne se produisit ce jour-là, nous avons pensé qu'il s'agissait encore d'un coup de bluff. Lorsque nos services nous ont confirmé que l'attaque était bien programmée, mais que sa date avait été reportée, nous n'y avons plus cru.

Par ailleurs, Moshé Dayan, alors ministre de la Défense, ne croyait absolument pas que, sitôt après la défaite de 1967, les Arabes oseraient se lancer à nouveau dans une initiative militaire inconsidérée.

André Versaille : Et pourtant, la guerre sera bien déclenchée le 6 octobre. Comment avez-vous vécu cette journée ?

Shimon Peres : Le samedi 6 octobre au matin, jour de Kippour, nos services de renseignements nous apprennent qu'en Égypte les officiels soviétiques (ils n'avaient pas tous quitté le sol égyptien après le 18 juillet 1972) renvoient les membres de leur famille en Russie. Devant cet indice, Golda Meir réunit les ministres qui se trouvent à Tel-Aviv (elle n'a pas voulu déranger ceux qui étaient à Jérusalem parce que plusieurs d'entre eux étaient religieux). Nous sommes donc une petite douzaine de ministres autour d'elle, divisés sur la signification à donner à cet événement. Peut-il être le signe avant-coureur du déclenchement d'une guerre ? Parmi nous se trouve le chef des services de renseignements. Généralement, ces services sont accusés de faire courir des bruits alarmistes, mais ce jour-là nous avons affaire à un de leurs représentants qui, se voulant rassurant, nous affirme que la guerre n'est pas à l'ordre du jour. Je suis assis à côté du ministre Galili, l'homme le plus proche de Golda Meir : il me passe un petit mot pour me demander ce que j'en pense ; je lui réponds que je crois, au contraire, que la guerre va être déclenchée. Il transmet alors ma réponse à Golda Meir, mais ni Dayan, ni le chef d'état-major, ni le représentant des services de renseignements ne croient à une attaque arabe. Ils pensent tous qu'il s'agit encore une fois d'une fausse alerte.

Golda avise le gouvernement qu'elle a néanmoins pris contact avec l'ambassadeur des États-Unis pour solliciter une intervention diplomatique américaine auprès de l'Égypte. Elle pensait que les Égyptiens renonceraient peut-être à leurs manœuvres s'ils apprenaient qu'Israël était désormais au courant de leurs intentions. Néanmoins, le gouvernement se prononce pour une mobilisation partielle des réservistes. Vers 14 heures, alors qu'une vive discussion oppose les partisans et les adversaires d'une attaque contre la Syrie en cas d'agression égyptienne, le secrétaire militaire du Premier ministre annonce que des avions syriens et égyptiens ont commencé à bombarder Israël. Nous avions du mal à le croire, et pourtant la guerre venait bel et bien de commencer.

Golda prononce immédiatement un discours radiotélévisé à la nation, dans lequel elle explique clairement la situation. Ensuite, c'est Moshé Dayan qui prendra la parole.

ANDRÉ VERSAILLE : Au début des hostilités, cette guerre s'avère très différente des deux précédentes, puisque les armées arabes paraissent l'emporter.

SHIMON PERES : Ce sera pour nous un choc énorme. On ne s'attendait pas à vivre un premier revers d'une telle ampleur. La surprise sera d'autant plus grande que l'attaque a lieu le jour le plus sacré pour les Juifs.

Dans la soirée, au cours d'une nouvelle réunion de cabinet, le chef d'état-major nous annonce que les bombardements égyptiens redoublent d'intensité, et qu'il a dû envoyer en renfort sur le Canal nos avions militaires stationnés sur le front nord. Le dimanche sera une sombre journée. Les unités d'infanterie et les blindés égyptiens ont commencé à traverser le Canal, tandis que l'armée syrienne avance en direction du Golan. La plupart des réservistes ne sont pas encore arrivés au front, et l'armée régulière doit, seule, faire face aux assauts des troupes arabes fortes en hommes et équipées d'une nouvelle génération de matériel militaire soviétique, particulièrement sophistiqué, et dont nous ignorons tout de la capacité de nuisance. Quant à notre armée de l'air, elle combat sur les deux fronts à la fois, empêchant la progression des blindés syriens et pilonnant les positions égyptiennes le long de la rive.

ANDRÉ VERSAILLE : Quelles sont alors les discussions à l'état-major ?

SHIMON PERES : Nos experts militaires estimaient que les 48 heures à venir seraient encore difficiles : il fallait compter deux jours environ avant que tous les réservistes ne soient sur place. Dayan, qui craignait d'avoir surestimé nos forces et sous-évalué celles de l'ennemi, revient de Suez en fin d'après-midi avec des nouvelles encore plus inquiétantes : les Égyptiens bombardent maintenant notre centre de télécommunications de Charm el-Cheikh. La situation s'aggravait également dans le Nord où les Syriens nous attaquaient sur la ligne d'armistice de 1967.

Le mardi, Dayan propose de concentrer nos efforts à la défense de nos lignes dans le Golan, car il devient de plus en plus difficile de lutter sur les deux fronts à la fois. Cette action sera couronnée de succès, car dès le lendemain, l'armée syrienne battra en retraite, abandonnant environ sept cents chars, soit près de la moitié de ses forces blindées. Dayan est désormais partisan d'un arrêt de notre offensive dans le Nord, car il estime qu'une trop forte progression de nos forces sur le territoire syrien entraînerait l'entrée en guerre de la Jordanie, et nous aurions du mal à combattre sur un troisième front. Il redoute l'entrée en guerre d'Amman qui a visiblement beaucoup de peine à résister aux pressions égypto-syriennes, tandis que les Irakiens commencent à envoyer des renforts militaires aux Syriens.

Il nous paraît clair que le pays doit se préparer à vivre une guerre longue, et nous décidons de lancer une grande campagne auprès des communautés juives d'Europe et d'Amérique pour récolter des fonds.

Le jeudi, cinquième jour de la guerre, l'humeur nationale est sombre : Israël se trouve complètement isolé, pas une voix à l'ONU ne s'élève pour nous défendre. Au contraire, chaque jour, un gouvernement étranger annonce la rupture de ses relations diplomatiques avec nous. Le Premier ministre britannique demande qu'Israël rende les territoires occupés depuis 1967, tandis que Brejnev exhorte les Algériens à se mobiliser aux côtés de leurs frères égyptiens et syriens. Des rumeurs sur le suicide de Dayan ajoutent à la confusion générale. La presse traduit les interrogations et les doutes de l'opinion publique : pourquoi le gouvernement n'a-t-il pas pris au sérieux les informations qui, la veille du Yom Kippour, annonçaient une guerre proche ? Qu'allions-nous devenir face à 120 millions d'Arabes qui détenaient la moitié des richesses pétrolières mondiales ? Des nouvelles contradictoires en provenance du front ne font qu'entretenir le climat d'incertitude.

ANDRÉ VERSAILLE : Et du côté égyptien, dans quelle atmosphère va se dérouler le début de cette nouvelle guerre ?

BOUTROS BOUTROS-GHALI : Comme la population ne croyait pas que Sadate allait se lancer dans la guerre, son déclenchement a provoqué un véritable coup de tonnerre. Deuxième surprise : l'annonce des premières victoires. Après le traumatisme de la défaite de 1967, personne n'imaginait que les forces égyptiennes puissent traverser aussi facilement le canal de Suez et enfoncer la ligne Bar-Lev réputée imprenable. Cette première attaque victorieuse a donc été considérée comme bien plus importante et décisive qu'elle ne le fut en réalité. La population égyptienne est en liesse et d'un seul coup Anouar el-Sadate accède au statut de héros national. Par la suite, on continuera à parler de cette première bataille en termes dithyrambiques, mais l'on fera moins de cas des suites de cette guerre.

ANDRÉ VERSAILLE : Et comment réagissent Washington et Moscou ?

SHIMON PERES : Les États-Unis mettront quelque temps à se rendre compte de la gravité de la situation. Lorsqu'ils comprennent l'ampleur de l'attaque conjointe arabe, Kissinger cherche à arrêter les combats, et surtout à convaincre les Soviétiques de ne pas s'impliquer dans le conflit. En même temps, les États-Unis nous envoient les munitions qui commencent à nous manquer.

Cependant, la situation tourne lentement en notre faveur. Une fois passé l'effet de surprise des premières attaques, notre défense s'organise plus méthodiquement et anticipe les manœuvres ennemies. L'armée égyptienne, meilleure dans la guerre d'usure, semble avoir du mal à répondre aux offensives des FDI qui occupent désormais une poche de 1 200 km² sur la rive occidentale du Canal et encerclent la IIIe armée égyptienne.

Quant au front nord, nous gagnerons plusieurs positions, mais nos pertes s'alourdiront.

Lorsque les armées israéliennes ne seront plus qu'à cinquante kilomètres de la capitale syrienne, l'ambassadeur soviétique à Washington, Dobrynine, adressera une mise en garde aux États-Unis : si l'armée israélienne entre dans Damas, l'URSS interviendra aussitôt dans le conflit. (Les Soviétiques avaient d'ailleurs déjà mobilisé trois divisions aéroportées prêtes à décoller, tandis que des militaires russes arrivaient en Égypte pour installer des missiles sol-sol, d'une portée de 300 kilomètres.) Kissinger répliquera qu'une intervention soviétique entraînerait immédiatement une intervention américaine.

Voyant que la situation s'était renversée, les Soviétiques réclamèrent l'instauration rapide d'un cessez-le-feu. Celui-ci sera conclu le 23 octobre avec l'Égypte et le 24 avec la Syrie.

Le 22 octobre 1973, le Conseil de sécurité de l'ONU adopte la résolution 338, qui réaffirme la résolution 242 de 1967 et invite les belligérants à entamer des négociations. Parallèlement, il est décidé d'envoyer des Casques bleus dans la région.

Le 11 novembre, un accord de cessez-le-feu officiel est signé au « kilomètre 101 » de la route Le Caire-Suez, par les représentants militaires égyptiens et israéliens, stipulant la nécessité d'un accord de désengagement des forces et l'échange des prisonniers de guerre. Puis le 18 janvier 1974, un premier accord égypto-israélien sur le désengagement des forces sera signé, prévoyant notamment l'établissement d'une zone tampon entre les lignes israéliennes et égyptiennes, placée sous la surveillance de la Funu, la réouverture du canal de Suez par l'Égypte et l'autorisation accordée aux marchandises israéliennes de transiter par le Canal.

André Versaille : La guerre d'Octobre 1973 est terminée. Quelles sont les conséquences de celle-ci pour les belligérants et pour le reste du monde arabe ?

Shimon Peres : Nous n'avions pas perdu la guerre, mais celle-ci fut la plus lourde de celles que nous avions eu à mener depuis l'Indépendance, car beaucoup de soldats et d'officiers y ont péri. De plus, elle a suscité pas mal de questions : la population israélienne, habituée à des guerres rapidement gagnées, s'est évidemment interrogée sur les responsabilités des autorités gouvernementales et militaires. Parallèlement, il y eut beaucoup de discussions au sein de l'armée pour essayer de comprendre pourquoi nous en étions arrivés là. Nous nous sentions tous, au gouvernement comme à l'état-major, très culpabilisés par cette semi-défaite.

Très vite, une commission d'enquête, dirigée par le président de la Cour suprême, sera instituée pour déterminer les responsabilités politiques et militaires. En avril de l'année suivante, cette commission déposera son rapport dont les conclusions ne feront qu'aggraver la crise de confiance du pays envers le gouvernement. Quant à notre armée, dont le moral, déjà entamé par la guerre, se détériorait, elle devra subir, pour la première fois de son histoire, des critiques lancées par la presse, d'autant plus dures que le rapport de la commission d'enquête a conclu à la nécessité de remplacer un certain nombre d'officiers, dont le chef d'état-major.

Après le choc de Kippour, nous redoutions tellement de nous retrouver une nouvelle fois surpris par une agression arabe que nous avons créé au sein de notre département un service spécifique, dont la mission consistait à remettre en question toutes nos analyses, de façon à ne pas nous laisser abuser par des évidences ou par des certitudes hâtives.

Oui, cette guerre du Kippour a sérieusement ébranlé le pays. L'autorité de Golda Meir elle-même a été contestée au sein du parti, et au cours d'une réunion de notre groupe parlementaire, elle s'est vu refuser, pour la première fois, la parole. Cet incident décida, je crois, Golda Meir à se retirer définitivement de la vie politique ; ce qu'elle fera au printemps 1974.

Boutros Boutros-Ghali : Pour le monde arabe en général, le fait que les armées égyptiennes aient traversé le canal de Suez et enfoncé cette ligne Maginot qu'était la ligne Bar-Lev, transformait cette guerre en une grande victoire arabe. Et même si, bien sûr, la guerre d'Octobre ne s'est pas soldée par une victoire égyptienne, elle fut d'une importance capitale dans la mesure où elle avait ébranlé l'armée israélienne réputée invincible, ainsi que la confiance aveugle que la population israélienne avait en elle. Cette guerre a donc eu une très grande influence sur le rééquilibrage, non pas des forces *militaires*, mais des forces *psychodiplomatiques*.

Par ailleurs, cette « victoire » a permis à l'Égypte de recouvrer sa dignité et de renforcer son rôle de chef de file incontesté du monde arabe. Les rivalités interarabes sont oubliées (au moins momentanément) et les États arabes font bloc derrière l'Égypte.

André Versaille : Et pour la Syrie ? Car si l'Égypte peut considérer l'issue de la guerre comme une semi-victoire, il est difficile pour Damas, qui n'a finalement guère progressé sur le terrain, de tenir un discours analogue.

Boutros Boutros-Ghali : Vous savez, dans des régimes autoritaires, il n'est pas très compliqué de faire passer des semi-défaites pour des victoires.

Shimon Peres : Il est vrai que du point de vue symbolique, une victoire syrienne était beaucoup plus difficile à obtenir, puisqu'il aurait fallu que Damas reconquière la totalité du Golan. Comme il n'y avait pas de lignes à traverser, une avancée de quelques kilomètres ne pouvait pas être très significative.

André Versaille : Et pour les deux supergrands, qu'est-ce que cette guerre a changé ?

Shimon Peres : À cette époque, la politique étrangère américaine se détermine très souvent en fonction des positions russes. Et pour Kissinger, gagner du terrain sur Moscou passait par l'amélioration des relations, d'un côté avec les Chinois, de l'autre avec le monde arabe. Kissinger pensait que la position de l'Union soviétique était surévaluée, que Moscou n'était ni aussi fort, ni aussi présent, ni aussi organisé dans cette partie du monde, qu'on le croyait. Les États-Unis avaient d'autant plus de chances de supplanter les Soviétiques dans le monde arabe, que ceux-ci n'avaient finalement pas grand-chose à lui apporter, sinon du matériel de guerre. C'est ce qui a encouragé Kissinger à tenter de changer la donne dans la région.

Boutros Boutros-Ghali : Oui, cette guerre a eu un impact sur la diplomatie américaine. Elle va amener Washington à s'impliquer davantage en Égypte ainsi que dans le conflit israélo-arabe.

SHIMON PERES : Et dès lors que les combats ont entraîné la destruction du matériel soviétique (pour la troisième fois), cette guerre n'a aucunement servi ni Moscou ni le monde communiste. Pour les esprits les plus perspicaces, il était clair que les Soviétiques n'avaient plus un grand avenir au Proche-Orient. D'autant que malgré leur aide à l'Égypte comme à la Syrie, les partis communistes restaient interdits dans ces deux pays. Cette guerre marque donc le début de l'évacuation des Russes de la zone.

ANDRÉ VERSAILLE : Parmi les questions qui demeurent posées, il y a celle du retard des Américains à livrer les munitions dont Israël avait besoin. Plusieurs spécialistes de la question parlent d'un retard volontaire dû à Kissinger afin que la victoire israélienne ne soit pas totale : il semblerait en effet que le secrétaire d'État américain ait estimé qu'une « semi-victoire » arabe pouvait déboucher à moyen terme sur un processus de négociation.

BOUTROS BOUTROS-GHALI : Étant donné l'extrême solidité des relations israélo-américaines – Israël est pratiquement le 51e État de l'Union – je n'imagine pas que ce retard ait pu être intentionnel.

SHIMON PERES : Il est vrai que les munitions sont arrivées assez tard. Le ministre de la Défense américain Schlesinger et le secrétaire d'État Kissinger se sont mutuellement accusés d'être responsable de la lenteur de l'acheminement. J'ai personnellement discuté avec chacun d'eux et ils m'ont tous les deux assuré qu'ils n'avaient aucunement eu l'intention de ralentir la livraison des munitions.

L'un des grands problèmes que l'on rencontre quand on étudie la politique internationale, c'est la suspicion que l'on se voue entre adversaires, mais également entre alliés. Il ne faut certes pas faire d'angélisme, mais en même temps, je crois qu'on aurait tort d'expliquer l'Histoire par une série de coups tordus. Très franchement, j'ai beaucoup de mal à imaginer que tant Kissinger que Schlesinger (d'ailleurs juifs tous les deux) aient délibérément voulu mettre Israël en danger.

ANDRÉ VERSAILLE : Il ne s'agissait pas de mettre Israël en danger, mais de faire en sorte que les États arabes ne subissent pas une nouvelle humiliation qui les empêcherait d'entamer le processus de paix. Il ne vous semble pas possible que Kissinger, qui est tout de même un homme de la *realpolitik*, ait pu penser les choses en ces termes ?

SHIMON PERES : Non, je ne le pense pas. Une guerre n'est pas une partie d'échecs où tout le monde peut voir l'exacte situation des adversaires en présence et prendre le temps de réfléchir, en toute connaissance de cause, aux prochains coups. Lors d'une guerre, trop de choses sont imprévisibles et on n'a guère le loisir d'organiser des plans « machiavéliques ». J'ajouterais qu'en ce qui concerne Kissinger, il était trop attaché à Israël pour se conduire de cette façon. J'ai vu Kissinger évoquer en privé ses liens avec Israël les yeux humides ! Oui, le grand Kissinger, l'héritier de Metternich, pouvait avoir de réelles bouffées sentimentales. Le croirait-on ?

ANDRÉ VERSAILLE : Avec difficulté, en effet, mais si vous le dites. Quoi qu'il en soit, au début de cette guerre, Israël était-il réellement en danger ?

SHIMON PERES : Si vous voulez parler d'un danger de mort, non, car il restait le recours aux armes exceptionnelles (mais il n'était pas question de les utiliser dans ce cas-ci) ; en revanche, au déclenchement de l'attaque, nous étions vraiment dans une position très dangereuse. Cela ne fait aucun doute.

La situation dans la zone du Canal n'était pas mortelle – le désert du Sinaï nous donnait une profondeur stratégique qui nous permettait de « voir venir ». En revanche, la situation sur la frontière syrienne était, elle, particulièrement périlleuse : si les Syriens étaient parvenus à descendre du Golan, ils se seraient retrouvés en Galilée, une région particulièrement peuplée. Le danger était tel que Golda Meir a immédiatement appelé Haïm Bar-Lev, qu'elle considérait comme le meilleur général d'Israël, pour lui demander de prendre le commandement de l'armée qui se trouvait sur les hauteurs du Golan.

ANDRÉ VERSAILLE : Une question a donné lieu à controverse : l'objectif réel de cette guerre pour Sadate. En effet, après avoir traversé le Canal et enfoncé la ligne Bar-Lev, les Égyptiens se sont arrêtés. Les objectifs de guerre égyptiens et syriens étaient-ils identiques ? Le ministre syrien de la Défense, le général Tlass, expliquera que Damas avait pour but de libérer tous les territoires arabes conquis par Israël, alors que l'Égypte entendait seulement passer le canal de Suez et se maintenir sur les deux rives dans l'espoir de faire avancer les choses sur la scène internationale.

BOUTROS BOUTROS-GHALI : Je crois que Sadate avait eu la sagesse de comprendre qu'il fallait limiter la progression de ses troupes, et ce contre l'avis de certains généraux qui voulaient que l'armée égyptienne poursuive son avancée jusqu'aux cols du Sinaï.

ANDRÉ VERSAILLE : Il semblerait pourtant que lorsque Sadate a proposé à Assad une alliance militaire pour reconquérir les territoires perdus, il n'aurait pas du tout parlé d'arrêter ses troupes dix kilomètres après le franchissement du Canal. Tant il est vrai que les Syriens ont été très étonnés et furieux de constater l'arrêt de l'armée égyptienne, ce qui a permis aux Israéliens de dégager une partie des troupes stationnées dans le Sinaï pour les envoyer en renfort au nord-est.

Boutros Boutros-Ghali : J'ai lu en effet des études qui vont dans ce sens, mais je vous avoue ne pas trop savoir quoi en penser. Je ne crois pas cependant que les plans de batailles aient été parfaitement arrêtés et coordonnés. Je pense que, de peur que le secret ne soit éventé, les deux états-majors se sont abstenus de multiplier les plans de détails ; ils se sont contentés de s'accorder sur les grandes lignes, sans pousser beaucoup plus avant la suite de la stratégie à engager. J'ai l'impression que la seconde phase de la guerre est le résultat d'un manque de coordination plutôt que d'une stratégie déterminée. Cela dit, je ne suis pas un expert militaire, et mes informations sur la préparation et le déroulement de cette guerre sont très limitées.

André Versaille : Tout de même, n'était-il pas logique que, dans cette alliance, chacun des deux états-majors pousse ses troupes le plus loin possible à l'intérieur des territoires occupés ? Que la Syrie était donc en droit d'attendre de l'Égypte qu'elle ne s'arrête pas en aussi bon chemin ? D'ailleurs, dans un deuxième temps, sous la double pression syrienne et soviétique, l'armée égyptienne va s'enfoncer plus avant dans le Sinaï et donc sortir du périmètre protégé par le parapluie antiaérien, ce qui rendra ses blindés vulnérables aux forces aériennes israéliennes.

Shimon Peres : Pour ma part je ne crois pas que Le Caire et Damas aient été parfaitement en phase l'un avec l'autre. Je pense que, plutôt qu'un véritable plan dressé par deux alliés, il y a eu une volonté d'attaquer conjointement Israël par surprise. Quant aux arrière-pensées secrètes, il doit y en avoir eu des deux côtés.

Et cela n'a d'ailleurs rien d'étonnant. Une coalition est très difficile à conduire. Napoléon disait qu'il valait mieux lutter contre une coalition que dans une coalition. Une coalition militaire est toujours peu ou prou handicapée par les divergences qui séparent les coalisés. Chacun des États qui participe à une opération commune, conserve par-devers lui certains plans qu'il mettra ou non à exécution selon les opportunités et en fonction de ses propres intérêts. Il n'y a jamais de réelle transparence dans ce type d'alliance.

Quant à savoir pourquoi Sadate a finalement décidé de faire dépasser à son armée la limite des dix kilomètres, je ne pense pas qu'il l'ait fait sous la pression des Soviétiques ou des Syriens. Je crois qu'il a été lui-même surpris par la facilité avec laquelle ses soldats ont traversé le Canal et sont parvenus à bousculer nos troupes. Dès lors, il s'est peut-être dit qu'il pourrait aller plus loin. On a tort de croire que les dirigeants prévoient et réfléchissent toutes leurs actions ; bien souvent, ce qui apparaît comme une action logique n'est que le fruit de circonstances. Par la suite, les commentateurs trouvent une cohérence là où il n'y avait que des conjonctures plus ou moins heureuses.

ANDRÉ VERSAILLE : L'Histoire a retenu l'hypothèse d'une guerre déclenchée par Sadate pour sortir de l'impasse dans laquelle le conflit s'enlisait et pouvoir, à terme, lancer un nouveau processus de négociation dans lequel les Arabes ne viendraient pas en état de faiblesse.

SHIMON PERES : En fait, pour les Égyptiens, cette guerre avait deux objectifs majeurs : elle devait permettre l'ouverture du canal de Suez bloqué depuis 1967 et obtenir des victoires symboliques suffisamment spectaculaires pour effacer l'humiliation de la défaite de juin 1967. Dans ce cas, le fait d'avoir traversé le Canal et investi ne fût-ce qu'une petite partie du Sinaï, pouvait être considéré comme une victoire.

Ensuite, mais ensuite seulement, Sadate, ayant rendu leur honneur aux Arabes, il pouvait caresser l'idée d'entamer, sur une base égalitaire, un processus de négociation avec Israël. C'est ce que certains d'entre nous ont pensé quelques mois après la guerre. Mais en ce qui concerne le dernier point, il ne s'agissait que d'une conjecture qu'à l'époque rien n'étayait.

BOUTROS BOUTROS-GHALI : On a souvent prétendu, en effet, que pour Sadate, cette guerre avait été une « fausse guerre ». Je ne le crois pas, car lors d'une réunion de l'OUA à Monrovia en 1979 (c'était après la signature du traité de paix avec Israël), le responsable nigérian a posé franchement la question à Sadate. Très agacé par cette question, Sadate a répondu : « *Messieurs, la tradition égyptienne veut que lorsque l'on a un très jeune frère, on le considère comme son fils. Or, mon très jeune frère a été parmi les premiers aviateurs tués dans cette guerre. Vous imaginez bien que s'il s'était agi d'une "fausse guerre", mon "fils" n'y aurait pas trouvé la mort.* »

ANDRÉ VERSAILLE : Quelques mois après la fin de la guerre, le 11 avril 1974, Golda Meir démissionne, et avec elle l'ensemble de son cabinet. Quel bilan tirez-vous de son règne ?

SHIMON PERES : On ne peut pas nier le rôle important de Golda Meir dans l'histoire d'Israël. Et nous lui en restons redevables. Il faut cependant reconnaître sa très grande inflexibilité à l'égard du monde arabe, ainsi qu'un certain autoritarisme envers ses ministres lorsqu'elle était à la tête de l'État. Comme elle n'avait aucune confiance dans les dirigeants arabes, elle restait absolument opposée à toute rétrocession des territoires, et cela à quelque condition que ce soit. Elle estimait qu'un premier retrait serait immanquablement le prélude à une évacuation complète des territoires occupés, ce qui mènerait naturellement à la création d'un État palestinien. Elle n'entendait donc pas mettre le doigt dans cet engrenage.

D'un autre côté, Golda était une femme d'un courage exceptionnel. Vers la fin de sa vie, bien qu'atteinte d'un cancer, et donc régulièrement soumise à des cures de chimiothérapie, elle continuait à mener son gouvernement d'une main très ferme.

Après la guerre du Kippour, elle fut violemment mise en cause par la droite israélienne qui lui lançait des accusations très dures. Elle a finalement quitté le pouvoir en femme blessée, avec un immense sentiment d'amertume.

ANDRÉ VERSAILLE : Et dans le monde arabe, comment était-elle considérée ?

BOUTROS BOUTROS-GHALI : Très mal. On la trouvait arrogante, méprisante à l'égard des Arabes en général et des Palestiniens en particulier. Rappelez-vous la manière péremptoire avec laquelle elle avait prétendu qu'il n'existait pas de peuple palestinien. Ajoutant : « *Moi, je suis une Palestinienne !* »

ANDRÉ VERSAILLE : Golda Meir quitte donc le pouvoir au printemps 1974. Elle qui était un faucon est remplacée à la tête du gouvernement par Yitzhak Rabin, tout de même plus modéré. Vous-même, Shimon Peres, vous succédez à Dayan au poste de ministre de la Défense.

XI – LE VOYAGE DE SADATE À JÉRUSALEM

Kissinger, « négociateur redoutable et manipulateur de première » –
Premiers signes de détente entre Israël et l'Égypte – Réouverture en grande
pompe du Canal – L'ONU assimile le sionisme au racisme – Élections
municipales dans les territoires occupés – Chute des travaillistes –
« Quels territoires occupés ? Ces terres sont des terres libérées ! » – Dayan
rejoint Begin – Les bons offices du chancelier Kreisky – Évolution de l'OLP ?
– Rencontre secrète au Maroc – « Je suis prêt à me rendre à la Knesset ! » –
Stupeur et condamnation du monde arabe – « Vous venez d'être nommé
ministre d'État aux Affaires étrangères » – « N'allez pas à Jérusalem !
Vous serez tué comme votre grand-père » – Sadate acclamé par les Israéliens
– Des Arabes pleurent encore la perte de l'Andalousie – Jérusalem couverte
de drapeaux égyptiens – Un discours flamboyant – Un dîner plutôt glacial

ANDRÉ VERSAILLE : À la fin de l'année 1974 et au début 1975, Henry Kissinger joue les bons offices entre Israël et l'Égypte pour parvenir à un accord « intérimaire ». Quel regard les gouvernants arabes portent-ils sur le jeu diplomatique de Kissinger au Moyen-Orient ?

BOUTROS BOUTROS-GHALI : Vous savez, la spécificité du jeu diplomatique de Kissinger, son image de « nouveau Metternich », comme on l'a surnommé en Occident, n'étaient pas vraiment perçues par les Égyptiens. À part quelques intellectuels, personne ne s'attachait à cet aspect des choses. Cependant, Kissinger avait pour nous un avantage certain, c'est qu'il était juif. De ce fait, il rassurait les Israéliens. Par ailleurs, les bons rapports que nous entretenions avec lui témoignaient de notre ouverture d'esprit, contrairement à ce que certains responsables israéliens pouvaient déclarer.

SHIMON PERES : Le grand projet de Kissinger était la neutralisation de l'URSS qui représentait pour lui le danger suprême. Metternich avait dit : « Dans un conflit où trois partenaires s'affrontent, il faut essayer de se coaliser à l'un des deux. » Les trois partenaires étaient les États-Unis, l'URSS et la Chine. Alors, pour neutraliser Moscou, Kissinger œuvrera en faveur d'un rapprochement avec Pékin. Et il y réussira. C'est la guerre froide qui a amené Kissinger à s'occuper du Proche-Orient. Il n'avait pas tort, car dans la lutte qui opposait l'Est à l'Ouest, le conflit israélo-arabe était un conflit périphérique dans une zone stratégique particulièrement sensible. L'impact de la guerre froide sur le conflit du Moyen-Orient s'avérait effectivement prégnant. Et réciproquement, on peut dire que le conflit israélo-arabe nourrissait à son tour la guerre froide.

Kissinger n'aura donc de cesse d'essayer d'exclure l'URSS du Moyen-Orient, mais doucement, avec une très grande prudence. Il avait réalisé que le « monde libre » avait tout à gagner à la pacification de la région, alors que l'Union soviétique avait intérêt à la perpétuation du conflit. En outre, Kissinger avait compris que les Arabes n'accepteraient Israël que s'ils étaient convaincus que celui-ci ne pouvait être défait par les armes. Il a donc à la fois soutenu Israël et travaillé à l'instauration d'une paix. Avec lui, les États-Unis vont répondre à nos besoins dans les secteurs de l'économie, de l'énergie et de la défense (approvisionnement en pétrole, livraison d'avions F-16 de pointe, etc.). Ils vont également s'engager à ne pas reconnaître l'OLP tant que celle-ci ne reconnaîtra pas et n'acceptera pas le droit à l'existence d'Israël.

Ceci étant, Kissinger était un négociateur redoutable et un manipulateur de première. Ainsi, à chaque fois qu'il atterrissait en Israël, il commençait par nous brosser un tableau noir de la situation : tout le monde était contre Israël ; l'antisémitisme n'avait jamais été aussi partagé, etc. Après nous avoir bien chauffés psychologiquement, il commençait à « négocier ». Et il marchandait. Il demandait toujours le double de ce qu'il voulait obtenir. Puis, après avoir obtenu ce qu'il voulait, il allait voir les dirigeants arabes en leur proposant la moitié de ce qu'il avait réussi à obtenir de nous, en les enjoignant d'accepter de crainte que nous ne revenions sur nos positions. Oui, c'était décidément un grand manipulateur, mais au service d'une grande cause.

ANDRÉ VERSAILLE : Les Israéliens l'aimaient-ils ?

SHIMON PERES : Certains, oui, évidemment. Il était admiré. Mais d'autres, plutôt de droite, n'admettaient pas qu'un Juif, fût-il le secrétaire d'État américain, ne soit pas à cent pour cent du côté israélien. Alors, à chaque fois qu'il venait en Israël, ils organisaient des manifestations lors desquelles ils le conspuaient et brandissaient des calicots sur lesquels on pouvait lire : « *Jewboy, go home !* » (« *Petit Juif, rentre chez toi !* »).

ANDRÉ VERSAILLE : Peu à peu on remarque quelques progrès dans le rapprochement entre Israël et l'Égypte. Le 4 septembre 1975, un accord est signé : les deux États s'engagent à « *ne pas recourir l'un contre l'autre à la menace ou à l'emploi de la force ni au blocus militaire* » ; ils s'accordent sur le principe que le « *conflit ne doit pas se résoudre par la force des armes mais par des moyens pacifiques* » ; enfin ils conviennent de parvenir à un « *accord de paix définitif et juste* » sur la base de la résolution 338 du Conseil de sécurité. Le secteur du Sinaï sous contrôle égyptien ne sera pas étendu, mais la zone tampon de « séparation des forces » de la FUNU s'élargira vers l'est de quinze à quarante kilomètres et les deux camps pourront installer dans cette zone des stations de pré-alerte. Par ailleurs, Le Caire obtient la jouissance des champs pétrolifères d'Abou Rodeïs situés dans cette même zone. L'Égypte accepte de renouveler annuellement le mandat de la FUNU pendant au moins trois ans et confirme son accord sur le passage de cargaisons israéliennes par le canal de Suez.

C'est indubitablement un progrès, mais qu'est-ce qui fait que l'on ne parvient pas à aller plus loin et à entamer un réel processus de paix ?

SHIMON PERES : En fait, nous nous méfiions toujours de la parole arabe : nous pensions qu'il était possible de parvenir à des armistices mais non à une paix. Nous étions persuadés que les Arabes n'en voulaient pas et qu'ils se prépareraient, au contraire, à la guerre suivante. Et je pense que de leur côté, les Arabes ne croyaient pas non plus en notre volonté de paix.

BOUTROS BOUTROS-GHALI : C'est peu dire ! Mais il faut également compter avec les pesanteurs du monde arabe qui évolue lentement, en proie à des rivalités internes qui sont autant d'entraves à une action concertée. Et puis, il restait, bien sûr, la blessure toujours vive de la question nationale palestinienne.

ANDRÉ VERSAILLE : Si des rapprochements entre l'Égypte et Israël sont perceptibles, il n'en va pas de même entre Israël et la Syrie.

BOUTROS BOUTROS-GHALI : Les situations égyptienne et syrienne ne sont pas comparables : des différences géographiques déterminent les politiques respectives. Premièrement, la Syrie se sent bien plus vulnérable que l'Égypte : les troupes israéliennes ne sont distantes de Damas que de soixante kilomètres, alors que Le Caire est protégé par le Sinaï et le canal de Suez. S'il est donc tout à fait envisageable d'effectuer un retrait en cinq étapes dans le Sinaï, ce type de processus est difficilement applicable sur le plateau du Golan. Deuxièmement, étant plus imbriqué dans le monde arabe, Damas se sent d'autant plus solidaire de la Jordanie et des Palestiniens. Elle est d'ailleurs bien plus impliquée dans la question palestinienne que l'Égypte. Enfin, pour la Syrie, le conflit avec Israël ne concerne pas que le Golan : elle se sent également concernée par le Liban, les réfugiés, les problèmes de l'eau, etc.

André Versaille : Lentement, la détente continue de s'installer entre Israël et l'Égypte. En 1975, Sadate rouvre le canal de Suez et fait de cette réouverture un événement national. Comment réagissent la presse et la population égyptiennes ?

Boutros Boutros-Ghali : Cette réouverture est présentée comme le premier pas vers le recouvrement de l'intégrité territoriale, et l'événement sera largement médiatisé.

La popularité de Sadate s'était considérablement accrue lors de la guerre d'Octobre, en principe annonciatrice d'un retournement de situation. Mais en réalité, rien ne change. Sadate a donc besoin d'événements qui confortent les Égyptiens dans l'idée que les choses bougent, que l'on avance dans le processus de libération du territoire égyptien. Cette réouverture du canal de Suez va donc réactualiser la « victoire » de 1973 et la « matérialiser ». Pour la population, cette réouverture, grâce à la reprise des activités économiques et commerciales, rapportera deux milliards de dollars pas an, ce qui ne manquera pas d'améliorer la situation économique de l'Égypte.

André Versaille : Cette même année 1975, l'Assemblée adopte par 72 voix contre 35 et 32 abstentions une résolution énonçant que « *le sionisme est une forme de racisme et de discrimination raciale* ». Comment la nouvelle est-elle reçue par les Israéliens ?

Shimon Peres : Ce fut un choc évidemment. Et cette résolution eut pour résultat que nous ne ferons plus confiance à l'Onu, et que nous refuserons désormais sa participation dans les négociations israélo-arabes.

André Versaille : Comment expliquez-vous cette résolution qui sera annulée en 1991 ?

Shimon Peres : Le fait qu'à l'Onu vingt-trois États soient membres de la Ligue arabe, cinquante-cinq fassent partie du bloc musulman, cent dix soient des pays dits « non alignés »… a eu pour effet l'adoption d'une série de résolutions anti-israéliennes totalement injustes ou déséquilibrées et des conduites inconséquentes : rappelez-vous la promptitude avec laquelle, en 1967, le secrétaire général des Nations unies, U Thant, avait obtempéré à l'injonction de Nasser de retirer les Casques bleus qui séparaient l'Égypte et Israël. Nous étions donc face à une coalition anti-israélienne compacte qu'il n'était pas imaginable de contrecarrer.

André Versaille : Ceci étant, au-delà du camouflet, qu'est-ce que cette résolution changeait fondamentalement pour Israël, que ce soit du point de vue diplomatique, économique ou politique ?

SHIMON PERES : Pour commencer, cette résolution justifiera, aux yeux de plusieurs gouvernements, en particulier du tiers-monde, le boycott économique et politique d'Israël. Ensuite, elle va permettre ce glissement funeste de l'antisionisme à un authentique antisémitisme : dès lors que l'expression nationale des Juifs se réduit à une forme de racisme, c'est en toute bonne conscience que l'on pourra se déclarer « antisioniste » avec la plus grande virulence, et avec tous les dérapages antisémites que l'on a vus.

BOUTROS BOUTROS-GHALI : Voyons les choses en face : les Palestiniens, qui ont vécu sur cette terre depuis des siècles, n'ont pas le droit d'y retourner, alors que les Juifs du monde entier, dont la très grande majorité n'est évidemment pas originaire de cette région, se voient automatiquement offrir le « droit au retour » et la citoyenneté ; en Israël, une discrimination fondamentale sépare Juifs et Arabes israéliens. Les sionistes ont construit un État dans lequel ils ont délibérément établi une discrimination entre les Juifs et les Goyim. Comment pourrait-on nier qu'il s'agit là d'un racisme religieux et ethnique ? Le sionisme est fondé sur cette discrimination.

On ne s'étonnera donc pas que l'ensemble du monde arabe tienne le sionisme pour une doctrine discriminatoire, un racisme *sui generis*. D'ailleurs, l'assimilation du sionisme à l'apartheid sud-africain est très ancrée dans l'imaginaire arabe, musulman et tiers-mondiste.

Dans le monde arabe, la résolution de l'ONU fut donc prise non pas comme une « victoire du camp arabe », mais comme la reconnaissance (tardive) d'une évidence.

SHIMON PERES : Israël a été créé pour remédier à une anomalie, en donnant un État à une population qui, dispersée de par le monde, n'en avait pas. Dès le moment où l'on admet que, comme n'importe quel autre peuple, les Juifs ont droit à leur patrie, peut-on leur reprocher ce « droit au retour » ?

BOUTROS BOUTROS-GHALI : Le problème, c'est que l'on a voulu remédier à une anomalie en en créant une autre, et qu'on a perpétré une très grande injustice en chassant les Palestiniens de leur propre terre et en les empêchant d'y revenir.

Le sionisme n'est pas un nationalisme « normal ». L'État juif s'est créé aux dépens d'une autre population, à l'instar de ce qui s'est passé en Amérique latine, avec la destruction des royaumes mayas et incas. Mais ces phénomènes se sont passés à un âge où le colonialisme était une chose admise. Or, au risque de me répéter, Israël s'est créé à l'époque même de la poussée décolonisatrice, moins de trente ans après que le président américain Wilson avait prôné le droit des peuples à l'autodétermination.

ANDRÉ VERSAILLE : En 1976, donc sous le gouvernement Rabin, Israël permet la tenue des premières élections municipales dans les territoires occupés.

Shimon Peres, vous êtes à l'époque ministre de la Défense et c'est à vous que l'on doit l'initiative de ces élections.

SHIMON PERES : Cette question des élections libres en Cisjordanie et à Gaza fut un sujet de discorde entre Rabin et moi. J'avais eu personnellement l'occasion de rencontrer des jeunes Palestiniens qui m'avaient semblé pleins d'avenir et qui, contrairement à d'autres politiciens palestiniens, n'étaient pas corrompus. Ces jeunes formaient une élite de technocrates avec lesquels nous avions déjà eu l'occasion de travailler. Parmi eux figurait notamment le futur maire de Hébron qui m'avait heureusement impressionné. J'étais donc favorable à la tenue de ces élections, alors que Rabin s'y opposait, craignant que les municipalités ne tombent entre les mains d'hommes proches de l'OLP. Néanmoins, le cabinet suivit mon avis.

Les autorités israéliennes ne sont pas intervenues dans ces élections qui furent totalement libres et qui se sont déroulées dans de très bonnes conditions : non seulement il n'y eut aucune violence, mais l'atmosphère était telle que j'ai personnellement eu tout le loisir de me déplacer sans gardes du corps.

Cependant, dès la campagne commencée, les candidats « modérés » ont adopté un langage particulièrement virulent, semblable à celui de l'OLP. Cela n'avait rien de surprenant, puisque se trouvant de fait en concurrence avec l'OLP, ils avaient des gages à donner à leur électorat.

Évidemment, j'ai été sérieusement pris à partie pas certains membres du gouvernement : « *Vous avez prétendu que ces jeunes gens étaient d'une nouvelle génération, qu'ils étaient des modérés. Il n'en est rien ! Écoutez-les : ils sont tout aussi extrémistes que les pires militants de l'OLP !* » J'eus beau leur expliquer qu'ils étaient en campagne et qu'ils ne pouvaient pas prendre le risque d'être pris pour des « collaborateurs » d'Israël : « *Vous n'espériez tout de même pas qu'ils fassent des déclarations d'amour à Israël ?* » Mais rien n'y fit. Ces critiques n'émanaient pas seulement des membres les plus radicaux du gouvernement mais également des « modérés ».

ANDRÉ VERSAILLE : Et vous-même, quel était votre sentiment ?

SHIMON PERES : Que puis-je vous dire ? Bien sûr, j'aurais préféré des déclarations moins agressives ! Mais enfin, c'était le jeu et il fallait en prendre son parti. À titre personnel, je conservais de très bonnes relations avec ces candidats et, en tête-à-tête, ils s'expliquaient très franchement sur leur attitude. Cependant, Rabin avait eu partiellement raison, puisqu'à la clôture du scrutin, la moitié des maires élus était de tendance OLP. Pour autant, ces élections ont permis la mise en place d'autorités locales tout de même assez responsables et objectivement bien plus modérées et surtout moins corrompues que celles de l'OLP, ce qui n'est pas négligeable. En outre, ce furent d'excellents maires avec lesquels il a été possible de travailler intelligemment et efficacement sur le terrain. Bref, ces élections libres montraient qu'une nette amélioration des relations était possible. Sans compter que c'était la première fois de leur histoire que les Palestiniens étaient autorisés à voter.

BOUTROS BOUTROS-GHALI : Oui, eh bien, je suis au regret de vous le dire, cela ne frappe pas l'imagination du monde arabe. Il s'agit d'élections municipales organisées sous occupation militaire ; et de toute façon, le pouvoir restait aux mains des autorités militaires israéliennes qui allaient continuer à contrôler les maires, démocratiquement élus ou non.

ANDRÉ VERSAILLE : L'année suivante, en mai 1977, de nouvelles élections israéliennes donnent la victoire à la droite, et c'est Menaham Begin, dirigeant du Likoud, qui devient le Premier ministre. Après quelque trente années de pouvoir travailliste qui jusque-là se confondait avec l'histoire d'Israël, c'est un sérieux changement. Qu'est-ce qui explique la défaite travailliste ? On a souvent donné la guerre d'Octobre 1973 comme raison.

SHIMON PERES : Je ne crois pas que ce soit la cause principale. Je pense que notre défaite de 1977 est surtout due à la multiplication d'affaires de corruption et de scandales dont le parti travailliste avait été accusé, à tort, d'être responsable ou de couvrir. Toute une série de scandales touchant les personnalités du monde politique et financier éclatèrent au grand jour dans la presse, et l'opinion publique avait l'impression que le gouvernement comme le parti travailliste étaient gangrenés par la corruption. Par ailleurs, sur le plan économique et social, l'inflation devenait de plus en plus forte, et les grèves se multipliaient. Sans parler des implantations sauvages en Cisjordanie qui provoquaient des incidents à répétition et détérioraient encore le climat politique. La population avait donc le sentiment que le gouvernement était incapable de gérer le pays. Enfin, ces élections avaient été très mal préparées : Rabin, qui dirigeait à l'époque le parti, a donné brutalement la démission du gouvernement, et ce quelque trois semaines avant les élections. Plutôt qu'une sanction tardive de la guerre du Kippour, c'est la conjonction de ce climat délétère qui régnait dans notre parti et de notre manque de préparation qui causa notre défaite.

Il faut en plus tenir compte du très vif sentiment de frustration des Juifs séfarades récemment arrivés d'Afrique du Nord et qui étaient en général très mal considérés ou compris par la classe politique et administrative au pouvoir, largement d'origine ashkénaze. Ces Séfarades, Begin leur avait prêté une grande attention, et ils lui en ont été très reconnaissants. Il les avait adoptés et ils l'ont adopté, jusqu'à faire de lui leur champion.

Il est également nécessaire de considérer la création en 1977 d'un nouveau parti, le Dash, dirigé par un général prestigieux et très respecté, Yigaël Yadin.

Comptant plusieurs personnalités éminentes appartenant à la sphère civile ou militaire, ce parti, qui symbolisait à la fois le changement et le renouveau, voyait son audience s'accroître et allait devenir l'arbitre des élections. Dès lors que le Dash avait décidé de rejoindre le Likoud, le parti de Begin, dans sa coalition, il était clair que Begin allait devenir le nouveau Premier ministre.

Paradoxalement, Menahem Begin fut le grand absent de cette campagne électorale. Malade, souffrant d'un malaise cardiaque, il ne participa pour ainsi dire à aucun meeting, et on ne le vit apparaître que rarement à la télévision. Mais son parti fit appel aux services du plus grand bureau de conseils en relations publiques d'Israël, qui orchestra parfaitement la campagne du Likoud. En même temps, Ezer Weizmann, beaucoup plus à gauche que Begin sur l'échiquier politique, s'employait dans ses interventions télévisées à donner de Begin l'image rassurante d'un père de famille plein de bon sens et de modération.

ANDRÉ VERSAILLE : Il est vrai que Begin, ce radical, saura rallier des hommes politiques venus d'horizons différents.

SHIMON PERES : Absolument, et si Begin est resté au pouvoir aussi longtemps, c'est aussi parce qu'il a su s'entourer. Plutôt que de se contenter de ses seuls vieux amis de droite, voire d'extrême droite, il a réuni autour de lui un groupe de généraux particulièrement remarquables qui ne faisaient pas partie de son clan : Yigaël Yadin et Ezer Weizmann, nous l'avons dit, mais également Moshé Dayan, à qui il va proposer le poste de ministre des Affaires étrangères.

ANDRÉ VERSAILLE : Moshé Dayan (qui était pourtant, comme vous-même, Shimon Peres, un des proches de Ben Gourion qui détestait Begin) accepte ce poste, apparemment sans trop d'états d'âme. Comment avez-vous réagi à l'annonce de l'acceptation de ce poste par Dayan ?

SHIMON PERES : Dayan m'a téléphoné et il m'a dit : « *Shimon, voilà, je t'appelle pour te dire que j'ai accepté d'entrer dans le cabinet de Begin. Je sais que tu m'en voudras de ne pas t'avoir consulté, mais soyons francs : si je l'avais fait, tu aurais tenté de me dissuader. Et comme je ne t'aurais pas écouté, tu m'en aurais doublement voulu...* »

Je dois dire que oui, je lui en ai voulu. Mais en même temps, je pouvais comprendre son point de vue. Après sa victoire, Begin, ayant compris que Dayan pouvait être un atout de choix dans son gouvernement, lui a fait cette proposition.

Dayan et moi, nous étions des amis très proches, et le connaissant, je crois pouvoir dire que sa décision ne fut en aucun cas motivée par une quelconque volonté de pouvoir. En réalité, Dayan ne pensait pouvoir guérir de la guerre de Kippour, qui l'avait fortement marqué, qu'en prouvant qu'il pouvait contribuer à apporter la paix à son pays. Il croyait qu'en revenant aux Affaires, il allait pouvoir, d'une certaine manière, réparer les choses. De plus, il estimait qu'en entrant dans le cabinet de Begin, il pouvait opposer un contrepoids aux extrémistes qui entouraient le Premier ministre et assouplir la politique du gouvernement. Ce qu'il fit, d'ailleurs. Je suis convaincu que Dayan est le membre du cabinet qui aura le plus fait progresser Begin dans la voie du compromis.

ANDRÉ VERSAILLE : Plus que Weizmann ?

SHIMON PERES : Oui, bien plus. D'ailleurs, Dayan sera le « poids lourd » du gouvernement Begin. Car Begin avait pour Dayan le plus grand respect. Je ne crois pas qu'il ait eu autant de respect pour quelqu'un d'autre. Même si, bien sûr, les relations entre les deux hommes pourront être mouvementées. C'est également Dayan qui, dans ses conversations avec les Américains, leur a fait comprendre qu'Israël irait plus loin que ne le déclarait Begin.

BOUTROS BOUTROS-GHALI : Je partage votre point de vue. Dayan était le « cerveau », et Weizmann, qui avait un talent exceptionnel de « *public relations* » était plutôt le « grand communicateur ».

ANDRÉ VERSAILLE : Vous-même, Shimon Peres, avez-vous été tenté de rejoindre le cabinet Begin ?

SHIMON PERES : À titre personnel, j'avais d'excellentes relations avec Begin. Lorsqu'il est devenu Premier ministre, il m'a invité à venir le voir. Il m'a dit : « *Écoute, Shimon, les travaillistes ont perdu les élections. Pourquoi ne nous rejoindrais-tu pas ? Je te propose le portefeuille de vice-Premier ministre et ministre de la Défense.* » Je lui ai répondu que cela ne m'était pas possible, car le résultat des scrutins indiquait clairement que la population israélienne voulait nous voir faire une cure d'opposition, et que si je me dérobais, j'agirais malhonnêtement.

ANDRÉ VERSAILLE : Parmi les premières déclarations publiques de Begin, on peut relever cette phrase : « *Territoires occupés ? Quels territoires occupés ? Si vous voulez parler de la Judée et de la Samarie* [il ne prononce pas le nom de « Cisjordanie »], *ces terres sont des terres libérées. Elles sont aussi juives que Tel-Aviv...* » C'est également lui qui avait déclaré, au lendemain de la guerre des Six Jours, que « *jamais Israël ne rendra un pouce de ces territoires arrosés du sang de ses meilleurs fils...* ». Très logiquement, il fait de l'implantation de colonies dans les territoires occupés sa priorité politique. En août, la Knesset étendra la législation israélienne à la région de Jérusalem. Bref, si l'on pouvait compter des « faucons » au sein du parti travailliste (Golda Meir, par exemple), avec Begin, nous sommes devant un « super-faucon ».

Boutros Boutros-Ghali : Un « super-faucon », mais dont l'entourage ne l'est pas moins. Begin était loin d'être le seul à proférer des formules extrémistes. N'est-ce pas Dayan qui avait déclaré : « *Je préfère la situation de guerre avec Charm el-Cheikh, que la paix sans Charm el-Cheikh...* » ? Et Ezer Weizmann, que l'on donnera pour un fervent partisan de la paix, répétait souvent que les trois aéroports construits par les Israéliens dans le Sinaï « *étaient essentiels à la sécurité d'Israël...* ». On pourrait multiplier les exemples.

André Versaille : Comment Begin et son nouveau gouvernement sont-ils perçus par les Arabes ?

Boutros Boutros-Ghali : Je dois dire que nous ne faisions pas beaucoup de différences entre le Likoud et les travaillistes, d'autant que nous étions finalement peu informés de ce qui les distinguait. D'une manière générale, les Arabes pensaient que si les méthodes entre la « gauche » et la « droite » pouvaient varier, sur le fond, le Mapaï et le Likoud étaient parfaitement d'accord sur les objectifs essentiels.

André Versaille : Le 16 septembre 1977, Moshé Dayan rencontre secrètement, au Maroc, Hassan Tuhami, vice-Premier ministre égyptien, proche de Sadate. Quel est le sens de cette rencontre ?

Boutros Boutros-Ghali : Cette rencontre était le fruit d'une initiative commune du roi Hassan II du Maroc et du chancelier d'Autriche, Kreisky, qui voulaient, chacun à sa manière, jouer un rôle dans l'initiation d'un processus de paix. Tuhami fut choisi par Sadate parce qu'il avait déjà effectué des missions secrètes de ce type.

André Versaille : À propos de Kreisky – qui avait des relations très particulières avec Israël –, quel rôle joua-t-il dans les tentatives de rapprochement israélo-arabe ?

Shimon Peres : Kreisky, l'une des grandes figures de l'Internationale socialiste (pour moi la plus grande après le chancelier d'Allemagne Willy Brandt), avait réussi à maintenir d'excellentes relations et avec l'Est et avec l'Ouest, avec le Nord comme avec le Sud, mais il entretenait, en effet, des relations très complexes non seulement avec Israël, mais aussi avec sa judéité. Disons qu'il était un Juif particulièrement juif, et en tant que tel, jamais en paix avec lui-même. Il se disait totalement autrichien et, en même temps, il ne pouvait se défendre de se sentir très atteint par l'antisémitisme autrichien dont il n'a jamais voulu faire ouvertement état. Brandt m'avait dit un jour de lui que, malgré tous ses dons, Kreisky ne parviendrait jamais à se débarrasser de sa tendance juive à l'autodestruction.

Ses relations avec Israël étaient compliquées, contradictoires : il admirait la résurrection d'un État juif, mais en même temps il ne lui ménageait vraiment pas ses critiques, au point d'apparaître comme le chef d'État occidental le plus hostile à Israël.

Et lui, si lucide, ne parvenait pas à garder son esprit critique envers l'OLP et surtout envers Arafat dont il était devenu un véritable thuriféraire. Considérant Arafat comme un ami très proche, intime même (sentiment qu'Arafat paraissait d'ailleurs lui rendre), il n'avait de cesse de me pousser à reconnaître l'OLP dont il semblait avoir épousé les positions.

ANDRÉ VERSAILLE : Il faut dire qu'entre-temps, l'OLP avait évolué. À petite vitesse, mais des changements étaient perceptibles, en tout cas aux yeux de l'opinion occidentale. Je rappelle brièvement les faits. Un an après l'attentat perpétré aux Jeux olympiques de Munich, l'OLP commence à comprendre que le terrorisme n'est pas, ou plus, payant, et dissout l'organisation Septembre noir. En même temps, la guerre d'Octobre 1973 a relancé l'intérêt de l'opinion internationale pour la question palestinienne, ce qui paraît offrir la possibilité de solutions diplomatiques. C'est sans doute ce qui pousse Arafat à donner une interview dans un journal autrichien en mars 1974, dans laquelle il déclare son hostilité au terrorisme international. Cette position sera confirmée en juillet par l'OLP qui se prononcera contre le terrorisme international tout en prônant l'amplification de la lutte armée dans les territoires occupés. Quelques mois plus tard, en octobre 1974, l'OLP est finalement reconnue par les États arabes comme l'unique représentant du peuple palestinien, avant d'obtenir le statut d'observateur aux Nations unies. En conséquence, le 13 novembre 1974, Yasser Arafat sera reçu à l'Assemblée générale de l'ONU, à New York. Il y prononcera un discours dit « du fusil et du rameau d'olivier », dans lequel il appellera à une solution pacifique pour le Moyen-Orient. Une dizaine de jours plus tard, le 22 novembre, la résolution 3236 de l'Assemblée générale des Nations unies reconnaîtra le droit des Palestiniens à l'autodétermination, la souveraineté et l'indépendance nationale.

SHIMON PERES : Oui, mais nous en restons au niveau des déclarations. Reprenons les faits : en août 1974, le FPLP (membre de l'OLP) commet plusieurs attentats à la voiture piégée contre des intérêts israéliens, et en janvier 1975, à Paris, deux attentats à la roquette, heureusement manqués, contre deux avions d'El Al. Ces attentats contre des passagers d'El Al se renouvelleront à Istanbul et à Paris en 1978. Entre-temps, il y a eu le détournement de l'avion Airbus sur Entebbe en Ouganda, où une centaine de passagers israéliens sont retenus en otages. Et le terrorisme international se poursuivra encore longtemps, puisqu'en octobre 1985, soit dix ans après ce discours du fusil et du rameau, des proches d'Arafat vont arraisonner le bateau *Achille Lauro*, où des terroristes palestiniens vont s'emparer d'un vieillard juif, paralysé dans sa chaise roulante, et le jeter par-dessus bord…

Quoi que pût nous dire Kreisky, les faits étaient là : le terrorisme international se poursuivait, et les déclarations d'Arafat n'étaient que de la poudre aux yeux destinée aux Occidentaux.

Encore une fois, Kreisky s'aveuglait à force de se vouloir proche du camp arabe dont il appréciait plusieurs dirigeants, à commencer par Sadate dont il était un grand admirateur.

Boutros Boutros-Ghali : Et réciproquement, Sadate l'appréciait beaucoup. Il se rendait très fréquemment à Vienne en disant : « *Je vais aller voir mon ami Kreisky.* »

Moi-même, j'ai été très attiré par la personnalité de Kreisky qui avait réussi à conquérir l'amitié de la plupart des dirigeants du monde arabe. Je l'avais rencontré à Vienne. C'était après la signature du traité de paix avec Israël, pendant les négociations sur l'autonomie de la Palestine. Fatigué et déprimé, je m'étais plaint de leur lenteur : « *Cela dure depuis trois ans et nous sommes toujours au même point.* » Kreisky eut des mots très réconfortants de politicien rompu à la diplomatie, et il conclut : « *La patience et la subtilité sont les clés de la diplomatie. J'ai négocié pendant plus de dix ans le retrait des troupes soviétiques et américaines de l'Autriche. Vous n'en êtes qu'à votre troisième année de négociations…* »

Shimon Peres : Kreisky avait si fortement cultivé ses liens avec les dirigeants arabes que beaucoup d'Israéliens le haïssaient. Mais ils avaient tort : si l'on se réfère à ses déclarations, Kreisky apparaît, je l'ai dit, comme un ennemi d'Israël ; cependant, si l'on regarde ses actes et ses initiatives, nous découvrons un homme qui a été à nos côtés à chaque fois que nous avions besoin de lui. Ainsi a-t-il accompli des actes très courageux au bénéfice d'Israël, comme faire de l'Autriche, pendant les années soixante-dix, la voie de passage pour les Juifs soviétiques qui voulaient émigrer en Israël. Et cela, à une époque où aucun autre chef d'État n'était disposé à nous aider. C'est également lui qui s'est mobilisé à chaque fois que nous avions besoin que quelqu'un intercède auprès des autorités soviétiques en faveur d'un opposant juif emprisonné.

Un jour, j'ai abordé cette question en privé avec lui. Je lui disais : « *Mais enfin, si vous êtes d'accord de nous aider, pourquoi faites-vous toutes ces violentes déclarations anti-israéliennes ?* » Il m'a répondu : « *Mais Shimon, comment sinon aurais-je pu vous aider aussi efficacement ?* »

C'est donc lui qui fut à l'origine de la rencontre entre Tuhami et Dayan, puis, plus tard, entre Sadate et moi-même, à Vienne, vers le milieu de 1978, lorsque les négociations entre l'Égypte et Israël semblaient s'enliser.

ANDRÉ VERSAILLE : Après sa rencontre avec Tuhami, Dayan s'envole pour Washington.

SHIMON PERES : Oui, il s'agissait d'informer le président Carter de la teneur de la réunion. Il lui dira : « *J'ai rencontré un haut responsable égyptien qui a l'oreille de Sadate, et il appert que de sérieuses avancées sont possibles, et sans doute même de vraies négociations pourraient-elles être envisagées avant longtemps.* » Carter fut évidemment intéressé d'apprendre la nouvelle, car il voulait vraiment favoriser un rapprochement israélo-arabe.

Je crois que Dayan désirait montrer sa capacité à dialoguer avec les Arabes. Le fait de se rendre, même secrètement, dans un pays arabe prenait pour lui un sens historique. La réunion semble, d'ailleurs, s'être bien déroulée, non sans soulever des ambiguïtés. J'ignore ce qui s'y est vraiment dit, mais Tuhami a eu le sentiment que tout pouvait être réglé très vite et au mieux des intérêts arabes. Dayan s'est montré très cordial et a déclaré que tout « *était ouvert à la négociation* ». Mais cette « *ouverture* », ce climat de conciliation qu'il a su insuffler lors de cette réunion, a, je crois, provoqué chez Tuhami la certitude que les Israéliens acceptaient d'emblée les desiderata égyptiens, c'est-à-dire la restitution des territoires contre la paix.

ANDRÉ VERSAILLE : C'était un séducteur ?

SHIMON PERES : Oh oui ! Et bien au-delà de ce que vous pouvez imaginer… Dayan, en plus de ses capacités militaires, avait un indubitable talent de diplomate. Il savait faire avancer les choses dans la voie qu'il avait choisie, que ce soit des troupes de soldats ou des positions politiques. Il avait également la capacité de mettre son interlocuteur dans un tel rapport de proximité que celui-ci ne doutait plus de sa bonne volonté, et bien au-delà du raisonnable et du réalisme.

BOUTROS BOUTROS-GHALI : Quoi qu'il en soit, je ne crois pas que cette entrevue, qui ne fut qu'une rencontre secrète parmi bien d'autres, ait été particulièrement importante. C'était, pour les Égyptiens, une manière d'engager un dialogue, mais surtout une façon de montrer leur bonne volonté aux Américains, et enfin de donner une satisfaction au roi du Maroc et au chancelier Kreisky.

ANDRÉ VERSAILLE : Le 9 novembre 1977, prenant la parole à l'Assemblée nationale égyptienne, où se trouve Yasser Arafat spécialement invité pour l'occasion, Sadate fait une étonnante déclaration : « *Je suis disposé à aller au bout du monde, et les Israéliens seront surpris de m'entendre dire que je suis prêt à me rendre chez eux, même à la Knesset et m'y entretenir avec eux…* »

Boutros Boutros-Ghali, vous étiez alors ministre et présent à l'Assemblée ce jour-là. Comment cette déclaration a-t-elle été reçue dans l'hémicycle, et notamment par Arafat ?

BOUTROS BOUTROS-GHALI : Tout le monde a applaudi parce que personne n'a pris cette déclaration au sérieux. Nous pensions tous qu'il s'agissait d'un effet oratoire : « *Je suis prêt à aller au bout du monde si cela peut sauver le sang de mes fils...* » Cela ne voulait rien dire. On a beaucoup reproché à Yasser Arafat de ne pas avoir réagi, d'avoir applaudi comme tout le monde à la déclaration de Sadate, mais étant donné le contexte et le ton de ce discours, ni lui ni personne ne pouvait imaginer que le Président envisageait sérieusement d'aller en Israël et encore moins à la Knesset. Au mieux s'agissait-il d'une métaphore exprimant sa volonté de faire tout ce qui était en son pouvoir pour parvenir à la paix.

La séance levée, certains d'entre nous, ministres et parlementaires, avons discuté du discours. À ce moment-là, quelques-uns se sont tout de même posé la question de savoir si derrière la rhétorique ne se dessinait pas un véritable projet de se rendre chez l'ennemi. Je dois dire que personnellement je n'y croyais pas du tout. J'estimais qu'il ne s'agissait là que d'une envolée lyrique.

Cependant Sadate avait déjà évoqué cette idée devant ses plus proches conseillers, comme le ministre des Affaires étrangères, Ismaïl Fahmi, et le ministre de la Défense, Gamasy, qui avaient bien évidemment été effarés. Tout comme le sera d'ailleurs l'ambassadeur des États-Unis au Caire.

ANDRÉ VERSAILLE : L'idée paraît donc à ce point folle aux responsables égyptiens ?

BOUTROS BOUTROS-GHALI : Bien sûr ! Ce voyage risquait d'être perçu comme un aveu de défaite et une reconnaissance *de facto* d'Israël ! Et ce geste ne pourrait qu'isoler l'Égypte du monde arabe. Fahmi, conscient qu'il ne pourrait dissuader le Président, va proposer la tenue du Conseil de sécurité à Jérusalem. C'était une manière de modifier l'initiative de Sadate tout en obtenant l'implication des Nations unies. Fahmi revenait à l'attitude classique du ministère des Affaires étrangères égyptien qui s'interdisait tout dialogue séparé avec les Israéliens : si un rapprochement devait se produire, il fallait qu'il s'effectue dans le cadre des Nations unies.

Sadate accepta d'envisager cette proposition qu'il transmit à Carter. Mais Washington ne semble pas y avoir accordé beaucoup d'attention.

ANDRÉ VERSAILLE : Comment la déclaration du président Sadate à l'Assemblée égyptienne est-elle relatée par la presse égyptienne ?

BOUTROS BOUTROS-GHALI : Il n'en est pas du tout fait mention, puisque personne n'y a vraiment cru.

ANDRÉ VERSAILLE : Et en Israël, comment comprend-on ce discours de Sadate ?

SHIMON PERES : C'était la nouvelle la plus extraordinaire qu'Israël ait entendue. Il était difficile de comprendre ou de croire que Sadate, qui participait à la politique égyptienne depuis un quart de siècle, qui dirigeait le pays depuis près de dix ans, qui avait déclenché la guerre du Kippour, était prêt à accomplir ce geste révolutionnaire.

ANDRÉ VERSAILLE : La classe politique y croit-elle ou pense-t-elle, à l'instar des Égyptiens, qu'il ne s'agit que d'un effet oratoire ?

SHIMON PERES : Elle y croit parce que Begin avait eu confirmation par les Autrichiens que Sadate était sérieux. C'est pourquoi il a tout de suite invité officiellement le président égyptien à venir à Jérusalem.

BOUTROS BOUTROS-GHALI : Dans la presse égyptienne, l'invitation de Begin a été passée sous silence. Le geste de Sadate est présenté comme une initiative purement égyptienne, qui prouve le désir de paix de l'Égypte.

ANDRÉ VERSAILLE : Et la presse salue cette initiative ?

BOUTROS BOUTROS-GHALI : La presse applaudit au courage de Sadate dont l'action rallume l'espoir d'une paix possible, et d'un renouveau économique.

ANDRÉ VERSAILLE : Comment ont réagi les Américains ?

BOUTROS BOUTROS-GHALI : Avec un mélange d'intérêt et de scepticisme : « *Après tout, essayez et voyez.* » Les Américains n'avaient rien à perdre. Si les choses n'aboutissaient pas, cela ne pouvait nuire qu'à l'Égypte, pas à Israël.

ANDRÉ VERSAILLE : Qu'est-ce qui explique la levée de boucliers de la classe politique égyptienne contre le projet de Sadate ?

BOUTROS BOUTROS-GHALI : Ne vous y trompez pas : cette opposition n'était pas du tout un refus d'engager des pourparlers de paix. Simplement, personne ne croyait que cette façon un peu théâtrale de conduire de la politique étrangère ait quelque chance d'aboutir. Cette action semblait d'évidence vouée à l'échec. C'était donc prendre là un risque énorme en pure perte, car l'Égypte avait beaucoup à perdre dans cette initiative, à commencer par la face.

ANDRÉ VERSAILLE : Les capitales arabes se montrent tout aussi négatives. Sadate se rendra donc à Damas pour tenter de convaincre le président Hafez el-Assad. Le général Tlass, alors ministre syrien de la Défense, racontera plus tard qu'il avait carrément pressé Assad de retenir Sadate prisonnier afin qu'il ne puisse commettre l'« *irréparable* ».

Boutros Boutros-Ghali : Je connais cette histoire, mais franchement je doute de son authenticité. Personnellement je n'accorde pas beaucoup de crédit à ces déclarations.

André Versaille : Quoi qu'il en soit, après sept heures de discussions, Assad ne s'est pas laissé convaincre et le président égyptien est rentré chez lui. Sadate a également appelé le roi Hussein de Jordanie qui, lui non plus, ne l'a pas soutenu. Comment ce refus s'explique-t-il, étant donné que la Jordanie était depuis longtemps le pays arabe le moins hostile à Israël, et Hussein le dirigeant le plus disposé à ouvrir des négociations de paix ?

Shimon Peres : Pour la même raison : ce projet paraît tellement fou que personne n'y croit. De plus, en appuyant Sadate, le roi aurait encouru encore plus de risques que le président égyptien. Hussein, qui, lui, n'était pas auréolé de la gloire du « vainqueur » de la guerre d'Octobre, aurait à coup sûr été traité de traître par tout le monde arabe. À cela, il faut ajouter que les rapports entre les deux hommes étaient mauvais : naguère Sadate avait traité Hussein de souverain illégitime. Le roi avait donc toutes les raisons de choisir la prudence.

André Versaille : Qu'est-ce qui fait que Sadate, qui, nous l'avons vu, avait déjà montré sa volonté d'aller de l'avant et d'entamer un processus de négociation avec Israël, aura mis quatre ans avant de prendre cette décision ?

Boutros Boutros-Ghali : Pendant ces années, Sadate était resté très solidaire du monde arabe : il ne voulait pas abandonner les Arabes. Il savait que le monde arabe avait intérêt à s'unir et à parler d'une seule voix s'il voulait être fort ; toute désunion ne pouvait que l'affaiblir. Pendant quatre ans, Sadate va donc essayer de monter un front commun efficace comprenant les États arabes et les Palestiniens.

Il lui faudra du temps avant d'admettre que le monde arabe, pétri de contradictions, n'arriverait que difficilement à s'unir. « *Si nous devons attendre la réalisation de ce front commun, nous n'avancerons pas* », disait-il. C'est alors qu'il va imaginer une stratégie inédite et totalement personnelle.

André Versaille : Et comment a-t-il eu cette idée, tellement en opposition avec la politique arabe traditionnelle ?

Boutros Boutros-Ghali : Je lui ai posé la question, Dayan lui a posé la question, d'autres encore, et chaque fois il fournissait une explication différente. Ainsi a-t-il raconté, par exemple, que c'est au retour d'un voyage à Bucarest, lors duquel Ceausescu lui avait dit qu'il pouvait faire confiance à Menahem Begin que, contemplant les nuages depuis le hublot de son avion, il aurait pris la décision de se rendre à Jérusalem. Quoi qu'il en soit, il faut savoir que six mois avant de déclarer son intention, Sadate était déjà à la recherche d'une démarche originale pour résoudre le conflit.

ANDRÉ VERSAILLE : L'ensemble de la classe politique autour de Sadate tente de prendre ses distances par rapport à son projet de voyage à Jérusalem. Et vous, Boutros Boutros-Ghali, qui ne faites pas partie des proches du Président, vous décidez de le suivre. Pourquoi ?

BOUTROS BOUTROS-GHALI : « Décider », c'est beaucoup dire… Les choses se sont passées de la façon suivante : le 16 novembre, quelques jours donc après l'annonce du voyage à Jérusalem, je reçois un appel téléphonique qui me fait savoir que le vice-président Hosni Moubarak veut me voir au plus vite. Je me rends donc à sa résidence, à Héliopolis, où il me reçoit très aimablement. Il m'explique sans détour ce que l'on attend de moi. « *Le président Sadate admire vos écrits scientifiques et politiques et il sait les relations que vous entretenez dans les milieux internationaux. Il a donc décidé de vous confier une tâche importante, qu'il convient de garder secrète. Il voudrait que vous prépariez les grandes lignes du discours qu'il doit prononcer dimanche prochain en Israël.* »

Vous pouvez imaginer ma surprise, ma double surprise. C'est seulement alors que je réalise que Sadate va réellement se rendre à Jérusalem, et en même temps, je me vois confier la responsabilité de l'allocution qu'il doit y prononcer.

Préparer un discours ? Mais de quelle teneur ? Qu'est-ce que Sadate a en tête ? Quel message a-t-il envie d'adresser aux Israéliens ? Moubarak me précise que ce discours doit être compris comme un geste de paix, mais qu'en aucun cas il ne doit pouvoir être interprété comme un renoncement aux territoires occupés par Israël depuis 1967, à *tous* les territoires, et encore moins comme un abandon de la cause palestinienne. Je dois reconnaître que je quitte Moubarak très perturbé.

Rentré chez moi, je commence à réfléchir : comment un chef d'État est-il censé s'adresser à son ennemi ? Sur quel ton ? Comment s'exprimer en homme de conviction et faire que rien dans son discours ne respire la faiblesse ou la reddition ? Et que dire tant à propos du passé que de l'avenir ? Je me sens d'autant plus embarrassé qu'il n'existe aucun discours de ce genre sur lequel je pourrais au moins prendre appui, puisque, à ma connaissance, la situation n'a pas de précédent. Je passe alors des heures à compulser des ouvrages juridiques et philosophiques sur la paix ; les documents préparatoires à la conférence de San Francisco qui devait donner naissance aux Nations unies ; le préambule de la Charte des Nations unies qui traite de la guerre et de la paix ; des textes historiques sur la question palestinienne ; les principaux écrits des dirigeants sionistes Herzl, Chaïm Weizmann, Ben Gourion, Begin, etc. Ils ne me sont d'aucune utilité…

Pendant les deux jours durant lesquels je m'applique à la rédaction du texte, je reçois plusieurs coups de fil du bureau de Moubarak me pressant de finir le discours dont le Président a besoin d'urgence.

Au bout de ces deux jours, le téléphone sonne à nouveau : cette fois, c'est Moubarak lui-même qui est au bout du fil. Je commence par m'excuser pour ma lenteur, mais il m'interrompt : « *Je ne vous appelle pas pour le discours. Vous venez d'être nommé, par décret présidentiel, ministre d'État aux Affaires étrangères et ministre des Affaires étrangères par intérim. À ce titre, vous allez vous joindre à la délégation qui accompagne le Président en Israël demain, samedi.* »

Je vais d'étonnement en étonnement, ce qui ne contribue pas à me détendre l'esprit. Enfin, j'arrive péniblement à terminer un discours qui me paraît convenir. À 19 heures précises, un officier des services de la présidence sonne chez moi et je lui remets le texte.

Voilà donc les circonstances dans lesquelles j'ai été amené non pas à « décider » de suivre Sadate, comme vous le dites, mais à faire partie de la délégation officielle qui se rendait à Jérusalem.

André Versaille : Comment réagit-on dans votre entourage ?

Boutros Boutros-Ghali : Précisons d'abord que ma double promotion est due aux démissions du ministre des Affaires étrangères, Ismaïl Fahmi, et du ministre d'État aux Affaires étrangères, Mohammed Riyad, qui ont préféré se démettre de leurs fonctions plutôt que de suivre Sadate en Israël. Quant aux réactions, elles seront contradictoires, et mon téléphone ne cessera de sonner. Certains de mes amis me disent : « *N'allez pas à Jérusalem ! Vous serez assassiné comme votre grand-père !* » Plusieurs d'entre eux appellent ma femme, Léa, en l'exhortant de me dissuader de participer à cette folie. D'autres, au contraire, m'encouragent dans cette mission historique. Par ailleurs, certains journaux ne vont pas m'épargner : « *Comme aucun Musulman n'a accepté de suivre Sadate, c'est Boutros-Ghali, le Copte, qu'on a choisi !* »

Ma femme décide de me soutenir dans mon choix, quel qu'il soit. Et, personnellement, je suis bien déterminé à ne pas renoncer à cette mission. Je dois dire que je suis particulièrement excité par l'extraordinaire enjeu que représente ce voyage et pour rien au monde je ne veux manquer cette expérience. Mais surtout, ce défi m'intéresse parce qu'il rencontre des préoccupations politiques qui m'habitent depuis toujours, à savoir que je suis convaincu depuis longtemps que les vraies questions que l'Égypte doit régler ne se situent pas à l'est, avec Israël, mais au sud, avec le Soudan.

Pendant longtemps je me suis battu pour que l'Égypte cesse d'être obsédée par Israël. En Occident, on ne se rend probablement pas compte à quel point les élites égyptiennes ne pensaient la politique extérieure du pays qu'en fonction d'Israël. Il suffisait qu'Israël ouvre une ambassade au Paraguay pour que nous nous sentions tenus d'ouvrir, nous aussi, une ambassade au Paraguay. Je passais mon temps à faire des conférences, dans les milieux militaires notamment, pour tenter de convaincre mes auditoires que le problème de l'Égypte, ce n'était pas Israël ; que les questions majeures que le pays avait à résoudre ne se posaient pas avec notre voisin de l'est, mais avec celui du sud. D'ailleurs, depuis des temps immémoriaux, nous avons toujours été plus concernés par nos relations avec le Soudan qu'avec la Palestine. Et, jusqu'en 1955, la politique égyptienne tournait autour de la souveraineté de l'Égypte sur le Soudan, qui est la porte de l'Afrique et la voie vers les sources du Nil blanc, en Ouganda, et du Nil bleu en Éthiopie. Et la sécurité nationale de l'Égypte passe par l'eau du Nil. Comme le rappelle Hérodote, l'Égypte est un don du Nil. C'est Nasser qui a abandonné le Soudan, ce qui, à mes yeux, a constitué une erreur monumentale.

ANDRÉ VERSAILLE : La délégation égyptienne s'envole donc pour Jérusalem. C'est une délégation importante ?

BOUTROS BOUTROS-GHALI : Relativement, oui. Ce qui n'est d'ailleurs pas sans signification : accompagner Sadate à Jérusalem était une preuve de solidarité et même d'attachement à la personne du raïs, car nul n'ignorait que le Président risquait de se faire assassiner.

ANDRÉ VERSAILLE : Comment les choses se passent-elles durant le vol ?

BOUTROS BOUTROS-GHALI : Je suis frappé par le calme, en tout cas apparent, de Sadate. Rien ne trahit le fait qu'il est en train d'accomplir un acte d'une portée exceptionnelle. Il reste tranquillement assis comme s'il s'agissait d'un vol banal, échangeant des propos et des plaisanteries avec son ami et « protégé », l'homme d'affaires Osman Ahmed Osman. Ce détachement m'impressionne beaucoup.

Je me souviens lui avoir demandé s'il était satisfait de l'allocution que je lui avais préparée. « *Oh oui, très satisfait !* », m'a-t-il répondu. Cela me fit évidemment plaisir.

Une petite heure après avoir décollé d'Ismaïlia, l'avion amorce sa descente vers l'aéroport Ben Gourion et les lumières de Tel-Aviv nous apparaissent à travers les hublots. Déjà ? Tout cela me paraît incroyable. Ainsi, nous sommes vraiment en train d'atterrir en Israël. Chez notre ennemi ! Que dis-je ? Dans ce « chancre insupportable » implanté dans le monde arabe et que nous nous sommes acharnés à vouloir éradiquer depuis une trentaine d'années. Et nous sommes là ! Là, en train de descendre lentement de l'avion et d'être accueillis – et vraiment accueillis ! – par cette population que nous avons appris à haïr depuis si longtemps.

Sadate est toujours aussi calme, aucun signe de nervosité ou d'émotion pendant cet instant que l'on percevait déjà comme historique.

Je me souviens de la lumière aveuglante produite par des centaines de projecteurs, dont le halo nous isolait de la foule en liesse que nous entendions sans la voir. C'était proprement irréel.

André Versaille : De là, la délégation se rend à Jérusalem. Que ressentiez-vous ?

Boutros Boutros-Ghali : La cérémonie d'accueil est rapide et je me retrouve bientôt assis à côté de Moshé Dayan, dans la voiture qui nous emporte vers Jérusalem. J'ai beau avoir eu le temps de me préparer psychologiquement à rencontrer les hauts dignitaires israéliens, cela me fait un singulier effet d'être là tranquillement assis à côté de la figure emblématique de l'armée israélienne, celui qui fut le chef d'état-major lors de la campagne de Suez et le ministre de la Défense au moment de la guerre des Six Jours.

Ce n'est pas simple dans ce contexte, serré dans une voiture, d'entamer une conversation qui ne soit pas artificielle. Comme je sais Dayan passionné d'archéologie, je commence par lui parler des quelques expériences de fouilles que j'avais pu suivre grâce à ma première femme qui était archéologue. Et nous voilà lancés dans une conversation sur l'archéologie.

Nous nous rapprochons de Jérusalem. Je n'en reviens pas de voir cette foule au bord de la route qui agite des drapeaux égyptiens et israéliens, ces mères qui soulèvent leurs enfants pour qu'ils puissent voir passer notre cortège…

La glace ayant été rompue, je parle à Dayan de mon intérêt personnel, profond, pour la cause palestinienne, question que j'étudie depuis longtemps, puisque déjà à l'université Columbia de New York, j'avais consacré mon année 1954-1955 à ce problème. Cela ne semble pas plaire à mon interlocuteur qui n'a visiblement aucune envie de voir l'Égypte s'immiscer dans un problème qui, à ses yeux, ne la concerne nullement. L'idée que la question palestinienne puisse avoir une dimension arabe et islamique lui paraît incompréhensible. Il a du mal à saisir que malgré toutes leurs divergences, les Arabes sont solidaires entre eux et que, face au drame palestinien, ils se sentent viscéralement unis contre un ennemi non musulman. « *Pouvez-vous imaginer que certains Arabes pleurent aujourd'hui encore la perte de l'Andalousie ?* » Non, manifestement, il ne le peut pas.

André Versaille : Il y a encore beaucoup d'Arabes qui pleurent la perte de l'Andalousie ?

Boutros Boutros-Ghali : Peu, bien sûr, mais le mythe, lui, reste vivace. On le trouve dans la poésie, et encore propagé par certains fondamentalistes. Je vous raconte une anecdote. En 1955, une conférence arabe a lieu à Jérusalem.

Je fais partie de la délégation présidée par le cheikh al-Bakhoury (personnage religieux éminent et en même temps très progressiste qui appartenait à l'équipe de Nasser). En tant que juriste, je suis chargé de rédiger la résolution qui demande l'indépendance de la Tunisie, du Maroc et de l'Algérie. Un fondamentaliste m'aborde et m'enjoint d'ajouter l'Andalousie. Prudent, je lui réponds qu'ajouter l'Andalousie ne ferait qu'affaiblir la demande d'émancipation des trois autres pays. Il me dit qu'il ne comprend pas : « *Que voulez-vous dire ? Est-ce parce que cette région nous a été enlevée il y a cinq siècles que nous devons y renoncer ? Le temps ne fait rien à l'affaire : il s'agit d'un principe de justice.* » Je lui dis alors qu'il vaut peut-être mieux procéder par étape : « *Commençons par ce qui est le plus urgent, l'Algérie, le Maroc et la Tunisie, et dans un deuxième temps nous pourrons nous consacrer à l'Andalousie.* » Il ne veut rien entendre, il faut absolument mentionner l'Andalousie. Imaginez mon embarras. Je vais donc voir le cheikh Bakhoury et lui fais part de la demande de ce personnage. Il me répond que c'est moi qui suis chargé de rédiger la résolution et que c'est à moi de décider. Je rencontre alors un vieux diplomate, rompu à ce type de problème, à qui je raconte l'histoire, et il me dit : « *Écoute, retourne voir le cheikh et explique-lui que tu ne mentionneras pas l'Andalousie. Bien sûr, dès que tu auras terminé la lecture de la résolution, ton extrémiste ne manquera pas de lever la main pour prendre la parole. Il faut alors que le cheikh fasse semblant de ne pas le voir et déclare immédiatement la résolution adoptée.* » Et c'est ainsi que les choses se sont passées. Évidemment, après l'adoption de la résolution, le défenseur de l'Andalousie est venu me voir, furieux. Je me suis confondu en excuses en disant que j'avais oublié, mais que je me promettais de réparer cet oubli…

Vous voyez à quel point les terres perdues par les Arabes restent ancrées dans la mémoire collective, tout comme le retour à Jérusalem a hanté la mémoire collective des Juifs.

Pour en revenir au voyage à Jérusalem, Dayan, très pragmatique, me demande de dire à Sadate de ne pas faire mention de l'OLP dans son discours, parce que cela pourrait fortement nuire au climat de réconciliation que nous voulions établir de part et d'autre. Je n'ose pas lui répondre que l'allocution que j'ai rédigée comporte plusieurs références à l'OLP.

Nous arrivons à Jérusalem. Jérusalem couverte de drapeaux égyptiens, investie par une foule immense qui nous acclame. J'ai du mal à en croire mes yeux. Je n'avais jamais vu une telle liesse populaire. Une émotion aussi manifeste. Et nous sommes en pays ennemi…

Arrivé à l'hôtel King David, je peux enfin contempler de ma fenêtre cette Jérusalem que je n'ai pu arpenter depuis si longtemps. Devant toutes les nouvelles constructions édifiées par les Israéliens et qui ont transformé cette ville qui nous est si chère, je me demande s'il est possible que Jérusalem, al-Quds, réintègre bientôt le monde arabe… J'ai bien du mal à réaliser ce que je vis. Et aussi ce que j'éprouve.

Le lendemain, nous nous levons de bonne heure et nous nous rendons à la mosquée al-Aqsa où Sadate et son proche entourage souhaitent faire leur prière. Je ne puis m'empêcher de penser au roi Abdallah de Jordanie, assassiné dans ce même lieu une trentaine d'années plus tôt par un des Palestiniens qui lui reprochaient de « collaborer » avec les Israéliens. La situation en ce moment-ci n'est-elle pas semblable ? Sadate ne risque-t-il pas d'être tué à son tour, et pour les mêmes raisons ? À voir l'important dispositif de sécurité, je me dis que la même idée a traversé l'esprit des Israéliens. Et d'ailleurs, lorsque nous sortons de la mosquée, nous voyons quelques groupes de Palestiniens qui manifestent clairement leur réprobation.

Nous nous rendons ensuite à Yad Vashem, étape obligée pour tout hôte de marque en visite officielle en Israël. Dans ce lieu consacré à la mémoire des victimes du génocide juif, Sadate ne laisse paraître aucune émotion. Il refuse de se couvrir d'une kippa, ce qui me permet d'en faire autant.

ANDRÉ VERSAILLE : Comment expliquez-vous l'incroyable accueil de la population israélienne ? Sadate est reçu comme aucun chef d'État, fût-il le plus aimé du monde, n'aurait rêvé d'être accueilli ?

BOUTROS BOUTROS-GHALI : Parce que les Israéliens ont toujours rêvé d'une paix avec l'Égypte. Je crois que l'Égypte occupe une place importante dans l'imaginaire israélien : dans la Bible déjà, l'Égypte joue un grand rôle. Mais bien sûr, il y a également des raisons rationnelles, géopolitiques. Je ne veux pas sous-estimer la spontanéité populaire israélienne, mais je pense que sous cette adhésion enthousiaste se profilait l'espoir qu'en faisant une paix séparée avec nous, les Israéliens se gardaient de toute guerre pour l'avenir. Rappelez-vous le mot de Kissinger : « *Sans la Syrie, il n'y aura pas de paix au Moyen-Orient, mais sans l'Égypte, il n'y aura plus de guerre…* »

SHIMON PERES : De toute façon, la population israélienne dans son immense majorité aspirait à la paix. Cet énorme enthousiasme s'explique aussi par l'effet de surprise : personne chez nous n'aurait pu imaginer une telle initiative de la part du dirigeant du premier État ennemi d'Israël. Du pays avec lequel nous étions en guerre depuis trente ans et avec lequel nous avions eu quatre guerres. Et voilà que notre ennemi le plus implacable venait nous proposer la paix. La nouvelle de la visite de Sadate avait secoué le cœur de tous les Israéliens. Et quand, le 21 novembre, Sadate apparut sur la passerelle de l'avion, et que l'orchestre de l'armée israélienne se mit à entonner l'hymne égyptien, Israël tout entier a retenu sa respiration. Les regards avaient du mal à se détacher du visage du président égyptien. Les Israéliens ne pouvaient en croire leurs yeux : « *Quoi ? C'est lui ? Vraiment c'est lui ? Ici ? Chez nous ?* » Même la presse la plus analytique fut prise de court. Personne n'avait le recul suffisant pour élaborer une analyse pertinente. On a dit que Sadate en venant à Jérusalem avait brisé tous les tabous arabes, c'est vrai, mais d'une certaine manière, il avait également renversé des tabous israéliens, et surtout dissipé les préjugés les plus tenaces.

ANDRÉ VERSAILLE : On a raconté que certains en Israël avaient appréhendé un « coup tordu » : au lieu du président égyptien et de sa délégation, l'avion qui devait atterrir à Tel-Aviv aurait renfermé un commando suicide ayant pour mission la liquidation de l'élite politique israélienne présente au grand complet sur le tarmac.

SHIMON PERES : Ce bruit a couru en effet, mais franchement, je ne crois pas que cette appréhension fut partagée par beaucoup, parce que tout le monde savait que cette initiative avait été prise par Sadate personnellement et tout seul, contre l'avis de tous les chefs d'États arabes et contre l'avis de Moscou.

ANDRÉ VERSAILLE : L'après-midi, la délégation égyptienne se rend à la Knesset où Sadate va prononcer son discours historique.

BOUTROS BOUTROS-GHALI : Oui, là, après une courte introduction d'Yitzhak Shamir, alors président de l'Assemblée nationale, Sadate est appelé à prendre la parole. Je m'attends évidemment à ce qu'il prononce le texte que je lui ai préparé, mais, à ma grande surprise, il se lance, en arabe, dans un discours très beau, chargé d'émotions, et qui ne reprend aucun des éléments ou des idées que je m'étais appliqué à mettre en forme pendant deux jours. En fait, Sadate avait demandé à deux autres personnes de lui écrire son allocution et il avait finalement retenu le texte rédigé par Moussa Sabri, le rédacteur en chef d'*Al-Akhbar*, un de nos plus grands quotidiens égyptiens.

C'est très fermement que Sadate se dit décidé à obtenir en échange de la paix tous les territoires occupés par Israël, y compris Jérusalem-Est. Un discours flamboyant, brillant et, pour tout dire, historique.

Après qu'il eut terminé, Begin s'est levé et s'est lancé à son tour dans un discours visiblement improvisé, et sans relief. Il y avait quelque chose de dur, d'étroit, et de peu adapté à la situation exceptionnelle que nous étions en train de vivre. Et manifestement, l'opinion publique internationale a eu la même impression. Cela étant, ces deux allocutions étaient, bien entendu, avant tout destinées à nos opinions publiques respectives.

ANDRÉ VERSAILLE : Ce discours semble surprendre les Israéliens. Ezer Weizmann racontera plus tard qu'en entendant Sadate, il avait fait passer un papier à Rabin dans lequel il lui disait qu'il faudrait sérieusement songer à la mobilisation des réservistes. Qu'est-ce qui déplut à la classe politique israélienne ? À quel genre d'allocution s'attendait-elle ?

SHIMON PERES : Plusieurs choses nous avaient gênés, à commencer par l'importance que Sadate accordait à la création d'un État palestinien. Néanmoins, nous avions parfaitement compris, comme vient de le dire Boutros, que son discours s'adressait aussi et surtout aux Arabes. Et, bien plus que la fermeté du laïus, c'est le fait que, contre l'avis unanime du monde arabe, le président du premier des États ennemis d'Israël ait eu le courage de venir jusqu'à Jérusalem et de prononcer une allocution à la Knesset, qui était important. L'homme avait pris un risque énorme, il ne pouvait donc pas laisser paraître la moindre ambiguïté sous peine de passer pour un traître à la cause arabe. Cela, tout le monde l'avait saisi. La preuve, c'est que, contrairement aux usages en vigueur à la Knesset qui n'autorisent pas les applaudissements, le discours de Sadate fut très applaudi par l'ensemble de l'hémicycle.

Quant à Begin, il n'avait pas préparé de discours, il s'est donc lancé dans un laïus, qui, je rejoins Boutros sur ce point, était très faible, nullement à la hauteur de la situation. De plus, comme son allocution était improvisée, sa traduction anglaise « officielle », trop rapidement rédigée, s'avérera d'une teneur encore plus faible. Bref, nous n'étions pas tellement fiers de la réponse de notre Premier ministre.

BOUTROS BOUTROS-GHALI : En tout état de cause, l'enthousiasme s'est estompé. Sadate est manifestement très mécontent du discours de Begin : l'Égyptien avait choisi de se situer dans le registre des grands discours historiques, et l'Israélien lui a répondu d'une manière plate et pragmatique. Ni le fond ni la forme n'étaient à la hauteur de l'événement que voulait susciter Sadate. Et le président égyptien a pris cela comme un manque de considération et une incompréhension de son initiative. En ne se mettant pas à sa hauteur, Begin banalisait en quelque sorte l'événement.

Selon Sadate, ce voyage devait briser les barrières psychologiques puis politiques qui séparaient Israéliens et Égyptiens. Et il s'agissait d'aboutir à ce résultat non par des rapprochements successifs, mais par une espèce de retournement de situation appelé à produire un électrochoc. Le reste ne serait plus qu'une question de détails à régler entre experts.

SHIMON PERES : Sadate pensait que le conflit entre nous était beaucoup plus d'ordre psychologique que territorial. Il était un de ces hommes qui n'ont pas complètement perdu l'innocence de l'enfance. Très intelligent, capable de poser un regard juste sur les gens, il restait en même temps un rêveur. Généreux, il attendait de la générosité en échange. Je me souviens qu'il m'a dit plus tard, en 1978, lors de nos conversations à Vienne : « *Allons, Shimon, soyez plus généreux dans votre approche. Si vous faites un geste, je vous répondrai par sept gestes.* »

Boutros Boutros-Ghali : Le soir, le dîner offert en notre honneur sera plutôt glacial. Weizmann fera des efforts pour détendre l'atmosphère, racontant des anecdotes et lançant des plaisanteries. En vain : Sadate et Begin, assis côte à côte, n'échangeront pas une seule parole. Les membres de la délégation égyptienne, et moi en particulier, pensons qu'il est absolument urgent d'essayer de rattraper les choses. Il n'est pas possible de rentrer au Caire sur un échec. C'est alors que Moustapha Khalil, le secrétaire général du Parti de l'Union socialiste au pouvoir en Égypte, me propose d'inviter Weizmann dans une de nos suites afin d'essayer de rapprocher nos points de vue. Je suis évidemment d'accord et je propose à Yadin d'être également des nôtres.

André Versaille : Vous n'invitez pas Dayan ?

Boutros Boutros-Ghali : Non, car Dayan me semblait être un homme trop compliqué, trop introverti pour cette première tentative de réchauffement des relations. Weizmann et Yadin nous paraissaient nettement plus ouverts, plus cordiaux.

Nous pensions que l'établissement de contacts personnels directs pouvait briser la méfiance réciproque. Pour ma part, je voulais convaincre mes interlocuteurs de la sincérité de notre démarche. Plus, de notre besoin de paix. Ainsi, lorsque Ezer Weizmann a lancé une discussion sur Le Caire qu'il avait connu pendant la Seconde Guerre mondiale en tant que pilote de chasse dans la Royal Air Force et dont il avait gardé un beau souvenir, je lui ai répondu : « *Vous savez, Le Caire n'est plus cette ville élégante, plutôt européenne, que vous avez connue. Aujourd'hui c'est une métropole grouillante, avec tous les problèmes inhérents aux villes surpeuplées : démographie galopante, problèmes économiques énormes, pauvreté, chômage, insécurité, etc. C'est pourquoi*, ajoutai-je, *nous avons absolument besoin de paix : afin de pouvoir nous consacrer à la solution de nos problèmes.* »

André Versaille : Et vous êtes parvenu à convaincre les deux ministres israéliens ?

Boutros Boutros-Ghali : Oui. Notre réunion s'est terminée vers deux heures du matin, et je crois bien que cette longue conversation impromptue autour d'un whisky a marqué le véritable début du processus de négociation de paix entre nos deux pays. En tout cas, entre nous quatre, la méfiance s'était largement dissipée.

L'optimisme enthousiaste de Weizmann nous avait fait du bien, et le lendemain, Moustapha Khalil lui fit rencontrer Sadate. Les deux hommes se sont très vite entendus. Il y avait chez Weizmann quelque chose de proche du caractère égyptien qui plut à Sadate qui, avant son voyage à Jérusalem, tenait pourtant le général pour un faucon. Les deux hommes continueront d'ailleurs à se vouer de la sympathie.

Par contre, Sadate se sentait peu attiré par Dayan. La personnalité un peu ombrageuse de ce dernier, sa susceptibilité ne plaisaient guère au président qui préférait les relations franches et cordiales. Dès le début, Dayan a voulu que l'on parle concrètement des choses, que l'on établisse un cadre de travail, des étapes de négociation, un calendrier. Mais Sadate lui avait immédiatement répondu qu'il était venu pour aborder l'essentiel et non pour se perdre dans une série de points de détails…

SHIMON PERES : Il est vrai que Sadate n'était pas homme à s'occuper de détails ; ce qui l'intéressait, c'était de voir les choses largement, en grand. Et, effectivement, ses rapports avec Dayan étaient assez difficiles. Je me souviens d'une anecdote qui rend bien compte de l'image que le président égyptien s'était faite de Moshé. Après le voyage de Sadate à Jérusalem, afin d'essayer d'améliorer leurs relations, Dayan m'a demandé d'approcher Sadate pour comprendre les sentiments que celui-ci nourrissait envers lui. Je rencontre donc Sadate et lui exprime mon étonnement quant à son attitude vis-à-vis de Dayan. Après m'avoir écouté calmement, Sadate tira une longue bouffée de sa pipe et me dit : « *Franchement, Shimon, as-tu déjà vu Moshé Dayan se saisir d'un problème et ne pas le rendre plus compliqué qu'il ne l'était au départ ?* »

BOUTROS BOUTROS-GHALI : Je savais que Dayan nous donnerait du fil à retordre, mais je n'ignorais pas non plus son importance et son rôle au sein du cabinet Begin. Aussi ai-je profité du trajet de retour vers l'aéroport pour essayer de le convaincre de la nécessité d'une paix globale dans la région. Mais Dayan était manifestement plus pressé de conclure une paix séparée avec l'Égypte que de trouver une solution d'ensemble au conflit israélo-arabe, ce qui impliquait évidemment la résolution de la question nationale palestinienne. Il ne se privait pas d'ailleurs de souligner notre isolement : « *Ni les Syriens, ni les Jordaniens, ni les Palestiniens n'acceptent même le principe de négociation. Au nom de quoi prétendez-vous donc parler également en leur nom ?* » Je ne pouvais évidemment pas lui donner tort sur ce fait précis, mais je tentai de lui expliquer que si Israël pouvait être un véritable partenaire dans l'établissement d'une architecture de paix régionale, nous, Égyptiens, aurions toutes les chances de persuader les autres pays arabes de nous rejoindre. Après tout, l'Égypte était au cœur du mouvement panarabe et Le Caire, la capitale fondatrice de la Ligue arabe. En tant que telle, son influence était importante. Manifestement, Dayan n'était pas convaincu.

XII – La paix de Camp David

« S'opposer à cette trahison du monde arabe ! » – « Hors quelques détails,
tout est réglé ! » – La nouvelle politique du Caire – « Il n'y aura bientôt
plus personne pour soutenir l'Égypte » – Les négociations israélo-égyptiennes
s'enlisent – Naissance de « La Paix maintenant » – Carter tente une action
de la dernière chance – La vie quotidienne à Camp David – Caractères
des négociateurs – « Weizmann ne peut pas être juif, c'est mon jeune frère ! » –
Contraste saisissant entre Begin et Dayan – « On commence à se sentir comme
dans un camp de concentration ! » – Sadate annonce le départ de sa délégation
– Psychologie de la négociation – « Pourquoi avez-vous reculé ? Vous n'êtes plus
sur vos positions de départ ! » – Les accords de paix sont signés – Déception
à Rabat – Âpres débats en Israël – Démantèlement spectaculaire d'une colonie
– Quelle autonomie pour les Palestiniens ? – L'option « Gaza first » –
La colonisation est relancée – Les « autonomy talks » – « Le Nobel à Begin ?
Mais voyons, c'est un Oscar qu'on aurait dû lui décerner… » –
« Vous avez abandonné les Palestiniens ! » – Débat à l'Assemblée égyptienne
– Boycott arabe, mais soutien financier américain – Barre à droite
du nouveau gouvernement israélien – Sadate est assassiné – La paix fragilisée
– Une paix froide – Nasser et Sadate, deux perceptions du monde arabe

ANDRÉ VERSAILLE : Comment le voyage de Sadate à Jérusalem et son discours furent-ils perçus par les Arabes ?

BOUTROS BOUTROS-GHALI : Les États arabes et l'OLP condamnent le voyage de Sadate, et Assad comme Arafat vont appeler le peuple égyptien à « *s'opposer à cette trahison du monde arabe* ». Le discours lui-même ne fut pas tellement commenté ; en revanche, le monde arabe a été choqué par ce voyage. La teneur du discours comptait peu, l'important était que le président égyptien se soit rendu chez l'ennemi, qui plus est, à Jérusalem. Et cette visite a immédiatement été perçue comme le prélude à une paix séparée : « *Voilà que l'Égypte abandonne le monde arabe !* »

SHIMON PERES : Je ne suis pas sûr que l'impact fut aussi négatif que vous l'affirmez. Le discours fut tout de même intégralement retransmis sur les ondes de l'ensemble du monde arabe, et il eut un réel effet positif sur les populations. J'ai pu le constater personnellement un peu plus tard, lorsque je me suis rendu au Maroc : là, m'étant assis à la terrasse d'un café de Rabat, j'ai vu venir vers moi des dizaines de Marocains qui, m'ayant vu à la télévision, m'avaient reconnu. Et je vous assure que non seulement il n'y avait rien d'agressif dans leur conduite, mais qu'ils étaient au contraire curieux et intéressés de me voir, au point que plusieurs d'entre eux m'ont applaudi.

Je crois qu'il faut distinguer la rhétorique officielle, qui condamnait l'initiative de Sadate, des mouvements spontanés de la population qui y voyait une promesse de paix.

BOUTROS BOUTROS-GHALI : Je ne veux pas polémiquer, mais franchement je ne pense pas qu'il y ait eu à ce moment-là, dans le monde arabe, un mouvement important en faveur de la paix. Je veux bien croire que les Marocains aient été contents de rencontrer une figure israélienne célèbre. C'est évident. Ils ont applaudi, dites-vous ? Mais c'est vous qu'ils ont applaudi, parce que vous étiez venu à Rabat. Cela n'a rien à voir avec un mouvement en faveur de la paix.

Je pense qu'il faut nuancer. Excepté une infime minorité, le monde arabe, dans son ensemble, a été choqué par cette visite, il s'est senti trahi. J'ai entendu dire, lors d'une réunion de presse : « *Mais enfin, l'Égypte est la mère du monde arabe, et voilà qu'elle quitte ses enfants pour vivre une aventure avec un étranger !* » En réalité, à ce moment-là, le monde arabe n'était pas prêt à entamer un processus de paix. Seuls mes compatriotes l'étaient. Et encore, pas tous.

ANDRÉ VERSAILLE : Retournons donc en Égypte : la délégation rentre au Caire, comment y est-elle accueillie ?

BOUTROS BOUTROS-GHALI : L'Égypte est en liesse et Sadate est acclamé en héros parce que la paix est annoncée et que ses dividendes rapporteront à l'Égypte stabilité, développement et prospérité.

Pour autant, une partie de la population restait violemment hostile au voyage de Sadate. Cette opposition regroupait à la fois les fondamentalistes qui ne pouvaient accepter l'idée d'un État juif sur une terre arabe ; les nassériens, parce que par son geste envers Israël, Sadate rompait avec la politique de son prédécesseur ; enfin les communistes, parce que l'URSS n'était pas impliquée dans cette initiative. Or, les fondamentalistes, les nassériens et les communistes, « alliés objectifs » pour l'occasion, étaient les militants les plus actifs et les plus bruyants. Ce sont eux que l'on entendait et qu'on lisait le plus souvent. Et puis, il y avait les déclarations des gouvernements arabes arc-boutés dans leur refus, que l'on entendait à la radio et à la télévision.

À côté de ceux qui tenaient Sadate pour un traître, d'autres nous assuraient que ce geste ne déboucherait sur rien. Et nous-mêmes d'ailleurs, qui l'avions accompagné, nous n'étions absolument pas sûrs que ce premier pas allait dans le bon sens. D'autant moins que nous nous trouvions devant un Président qui nous déclarait avec assurance que « *tout était réglé* », qu'il ne restait que des points de détails à discuter. Manifestement, il n'était pas conscient de la multitude de problèmes techniques, juridiques, militaires et autres qu'il fallait résoudre pour aboutir à la paix.

SHIMON PERES : Sadate n'était pas du tout un technocrate et encore moins un bureaucrate. C'était un visionnaire, qui passait avec une facilité déconcertante d'une vision politique à une autre. Il se voulait détaché des affaires courantes et souhaitait garder une fraîcheur d'esprit pour réfléchir aux grandes décisions qu'il prenait tout seul, en formulant des propositions auxquelles d'autres n'auraient certainement pas pensé, et qui ne laissaient pas de surprendre son entourage. Cette distanciation du quotidien concret, on la retrouve dans sa façon de se conduire. Ainsi ne lisait-il pas beaucoup les journaux et ses relations avec son entourage politique étaient-elles plutôt lâches : il allait se promener avec certains de ses conseillers à qui il laissait la responsabilité des affaires publiques et qui lui faisaient rapport sur leurs travaux. Ainsi, les rôles entre son vice-président, Hosni Moubarak, et lui étaient clairement définis : Moubarak s'occupait des affaires courantes, tandis que lui regardait les choses en grand et prenait les décisions qu'il estimait majeures pour l'avenir du pays.

BOUTROS BOUTROS-GHALI : Comme vous pouvez l'imaginer, cela ne facilitait pas le travail de son équipe.

De retour au Caire, j'ai proposé au Président d'envoyer des délégations dans les différentes capitales arabes afin d'exposer notre point de vue, mais il s'y est opposé. Et durant toutes les négociations, Sadate s'est refusé à fournir des explications aux États arabes. Pour quelle raison, je l'ignore. Peut-être pensait-il qu'un rapprochement avec certains pays arabes pourrait compliquer les pourparlers si difficilement initiés. Ou bien était-ce une manière de montrer à Israël combien son geste de paix lui coûtait : aux Israéliens qui déclaraient que toutes les concessions venaient d'eux, il voulait montrer l'ampleur du sacrifice auquel l'Égypte consentait puisqu'elle se retrouvait isolée.

SHIMON PERES : Peut-être n'y avait-il de la part de Sadate aucune arrière-pensée particulière, et estimait-il seulement que l'Égypte s'était suffisamment sacrifiée pour la « cause arabe », d'autant plus que le monde arabe l'aidait finalement très peu.

Il faut se rappeler que déjà lors de la guerre de 1948, certains hauts dignitaires égyptiens pensaient que l'Égypte ne devait pas participer à l'agression arabe contre nous. C'était notamment le cas du Premier ministre, Ismaïl Sidki. Et il est vrai que l'expédition palestinienne de l'Égypte coûta fort cher au Caire, tant du point de vue humain, que du point de vue économique, financier et militaire. Malgré cela, le rôle majeur de l'Égypte dans cette guerre pour la Palestine n'a jamais été vraiment reconnu par le monde arabe.

Par ailleurs, si le Caire s'était allié à Damas, leurs relations étaient pour le moins ambiguës puisque les deux capitales n'en restaient pas moins rivales. Nous avons vu ce qu'il était advenu de leur tentative d'union.

Je pense donc que Sadate a estimé qu'à suivre la politique générale du monde arabe, l'Égypte avait payé un prix bien trop élevé à tous égards, et qu'il a voulu rendre à son pays sa force et sa position originelle sur l'échiquier international en développant une politique plus égyptienne qu'arabe.

André Versaille : Parmi les raisons qui ont poussé Sadate à vouloir conclure la paix avec Israël, on pourrait peut-être aussi mentionner la situation peu brillante dans laquelle se trouve l'économie égyptienne en 1977.

Boutros Boutros-Ghali : Vous savez, du fait de l'explosion démographique, l'économie égyptienne avait cessé d'être florissante depuis plusieurs années. Mais il est vrai que durant le mois de janvier 1977, nous avons vécu d'énormes manifestations contre la hausse des prix. Ces mouvements populaires ont-ils inquiété le régime et ont-ils amené Sadate à essayer de trouver un compromis avec Israël pour pouvoir alléger le budget militaire et relancer l'économie ? C'est peut-être un élément à prendre en considération, car la guerre d'Octobre n'avait finalement pas fait beaucoup progresser l'économie égyptienne : depuis quatre ans la situation israélo-égyptienne piétinait. Je crois que c'est cette insupportable immobilité qui a poussé Sadate à vouloir trouver une initiative forte qui fasse progresser les choses non plus à « petits pas » mais à grandes enjambées, et qu'il a lancé cette idée spectaculaire à la mesure de son caractère visionnaire.

Mon rôle de communicateur était d'expliquer notre démarche aux gouvernements étrangers, arabes, africains, européens, asiatiques. Nous nous devions d'être très clairs, tant vis-à-vis des pays amis que des États qui nous étaient hostiles. Dès notre retour, j'ai donc organisé une série de rencontres avec les corps diplomatiques réunis par aire géographique : les pays africains, les pays arabes, les pays de l'Europe de l'Ouest, les pays du bloc soviétique, les pays asiatiques, etc.

Je dois dire que dans l'ensemble ces réunions se sont bien passées. Les diplomates me prêtaient une réelle attention : après tout nous essayions d'amorcer un processus de paix, qui, s'il aboutissait, serait bénéfique pour tout le monde.

André Versaille : Sans doute, mais peu d'États semblent alors prêts à soutenir l'Égypte : en plus des Arabes et des non-alignés, plusieurs pays de l'Europe de l'Ouest sont hostiles à l'initiative de Sadate. Notamment la France : le président Giscard d'Estaing se montrera d'une froideur exemplaire.

BOUTROS BOUTROS-GHALI : De fait, la France comme le reste des pays de l'Europe occidentale n'étaient pas en faveur de cette initiative, parce qu'elle marginalisait l'Europe. Comme le processus avait été engagé sans elle et sans les Soviétiques, qui n'en avaient même pas été informés, ceux-ci seront froissés et battront froid à l'initiative de Sadate. Mais il ne s'agit pas que d'une question d'amour-propre diplomatique ; le sentiment assez unanimement partagé était qu'il s'agissait d'une aventure sans lendemain. Et ce scepticisme contrastait avec le retentissement populaire international de l'initiative du Président égyptien, car peu d'événements historiques ont suscité un tel intérêt, un tel enthousiasme planétaire.

Au début, même les Américains ne semblaient pas nous soutenir totalement. Nos adversaires se montraient de plus en plus résolus et nos alliés l'étaient de moins en moins. Très vite, les chancelleries vont prendre leur distance avec l'Égypte : les pays arabes, les États musulmans, les pays communistes, les Européens, les Africains... Bref, il n'y aura bientôt plus personne pour soutenir l'Égypte dans son initiative.

Pourtant, Sadate ne paraissait nullement inquiet. « *N'ayez pas peur, Boutros, ayez confiance !* », me répétait-il...

Même des pays non alignés, comme la Yougoslavie, ont pris leurs distances. Lorsque j'ai rencontré Tito, chef du mouvement des non-alignés, à Belgrade en janvier 1978, il m'a dit être absolument convaincu qu'Israël n'avait aucune intention de conclure un accord de paix global avec les Arabes, puisqu'il refusait de reconnaître le peuple palestinien et son droit à l'autodétermination. Tito pensait que le préalable indispensable à tout processus de paix était la reconnaissance mutuelle d'Israël et de l'OLP. En réalité, me déclara-t-il, Israël ne cherche qu'à affaiblir le camp arabe en concluant une paix séparée avec son ennemi le plus fort. Israël possède la supériorité militaire, il est soutenu par Washington, il occupe une partie de l'Égypte, et Sadate lui offre à présent l'occasion d'aggraver une division interarabe... Et il ajouta : « *Vous vous désolidariserez du monde arabe et vous n'obtiendrez rien des Israéliens parce que vous serez en état de faiblesse. Or vous ne pouvez négocier avec eux qu'en position de force.* » Le projet de Sadate qui divisait le monde arabe (ce qui ne manquerait pas, à court terme, de porter atteinte au front des États non alignés) était donc doublement périlleux.

La vision de Tito était guidée par l'idéologie tiers-mondiste des pays colonisés : cette idéologie qui veut que seule la force puisse mobiliser les peuples contre des États colonisateurs. Or, Sadate s'était rallié à la *realpolitik*, et avait abandonné toute vision idéologique du conflit qu'il voulait résoudre de manière pragmatique. J'ai bien tenté de convaincre Tito de l'intérêt de l'initiative du Caire, mais sans succès.

J'avoue que cet échange de près de deux heures avec le dirigeant yougoslave m'avait perturbé. Et s'il avait raison ? Et si nous faisions fausse route ? Quoi qu'il en fût, il m'apparaissait clairement que l'Égypte était en train de s'exclure non seulement du camp arabe, mais également de celui des non-alignés.

André Versaille : Car Sadate va poursuivre le mouvement.

Boutros Boutros-Ghali : Oui, Sadate décide alors d'organiser une réunion « informelle » au Caire, afin de préparer la reprise de la Conférence de Genève de 1973 qui demeurait toujours un des objectifs de la diplomatie égyptienne. En effet, la Conférence de Genève sur le Proche-Orient s'était réunie, quatre ans plus tôt, le 21 décembre 1973, sous les auspices du secrétaire général des Nations unies et sous la co-présidence des États-Unis et de l'Union soviétique. Elle ne s'était plus réunie depuis, mais elle continuait de symboliser le projet d'un règlement global.

J'adressai donc, le 26 novembre 1977, une lettre à la Syrie, à la Jordanie, au Liban, aux États-Unis, à l'Union soviétique, aux Nations unies, à l'OLP et à Israël (la même pour tous), pour leur proposer la tenue au Caire d'une conférence préparatoire au sommet de Genève. Cette lettre expliquait que nous, les Égyptiens, avions toujours eu la solution du problème palestinien comme objectif principal de nos négociations, que nous luttions pour une solution globale et non pour une paix séparée. La conférence préparatoire se tiendra finalement le 14 décembre, et réunira quatre délégations : l'Égypte, les États-Unis, Israël et les Nations unies – la Syrie, la Jordanie, le Liban, l'Union soviétique et l'OLP refuseront d'y participer.

J'avais estimé à l'époque qu'en refusant de participer à cette conférence préparatoire, les Palestiniens manquaient une occasion historique d'engager des contacts, même indirects, avec les Israéliens. Mais rétrospectivement, je dois reconnaître que si les Palestiniens avaient accepté d'y prendre part, ce sont les Israéliens qui auraient refusé d'y participer.

André Versaille : Si le refus des quatre partenaires arabes est dans l'ordre des choses, qu'est-ce qui explique celui de l'Union soviétique ?

Boutros Boutros-Ghali : Moscou déniait toute légitimité à cette conférence parce qu'à ses yeux, seuls les deux co-présidents, l'Union soviétique et les États-Unis, avaient le droit de convoquer une telle conférence. J'avais fait remarquer à l'ambassadeur soviétique qu'il s'agissait d'une conférence informelle. En vain.

En réponse au boycott arabe, Sadate décide alors de rompre les relations diplomatiques avec plusieurs États.

Personnellement, je luttais pour conserver au Caire sa position dominante au sein du mouvement des non-alignés, mais je voyais bien que Sadate ne partageait pas ma préoccupation... Ma crainte était que, si l'Égypte se voyait condamnée par les non-alignés, Sadate ne quitte ce mouvement qu'il jugeait aux mains d'extrémistes peu ou prou alignés sur l'URSS. Tout se passait comme s'il voulait voir l'Égypte opérer un renversement d'alliances.

ANDRÉ VERSAILLE : Après la réunion du Caire, Sadate va organiser un sommet israélo-arabe à Ismaïlia, les 25 et 26 décembre. Y participent Sadate, Begin, Dayan, Weizmann, le ministre de la Défense égyptien, Gamasy, et vous-même, Boutros Boutros-Ghali. Sur quoi cette réunion débouche-t-elle ? Gamasy parlera « *d'échec total* ».

BOUTROS BOUTROS-GHALI : La réunion d'Ismaïlia n'a effectivement pas donné les résultats escomptés. Il faut dire qu'elle avait été mal préparée et que les négociations s'étaient déroulées de manière désordonnée. Néanmoins, à l'issue de la réunion, Sadate et Begin ont tenu à donner une conférence de presse commune pour montrer que le processus se poursuivait. La création de deux commissions avait été décidée : l'une militaire, consacrée à la question du retrait israélien du Sinaï, l'autre politique, destinée à étudier l'ensemble des problèmes arabo-israéliens, à commencer par la question palestinienne.

Le sommet d'Ismaïlia m'a permis de mieux saisir la psychologie du président égyptien. Ainsi, j'ai découvert qu'il négociait autant, sinon plus, avec nous, les membres de son équipe, qu'avec les Israéliens. Comme s'il voulait à la fois favoriser et contrôler les désaccords qui nous séparaient de lui. Je crois que l'exacerbation de ces désaccords lui permettait de montrer aux Israéliens qu'il se heurtait à des résistances, non seulement au sein de l'ensemble du monde arabe, mais à l'intérieur même de sa propre équipe.

C'est aussi à Ismaïlia que j'ai pressenti que les Israéliens n'avaient l'intention de conclure qu'une paix séparée. En témoigne l'insistance de Begin à favoriser le plus possible des relations bilatérales, à refuser la participation des Nations unies, et même à réduire autant que possible celle des Américains.

Par ailleurs, à mesure que le temps passait, il devenait de plus en plus évident que la préoccupation première du président égyptien était de récupérer la totalité des territoires égyptiens, les autres questions lui paraissant pouvoir être renvoyées à plus tard, y compris celle de l'autonomie palestinienne, à laquelle nous, ses lieutenants, étions passionnément attachés. Sadate ne se désolidarisait pas des Palestiniens, mais il restait persuadé que l'Égypte ne pourrait œuvrer efficacement à la conquête de leurs droits, que si elle se débarrassait d'abord de l'occupation israélienne du Sinaï.

Quant à moi, j'avais la conviction qu'aucune paix ne serait durable si on ne résolvait pas, dans le même temps, la question nationale palestinienne.

André Versaille : Les Palestiniens sont profondément remontés contre Sadate. Le 18 février 1978, à Chypre, des terroristes palestiniens assassinent Youssouf al-Siba'i, rédacteur en chef du grand quotidien cairote *al-Ahram*. Al-Siba'i était un proche de Sadate qu'il avait accompagné dans son voyage à Jérusalem. Furieux, le président égyptien en accusera l'OLP.

Boutros Boutros-Ghali : Les Égyptiens sont très choqués. Cet assassinat dessert la cause palestinienne auprès de la population et provoque une crise très profonde entre l'Égypte et l'OLP. On assiste à de grandes manifestations anti-palestiniennes lors des funérailles de Youssouf al-Siba'i : « *Plus de Palestine à partir d'aujourd'hui !* », scanderont les manifestants furieux de voir l'Égypte devenir l'objet du terrorisme palestinien.

André Versaille : Les négociations israélo-égyptiennes se poursuivent, mais malgré l'optimisme de Sadate, les positions de Jérusalem et du Caire s'avèrent très vite inconciliables. Non seulement sur la question nationale palestinienne, mais même sur la restitution du Sinaï. Il semble que, du côté arabe, la rigidité israélienne ait éloigné du processus de paix certains chefs d'États modérés, comme le roi Hussein et le roi Fahd d'Arabie saoudite.

Boutros Boutros-Ghali : Oui, et les échecs successifs des négociations vont donner l'espoir au monde arabe que l'Égypte finirait par renoncer à son initiative. Le thème du retour de l'enfant prodigue habitera d'ailleurs le monde arabe durant toute la période allant de novembre 1977 à septembre 1978, date de la signature des accords de Camp David.

André Versaille : Et du côté israélien, des voix en faveur de la paix se font de plus en plus entendre : une partie de la population, toujours plus nombreuse, manifeste son opposition à la position béginiste ressentie comme intransigeante. Celle-ci est contestée au sein même du gouvernement, notamment par Ezer Weizmann.

C'est à cette époque que naît *Shalom archav*, « La Paix maintenant ». Ce mouvement voit le jour le 7 mars 1978, après la publication d'une lettre ouverte à Begin de 348 officiers et soldats de réserve israéliens protestant contre sa politique. Le mouvement va prendre immédiatement une sérieuse ampleur puisque quelques jours plus tard, le 1er avril, le premier rassemblement de masse organisé par « La Paix maintenant » réunit quelque 40 000 manifestants, ce qui en fait alors la plus importante manifestation politique jamais vue en Israël.

Cette lettre ouverte et le mouvement qui l'accompagne sont-ils connus du public égyptien et arabe en général ?

BOUTROS BOUTROS-GHALI : Cette lettre et ce mouvement sont surtout connus des élites, et renforcent la position des négociateurs égyptiens auprès de la classe politique. Si l'opinion publique égyptienne observe l'évolution israélienne et suit le mouvement « La Paix maintenant », elle n'y attache pas trop d'importance : elle est bien plus préoccupée par le refus arabe opposé à l'Égypte et ses éventuelles conséquences sur les Égyptiens qui travaillaient dans les pays arabes : médecins, ingénieurs, hommes d'affaires, mais aussi les centaines de milliers d'ouvriers qui risquaient de se faire expulser.

ANDRÉ VERSAILLE : Les positions israélienne et égyptienne semblent tellement éloignées qu'à la fin du mois de juillet 1978, Sadate annonce à Carter que la poursuite du dialogue avec les Israéliens lui paraît inutile.

De peur de voir les négociations échouer, le président américain va alors tenter une action de la dernière chance. Qu'est-ce qui fait que Carter prend le risque de s'impliquer personnellement dans cette négociation qui semblait voué à l'échec (plus tard, Carter écrira : « *Aucun d'entre nous ne pensait avoir beaucoup de chances de réussite* »), éventualité qui ne pouvait que nuire à son prestige ?

BOUTROS BOUTROS-GHALI : Carter était littéralement habité par ce conflit. Il avait même épinglé une carte de la région dans sa chambre. Pour ce baptiste, cette question devait probablement avoir une dimension religieuse. En tout cas, il s'y est consacré avec persévérance et ferveur.

ANDRÉ VERSAILLE : Peut-être avait-il aussi l'intuition qu'au-delà et en dépit des positions affichées, les deux camps souhaitaient, en tout cas, conclure une paix séparée *a minima*, à savoir une paix israélo-égyptienne contre la restitution du Sinaï. Et qu'après tout, cette paix minimale serait déjà un pas important, voire un précédent exemplaire que les autres pays arabes belligérants pourraient finalement suivre à plus ou moins brève échéance. Quoi qu'il en soit, le président américain décide de réunir à Camp David, près de Washington, un sommet tripartite : Sadate, Begin et lui-même, respectivement accompagnés de leurs proches conseillers.

BOUTROS BOUTROS-GHALI : Son initiative nous a d'autant plus intéressés que Sadate a toujours voulu une participation active de la diplomatie américaine dans le processus de paix. L'invitation de Carter à tenir une conférence à Camp David sera donc considérée comme un couronnement des efforts égyptiens.

ANDRÉ VERSAILLE : Dans quel état d'esprit la délégation égyptienne se trouve-t-elle à la veille de son départ pour Camp David ?

BOUTROS BOUTROS-GHALI : Nous sommes à ce moment-là à la croisée des chemins. Sadate, qui veut voir son initiative déboucher sur une solution globale du problème arabo-israélien, est confiant : si Israël refuse son plan de paix, l'opinion publique américaine et internationale se retournera contre l'État juif et l'Égypte gagnera son appui. En effet, Sadate aura fait le premier pas en se rendant à Jérusalem et ce seront les Israéliens qui auront été incapables de monter dans le train de l'Histoire. Lui est-il arrivé de douter de son initiative ? Je l'ignore. En tout cas, il ne l'a jamais montré à ses plus proches collaborateurs.

Quant à nous, les membres de sa délégation pour lesquels une paix séparée restait inconcevable, nous étions assez inquiets, car nous ne voyions pas de position de repli en cas d'échec des négociations. Et cet échec nous semblait d'autant plus possible que dans le camp d'en face, les Israéliens, comme me l'avait souvent laissé entendre Moshé Dayan, ne croyaient pas vraiment à la volonté de paix de Sadate. C'est pourquoi nous espérions ardemment obtenir l'appui de certains pays arabes, notamment du Maroc et de la Jordanie qui avaient déjà eu des contacts secrets avec Israël.

André Versaille : Quels sont, à ce moment-là, les commentaires de l'opinion publique arabe ?

Boutros Boutros-Ghali : La presse égyptienne donne son appui enthousiaste à Sadate. Mais l'opposition égyptienne, que ce soient les fondamentalistes ou la gauche, ne désarme pas : ces négociations sont une erreur et elle va jusqu'à espérer un changement de régime. Quant à la presse du monde arabe, elle continue à condamner radicalement cette nouvelle étape de la « *trahison égyptienne* ».

André Versaille : Et en Israël ?

Shimon Peres : En Israël, le 2 septembre, donc à la veille du départ de Begin pour Camp David, le mouvement « La Paix maintenant » organise à Tel-Aviv une gigantesque manifestation rassemblant 100 000 personnes, dans le but de pousser le Premier ministre à faire les concessions nécessaires à la conclusion d'un traité de paix avec l'Égypte.

Au Parlement, un clivage gauche-droite s'opère très clairement : la droite ne voulait pas que Begin fasse de concessions, alors que de manière générale la gauche encourageait le Premier ministre à une politique plus ouverte.

André Versaille : Les deux délégations arrivent à Camp David. Du côté israélien, Menahem Begin est accompagné par Moshé Dayan, ministre des Affaires étrangères, Ezer Weizmann, ministre de la Défense, et Aharon Barak, procureur général d'Israël ; du côté égyptien, Sadate est venu avec son conseiller Hassan el-Tuhami, Mohammed Kamil, ministre des Affaires étrangères, Oussama el-Baz, sous-secrétaire aux Affaires étrangères et vous-même,

Boutros Boutros-Ghali, ministre d'État aux Affaires étrangères. Quant au président Carter, il s'est entouré de Cyrus Vance, son secrétaire d'État, de Zbigniew Brzezinski, son conseiller pour les questions de sécurité, et de Harold Saunders, son secrétaire d'État adjoint. Comment se passe l'arrivée sur place ?

BOUTROS BOUTROS-GHALI : Nous arrivons en hélicoptère depuis Washington et nous découvrons Camp David, où de petits bungalows individuels très confortables sont disséminés dans la forêt. Je dois dire que cet endroit me parut plutôt insolite pour mener des négociations diplomatiques. Mais c'était une idée de Carter de nous enfermer dans cette espèce de camp de prisonniers interdit à la presse, où nous ne pouvions pas avoir de contacts avec l'extérieur.

SHIMON PERES : C'est vrai, à l'exception du chef de la délégation qui avait le droit d'utiliser le téléphone, aucun des négociateurs ne pouvait sortir, téléphoner ou rencontrer la presse. Je me souviens avoir eu un échange avec le président américain après la signature des accords de Camp David et lui avoir dit : « *Monsieur le Président, vous prétendez défendre les droits de l'Homme, or vous êtes le seul chef d'État à n'avoir pas hésité à priver de liberté des négociateurs en les enfermant dans un camp de concentration !* »
Plaisanterie à part, je pense que Carter a eu raison de créer une situation de huis clos, d'imposer la déconnexion et le secret, afin d'éviter notamment que la presse ne s'en mêle et ne risque de faire échouer la négociation.

BOUTROS BOUTROS-GHALI : Sans doute, il n'empêche que c'était une curieuse manière de concevoir un sommet.
Il faut dire que tout, à Camp David, était inhabituel. À l'intérieur du domaine, nous étions libres d'évoluer dans une ambiance de décontraction totale, ce qui faisait qu'on pouvait se croiser en pyjama, ou pendant son footing, ou à vélo, etc. Pour ce qui est des négociations proprement dites, outre que la dispersion des bungalows ne facilitait pas les communications, ce qui était caractéristique, c'était la totale irrégularité des réunions. Nous n'étions pas du tout dans une situation de négociation traditionnelle avec une série de séances quotidiennes de deux heures le matin et trois heures l'après-midi, suivies de procès-verbaux ; non, un désordre décontracté était de rigueur… Tout cela créait une atmosphère un peu spéciale qui semblait étrange à ceux qui étaient habitués à négocier autour d'une table en prenant des notes.

ANDRÉ VERSAILLE : Comment se passaient les relations entre les membres des trois délégations ?

BOUTROS BOUTROS-GHALI : À titre individuel, les relations étaient excellentes. À l'exception de Mohammed Kamil qui faisait une dépression et ne voulait fréquenter personne, nous nous baladions ensemble, nous allions à la piscine ensemble, nous allions parfois voir un film ensemble. C'était un peu une ambiance de croisière. Le navire Camp David nous obligeait à cohabiter.

Nous avions également des échanges entre nous, membres de la délégation égyptienne, mais ils restaient marginaux. Sadate ne nous tenait pas toujours au courant de ses discussions privées avec Carter, Cyrus Vance ou Brzezinski. Il était clair, par ailleurs, que les réunions que nous avions avec la délégation israélienne n'auraient pas tellement d'effet sur l'accord final, dans la mesure où celui-ci serait rédigé par trois personnes : Jimmy Carter, Oussama el-Baz et Aharon Barak, avant d'être présenté aux deux délégations.

Le négociateur israélien dont je me suis senti le plus proche était Weizmann. À la différence de Dayan qui pouvait parfois être cassant, Weizmann se montrait toujours de nature conciliante. Il était celui qui, lorsque l'atmosphère se tendait, parvenait à restaurer un climat de cordialité entre les protagonistes. Dès que l'un de nous se s'entendait plus avec un membre de la délégation israélienne, Weizmann allait le voir et lui disait : « *Allons, viens. On va prendre un bon whisky et reparler de tout cela calmement…* » Et même si on commençait par refuser, son charme opérait et on finissait toujours par céder. À la différence de Dayan, foncièrement pessimiste, Weizmann restait optimiste, mettait en évidence les moindres progrès et assurait tout le monde de l'issue heureuse des négociations. Et pendant toute la durée du sommet, Weizmann jouera ce rôle de conciliateur, continuant avec bonne humeur et persévérance à rapprocher les membres des deux délégations.

SHIMON PERES : Weizmann pensait que son charme personnel pouvait apporter une contribution décisive dans cette négociation. Il était convaincu que Sadate, qui l'appelait Ezra, l'aimait plus que n'importe qui au monde.

BOUTROS BOUTROS-GHALI : Et il y avait du vrai : « *Weizmann est le seul Israélien avec lequel je puisse traiter* », aimait à répéter Sadate. Je me souviens qu'une autre fois il avait même déclaré : « *Weizmann ne peut pas être juif, c'est mon jeune frère !* »

SHIMON PERES : Weizmann était convaincu qu'en cas de crise entre les deux délégations, il aurait été le seul à pouvoir calmer le jeu. C'était un homme d'une grande souplesse mais surtout il était le membre le plus à gauche de la délégation, celui qui était prêt à aller le plus loin pour donner satisfaction aux Arabes. Différent en cela de Dayan, plus prudent, et de Begin, bien moins prêts aux concessions.

En outre, les rapports entre Weizmann et Carter étaient excellents. Les deux hommes s'estimaient et se vouaient même de l'amitié. Oui, vous avez raison, Ezer Weizmann avait le sens des relations humaines.

BOUTROS BOUTROS-GHALI : En tout cas plus que Moshé Dayan !

SHIMON PERES : Moshé Dayan, c'est autre chose. Chez lui, les relations humaines n'étaient qu'une partie d'un plus grand tout. Je me souviens (c'était dans les années cinquante) qu'un jour, Ben Gourion, qui trouvait Dayan un peu trop fantasque, lui avait dit qu'en tant que chef militaire, il devait servir de modèle. À quoi Dayan lui avait répondu : « *Non, Monsieur, je ne peux pas me conduire en fonction d'une image que l'on attend de moi. Je me comporte selon ma propre personnalité.* » Oui, Moshé Dayan se donnait le droit de renaître chaque matin sous une personnalité nouvelle. Son charme évident était précisément le fruit de son individualisme. La presse raffolait de lui : vedette souriante, on voyait sa photo à la une d'un tas de magazines, et pas seulement en Israël. Ses prestations à la radio et à la télévision faisaient des scores d'audience inimaginables. À une époque, il fut l'une des personnalités militaires et politiques les plus célèbres et aimées sur terre. Je me souviens que lors d'un passage à San Francisco, j'ai vu à la vitrine d'un magasin, à côté des posters de Mao et de Che Guevara, celui de Dayan ! Plus dingue encore : en Afrique du Sud, après la campagne de Suez, j'ai vu le détournement d'une publicité d'Esso. Au lieu du célèbre slogan : « *Mettez un tigre dans votre moteur* », il y avait marqué : « *Mettez un Dayan dans votre moteur.* »
    Parmi les qualités qui faisaient son charme, il y avait sa franchise proprement désarmante. Je vous raconte une anecdote qui le dépeint dans toute sa fraîcheur. Cela se passe un peu avant la guerre des Six Jours. À cette époque, nous étions, lui et moi, membres du Rafi de Ben Gourion, parti qui, je vous le rappelle, avait fait scission du Mapaï. Or il avait été question de réintégrer le Rafi dans le Mapaï. Lors d'une de nos conversations, Dayan me dit : « *Écoute, Shimon, il faut se décider : si tu penses qu'il vaut mieux que le parti garde son autonomie, je reste avec toi. Si tu crois au contraire qu'il vaut mieux que le Rafi rejoigne les travaillistes, je promets de te suivre.* » Puis il a ajouté en souriant : « *Mais souviens-toi : je ne suis pas un homme fiable...* » Il y avait dans cette boutade un mélange de lucidité et de liberté qui faisait de lui un personnage à part, que j'aimais beaucoup.

BOUTROS BOUTROS-GHALI : Personnellement, je n'ai pas perçu Moshé Dayan de cette manière. Je le voyais plutôt comme un homme arrogant, mais j'ignore toujours si cette arrogance était due à une forme de timidité, ou à un complexe de supériorité.

SHIMON PERES : Il y avait une contradiction entre la manière dont on pouvait percevoir Dayan, et sa véritable personnalité.
    Vous parlez de son « arrogance ». Comme la plupart des gens, vous ignorez que Dayan était atteint d'un mal qui le faisait horriblement souffrir. La blessure

qui l'avait privé d'un œil lui donnait de violents maux de tête. Et, après la guerre du Kippour, cette douleur physique s'était doublée d'une souffrance psychologique due à son sentiment de culpabilité de n'avoir pas vu le danger arriver. D'où ses mouvements d'humeur, visibles ou cachés, qui pouvaient lui donner cet air d'arrogance que vous lui reprochez.

Boutros Boutros-Ghali : Oui, peut-être. Je précise tout de suite que malgré les critiques que je viens de formuler, il faut reconnaître que Dayan était le cerveau de la délégation : à chaque fois que nous nous trouvions bloqués, il inventait une solution, un nouveau biais pour reprendre la négociation. Il m'avait d'ailleurs confié que, malgré ses relations très proches avec son Premier ministre, il était en désaccord avec lui sur pas mal de questions relatives au processus de paix.

Shimon Peres : Dayan était très désireux de parvenir à un accord de paix avec l'Égypte, mais il savait que s'il faisait un pas de travers, il risquait de perdre la pleine confiance que Begin lui accordait. Car ce n'est pas seulement Sadate qu'il fallait convaincre d'avancer vers un règlement, mais également Begin. Et de fait, Begin va beaucoup évoluer dans ses positions grâce, précisément, à Moshé Dayan. Par ailleurs, Dayan n'appréciait pas vraiment l'attitude des Américains. Il estimait qu'ils ne comprenaient pas plus la manière de voir des Israéliens que celle des Égyptiens. Toutes ces contradictions faisaient qu'il se tenait sur une position difficile.

Boutros Boutros-Ghali : Cela étant, Weizmann et Dayan, que j'avais d'abord vus comme deux pôles politiques opposés, étaient en réalité très solidaires. Il s'agissait surtout d'une différence de tempérament.

André Versaille : Et Begin ? Dans ses *Mémoires*, Carter regarde le Premier ministre israélien comme quelqu'un « *qui paraît se considérer comme un homme du destin, investi de la mission biblique de prendre en charge l'avenir du peuple élu de Dieu* ».

Boutros Boutros-Ghali : Disons que Begin respirait la rigidité jusque dans ses moindres gestes ou paroles. Il avait aussi un côté « vieille Pologne » : très courtois, chevaleresque même, respectueux, un peu théâtral et pratiquant volontiers le baisemain. Il avait manifestement envie de plaire.

Begin avait remarqué que Sadate m'appelait parfois Boutros, parfois Peter (Boutros est le nom arabe de l'apôtre Pierre). Quand il apprit que Sadate m'appelait Peter lorsqu'il était content de moi, et Boutros quand il ne l'était pas, cela l'amusa, et il décida, lui aussi, d'utiliser ces deux prénoms, mais à l'inverse : Peter quand il était fâché de me voir opposer un obstacle à sa diplomatie (*Peter* vient du latin *petrus* qui signifie « pierre »), et Boutros, au contraire, lorsqu'il estimait que j'avais été conciliant. Cette manière d'emprunter ses formules à Sadate amusait visiblement le raïs. Alors, à Camp David, Begin usera et abusera de cette plaisanterie. C'en devenait un peu lourd, mais c'était sa façon à lui de créer une espèce de complicité avec Sadate.

SHIMON PERES : À mon sens, Begin, qui était un homme doué de bien des qualités, avait tout de même du mal à voir la réalité en face. Il avait le don de la parole et vivait dans le monde des mots. À l'instar des ballerines qui considèrent que les jambes sont la partie la plus importante de leur corps dès lors que ce sont elles qui leur permettent d'exercer leur art, Begin voyait la politique à travers la rhétorique. Vous n'imaginez pas le soin et l'attention qu'il accordait aux mots et aux définitions. Durant ses années de lutte contre les Britanniques, il a passé un temps fou à écouter les débats qui se déroulaient au Parlement anglais. Il tenait le parlementarisme britannique pour un modèle qu'il aurait voulu voir instauré en Israël.

Le contraste entre Begin et Dayan était saisissant : quand Dayan est venu en Égypte, il a regardé le Nil, les palmiers et toute cette nature qu'il aimait ; à côté de lui, Begin a regardé l'Égypte à travers ses lectures de la Bible…

BOUTROS BOUTROS-GHALI : Vous dites qu'il était un orateur très doué. C'est vrai, mais ça lui donnait une espèce de « déformation professionnelle » : même lorsqu'il vous parlait en tête-à-tête, on avait l'impression qu'il faisait un discours.

ANDRÉ VERSAILLE : Et pour ce qui est de la délégation américaine ?

BOUTROS BOUTROS-GHALI : À l'intérieur de leur délégation, chaque membre se présentait comme l'homme le plus susceptible de faire progresser les choses. Mais comme les négociations prenaient souvent la forme d'un « bricolage », il était difficile de déterminer les mérites de chacun dans l'avancement du processus.

ANDRÉ VERSAILLE : Il semble que les premiers jours se passent mal : aucune des deux parties ne paraît vouloir faire des concessions.

BOUTROS BOUTROS-GHALI : En effet. La délégation israélienne refusera de considérer la question palestinienne comme politique pour la traiter du seul point de vue humanitaire, la réduisant du coup à des détails pratiques d'administration locale. Cet aveuglement devant la réalité palestinienne nous paraissait d'autant plus étonnant qu'il reflétait, comme en miroir, la négation, par les Arabes, de l'existence de l'État d'Israël pendant tant d'années, attitude qui révoltait tellement les Israéliens et les Juifs du monde entier.

Mais les dissensions entre les deux délégations ne se limitaient pas à la question palestinienne. Même sur le volet israélo-égyptien, nous appréhendions les problèmes de manière diamétralement opposée. Les Israéliens voulaient d'abord conclure un accord sur les questions pratiques, commerciales, diplomatiques, touristiques, etc., avant d'envisager tout retrait du Sinaï. Et, bien sûr, il n'était pas question pour nous de discuter de la normalisation des rapports entre nos deux pays avant que nous ne nous soyons mis d'accord sur la fin de l'occupation du Sinaï.

Du coup, l'ambiance s'alourdissait de jour en jour, et finissait par provoquer un sentiment de claustrophobie. « *On commence à se sentir comme dans un camp de concentration !* » avait lâché Begin… De plus, du fait de l'irrégularité et de l'enchevêtrement des réunions, les progrès étaient difficilement perceptibles.

En ce qui me concerne, j'estimais essentiel que le retrait du Sinaï soit lié à celui de la Cisjordanie et de la bande de Gaza, afin de pouvoir aboutir à une solution globale. Pour cela, il fallait que Sadate exigeât que les retraits des territoires égyptien et palestinien soient liés.

Au fil des échanges, je mesurais l'avantage de nos adversaires qui disposaient de toutes les cartes et progressaient, eux, selon un projet cohérent.

ANDRÉ VERSAILLE : À un certain moment, les positions des deux délégations semblaient tellement éloignées l'une de l'autre que Sadate, ne voyant plus l'intérêt de poursuivre la négociation, annonça le départ de sa délégation.

BOUTROS BOUTROS-GHALI : Il était visiblement furieux, mais j'ignore s'il était vraiment décidé à quitter Camp David ou si c'était une manière d'inciter Carter à amener les Israéliens à plus de raison. Mohammed Kamil avait donné sa démission de ministre des Affaires étrangères, mais en précisant à Sadate qu'elle ne serait effective que lorsque le raïs le déciderait. Cette « démission » permettra à Sadate de pousser Carter à intervenir : « *Vous voyez bien que l'intransigeance israélienne a totalement démotivé les membres de ma délégation.* »

Cependant, Carter va réussir à convaincre Sadate de renoncer à quitter Camp David. Je ne connais pas vraiment les arguments qu'il a utilisés, mais je pense que le président américain a promis d'aider Sadate après sa réélection. « *En acceptant ce compromis, vous favorisez ma réélection, et je m'engage, une fois réélu, à travailler avec vous à la résolution de tous les problèmes en suspens…* » Il semble aussi que la diplomatie américaine était convaincue qu'une fois le mouvement de la paix engagé, elle obtiendrait facilement l'appui de plusieurs pays arabes modérés comme la Jordanie, l'Arabie saoudite et le Maroc.

ANDRÉ VERSAILLE : Sadate finit par rester, mais Carter comprend que c'est la dernière chance, que l'heure est aux compromis décisifs. Il décide alors de ne plus réunir les deux chefs d'État, mais de faire lui-même le « *go-between* » entre eux. Comment se passent ces dix derniers jours de pourparlers par Carter interposé ?

BOUTROS BOUTROS-GHALI : Ce n'était pas aussi clair que ça. Les choses étaient beaucoup plus désordonnées, car Cyrus Vance et Brzezinski poursuivaient, en même temps, les pourparlers avec chacune des délégations pour obtenir leur accord sur certains aspects de la déclaration préliminaire et en informer le président Carter qui, lui, négociait avec les deux chefs de délégation.

ANDRÉ VERSAILLE : Lors de ces négociations, Aharon Barak a déclaré à Brzezinski : « *Un grand nombre de positions israéliennes ne présentent aucun avantage mais sont d'origine purement psychologique.* »

SHIMON PERES : Quatre-vingt-dix pour cent des problèmes qui se posent dans un conflit sont d'ordre psychologique. Cette part de psychologie est d'autant plus importante qu'on négocie le plus souvent davantage en fonction des perceptions générales de son camp que des réalités. Et chaque camp a ses priorités, ses tabous, ses éléments sacrés, sa façon de voir, sa mentalité… En outre, on ignore les véritables motivations qui animent l'autre camp, ce qui lui importe vraiment et ce qui est un leurre ou un élément de marchandage. Et la méfiance s'installe vite : dans les négociations politiques, la suspicion, cette maladie des politiciens, règne toujours.

BOUTROS BOUTROS-GHALI : C'est vrai, et si l'on veut avancer, il faut que la confiance s'installe peu à peu. Chacun des négociateurs veut amender des choses, et souvent moins pour en retirer un réel avantage que pour tenir compte de l'état d'esprit de sa propre opinion publique. Ainsi vous me demandez de changer une phrase. Or, moi, j'ignore ce qui vous pousse à vouloir le faire. Je vais donc interpréter de manières diverses votre souhait. En revanche, si vous parvenez à créer un climat de confiance, vous pourrez m'expliquer franchement pourquoi cette phrase est inacceptable pour votre opinion publique. Et cette explication, je pourrais l'entendre et réfléchir avec vous à une reformulation plus acceptable. Je ne prétends pas, évidemment, que l'instauration d'un climat de confiance permette de résoudre tous les problèmes, mais il réduit considérablement les blocages psychologiques. Connaître les motivations de l'autre facilite les négociations. Ainsi, je suis convaincu que la confiance que se vouaient mutuellement Oussama el-Baz et Aharon Barak a été essentielle dans l'aboutissement de l'accord.

ANDRÉ VERSAILLE : De manière générale, avez-vous eu l'impression que la confiance s'installait à Camp David ?

BOUTROS BOUTROS-GHALI : La confiance régnait lors des échanges en tête-à-tête. Mais dès que nous réintégrions nos délégations respectives, nous ne pouvions plus nous permettre d'être aussi ouverts. Je me souviens d'une discussion privée particulièrement libre que j'eus avec Weizmann et lors de laquelle le climat de confiance nous avait permis de ne plus avancer masqués et d'aborder franchement toutes les questions qui nous opposaient, dont la sacro-sainte sécurité israélienne. Je fis valoir à Weizmann que cette obsession était parfaitement excessive, étant donné la disproportion des forces en présence : « *Après tout,* lui disais-je, *vous avez gagné la guerre de Suez et celle des Six Jours sans disposer ni de la Cisjordanie ni de Gaza dont vous faites état à tout propos.* » Weizmann a fini par admettre que les précautions israéliennes en matière sécuritaire étaient exagérées. Je lui expliquai aussi l'importance des liens économiques, stratégiques, politiques, culturels qui reliaient l'Égypte au monde arabe, et lui fis valoir que si nous ne parvenions pas à résoudre la question nationale palestinienne, l'Égypte se retrouverait totalement isolée de ses voisins, et que son régime risquait de s'affaiblir, ce qui fragiliserait la paix vers laquelle nous nous dirigions. Mais évidemment, cette franchise confiante, cette liberté de parole, n'avaient été possibles que parce qu'il s'agissait d'une conversation privée, en la seule présence de Brzezinski.

En revanche, lorsque la méfiance s'installe, les pourparlers se retrouvent bloqués. C'est ce qui m'est personnellement arrivé après Camp David, à Washington, lors des négociations qui ont abouti au traité de paix de mars 1979. J'avais trouvé Moshé Dayan particulièrement rigide. La tension était telle que je ne voulais plus discuter avec lui. C'est alors que Weizmann est intervenu avec sa bonne humeur pour nous réconcilier. Mais qui allait faire le premier pas ? Nous logions à l'Hôtel Madison, à deux étages différents. Moshé Dayan allait-il descendre me retrouver, ou allais-je, moi, devoir monter vers lui ? N'importe quel geste finissait par prendre une signification symbolique démesurée et absurde.

Par ailleurs, dans le cadre de négociations générales, nous avons affaire à divers niveaux de marchandage, éclatés entre plusieurs négociateurs qui, bien que dans le même camp, n'ont pas nécessairement les mêmes priorités. La mise en place d'une cohérence à l'intérieur d'un groupe de négociateurs s'avère donc parfois aussi difficile que la négociation avec l'adversaire. Et même, lors de discussions en tête-à-tête, votre liberté de mouvement sera très souvent entravée par les oppositions possibles de vos coéquipiers qui vous reprocheront d'avoir trop lâché, de n'être pas resté assez ferme, etc. Vous aurez beau vous défendre, expliquer que le climat de confiance permettait d'avancer dans la négociation au prix de quelques concessions réciproques, ils resteront persuadés que s'ils avaient été à votre place, ils s'en seraient mieux sortis. Très vite, la suspicion règne alors au sein de votre propre délégation. À quoi se mêlent des questions d'amour-propre. D'abord, on est toujours persuadé que l'on est meilleur négociateur que le collègue. Ensuite, il y a le principe du consensus que vous avez mis à mal : pourquoi a-t-il été rencontrer Untel tout seul ? De quel droit ? Parfois, pour compliquer les choses, Sadate ou Carter faisaient appeler l'un de nous. Alors les autres s'interrogeaient : « *Pourquoi lui ? Que va-t-on lui dire ?* » Et au retour les questions fusaient : « *Qu'est-ce qu'il t'a dit ? Pourquoi ne nous a-t-il pas appelés également ?* »

SHIMON PERES : Vous parlez des coéquipiers présents dans la délégation, mais il faut également tenir compte de votre camp de manière générale. L'un des grands problèmes quand vous êtes dans une négociation politique, c'est qu'en même temps que vous négociez avec votre ennemi, vous devez négocier – et parfois encore plus âprement – avec votre propre camp. Comme vous serez inévitablement amenés à consentir des concessions indispensables, mais non prévues, qu'il vous faudra ensuite « vendre » à vos amis, ceux-ci vous les reprocheront toujours en vous taxant de « *faible* » : « *Pourquoi avez-vous reculé ? Vous n'êtes plus sur vos positions de départ, etc.* » Et bien sûr, vous n'êtes plus sur positions de départ, puisque vous êtes parti pour négocier, et que « négocier » implique nécessairement des concessions et des renoncements.

Alors, pour en sortir, on en revient à cette notion kissingerienne d'« *ambiguïté constructive* ».

BOUTROS BOUTROS-GHALI : C'est ça, on se contentera de formules floues, permettant de remettre les problèmes à plus tard, en espérant que le temps aidant, les parties vont se rapprocher et que ce qui n'est pas acceptable aujourd'hui pourra l'être ultérieurement. Il va sans dire que les deux parties s'engagent consciemment et délibérément, et même en toute complicité, dans cette ambiguïté. Il y a deux manières de concevoir les négociations : il y a celle qui propose de se concentrer sur les questions sur lesquelles un accord est prévisible, et de remettre à plus tard les problèmes les plus difficiles ; et l'autre qui recommande, à l'inverse, de commencer par la partie la plus ardue, car tant que celle-ci ne sera pas résolue, aucun accord ne pourra être opératoire.

ANDRÉ VERSAILLE : Pendant votre séjour à Camp David, avez-vous parfois eu l'impression que le processus de paix allait échouer ?

BOUTROS BOUTROS-GHALI : Non, parce que j'avais la conviction que Sadate ne voulait ni ne pouvait reculer : il lui aurait été très difficile, après s'être tellement engagé, de rentrer au Caire sur un échec.

SHIMON PERES : Et de son côté, Begin était tenu, lui aussi, de réussir. Les deux hommes se devaient de rentrer chez eux avec un accord acceptable pour leurs camps respectifs. Remarquez que, d'une certaine façon, Begin était moins libre que Sadate : il devait tenir compte de son parti, de son idéologie, de son passé, de son électorat, de ses promesses, etc.

BOUTROS BOUTROS-GHALI : Ne sous-estimez pas les difficultés de Sadate. Il devait, lui aussi, tenir compte de multiples paramètres : son opinion publique, l'attitude hostile du monde arabe, l'opposition violente des Palestiniens, etc. Non, sa position n'avait vraiment rien de confortable.

ANDRÉ VERSAILLE : Après deux semaines de difficiles négociations à Camp David, des accords préliminaires sont signés à Washington en septembre 1978. Ils comportent deux parties. La première concerne le retrait des troupes israé-liennes du Sinaï ainsi qu'un projet de traité de paix entre Israël et l'Égypte : Israël se retirera progressivement de toute la péninsule du Sinaï d'ici 1982 et évacuera les colonies israéliennes qu'ils y ont implantées (celles de Yamit). La seconde prévoit la poursuite des négociations sur l'autonomie palestinienne (les « autonomy talks »).

Le Caire signe un accord de paix en échange de la restitution de la totalité du Sinaï. Les Égyptiens ont-ils finalement préféré signer une paix séparée plu-tôt que de faire échouer les négociations ?

BOUTROS BOUTROS-GHALI : Non, puisque, comme vous venez de le dire, nous avons bien signé deux accords, dont l'un concerne l'autonomie des Palesti-niens. Ce dernier accord était lié au premier par le fait qu'il devait avoir les mêmes signataires et que ses bases juridiques étaient communes et se fondaient sur la résolution 242 du Conseil de sécurité de l'ONU ; en outre les États-Unis se portaient garants de l'exécution des deux traités. Cela dit, ma crainte à ce moment-là, partagée par mes coéquipiers, était qu'Israël essaie d'enfermer l'Égypte dans un cadre bilatéral sans s'engager dans un projet de règlement de paix global dans la région.

ANDRÉ VERSAILLE : La séance de signature a lieu. Comment se passe-t-elle ?

BOUTROS BOUTROS-GHALI : Les hélicoptères nous transportent de Camp David à Washington, et de là nous sommes conduits à la Maison-Blanche en voiture. Mohammed Kamil, le ministre des Affaires étrangères, qui avait donné sa démission, refusera d'être présent à la cérémonie. Le bruit a même couru que l'ensemble de la délégation égyptienne avait démissionné en signe de protesta-tion. C'était faux, évidemment.

La séance se passe au premier étage de la Maison-Blanche. À la tribune, Carter, Begin et Sadate prononcent chacun une petite allocution, puis on pro-cède à la signature des documents, sous les applaudissements.

Je dois dire que le contraste d'humeur entre les trois délégations était patent : les Américains et les Israéliens étaient heureux, nous l'étions d'autant moins que la démission de Mohammed Kamil laissait entendre qu'il y avait une mésentente au sein de notre équipe. En réalité, certains d'entre nous (dont

Mohammed Kamil, précisément) pensaient qu'Israël étant en position de force, il eût été préférable d'attendre de nous renforcer pour négocier d'égal à égal. D'autant plus que le « refus arabe » face à Israël agissait comme un ciment de l'unité arabe. Dès lors, négocier dans le cadre d'une dissension arabe revenait à perdre à moitié la bataille avant même qu'elle ne commence.

Mais, comme je vous l'ai dit, Sadate pensait à l'inverse qu'en récupérant le Sinaï, l'Égypte deviendrait plus forte, ce qui lui permettrait, dans les futures négociations, de discuter à égalité avec Israël, donc de mieux défendre les intérêts de la cause arabe.

ANDRÉ VERSAILLE : La séance de Washington terminée, la délégation égyptienne fait un crochet par Rabat. Pourquoi ?

BOUTROS BOUTROS-GHALI : L'idée était qu'après Camp David, le roi Hassan II du Maroc et le roi Hussein de Jordanie recevraient Sadate à Rabat où ils manifesteraient leur soutien aux accords de Camp David. Mais le roi de Jordanie n'est pas venu. Ce sont les Anglais qui lui avaient déconseillé de se rendre au Maroc : « *L'opération est trop risquée pour vous, attendez de voir comment la situation va évoluer* », lui ont-ils dit. Et, bien sûr, l'absence de Hussein fut une vive déception pour Sadate. Deuxième déception, le refus d'Hassan II de publier un communiqué commun avec nous – donc de nous apporter clairement son soutien. En l'absence des Jordaniens, les Marocains ne voulaient pas se compromettre ; d'autant moins qu'ils nous reprochaient de n'avoir rien obtenu sur Jérusalem, ce qui n'était pas tout à fait exact puisque dans un *addendum* aux accords de Camp David, nous avions stipulé la position égyptienne concernant Jérusalem, d'ailleurs appuyée par les Américains.

En revanche, arrivé au Caire, Sadate est évidemment très bien accueilli : des milliers d'Égyptiens nous attendent à l'aéroport, et la presse parle de grande victoire. La population applaudit, car elle pense que cette paix va permettre au pays, plongé dans le marasme économique, de se redresser. Rappelons-nous que les trois villes du Canal, Port-Saïd, Ismaïlia et Suez, avaient été bombardées, ce qui avait provoqué l'exode intérieur d'un million d'habitants, laissant ces villes désertées. Mes compatriotes ont donc de cette paix une vision économique plus qu'idéologique : « *Nous allons enfin nous en sortir, et tant pis si les pays arabes nous boycottent. Et d'ailleurs, c'est nous la grande nation arabe, et tous ces pays qui protestent parce qu'ils ne comprennent rien, et qu'ils sont rétrogrades, finiront tôt ou tard par nous rejoindre et engager, eux aussi, un dialogue avec Israël.* »

ANDRÉ VERSAILLE : Pourtant Gamasy, le ministre égyptien de la Défense, se montre nettement moins optimiste. Il écrit dans ses *Mémoires* que cet accord avait « *affaibli la position arabe, à la fois sur le plan politique et militaire* » et qu'il « *plaça Israël dans une situation de supériorité stratégique, et lui laissa les mains libres pour engloutir, à brève échéance, le reste de la Palestine et pour s'étendre aux dépens de ses voisins arabes* ».

BOUTROS BOUTROS-GHALI : Il déclare cela dans ses *Mémoires* rédigés bien après les événements. Sur le moment même, l'opinion publique en général pensait pouvoir bientôt profiter des dividendes de la paix.

ANDRÉ VERSAILLE : Néanmoins, la perspective de cette paix, déjà considérée comme « séparée », se heurte à l'hostilité du monde arabe et du tiers-monde, mais aussi, de manière moins attendue, à la suspicion de plusieurs pays occidentaux.

BOUTROS BOUTROS-GHALI : À ce moment-là, ce n'est pas encore une paix séparée, puisque nous n'avons pas commencé à négocier le traité de paix final. Cela dit, je me souviens que Jean-François Poncet, secrétaire général de la Présidence française, m'avait dit : « *Si vous ne parvenez pas à conclure un accord concernant les Palestiniens avant de signer le traité de paix israélo-égyptien, soyez sûrs que par la suite vous ne pourrez plus rien obtenir en leur faveur de la part des Israéliens.* »

Il n'avait pas tort, même si cette position de la France est également due au fait qu'elle avait été, comme je vous l'ai dit, tenue à l'écart de cette négociation, à l'instar des autres pays européens. Et il est vrai que les Américains et les Israéliens ont eu à l'égard des Européens une attitude analogue à celle de Sadate envers les pays arabes : « *Ne les mêlons pas à ces négociations déjà compliquées, ils ne feraient que brouiller les cartes.* » Ce point de vue était en tout cas partagé par Sadate, Begin et Carter.

Les Américains, je le rappelle, pensaient pouvoir rallier assez facilement l'Arabie saoudite, et par elle, plusieurs pays arabes modérés. En quoi ils ont largement sous-estimé la détermination de l'opposition arabe. Je crois que décidément ni les Américains ni les Israéliens ne comprenaient l'état d'esprit et la mentalité arabes. Un exemple : les Israéliens (soutenus en cela par les Américains) voulaient que des relations diplomatiques soient instaurées le plus rapidement possible entre nos deux pays. J'avais beau tenter de leur expliquer qu'étant donné l'extrême sensibilité arabe sur cette question, il valait mieux faire les choses progressivement, y mettre le temps pour obtenir d'ici là un progrès sur le front palestinien, rien n'y faisait. Carter m'accusa même de compliquer les choses…

ANDRÉ VERSAILLE : De son côté, comment Begin est-il reçu en Israël ?

SHIMON PERES : À son retour de Camp David, Begin a reçu un accueil plutôt froid de la droite israélienne ainsi que d'une bonne part de ses partisans. Paradoxalement, il fut critiqué par une partie des siens et félicité par ses adversaires, notamment par les travaillistes. Mais la presse dans son ensemble l'a soutenu. On devait tout de même l'admirer pour avoir réussi à faire la paix avec notre premier et principal ennemi, et d'en payer le prix fort. Car si la très grande majorité des Israéliens était en faveur des accords de paix, la décision de démanteler les colonies de Yamit dans le Sinaï choqua nombre d'entre eux. À cela s'ajoutait la peur de voir tout de même le pays se réduire brusquement (la superficie du Sinaï est de plus du double de celle d'Israël) et perdre du coup la profondeur stratégique dont elle bénéficiait depuis juin 1967.

ANDRÉ VERSAILLE : Qu'est-ce qui fait que Begin, malgré son serment, finit par accepter la restitution du Sinaï et, surtout, le démantèlement de Yamit ? Brzezinski rapporte dans ses *Mémoires* qu'au cours d'une conversation privée, Begin lui aurait juré : « *Mon œil droit et ma main droite tomberont avant que je signe le démantèlement de la moindre colonie juive.* » On a parlé d'entretiens téléphoniques que le Premier ministre israélien aurait eus avec Ariel Sharon qui lui aurait promis de le soutenir dans ses concessions.

SHIMON PERES : D'une certaine façon, je crois que le Sinaï n'était pas aussi important pour Begin qu'il ne le déclarait : après tout, le Sinaï ne fait pas partie de la Terre promise. De ce point de vue, il n'a pas vraiment failli à ce qu'il considérait être sa mission historique. Pour ce qui est des implantations de Yamit, ce n'est pas Begin qui a décidé leur démantèlement. Comme il savait qu'il ne pourrait pas convaincre ses propres amis, il en a laissé la décision au Parlement. N'empêche, Begin a dû exercer tout son talent d'orateur pour faire passer « sa » paix. Ne vous y trompez pas : du côté israélien, le prix payé fut bien plus important que celui auquel les négociateurs s'attendaient. Sadate a été intransigeant sur la restitution de la totalité du Sinaï : pas un pouce de terre ne fut cédé. Un de nos écrivains, Yizhar Smilansky, pourtant en faveur de la paix avec l'Égypte, avait dit : « *Mais qu'au moins il renonce à un pour mille du territoire s'il veut prouver sa volonté de paix !* » Mais Sadate n'a renoncé à rien. Même les puits de pétrole ont été restitués, alors que nous avions peur de manquer de pétrole.

ANDRÉ VERSAILLE : Vous dites que les travaillistes ont soutenu Menahem Begin. Ils ne se sont pourtant pas privés de le critiquer. Vous-même, vous avez dénoncé la manière dont Begin avait conduit les négociations, prétendant qu'il aurait pu obtenir des conditions plus favorables pour Israël. Le pensiez-vous vraiment ou jouiez-vous simplement votre rôle de leader de l'opposition ? Vous avez notamment reproché à Begin d'avoir accepté le démantèlement de Yamit.

SHIMON PERES : Les choses se sont passées ainsi : il y avait une division dans le parti à propos de ces accords, et moi-même, je le reconnais, je répugnais à accepter le démantèlement de Yamit. Cependant, si le refus de ce démantèlement devait entraîner l'annulation de l'accord de paix, je me résolvais à la perte de Yamit. Alors, comme Begin n'avait pas de majorité, nous nous sommes rangés à ses côtés et avons voté en faveur du traité de paix, y compris son volet concernant Yamit.

André Versaille : Quelques mois plus tard, avec l'évacuation du Sinaï, Israël va raser complètement les villages de Yamit. Or, les Égyptiens avaient proposé de racheter l'ensemble pour cinquante millions de dollars. Les Israéliens ont refusé. Pourquoi ?

Shimon Peres : Nous nous étions dit : « *Si nous devons restituer Yamit, nous la rendrons comme elle était avant juin 1967.* » C'était une façon de protester contre le démantèlement de la colonie. Il faut le dire, nous avons fait une erreur. C'était une de ces décisions prises sans beaucoup de réflexion.

Mais toute l'histoire de la restitution de Yamit est incroyable. Pour convaincre les colons d'abandonner leur implantation, Begin leur avait envoyé les plus extrémistes de ses collaborateurs religieux, comme Rabbi Levinger, mais rien n'y fit : il s'agissait de colons véritablement fanatiques. Alors, devant cette résistance acharnée, l'armée est venue avec des cages actionnées par des grues avec lesquelles les habitants de Yamit ont été enlevés. C'était spectaculaire et terrible ! D'aucuns ont commencé à redouter une guerre civile…

André Versaille : Il y avait réellement un danger de guerre civile ?

Shimon Peres : Personnellement, je ne le pensais pas, mais certains Israéliens le craignaient vraiment. En tout cas, la possibilité d'une crise n'était certainement pas à exclure. Imaginez que dans les échauffourées cinq ou six colons aient été tués, ç'aurait été une tragédie qui aurait mis tout Israël en émoi. Un seul mort aurait entraîné une crise nationale, car la décision du démantèlement de Yamit fut tout de même très mal acceptée par une bonne partie de la population israélienne.

Qui aurait seulement imaginé qu'une troïka composée des hommes les plus opposés à tout retrait des territoires occupés, Begin, Sharon et Rafael Eitan (le chef de l'état-major), aurait procédé à l'évacuation puis à la destruction de cette implantation ? Même dans leurs cauchemars, aucun des trois n'aurait pensé devoir un jour procéder à cette « mauvaise action ». Personne ne l'aurait imaginé. Moi, moins que les autres. Je pensais : « *Impossible, jamais Begin ne consentira à une telle chose. Et Sharon ou Eitan, encore moins !* » Or, ils l'ont accompli. À trois. Ensemble. Ce sont de ces inattendus de l'Histoire…

Pourquoi s'y sont-ils résolus ? Sharon a sans doute voulu témoigner de sa loyauté envers Begin ; Eitan, lui, était un soldat qui mettait la discipline au-dessus de tout état d'âme. Begin ? Le rôle historique, peut-être… Car Begin a finalement accepté des compromis auxquels il n'aurait jamais imaginé consentir. Quelque intransigeant qu'il apparût, il a vraiment évolué de façon totalement imprévue. Une fois de plus, on a vu un homme venant de la droite finir par appliquer une politique de gauche, à son corps défendant.

Tant Sadate que Begin ont fait montre d'un vrai courage, parce que cette paix, ils l'ont faite en contradiction totale avec leurs convictions profondes, en dépit de leurs préjugés comme de leurs tabous, et surtout contre l'opinion publique d'une bonne partie de leurs camps respectifs.

ANDRÉ VERSAILLE : Dans cette paix, Carter a joué un rôle non négligeable. Weizmann fera l'éloge du président américain, déclarant qu'il était infatigable, travaillait vingt-quatre heures par jour et faisait preuve d'une « *incroyable opiniâtreté de bouledogue* », ainsi que d'une sérieuse connaissance de chaque question et de chaque litige.

SHIMON PERES : Carter a eu un rôle essentiel : d'une honnêteté impeccable et d'une rigoureuse impartialité, il tenait absolument à faire aboutir le processus de paix. De leur côté, les conseillers Aharon Barak et Oussama el-Baz ont, eux aussi, réalisé un travail très important. Néanmoins, si les accords de Camp David ont finalement été signés, c'est grâce à Sadate. Car en dépit de toutes ses déclarations, au dernier moment, Sadate a fait des compromis, sans lesquels l'ensemble des négociations aurait échoué. Malgré l'opinion et les pressions arabes, Sadate a eu le courage d'aller de l'avant et d'accomplir un acte historique.

BOUTROS BOUTROS-GHALI : C'est vrai, mais rappelons tout de même que les négociations ne se déroulaient pas sur une base égalitaire : les Israéliens occupaient les territoires que les Arabes ne pouvaient pas récupérer par la force. Tout le monde le savait bien. De plus, comme l'initiative venait de Sadate, les concessions ne pouvaient venir, elles aussi, que de lui.

ANDRÉ VERSAILLE : La question de la restitution du Sinaï étant réglée, restait le problème de l'autonomie palestinienne. Le deuxième volet des accords de Camp David, intitulé « *accord-cadre pour la paix* », prévoyait une future négociation sur l'« *autodétermination pour le peuple palestinien* ». À ce stade, que signifiait exactement cette « *autonomie* » pour les Israéliens ?

SHIMON PERES : Nous restions très circonspects quant à la définition de l'« autodétermination ». Pour une grande partie des Israéliens, ce mot était absolument inacceptable et l'admettre eût été proprement sacrilège !

Et plus tard, lorsque Begin avancera vers un compromis sur l'« autonomie » des Palestiniens, il s'agira d'une autonomie locale, religieuse, le territoire restant sous juridiction israélienne, car il tenait à ce que le contrôle des territoires demeure entre nos mains. Sa formule était : « *Oui à l'autonomie du peuple, non à l'autonomie du territoire.* » Ce n'était pas une position très sensée : les populations ne vivent pas dans les airs, comme dans les toiles de Chagall…

Cette question de l'autonomie palestinienne était devenue chez nous un véritable tabou. Ainsi, lorsque plus tard nous nous sommes retrouvés devant la question des cartes d'identité des Palestiniens, nous voulions qu'ils se contentent de laissez-passer, alors qu'ils tenaient à ce que ces documents portent la mention de *Passeport*. La négociation était bloquée. J'ai alors suggéré au Parlement que le document porte les deux mentions. Ce qui fut accepté, étant bien entendu que le mot *Laissez-passer* serait composé en grands caractères et *Passeport* en petits. Les pièces d'identités furent imprimées. Mais, contrairement à ce qui fut décidé, le mot *Passeport* était composé en grandes lettres grasses, et le mot *Laissez-passer* en petits caractères… Que pouvions-nous faire ? Aujourd'hui, j'en parle en riant, bien sûr, mais au moment même, cela m'avait paru grave.

De même en ce qui concerne l'expression de « *peuple palestinien* ». Absolument inacceptable ! Au point que Begin demandera à Carter que dans la version israélienne du traité, en hébreu, on parle de « *Palestiniens* » et non de « *peuple palestinien* ». Comme Carter n'a pas trouvé une très grande différence entre les deux termes, il ne s'y est pas opposé. C'est ce qui a permis à Begin de déclarer à la Knesset qu'il n'avait pas reconnu le « *peuple* » palestinien.

Avec le recul, on se rend évidemment compte que ce blocage était pour le moins exagéré.

ANDRÉ VERSAILLE : À cette époque, les travaillistes et vous-même, n'étiez toujours pas prêts à reconnaître les Palestiniens en tant que peuple et à accepter la création d'un État palestinien à côté d'Israël en Cisjordanie et à Gaza ?

SHIMON PERES : Nous étions en effet en faveur de l'« option jordanienne » dont je vous ai parlé. C'est-à-dire que nous étions prêts à négocier une « partition » de la souveraineté des territoires occupés, mais avec Amman. Nous n'entendions certainement pas entamer des pourparlers avec l'OLP que nous considérions toujours comme une organisation terroriste qui maintenait dans sa charte son projet de destruction d'Israël.

Il ne s'agissait donc pas de refuser de négocier le statut de la Cisjordanie et de la bande de Gaza, mais de savoir avec quel partenaire nous le ferions.

BOUTROS BOUTROS-GHALI : De notre côté, nous étions persuadés que si nos négociations sur l'autonomie progressaient et donnaient des résultats, les Palestiniens et les Jordaniens se joindraient au processus de paix. Sadate était convaincu que si la Jordanie obtenait, à travers les territoires de Gaza, un accès à la Méditerranée, elle ferait toutes les concessions pour trouver une solution fédérale ou confédérale qui donne satisfaction aux Palestiniens.

ANDRÉ VERSAILLE : Devant les difficultés soulevées par la question de l'autonomie palestinienne, on se tourne donc vers une nouvelle option.

BOUTROS BOUTROS-GHALI : Oui, c'est alors que j'ai voulu que l'on se mette d'accord sur l'option « *Gaza first* ». Je me souviens que Moshé Dayan m'avait dit que, s'il considérait toujours la discussion sur la Cisjordanie comme prématurée, il était, pour sa part, prêt à renoncer à Gaza – sans pour autant être sûr que son gouvernement et son opinion publique le suivent… Sadate s'est finalement laissé convaincre, ce qui ne fut pas une mince affaire, parce qu'il était plutôt préoccupé par sa propre option, « *Egypt first* ». Nous lui avions même proposé à ce moment-là de n'établir des rapports diplomatiques entre l'Égypte et Israël qu'après que Gaza fut devenue autonome et que les premières élections s'y furent déroulées. Mais Begin s'est opposé au principe de « *Gaza first* », arguant du fait que Gaza et la Cisjordanie étaient étroitement liées dans les accords de Camp David. On ne pouvait donc pas instaurer l'autonomie palestinienne en deux étapes. De l'autre côté, Arafat a également refusé cette option, craignant qu'en réglant le problème de Gaza on ne renvoie celui de la Cisjordanie aux calendes grecques. Devant ces deux refus, Sadate m'a dit : « *Boutros, vous ne voulez tout de même pas être plus royaliste que le roi ?* » Mais j'ai insisté en disant que nous, Égyptiens, nous étions responsables de Gaza, puisque nous avions occupé cette bande de territoire de 1948 à 1967. La seule façon de répondre aux attaques du monde arabe qui devenaient de plus en plus virulentes (même si Sadate faisait mine de les ignorer, nous les subissions continûment) était de régler la situation de Gaza.

Par ailleurs, toujours dans le souci de démontrer que l'Égypte restait préoccupée par la situation des Palestiniens, je me suis penché sur le sort des familles divisées de part et d'autre des lignes d'armistice. C'est pour cela que bien après les accords de Camp David j'ai demandé à Itzhak Rabin de nous aider : « *Si nous voulons avoir de meilleures relations entre nos deux pays, aidez-moi à montrer à ma propre opinion publique que nous, les Égyptiens, nous nous préoccupons des Palestiniens. Par exemple, permettez à notre ambassade d'intervenir pour réunir les familles, et accordez-nous les autorisations nécessaires pour ces regroupements familiaux. Si nous montrons que nous pouvons être efficaces au bénéfice des Palestiniens, cela se saura, et de plus en plus de Palestiniens nous feront confiance et finiront par reconnaître que notre initiative de paix est une bonne chose pour eux aussi. Aidez-nous à jouer ce rôle. Cela ne manquera pas de faciliter la normalisation entre nos deux pays.* » Il m'a répondu : « *M. Boutros-Ghali, vous ne pourrez jamais rivaliser avec le roi Hussein qui dépense 37 millions de dollars par an, ni avec Arafat qui dépense 32 ou 42 millions de dollars par an.* » Je ne suis pas sûr de l'exactitude des chiffres que je rapporte. Peu importe, c'est leur valeur symbolique et la franchise de la réponse de Rabin qui m'ont marqué.

André Versaille : Qu'est-ce qui fait que la Jordanie avait la capacité d'aider les Palestiniens, et non l'Égypte ?

Shimon Peres : Parce que les Palestiniens de Cisjordanie restaient officiellement des citoyens jordaniens. Donc Hussein a continué à payer les salaires des professeurs et des fonctionnaires jordaniens de Cisjordanie après 1967. C'était une façon de continuer à soutenir les Palestiniens et de se conserver leur loyauté. Or, l'Égypte, comme l'a rappelé Boutros, n'avait pas accordé la citoyenneté aux Palestiniens de la bande de Gaza.

Si après la paix de Camp David, nous avons refusé à l'Égypte de jouer un rôle dans ces affaires de regroupement familial, c'est parce que nous étions convaincus qu'une fois la porte ouverte aux Palestiniens pour rejoindre leur famille, le flot serait intarissable ; et que le jour où nous refuserions l'entrée à un tel ou un tel, nous risquions de provoquer une crise avec Le Caire.

Toujours dans le cadre de l'option jordanienne, nous espérions que Hussein administre Gaza. Ainsi la Jordanie bénéficierait-elle d'une ouverture sur la mer. Les Gazaouites se seraient vu accorder la citoyenneté jordanienne, eux qui jusque-là ne possédaient pas de passeports et ne pouvaient donc pas se déplacer. Des initiatives ont été prises en ce sens, puisque Amman a tout de même accordé quelque 35 000 passeports à des Gazaouites, ce qui leur a permis de se déplacer et de trouver du travail dans des pays arabes où les salaires étaient bien plus élevés qu'à Gaza. Cette politique fut initiée dans le but d'offrir aux Palestiniens de Gaza une situation analogue à celle des Palestiniens de Cisjordanie.

Cela dit, ce ne fut pas un très grand succès. Hussein lui-même a dû opérer un choix entre les Palestiniens candidats à la citoyenneté jordanienne, ce qui provoqua des tensions à Gaza.

André Versaille : Pendant que les discussions sur l'autonomie palestinienne se poursuivent, Begin autorise une nouvelle expansion des colonies existantes en Cisjordanie (Begin avait marqué son accord prévoyant la suspension d'établissement de nouvelles colonies mais non l'interdiction d'agrandir celles qui existaient déjà). Ces extensions irritent Carter. Il écrit à Begin, le 26 octobre 1978 : « *Au moment où nous essayons d'organiser des négociations sur la Cisjordanie et Gaza, aucune mesure du gouvernement israélien ne pouvait s'avérer plus préjudiciable. Je suis au regret de vous annoncer que cette décision, à cet instant précis, aura les conséquences les plus fâcheuses sur nos relations.* »

Boutros Boutros-Ghali : Et bien sûr, les menaces du président Carter resteront sans lendemain… En accélérant le processus d'implantation des colonies en Cisjordanie, Begin cherchait en réalité à créer une situation du « fait accompli » difficilement réversible.

SHIMON PERES : En fait, il y avait une telle levée de boucliers de la part des autres États arabes contre ces négociations que Begin ne croyait pas du tout que Sadate pouvait parler au nom de tous les Arabes, et encore moins agir globalement à leur place. Sadate pensait pouvoir faire évoluer Begin sur le statut final de Jérusalem, sur la question du démantèlement des colonies, et enfin sur l'autodétermination des Palestiniens et leur droit de participer aux négociations concernant leur avenir. Mais il se heurtait à la vision de Begin selon laquelle il n'y avait pas de peuple palestinien. Depuis le début, Begin était entré en négociation avec Sadate, non pas pour conclure une paix générale avec les Arabes, mais pour faire la paix avec l'Égypte. Comme je l'ai dit, il se montrera donc plutôt souple sur la restitution du Sinaï mais intransigeant sur la Cisjordanie, cette Judée et cette Samarie qu'il regardait, elles, comme sacrées, et dont d'ailleurs il ne voyait pas en quoi les colonies qui y étaient implantées concernaient l'Égypte.

BOUTROS BOUTROS-GHALI : Depuis les négociations de Camp David, nous disions aux Israéliens : « *Comment voulez-vous donner l'espoir aux Palestiniens de trouver une solution à leurs problèmes si chaque jour vous installez une nouvelle colonie de peuplement ? Vous ne pouvez pas en même temps prétendre vouloir résoudre les problèmes des Palestiniens et nous placer quotidiennement devant un fait accompli.* » En guise de réponse, nous nous voyions opposer toute une série d'arguties du genre : « *Nous n'avons pas bâti une nouvelle colonie, nous avons agrandi l'ancienne* », etc. Et l'effet en est désastreux. Que pendant l'état de guerre entre les Arabes et Israël vous construisiez vos implantations, soit. Mais que vous poursuiviez la colonisation des territoires au moment même où nous sommes en train de négocier une paix et l'avenir de la Cisjordanie et de Gaza, vous comme nous perdions toute crédibilité aux yeux des Arabes, et en particulier des Palestiniens.

Les gouvernements arabes nous disaient que les Israéliens n'abandonneraient jamais les territoires occupés ; que nous perdions notre temps ; qu'il fallait plutôt nous préparer à une nouvelle confrontation. Et comme les « *autonomy talks* » ne débouchaient sur rien de concret, les critiques redoublaient : « *Comment, vous retournez à Tel-Aviv discuter ? Quoi, vos amis israéliens vont encore venir à Alexandrie ? Mais enfin, vous n'avez pas le sens commun ! Et vous prétendez parler au nom des Palestiniens, alors qu'ils ne vous ont jamais mandatés. De qui vous moquez-vous ? À moins que vous ayez une arrière-pensée : faire de la surenchère palestinienne pour vous assurer que les Israéliens à tout le moins se retireront vraiment du Sinaï.* »

Je leur répondais : « *Messieurs, Dayan disait qu'il préférait la guerre avec Charm el-Cheikh que la paix sans Charm el-Cheikh ; Weizmann prétendait ne jamais lâcher les aérodromes militaires du Sinaï ; Begin déclarait avoir l'intention de terminer ses jours à Yamit ; etc., et pourtant nous avons obtenu le retrait complet du Sinaï. Ne préjugez donc pas des positions futures, à partir de déclarations politiques à usage interne. Laissez-nous notre chance ! Sinon, proposez vous-même une alternative plus constructive.* »

J'ajoutais que contrairement à ce qu'ils croyaient, nous étions en contact avec des Palestiniens qui ne manqueraient pas de venir nous rejoindre dès que nous aurions avancé. Ceci était très exagéré, les relations que nous pouvions avoir avec les Palestiniens étant des plus ténues. Bref, nous étions dans l'inconfort total.

Ma crainte, pendant les « *autonomy talks* », était que Begin ne s'oppose de toute façon à quelque autonomie politique que ce soit. Il refusait catégoriquement de renoncer au contrôle militaire de la Cisjordanie et de Gaza et maintenait le principe d'une Jérusalem unie, « *capitale éternelle d'Israël* ». Bref, il m'apparaissait de plus en plus évident que, de toute façon, les Israéliens ne souhaitaient qu'une chose : gagner du temps à propos du problème palestinien afin de parvenir à signer une paix séparée avec l'Égypte.

Pour justifier cette position, les Israéliens avaient beau jeu de nous rappeler le refus palestinien. Dayan m'avait déclaré : « *Comment l'Égypte peut-elle avoir des exigences en faveur des Palestiniens, alors que ceux-ci non seulement refusent de négocier avec Israël, mais refusent même de soutenir l'Égypte dans le cadre de Camp David ?* » Il avait bien sûr raison, mais je voulais de toutes mes forces faire progresser les négociations sur l'autonomie et obtenir des résultats pour les Palestiniens, afin de leur inspirer un début de confiance, ainsi qu'aux Arabes en général, pour qu'ils viennent nous rejoindre dans le processus de paix. Mais j'avais la désagréable impression que le radicalisme arabe avait rejoint le radicalisme israélien dans le même « front du refus »...

André Versaille : Peu avant la signature du traité de paix, Sadate et Begin se voient attribuer le prix Nobel de la paix.

Boutros Boutros-Ghali : Sadate ne s'est pas rendu à Stockholm, il s'est fait représenter par le président de l'Assemblée du peuple, Saïd Mareï. Dans son esprit, le voyage à Jérusalem, point de départ de la paix, relevait de sa seule initiative, et il ne semblait pas accepter que Begin fût mis sur le même pied que lui.

Shimon Peres : Lorsque j'ai personnellement annoncé la nouvelle à Golda Meir, elle m'a regardé, puis, après un moment : « *Le prix Nobel de la paix à Begin ? Mais voyons, c'est un Oscar qu'on aurait dû lui décerner...* »

André Versaille : Arrive le 26 mars 1979 : la cérémonie officielle de la signature du traité de paix entre Israël et l'Égypte se déroule à la Maison-Blanche.

BOUTROS BOUTROS-GHALI : Oui, j'étais assis à côté de Kissinger qui se comportait comme s'il était témoin à un mariage. Quelques années plus tard, l'ambassadeur américain au Caire m'a raconté que Kissinger lui avait dit ce jour-là : « *Pourquoi diable Sadate a-t-il signé ce traité ? J'aurais pu lui obtenir beaucoup plus...* »

Bizarrement, je ne me sentais pas tout à fait partie prenante de cette cérémonie. Comme si j'étais plus spectateur qu'acteur. Et pendant que se signait le traité, on entendait dehors des manifestations très hostiles à l'accord de paix : « *Vous avez abandonné les Arabes ! Vous avez abandonné les Palestiniens !* » Cela m'a fait mal. Comment cela fut-il ressenti par Sadate ? Je l'ignore.

Le soir eut lieu à la Maison-Blanche un grand banquet. J'étais placé parmi des dirigeants de la communauté juive américaine qui ne cessaient de me déclarer combien ils étaient heureux de cette paix. Mais j'étais trop épuisé émotionnellement pour partager, même un peu, leur euphorie.

ANDRÉ VERSAILLE : La délégation égyptienne rentre au Caire où l'Assemblée du peuple va débattre du traité de paix.

BOUTROS BOUTROS-GHALI : Oui, bien des parlementaires y allèrent de leur discours, élogieux ou critique : ce traité ne violait-il pas les obligations que nous avions contractées envers les autres membres de la Ligue arabe, notamment la résolution 292 qui stipulait qu'aucun État membre ne pouvait négocier une paix séparée avec Israël ? Ne mettait-il pas en danger les expatriés égyptiens travaillant dans les pays arabes ? N'augmentait-il pas les risques de conflits armés entre Israël et nos voisins arabes ? N'entraînerait-il pas la suspension des aides économiques arabes à l'Égypte ? Interdire la propagande anti-israélienne, cela impliquait-il la censure de certains versets du Coran faisant allusion aux Juifs ? Enfin, le traité n'ouvrait-il pas la voie à l'hégémonie américaine en Égypte et dans toute la région ?

ANDRÉ VERSAILLE : Ce traité de paix était-il compatible avec les traités précédemment passés avec certains pays arabes et avec la Ligue arabe ?

BOUTROS BOUTROS-GHALI : C'est tout le problème de la compatibilité des traités. En principe, le dernier traité subordonne les traités précédents. Il ne subordonne pas, cependant, des droits inaliénables comme celui de la légitime défense. Dès lors, l'accord arabe de sécurité collective basé sur le droit de légitime défense collective prévaut dans le cas d'une éventuelle attaque d'Israël. Comme nous le verrons, cependant, la guerre du Liban échappera à cette règle, car elle ne sera pas considérée comme une guerre à proprement parler, mais comme une série de mesures de représailles. Tant il est vrai que, sauf erreur de ma part, la Ligue arabe ne s'est pas réunie à cette occasion.

Personnellement, j'estimais, tout compte fait, que l'Égypte avait consacré suffisamment d'énergie, de vies humaines et d'argent aux États arabes en général et à la cause palestinienne en particulier et qu'il était temps qu'elle pense à elle-même. Je me rangeai à l'option *Egypt first* de Sadate, convaincu que les partisans du front du refus finiraient bien par prendre conscience de leur erreur et reconnaître que le dialogue avec Israël était finalement la seule possibilité de résoudre cette situation inextricable et meurtrière.

Au terme des débats qui se sont déroulés à l'Assemblée, le traité de paix fut approuvé par 329 voix contre 15 et 1 abstention. Alors l'Assemblée fut prise d'une sorte d'hystérie collective. La cantatrice Fayda Kamil, membre du Parlement, monta sur un siège et cria : « *Vive Sadate ! Vive l'Égypte !* », paroles que les membres de l'Assemblée reprirent en chœur. Puis elle se mit à chanter : *Mon pays, mon pays, mon pays, mon amour et mon cœur sont à toi !*, chant patriotique considéré presque à l'égal de l'hymne national. Le chant fut alors entonné par l'ensemble des députés dans un climat chargé d'émotion. Quelques jours plus tard, Sadate décréta que *Mon pays, mon pays...* serait désormais l'hymne national égyptien.

Cependant, le raïs estimait que l'approbation du traité par l'Assemblée du peuple ne suffisait pas. Il voulait que la population l'approuve par référendum, afin que l'opposition voie bien que le peuple égyptien était favorable au traité – ce qui ne manquerait pas, de surcroît, de rassurer les Israéliens sur la volonté de paix de l'Égypte.

Le jour du référendum, le 19 avril, je m'étais mêlé à la foule d'électeurs qui semblaient particulièrement heureux. Je voulus interroger plusieurs d'entre eux. Certains, dont les fils étaient morts au combat, me disaient leur soulagement parce qu'il n'y aurait plus de guerre ; d'autres m'assuraient que les Américains allaient construire des usines en Égypte, ce qui allait donner du travail à tout le monde ; d'autres encore étaient satisfaits parce qu'ils estimaient que l'Égypte s'était suffisamment battue pour les autres pays arabes qui, eux, ne faisaient rien pour elle, etc. Au moment où nous étions boycottés, et alors que l'exclusion et l'isolement diplomatique venant de pays frères blessaient notre amour-propre, ces déclarations qui montraient que le peuple égyptien se sentait solidaire de notre initiative m'avaient, je l'avoue, rendu très heureux. Au moins le peuple était-il en phase avec nous.

Pour la première fois, je compris le sentiment de solitude que devaient éprouver les Israéliens si radicalement exclus d'une partie de la communauté internationale...

André Versaille : Comment vont alors se dérouler les rapports entre l'Égypte et les États arabes ?

BOUTROS BOUTROS-GHALI : L'Égypte a toujours été adulée par le monde arabe dont elle était le chef de file. Or, du jour au lendemain, elle sera boycottée non seulement dans le monde arabe mais aussi dans le monde musulman, chez les Africains, chez les non-alignés. Sa situation diplomatique deviendra très difficile : on l'exclura de la Ligue arabe (qui fut créée, je le rappelle, au Caire), on lui refuse l'accès à la Conférence islamique, on menace de l'exclure de l'Organisation de l'Unité africaine et du mouvement des non-alignés... Bref, pour les diplomates égyptiens, cette situation était particulièrement pénible. Dès que j'entrais dans la salle d'une conférence internationale, tous les délégués arabes se levaient et quittaient la pièce. Personne ne me parlait plus. Je me rappelle que déjà lors de la conférence de la Ligue arabe qui eut lieu en janvier 1979 au Koweït, donc avant la signature du traité de paix, le ministre irakien des Affaires étrangères qui s'était retrouvé en même temps que moi aux toilettes m'a salué très gentiment, mais en cachette, avant de sortir précipitamment de peur qu'on ne le surprenne en train de me parler...

ANDRÉ VERSAILLE : Si la paix signée avec Israël va entraîner le boycott de l'Égypte par le monde arabe, Le Caire va pouvoir soulager son budget militaire. Suite à la signature du traité, les Israéliens et les Égyptiens obtiennent, en effet, des aides économiques américaines non négligeables : l'Égypte se voit allouer 1,5 milliard de dollars et Israël 3 milliards de dollars (dont 800 millions sous forme de subventions et le reste en prêt). Finalement, cette paix a été bénéfique à l'Égypte, non ?

BOUTROS BOUTROS-GHALI : Très bénéfique, puisque l'Égypte a récupéré le Sinaï, ses puits de pétrole, et obtenu une aide américaine annuelle d'environ 3 milliards de dollars. Cela dit, je ne suis pas sûr de l'exactitude de ce chiffre. Le général Kamal Hassan Ali aurait évalué l'aide accordée par les États-Unis à l'Égypte entre 1978 et 1982 à 6,6 milliards de dollars et par la suite entre 1,5 et 2 milliards de dollars chaque année. Face à cela, le boycott économique par le monde arabe ne pèse pas tellement lourd, d'autant que, contrairement à ce qu'ils s'étaient promis de faire, les pays arabes n'ont pas pu ou n'ont pas voulu renvoyer massivement la main-d'œuvre égyptienne qui travaillait chez eux. L'Égypte n'a donc pas perdu les devises que ses expatriés envoyaient à leurs familles, et qui se montaient à deux ou trois milliards de dollars selon les années. Sans compter que, malgré toutes les diatribes proférées par les gouvernements arabes contre nous, nos exportations en Irak, leader du front du refus, n'ont jamais cessé. Elles vont même augmenter grâce aux ventes d'armes pendant la guerre irano-irakienne...

Et puis, avec le temps, l'isolement diplomatique de l'Égypte va progressivement s'affaiblir et Le Caire finira par retrouver son rôle de chef de file de la famille des États arabes.

Cela dit, et sans sous-estimer, évidemment, l'importance de l'aide financière américaine, le véritable dividende de la paix pour l'Égypte, c'est qu'elle allait cesser d'être obsédée par la confrontation militaire et politique avec Israël et pouvoir se consacrer aux véritables problèmes de la nation : l'explosion démographique, la réforme administrative, le problème de l'eau, les rapports de l'Égypte avec les pays du Bassin du Nil, etc.

André Versaille : Retournons en Israël : au début de 1981, la campagne électorale s'y déroule. Comment la suit-on en Égypte ?

Boutros Boutros-Ghali : Nous, l'entourage de Sadate, nous étions en faveur de la victoire des travaillistes. En revanche, Sadate, lui, ne faisait aucune confiance aux travaillistes. Il croyait en Begin et surtout en Ezer Weizmann qui lui avait dit que le cabinet allait finalement renoncer à la Cisjordanie et à la bande de Gaza, et que, dans le cas contraire, il présenterait sa démission (ce qu'il fera d'ailleurs).

Je disais à Sadate : « *Mais, Monsieur le Président, pourquoi n'établissez-vous pas également des relations avec l'opposition travailliste dont les positions nous sont beaucoup plus favorables ?* » Et il me répondait qu'il préférait continuer à travailler avec Begin : « *Vous verrez,* me répétait-il, *il évacuera les territoires palestiniens occupés.* » Cette conviction s'appuyait sur le fait que Begin, étant considéré comme un extrémiste, il lui serait d'autant plus facile de faire des concessions. De plus, comme Sadate était un président autoritaire, il se méfiait de l'opposition. Je me rappelle qu'à l'époque où Mitterrand n'était pas encore au pouvoir, celui-ci m'avait fait part de son souhait de rencontrer Sadate. Rentré au Caire, j'en informai le raïs, mais il refusa catégoriquement l'idée de recevoir le chef de l'opposition française. « *Mais pourquoi donc, Monsieur le Président ? Rien ne dit que Mitterrand ne sera pas demain le nouveau président de la République. – Parce que je ne veux pas fâcher le président Giscard d'Estaing.* » Je lui répondis qu'en France, comme en Israël, ce n'était pas comme chez nous : personne ne prendrait ombrage du fait qu'il rencontre le chef de l'opposition. Sadate mit fin à la conversation en me disant : « *La politique égyptienne se fait ici. Pas en France. Ni en Israël.* »

André Versaille : Et c'est le Likoud qui gagne les élections.

Boutros Boutros-Ghali : Oui, et l'ensemble du nouveau cabinet Begin, plus à droite que le précédent, dont fait partie Ariel Sharon et d'autres radicaux, sera reçu en grande pompe par Sadate qui a organisé lui-même la réception…

André Versaille : Finalement cette paix sera bien une « paix séparée ». Selon vous, Boutros Boutros-Ghali, cette idée de paix séparée, le raïs l'avait-il envisagée au début de son initiative ?

Boutros Boutros-Ghali : Je peux bien sûr me tromper, mais franchement je ne crois pas du tout que Sadate ait envisagé au départ une quelconque paix séparée. Non, il estimait au contraire qu'étant à la tête du plus grand pays arabe, il avait une responsabilité envers le peuple palestinien et qu'il était très bien placé pour parler efficacement en sa faveur. Encore une fois, Sadate espérait mettre en marche un processus qui aurait commencé par l'instauration d'une autonomie pour se terminer par l'établissement d'un État palestinien. Il espérait même pouvoir rapprocher les Syriens des Israéliens et jouer un rôle dans l'éventuelle négociation entre les deux pays.

André Versaille : Mais il n'en aura pas l'occasion : le 6 octobre 1981, Sadate est assassiné lors d'un défilé militaire.

Boutros Boutros-Ghali : Depuis 1974, à la date du 6 octobre, un grand défilé militaire commémore la percée, en 1973, de la ligne Bar-Lev sur le front du Sinaï. Au fil du temps, c'était devenu la principale fête patriotique égyptienne.

Je profitais, chaque année, de cette cérémonie pour prendre quelques jours de repos. En octobre 1981, je partis avec ma femme voir des amis à Alexandrie. Ces amis étaient très critiques à l'égard de Sadate et de la politique gouverne-mentale. Ils me disaient que le régime était en perte de vitesse, que Sadate avait perdu à la fois sa popularité et sa crédibilité, qu'il semblait devenir chaque jour un peu plus autocrate, etc. Ils déploraient son enfermement dans une tour d'ivoire, et, à l'instar de l'ensemble du gouvernement, sa perte de tout contact avec la réalité du pays.

Le lendemain de la célébration, des rumeurs font état d'incidents graves pendant le défilé, mais la radio égyptienne n'annonce rien de précis. Cependant, des agents de la sécurité viennent me trouver et m'expliquent que ma présence est requise au Caire. Je pars, et une fois arrivé, j'apprends que le président Sadate a succombé à l'hôpital.

J'étais bouleversé. Je me rappelais le jour où, lors de notre voyage à Jérusa-lem, nous étions allés prier à la mosquée al-Aqsa, et de la crainte qui m'avait traversé l'esprit à ce moment-là. Quatre ans plus tard, l'assassinat redouté s'était produit, et Sadate ne verrait pas le retour du Sinaï à l'Égypte pour lequel il s'était tant battu… (À cette date, les Israéliens n'avaient pas encore évacué la totalité de la péninsule.) Je pensais également à mon grand-père…

J'allai voir le général Kamal Hassan Ali (ancien chef des services spéciaux, devenu ensuite ministre de la Guerre, puis des Affaires étrangères) pour m'in-former de ce qui s'était passé. Il s'agissait, m'expliqua-t-il, d'une véritable tentative de coup d'État : « *Vous avez de la chance de ne pas avoir été pré-sent pendant le défilé : il y a eu de nombreux tués et blessés dans la tribune présidentielle.* » Puis il me rassura quant à la loyauté de l'armée : elle n'était pas infiltrée par les fondamentalistes, « *pas plus que par les communistes* ». Il ajouta qu'on avait trouvé une liste de personnalités à abattre : le premier sur la liste, c'était moi ; le deuxième, c'était lui...

Sadate, qui faisait de plus en plus souvent l'objet de violentes attaques de fondamentalistes musulmans lors de leurs prêches du vendredi à la mosquée, avait été assassiné par des intégristes très hostiles à son régime et à lui-même : ils lui reprochaient de les persécuter, d'être inféodés à l'Amérique et d'avoir conclu la paix avec Israël.

Inutile de vous dire que l'assassinat produisit un très grand choc dans la population égyptienne.

Shimon Peres : Ce fut, bien sûr, également un choc énorme en Israël, et beaucoup d'Israéliens se sentaient en deuil comme s'il s'était agi d'un assassinat aussi grave que celui d'un grand dirigeant israélien. Car pour nous, Sadate était resté l'homme qui avait montré que l'Égypte, notre plus implacable ennemi, pouvait nous proposer la paix. Aucun chef d'État arabe n'avait autant avancé vers nous.

Boutros a rappelé l'espoir suscité en Égypte par l'accord de paix, et les attentes de la population ; eh bien, du côté israélien, je peux vous dire que les attentes étaient tout aussi considérables, sinon plus. Avec la signature du traité de paix, un vent d'optimisme avait soufflé et plein de choses semblaient possibles, car il pouvait s'agir là d'un premier pas vers une paix globale, prélude à une nouvelle situation géopolitique et économique du Moyen-Orient.

La nouvelle de l'assassinat produisit également une grande émotion aux États-Unis et en Europe : d'une certaine manière, Sadate était devenu le chéri de l'Occident.

Boutros Boutros-Ghali : Vous avez raison, Sadate était devenu bien plus populaire en Israël, aux États-Unis et en Europe que dans le monde arabe. Ses funérailles vont d'ailleurs rassembler toute l'élite politique européenne et occidentale : un nombre impressionnant de têtes couronnées et de dirigeants en provenance de tous les pays occidentaux seront présents ; les États-Unis avaient envoyé trois présidents, Nixon, Ford et Carter, et Israël, une importante délégation composée de Menahem Begin, Yosef Burg, etc. Par contre, pas un seul chef d'État arabe, pas un seul chef d'État musulman n'a assisté à cette cérémonie...

Certains ont voulu faire croire à l'impopularité de Sadate en comparant son enterrement, où la population était absente, à celui de Nasser, qui avait attiré une foule énorme. C'est de la mauvaise foi ou de l'incompétence de la part des journalistes. En réalité, on avait menacé de mort tous ceux qui assisteraient à l'enterrement. Par mesure de sécurité, on avait donc évacué tous les immeubles situés sur le trajet du cortège funèbre, et seuls les invités officiels avaient eu le droit d'assister à l'enterrement. D'où le sentiment de vide qui se dégageait de cette cérémonie et qui a fait croire à la presse internationale que le peuple égyptien était indifférent à l'assassinat de Sadate.

ANDRÉ VERSAILLE : En Israël, à la nouvelle de l'assassinat, des voix de l'extrême droite demandent l'annulation du traité de paix.

SHIMON PERES : Ces voix s'étaient déjà exprimées bien avant l'assassinat : « *Quelle solidité peut avoir une paix basée sur la seule volonté d'un dirigeant isolé, et qui demain sera peut-être assassiné ?* », avait déjà été l'argument des extrémistes de droite pendant les négociations. Les mêmes se sont donc à nouveau fait entendre, mais ils ont été peu pris en considération.

BOUTROS BOUTROS-GHALI : Du côté israélien, je pense que cet assassinat a tout de même provoqué une crise puisque tout le monde considérait que cette paix était celle d'un chef d'État isolé. Ce que l'on sait moins, c'est qu'à la crainte des Israéliens répondait une crainte égyptienne analogue. Pour les Israéliens, cette paix que nous avions eu tant de mal à bâtir était l'œuvre de Sadate, bien plus que celle de l'Égypte. Beaucoup craignaient donc qu'elle ne soit bientôt remise en question par le nouveau raïs. À présent que Sadate avait disparu, les Israéliens n'allaient-ils pas remettre le traité en cause ? Allaient-ils poursuivre leur évacuation du Sinaï ?

C'est pourquoi j'ai passé six mois très durs à essayer de convaincre les Israéliens (mais aussi des centaines de dirigeants d'organisations juives de toutes les parties du monde) que c'était la même équipe gouvernementale qui restait en place ; que Moubarak était pleinement engagé dans le processus de paix, tout autant que l'avait été Sadate ; que moi-même, j'étais toujours en poste au ministère des Affaires étrangères, que je n'avais pas changé et que, par conséquent, il n'y avait aucune raison d'imaginer que l'Égypte puisse revenir sur la paix avec Israël.

Il ne s'agissait pas de convaincre uniquement les Israéliens et le monde juif, mais également l'opinion publique occidentale et arabe. Car évidemment, les Arabes espéraient que, Sadate assassiné, l'Égypte allait réintégrer le giron arabe. De même les fondamentalistes égyptiens estimaient que l'Égypte ne pouvait plus persévérer dans cette voie funeste. Ce fut une opération de communication internationale vraiment difficile.

ANDRÉ VERSAILLE : Vous avez également rencontré des centaines de dirigeants d'organisations juives, dites-vous ? Pourquoi ?

BOUTROS BOUTROS-GHALI : Parce qu'en Égypte, nous pensions que le pouvoir israélien était bicéphale, partagé entre le gouvernement et les dirigeants des grandes organisations juives de la diaspora. Bien sûr, par la suite nous sommes revenus de notre erreur et avons compris que le pouvoir israélien était, comme dans tous les pays, aux seules mains du gouvernement et que la diaspora juive n'était qu'un relais au service d'une meilleure communication de la diplomatie de Tel-Aviv.

ANDRÉ VERSAILLE : Vous-même, vous étiez convaincu que l'Égypte allait poursuivre la politique de Sadate ?

BOUTROS BOUTROS-GHALI : Absolument. Je n'avais aucun doute là-dessus. Bien sûr, la question se serait posée si le coup d'État avait réussi.

ANDRÉ VERSAILLE : Et vous, Shimon Peres, avez-vous eu peur que l'assassinat de Sadate ne remette en cause le traité de paix avec l'Égypte ?

SHIMON PERES : Je n'ignorais pas, bien sûr, que certains politiciens égyptiens importants n'admettaient toujours pas cette paix : je pense notamment à Ismaïl Fahmi, très véhément à ce propos. Mais j'avais confiance parce qu'en Histoire politique, le mûrissement des choses assoit et affermit les nouvelles situations. Et nous étions parvenus, Égyptiens et Israéliens, à un degré de maturité qui nous interdisait tout retour en arrière. Quelle que pût être la rhétorique, nous savions, eux comme nous, qu'une nouvelle guerre aurait été désastreuse – et surtout n'aurait rien résolu.

Il va de soi que l'accord conclu est très différent de celui que chacune des parties imaginait signer au départ des négociations. Il n'empêche que telle quelle, cette paix, même séparée, même imparfaite, valait mieux que la poursuite d'une guerre, même larvée. Il me semble évident que, sans cette paix, la guerre aurait pu recommencer avec son interminable cortège de morts et de souffrances.

ANDRÉ VERSAILLE : Pour autant, la paix israélo-égyptienne est restée une « paix froide ».

BOUTROS BOUTROS-GHALI : C'est vrai. À titre personnel, j'avais cherché à améliorer cette situation. Je me suis dépensé pour essayer de construire des passerelles entre l'Égypte et Israël. C'est pourquoi j'avais demandé à Moshé Dayan de m'aider à monter un centre culturel égyptien à Tel-Aviv et je me suis arrangé pour qu'un centre israélien soit monté au Caire. Le centre israélien a été créé et fonctionne jusqu'à aujourd'hui, par contre nous avons été incapables de monter le centre égyptien à Tel-Aviv. Pourquoi ? Incompétence ? Absence de réelle volonté ? Conflit entre les services ? Je l'ignore.

ANDRÉ VERSAILLE : Il ne s'agit pas seulement d'une « paix froide » : les Égyptiens boycottent Israël. Car si beaucoup d'Israéliens se rendent en Égypte, on ne voit que très peu de touristes égyptiens en Israël.

Boutros Boutros-Ghali : C'est un des reproches que m'adressaient régulièrement les responsables et les journalistes israéliens. Ce à quoi je leur répondais que l'Égypte est une des destinations touristiques les plus prisées au monde : les pyramides, les temples des pharaons, les croisières sur le Nil attirent, chaque année, des millions de touristes. Mis à part les lieux de pèlerinages religieux, reconnaissez qu'il y a peu de motifs pour attirer les touristes en Israël.

Par contre, les Israéliens, qui vivent pour ainsi dire dans un ghetto, sont évidemment ravis de pouvoir sortir de chez eux et de visiter l'Égypte. À partir de ce moment-là, les Israéliens vont venir massivement visiter l'Égypte au point que j'ai dû convaincre Moshé Dayan de limiter ce tourisme, dans un premier temps, afin d'éviter tout incident. Aux yeux des fondamentalistes, ce tourisme de masse pouvait, en effet, passer pour de la provocation. Imaginez l'effet désastreux qu'aurait eu une agression contre des Israéliens en Égypte, alors qu'on venait de signer un traité de paix.

Néanmoins, cette paix restera froide tant que le problème des Palestiniens n'aura pas été résolu. Tant que ceux-ci continueront de croupir dans les camps de réfugiés, l'opinion publique égyptienne restera résolument hostile à toute normalisation des rapports avec l'État d'Israël : le patriarche copte continuera d'interdire à ses fidèles de faire leur pèlerinage à Jérusalem ; les syndicats de journalistes, d'avocats, d'ingénieurs, de médecins ne lèveront pas l'interdiction faite à leurs membres de tout contact avec Israël et condamneront publiquement ceux qui contreviendront à cette interdiction ; enfin, la presse égyptienne continuera à alimenter l'hostilité de l'opinion publique égyptienne à l'égard d'Israël.

André Versaille : Que pensez-vous de ce paradoxe : Nasser, à tout le moins partiellement responsable de la guerre des Six Jours, perd celle-ci et en même temps la totalité du Sinaï. À sa mort, l'Égypte lui fera des funérailles grandioses. De son côté, Sadate, qui est loin d'avoir son aura, débarrassera le pays des Soviétiques, mettra à mal les Israéliens en 1973, parviendra à une paix avec eux, récupérera tout le Sinaï et obtiendra une aide importante des États-Unis. Il mourra assassiné. Le temps a passé : Nasser reste un héros, tandis que Sadate se retrouve confiné dans le purgatoire. Qu'est-ce que la « fortune historique » de ces deux raïs vous inspire ?

Boutros Boutros-Ghali : Je ne suis pas tout à fait d'accord avec votre parallèle. En Égypte, l'aura de Nasser n'est plus du tout celle de jadis. Si vous lisez la presse égyptienne, qui est très libre en la matière, vous verrez tous les jours des articles du Wafd qui attaquent violemment Nasser et son régime : on y dénonce ses camps de concentration, ses assassinats politiques, sa défaite de 1967, etc. En même temps, l'opinion publique se rend de plus en plus compte du coup de génie de Sadate qui en allant à Jérusalem a permis de rétablir l'intégrité du territoire égyptien et d'effacer l'humiliation de la défaite de 1967.

ANDRÉ VERSAILLE : Le culte de Nasser paraît tout de même loin de s'être éteint. Voyez les manifestations populaires qui se déroulent dans le monde arabe : on voit souvent le portrait de Nasser brandi, et jamais, à ma connaissance, celui de Sadate. Rappelons-nous, par exemple, les manifestations de soutien à Saddam Hussein lors de la première guerre du Golfe.

BOUTROS BOUTROS-GHALI : Disons que pour la grande majorité des Égyptiens, Gamal Abdel Nasser reste le grand homme qui a nationalisé le canal de Suez, qui a redistribué les terres, etc., bref, un de ces dirigeants tiers-mondistes d'extrême gauche, avec tout le charisme qu'on leur prête. En revanche, l'élite, plus férue de géopolitique, et plus au fait des réalités du monde arabe, préfère Sadate qui a réalisé la paix, rouvert le canal de Suez, et récupéré le Sinaï et ses puits de pétrole.

SHIMON PERES : Nasser était un révolutionnaire très charismatique. Il avait une réelle aura et avait suscité un véritable espoir, non seulement auprès des Égyptiens, mais dans l'ensemble du monde arabe. Pour autant, il ne reste pas grand-chose de sa révolution.

ANDRÉ VERSAILLE : Sinon le souvenir d'un grand rêve...

SHIMON PERES : Oui, mais d'un rêve absolument pas accompli. Par contre, Sadate laisse dans l'Histoire une trace tangible. En fait Nasser se situait dans la lignée révolutionnaire du socialisme tiers-mondiste – et plutôt utopique –, tandis que Sadate se sentait naturellement plus proche de la modernité occidentale.

BOUTROS BOUTROS-GHALI : C'est ça : Nasser était profondément anticolonialiste et anti-occidental, alors que Sadate, ayant découvert la modernité et le monde occidental, était fasciné par lui. Cet attrait de Sadate pour ce monde était déjà perceptible à l'époque où il était vice-président ; il était d'ailleurs revenu enthousiaste d'un voyage aux États-Unis.
On comprendra que, étant lui-même très sensible à l'Occident, Sadate soit parvenu sans trop de difficultés à le séduire. Il voulait être reconnu par lui, et on peut dire qu'il y a réussi : en témoignent justement ses funérailles que l'on vient d'évoquer, où tant de dirigeants occidentaux étaient présents...
D'ailleurs, sur le plan intérieur, par goût comme par conviction, Sadate se sentait très à l'aise au sein de la grande bourgeoisie égyptienne occidentalisée. Il est donc très différent de Nasser qui faisait partie de cette toute petite bourgeoisie frustrée, laissée pour compte par la classe des pachas, et était donc hostile à cette bourgeoisie comme aux mœurs de l'Occident auquel il était resté totalement étranger.

SHIMON PERES : De même, il y avait une grande différence entre leurs perceptions du monde arabe : alors que Nasser y voyait un potentiel pour l'Égypte, Sadate n'y voyait qu'un fardeau qui, de plus, lui coûtait extrêmement cher.

BOUTROS BOUTROS-GHALI : J'ajouterai que contrairement à Nasser, Sadate ne trouvait pas une grande satisfaction à jouer le rôle de leader du monde arabe. Nasser préférait être le premier dans son village – c'est-à-dire dans le tiers-monde –, alors que Sadate choisissait d'être le deuxième à Rome – c'est-à-dire parmi les grandes puissances.

En résumé, Nasser était arrivé au pouvoir à la grande époque de la lutte contre les puissances coloniales, et Sadate à une période de réconciliation. Nasser a vécu dans un âge où l'on pouvait croire à la prédominance du rôle de l'Égypte dans le monde arabe, alors que Sadate vivait dans un monde où l'on y croyait moins.

L'Amérique étant considérée comme le prolongement de l'Europe, Sadate retourne donc à cette politique traditionnelle du Caire qui lie l'avenir de l'Égypte à son intégration à l'Europe, politique traditionnelle égyptienne que Nasser avait abandonnée au profit d'une politique panarabe. Rappelons-nous, en effet, que jusqu'à la date de la création de la Ligue arabe, en 1945, l'Égypte s'intéressait peu au monde arabe et désirait tisser des relations privilégiées avec les grands pays européens. Notre grand écrivain Taha Hussein avait déclaré dans son ouvrage *L'Avenir de la culture en Égypte*, publié à la fin des années trente, que le devenir culturel de l'Égypte était lié à la culture occidentale ; de même le khédive Ismaïl aimait à répéter que son rêve était de voir l'Égypte faire partie de l'Europe. Enfin, vous remarquerez que, lorsque le roi Farouk est renversé, ce n'est pas dans le monde arabe qu'il choisit de vivre son exil, mais en Italie…

Cependant, cette politique de l'*Egypt first* aura pour conséquence de décaler Le Caire par rapport au monde arabe. Non parce que Sadate a rejeté le monde arabe, mais parce que le monde arabe va considérer que par sa réorientation, Sadate s'en est exclu lui-même, ce qui les amènera à le marginaliser…

XIII – LA GUERRE DU LIBAN

Les Juifs du Yichouv et le Liban – L'OLP arrive au Liban –
La première guerre du Liban – Les Maronites et Israël – Opération
« Paix en Galilée » – Les Israéliens à Beyrouth – Arafat et l'OLP
chassés du Liban – Béchir Gemayel, « candidat d'Israël » ? –
Sabra et Chatila – Démission de Begin, Peres Premier ministre
– Le bourbier libanais – Hafez el-Assad, « pacificateur » du Liban ?

ANDRÉ VERSAILLE : Avant d'aborder les guerres du Liban, je vous propose de faire un retour en arrière, au temps où la Palestine était encore sous mandat britannique. À cette époque, quelle vision le Yichouv avait-il du Liban ?

SHIMON PERES : Nous faisions une différence entre le Liban et les autres pays arabes. Nous pensions qu'il ne faisait pas totalement partie de l'ensemble musulman puisque sa population était à majorité chrétienne. Nous considérions aussi les Libanais comme plutôt focalisés sur l'économie et le commerce, et moins prisonniers du discours idéologique radical ambiant.

Globalement, nos rapports avec eux étaient très bons et les Chrétiens en particulier nous regardaient très favorablement, au point de nous avoir vendu des terres, notamment celles de la région de Hanita dans le nord d'Israël. Ils ne pouvaient évidemment pas le montrer, mais en tant que minoritaires dans un monde musulman, ils nourrissaient des craintes tant à l'endroit des Chi'ites, que du grand voisin syrien qui considérait le Liban comme une partie intégrante de la Syrie. Nous pensions donc pouvoir établir de très bonnes relations avec Beyrouth, une fois l'État d'Israël établi.

BOUTROS BOUTROS-GHALI : Oui, eh bien laissez-moi vous dire que toute la politique israélienne à l'égard du Liban repose sur une série d'erreurs de perception et d'analyse.

D'abord, les Arabes chrétiens sont foncièrement plus hostiles aux Israéliens que les Arabes musulmans, parce que, conformément à la doctrine chrétienne, le peuple juif est tenu pour un peuple déicide. Et malgré le changement d'attitude du Saint-Siège avec le concile Vatican II que nous avons évoqué, l'occupation du tombeau du Christ par des soldats juifs est toujours ressentie par les Chrétiens du monde arabe comme une profanation, une humiliation et une provocation. Voilà pour le soubassement. Par ailleurs, les Libanais ont une grande peur de voir les Israéliens annexer le Sud du Liban. Vous trouvez cela fantasmatique ? Je pense que vous avez tort et que cette peur n'est pas sans fondement : rappelez-vous que la carte du futur État juif, présentée par l'Organisation sioniste mondiale à la Conférence de paix de Versailles en 1919, intégrait le Sud du Liban jusqu'au fleuve Litani ; de surcroît, le rêve des sionistes était de voir leur État jouxter la région à majorité chrétienne du Liban, au nord du fleuve Litani.

L'imaginaire israélien a toujours voulu gommer la dimension panarabe du Liban, oubliant que les Chrétiens du Liban, comme ceux de Syrie, sont les principaux acteurs du panarabisme. Les minorités arabes, qu'elles soient maronites, coptes, druzes, alaouites, ont compris qu'une alliance avec l'occupant du moment – français, anglais ou israélien – était éphémère et qu'elles avaient intérêt à coexister le mieux possible avec la majorité musulmane, si difficile cette coexistence soit-elle. Que certains chefs chrétiens aient négocié avec les Israéliens ne signifie pas pour autant qu'ils acceptaient le fait israélien : ils cherchaient seulement à obtenir, à travers ces alliances ponctuelles, des moyens de renforcer leur position dans des conflits internes au Liban.

ANDRÉ VERSAILLE : Dans les premières années de l'existence de l'État juif, les Israéliens espéraient-ils la constitution d'un régime chrétien au Liban et voulaient-ils la favoriser ? Je vous pose cette question parce que Moshé Sharett raconte qu'en 1955 (il est alors Premier ministre, tandis que Ben Gourion est ministre de la Défense et Dayan, chef d'état-major) Dayan aurait déclaré : « *Tout ce dont nous avons besoin, c'est de trouver un officier, ne fût-ce qu'un capitaine, de le gagner à notre cause ou de le soudoyer pour qu'il se présente comme le sauveur de la population maronite. Les FDI pourraient ainsi entrer au Liban, se rendre maîtres du territoire nécessaire et établir un gouvernement chrétien qui serait l'allié d'Israël. La région située au sud du fleuve Litani serait annexée en totalité par Israël.* »

SHIMON PERES : Oui. Et alors ? Vous savez, il peut passer plein d'idées par la tête des hommes politiques. Ce qui compte en Histoire, ce ne sont ni les éventuels désirs cachés, ni les velléités, ni même les paroles, mais les actes. Et ce n'est que sur ses actes qu'un homme politique doit être jugé. Alors, ce dont Dayan a pu rêver ou ce qu'il a pu exprimer lors d'une conversation privée, et ce qu'en a conclu Sharett n'ont aucune importance. Le fait est que les Israéliens ne s'en sont pas pris au Liban.

BOUTROS BOUTROS-GHALI : Il n'empêche : dès 1919, les sionistes caressaient l'idée d'une alliance spéciale avec le Liban chrétien.

SHIMON PERES : On peut caresser n'importe quel rêve, ce qui compte, c'est que, lorsque nous sommes intervenus au Liban, ce fut en riposte aux actions terroristes palestiniennes qui partaient du Sud-Liban et pour combattre les terroristes du Hezbollah. Nous n'avons jamais eu de visées sur les terres libanaises ni sur leur eau. Ce qui est vrai, par contre, c'est que nous voulions avoir de bonnes relations avec ce pays et pouvoir lui acheter l'eau du Litani qui coule sans être utilisée, en pure perte. Cela nous semblait un gaspillage insensé lorsque l'on sait combien cette région a besoin d'eau. Mais il va sans dire que nous n'avons jamais voulu nous approprier cette eau par la force.

Avant 1970, nos relations avec les Libanais étaient d'ailleurs plutôt bonnes. Pour l'anecdote, je rappellerais qu'elles ont commencé entre contrebandiers : les trafiquants israéliens et libanais, qui s'entendaient comme larrons en foire, avaient tout intérêt à ce que la paix règne entre les deux pays, puisque la paix a toujours favorisé les affaires et le commerce de quelque nature qu'ils soient.

Nous étions donc très optimistes quant à l'avenir des relations libano-israéliennes. Mais à la fin de l'année 1970, les Palestiniens sont arrivés et ont installé leurs camps à Beyrouth et au Sud-Liban. Et très vite ils ont traversé la frontière et opéré des incursions meurtrières en Israël. Bien qu'elles constituaient un danger pour notre population, nos ripostes restaient mesurées, car nous estimions que c'était aux Libanais, et non à nous, de régler le problème des terroristes palestiniens.

ANDRÉ VERSAILLE : Au début des années soixante-dix, les organisations palestiniennes, chassées de Jordanie, se sont donc installées au Liban. Pourquoi au Liban, et non ailleurs, en Syrie par exemple, où la Saïka, base palestinienne importante, était déjà établie ?

SHIMON PERES : Il n'en était pas question ! Vous l'imaginez bien. Assad ne les aurait jamais accueillies, parce qu'il savait qu'elles seraient un facteur de troubles. La Saïka avait beau être une organisation palestinienne, elle était d'abord soumise aux autorités syriennes.

Si les organisations palestiniennes ont choisi le Liban, c'est parce que ce pays, ouvert à tous les vents, partagé entre les communautés chi'ite, maronite et druze, était divisé entre des intérêts divers, en proie à mille intrigues, et, par conséquent, sa capacité de résistance ne pouvait pas être bien déterminée. Bref, le contraire d'un État centralisé fort comme pouvait l'être la Syrie.

BOUTROS BOUTROS-GHALI : Ou l'Égypte, ou l'Irak, ou les pays du Maghreb qui avaient les moyens de contrôler l'activisme palestinien sur leur territoire respectif.

Shimon Peres : Exactement. En outre, les Libanais pouvaient d'autant moins s'opposer à l'entrée des combattants palestiniens qu'un refus les aurait condamnés aux yeux du monde arabe. N'oublions pas que pour beaucoup d'Arabes, si déjà le royaume hachémite était considéré comme l'enfant illégitime du monde arabe, le Liban à moitié chrétien avait d'autant plus de gages de loyauté à donner. Et quelle cause était plus sacrée (au moins en paroles) que la cause palestinienne ?

Selon moi, les Libanais ont fait une énorme erreur : non pas d'avoir accueilli les combattants palestiniens qui venaient d'être chassés de Jordanie, mais d'avoir accepté l'établissement de leurs bases militaires sur leur sol. Peu à peu ceux-ci prendront une importance telle, qu'ils formeront un État dans l'État, le *Fatahland*, à l'instar de ce qui s'était précédemment produit en Jordanie. Car ce sont bien les Palestiniens qui seront à l'origine de la guerre libanaise, dite « civile », et qui entraînera la destruction du Liban. Au départ, ce n'était bien sûr nullement une guerre « civile » : c'était une guerre importée, une guerre par milices interposées.

Boutros Boutros-Ghali : Non, il s'agit d'une guerre civile. Mais je reconnais que dans le cas du Liban, il est très difficile de faire une distinction nette entre guerre « classique » et guerre civile.

André Versaille : Comment cette installation des mouvements palestiniens au Liban est-elle regardée par les pays arabes « modérés » ?

Boutros Boutros-Ghali : Franchement ? Je crois que la majorité des États arabes, modérés comme non modérés, sont satisfaits du fait que les organisations palestiniennes se soient installées au Liban plutôt que chez eux.

André Versaille : En avril 1975, les accrochages entre Palestiniens et Maronites s'amplifient jusqu'à déclencher ce que l'on appellera la première guerre du Liban. Celle-ci s'ouvre par une opération maronite antipalestinienne. Qu'est-ce qui a motivé les Chrétiens à passer à une véritable offensive armée contre les Palestiniens ?

Shimon Peres : Tout simplement la présence arrogante des mouvements palestiniens. Comme en Jordanie, les factions de l'OLP ont commencé à devenir envahissantes, à se conduire comme en pays conquis, estimant que, martyrs de la cause arabe, tout leur était permis. Les Chrétiens ont alors compris que l'OLP menaçait le fragile Liban et ont décidé d'agir en conséquence.

André Versaille : La situation dégénère, et le président du Liban, Camille Chamoun, chrétien, rappelons-le, demande à Damas d'intervenir. Les Syriens entrent au Liban dans la nuit du 31 mai 1976, apparemment avec l'assentiment de tout le monde : Chrétiens libanais, monde arabe, Américains et même Israéliens.

SHIMON PERES : C'est vrai. La présence palestinienne ayant provoqué la désorganisation totale du Liban, le délicat équilibre communautaire était rompu et la situation générale du pays, en train de pourrir. En ce qui nous concerne, nous n'étions pas disposés à jouer un rôle au Liban, sauf, bien sûr, si la situation devait devenir dangereuse pour Israël. Nous pensions que les Syriens avaient, eux aussi, intérêt à réduire les Palestiniens pour ne pas voir le Liban devenir une poudrière incontrôlable. Alors, leur intervention pour remettre de l'ordre dans le pays et contenir l'OLP nous semblait une solution non pas idéale, certes, mais supportable étant donné le contexte. Cette initiative pouvait améliorer la situation. Au moins provisoirement.

BOUTROS BOUTROS-GHALI : Du côté arabe, par crainte que la guerre civile libanaise ne se propage à l'intérieur de leurs frontières, tous les États arabes avaient intérêt à accepter l'intervention syrienne. Et celle-ci fut accueillie d'une manière d'autant plus positive, que l'installation au Liban des troupes syriennes, baptisées « forces arabes de dissuasion », était en même temps regardée comme un rempart à toute velléité israélienne d'annexion du Sud-Liban. N'oubliez pas que l'expansionnisme israélien obsède le monde arabe.

Quant à la communauté internationale qui recherchait l'apaisement comme une fin en soi, elle a considéré cette intervention comme la moins mauvaise des solutions.

ANDRÉ VERSAILLE : Les Syriens vont combattre les Palestiniens, mais vont renoncer à détruire les bases de l'OLP. Assad semble préférer louvoyer entre les différentes parties plutôt qu'éliminer l'une d'entre elles. Et bientôt, les Chrétiens vont déchanter : les Syriens qu'ils avaient appelés à la rescousse leur apparaissent à présent comme des occupants insupportables qui, de plus, se retournent contre eux. Pourquoi cette volte-face de Damas ? Assad veut-il réduire la prépondérance des Chrétiens au Liban ?

SHIMON PERES : Je vous raconte une anecdote qui va vous éclairer. Pour des raisons qui seraient trop longues à expliquer, il se trouve que les Israéliens sont entrés en possession d'une correspondance entre Fidel Castro et Hafez el-Assad, datant des années soixante-dix. Dans sa lettre, Castro dit ne pas comprendre pourquoi Assad opprime les Chrétiens du Liban, ni les raisons qui poussent Damas à vouloir à tout prix contrôler ce pays. Assad lui répond par une lettre de quinze pages dans laquelle il explique, en substance, que le Moyen-Orient est une terre arabe et musulmane ; que malheureusement, un État juif s'est créé sur cette terre et que, jusqu'ici, il n'a pas été possible de l'éradiquer. En conséquence, jamais les Arabes musulmans ne permettront que s'installe en plus dans cette région un État chrétien. La lecture de cette lettre nous donna à réfléchir et eut pour effet indirect de nous rapprocher des Chrétiens libanais.

Boutros Boutros-Ghali : Je ne pense pas que ce soit cette lettre qui ait encouragé les Israéliens à vouloir s'associer avec les Chrétiens du Liban. Encore une fois, c'est un rêve qui domine l'imaginaire sioniste, depuis bien avant la création de l'État juif. Vous choisissez cette lettre, mais on pourrait citer les déclarations d'Assad en faveur des Chrétiens du Machrek arabe, et l'alliance de fait entre la minorité alaouite et la minorité chrétienne en Syrie. Ce n'est pas comme ça que se pose le problème. Conformément à la doctrine baasiste, il ne peut pas y avoir un État chrétien, un État alaouite ou un État druze, car les membres de toutes ces communautés religieuses sont les citoyens à part entière d'une même nation, et non pas les membres de minorités discriminées s'identifiant à un micro-nationalisme qui faciliterait encore plus la néocolonisation dans la région.

André Versaille : La guerre se poursuit, et l'armée syrienne la conduit apparemment sans état d'âme : les opérations de représailles sont disproportionnées et les soldats de Damas ne semblent guère se soucier des civils écrasés sous les bombes, notamment dans les quartiers chrétiens de Beyrouth-Est. Comment cette situation conflictuelle est-elle considérée par le monde arabe ?

Boutros Boutros-Ghali : La répression de Damas sera d'autant plus déterminée que les Syriens ont toujours considéré le Liban comme faisant partie intégrante de leur pays (la « Grande Syrie »), et son autonomie, après la Première Guerre mondiale, le fruit du dépeçage de l'Empire ottoman. Mais le monde arabe se désolera de la violence de cette guerre qui brise son unité et porte atteinte à la crédibilité de sa solidarité – ce qui ne pouvait que renforcer la position d'Israël dans la région.

André Versaille : La guerre entre Maronites, Palestiniens et Syriens se développe. Bientôt, les phalanges chrétiennes finissent par se trouver en mauvaise posture. Elles demandent de l'aide, notamment à la France. En vain. Pourquoi la France, pourtant très attachée au Liban, et particulièrement aux Maronites, restera-t-elle sourde à ces appels ?

Boutros Boutros-Ghali : Ni la France ni aucun autre pays européen n'interviendra, parce que cette guerre est considérée comme civile, interne, ce qu'elle est, et de surcroît de trop faible intensité pour que l'on éprouve la nécessité d'intervenir. Vous pointez la France, soit. Mais on pourrait parler des États-Unis. S'il y avait un État à la fois présent au Liban et capable d'intervenir efficacement, c'était bien l'Amérique. Or, Washington ne fera rien. En réalité, l'Occident ne s'intéresse pas aux problèmes du tiers-monde, et nul ne veut se risquer dans le bourbier libanais. D'autant plus que personne ne voit de solution. Au contraire, beaucoup pensent qu'une intervention étrangère compliquerait le problème et qu'il vaut donc mieux laisser les belligérants résoudre ce conflit entre eux.

ANDRÉ VERSAILLE : Par contre, Begin, lui, semblera touché pas le sort des Chrétiens.

SHIMON PERES : Oui, lorsqu'il deviendra Premier ministre, Begin ira jusqu'à faire des rapprochements entre le danger encouru par les Maronites et le génocide juif, et déclarera qu'Israël ne tolérerait pas un « *holocauste chrétien* ».

ANDRÉ VERSAILLE : Était-il sincère ou s'agissait-il d'un effet rhétorique ?

SHIMON PERES : Chez Begin, la rhétorique pouvait être sincère : c'était un homme naturellement et sincèrement porté à la rhétorique et à l'exagération. Je l'avais d'ailleurs mis en garde contre le risque de donner de fausses espérances aux Maronites.

ANDRÉ VERSAILLE : Les phalangistes du Liban vont alors faire alliance avec Israël, bien qu'ils n'aiment pas les Israéliens. Pierre Gemayel, le chef des phalangistes le dira ouvertement : « *Je me tourne vers vous, mais c'est à mon corps défendant.* »

SHIMON PERES : Oui, mais il y a eu tant d'autres déclarations... Quoi qu'il en soit, les Maronites vont alors chercher à nous impliquer dans le conflit qu'ils avaient déclenché et que nous estimions suicidaire.

Jusque dans les années soixante, les Chrétiens possédaient le pouvoir (la Constitution prévoit que si le Premier ministre doit être un Sunnite, le Président, lui, doit être un Chrétien), mais à cause des luttes incessantes entre les familles patriciennes maronites, puissantes mais rivales (les Gemayel, les Chamoun, les Frangié), qui passaient leur temps à se faire la guerre, les Chrétiens ont commencé à perdre leur prépondérance.

Deux de ces familles avaient chacune un fils aîné appelé à succéder à leur père : Béchir Gemayel, pour l'un, et Dany Chamoun, pour l'autre. Il se fait qu'en 1974 ils sont venus secrètement me rendre visite ensemble (je suis alors ministre de la Défense). Les deux hommes étaient brillants, charismatiques, c'était un vrai plaisir de pouvoir échanger avec eux. Ils m'ont dit qu'ils avaient tiré les leçons des querelles de leurs pères et qu'ils étaient bien décidés à s'unir et à collaborer. Mais, ajoutèrent-ils, nous avons besoin de votre aide, nous combattons les mêmes ennemis. Je leur ai répondu : « *Écoutez, il faut que vous sachiez que nous n'allons pas combattre à votre place. Ne vous faites donc pas d'illusion, vous avez vos intérêts, battez-vous pour vos intérêts. Et si je peux vous donner un conseil, ne vous lancez pas dans la bataille avant d'être sûrs d'être devenus suffisamment forts pour pouvoir l'emporter. Ne vous engagez donc pas dans une lutte armée tant que vous n'aurez pas constitué vos forces : la volonté, la détermination, le courage ne suffisent pas, il vous faut bâtir une véritable armée. Cependant, nous nous sentons concernés par votre situation, et nous sommes prêts à vous aider : mais dans une certaine mesure seulement, c'est-à-dire vous conseiller, entraîner vos hommes, vous fournir des armes. Et cela s'arrêtera là : ne croyez pas que nous allons faire votre travail à votre place. Toutefois, si par malheur, vous deviez vraiment être en danger de mort, alors, mais alors seulement, nous interviendrions. »*

Quand la guerre libano-palestinienne a commencé, j'ai fait construire à la frontière libanaise deux écoles et deux hôpitaux ouverts aux réfugiés libanais qui fuyaient le Liban, ce qui fait que nous avons développé d'excellentes relations avec les Libanais chrétiens, au point que certains responsables israéliens croiront pouvoir établir très rapidement une paix *de facto* avec le Liban.

André Versaille : Le 19 mars 1978, aux termes de la résolution 425 du Conseil de sécurité, la Force intérimaire des Nations unies au Liban (la Finul) s'installe au Sud-Liban. Comment les Israéliens voyaient-ils la Finul ? Pouvait-elle être considérée comme garante d'un apaisement dans la région ?

Shimon Peres : Non. Nous ne pensions pas qu'une force des Nations unies pouvait empêcher quoi que ce soit, ni même qu'elle pouvait être d'une utilité quelconque. Les forces des Nations unies sont un baromètre plutôt qu'une barrière : elles disent la situation mais sont impuissantes à la changer : quel sens une armée peut-elle avoir si elle n'a pas le droit d'intervenir et si ses soldats n'ont pas le droit de tirer, sinon en situation d'absolue légitime défense ? Nous n'étions pas opposés à l'installation de la Finul, mais nous ne nous faisions aucune illusion.

D'ailleurs, lorsque le 23 octobre 1983, deux attentats sanglants revendiqués par des extrémistes religieux frapperont la Finul et provoqueront la mort de 59 soldats français et 241 soldats américains, les forces de la Finul repartiront : six mois plus tard, en mars 1984, toute la Finul sera évacuée. Ce retrait précipité nous a convaincus que, quoi que dise l'Onu, en cas de guerre, on ne peut de toute façon compter que sur soi.

Boutros Boutros-Ghali : Les forces de l'Onu sont des forces d'interposition qui ne peuvent jouer un rôle qu'avec l'accord des protagonistes du conflit. Elles peuvent alors réussir dans leur mission de maintien de la paix, comme c'est le cas dans le Golan, où les Casques bleus ont réussi à maintenir le cessez-le-feu entre Syriens et Israéliens.

André Versaille : Les Maronites, défaits par les Syriens, seront en fin de compte les grands perdants de cette guerre. Avec le recul, Camille Chamoun a-t-il eu tort d'appeler les Syriens ou l'intervention de Damas était-elle, de toute façon, dans l'ordre des choses ?

Shimon Peres : Était-ce une erreur historique ? Je ne sais pas. Vous venez de le dire, Assad a d'abord soutenu les Maronites, ce qui était d'ailleurs une bonne manière pour lui de montrer au monde que les Musulmans protégeaient les Chrétiens. Dès lors que tout le monde sait que la Syrie n'a jamais vraiment admis l'autonomie du Liban, oui, je crois que l'intervention de Damas était dans l'ordre des choses.

André Versaille : Les Syriens victorieux vont s'installer au Liban et occuper le pays. De leur côté, les combattants palestiniens installés au Sud-Liban vont accroître leur guérilla contre Israël, et poursuivre leurs actions terroristes. Le nouveau cabinet Begin, plus radical que le précédent, comprenant des faucons comme Ariel Sharon au poste de ministre de la Défense, décide de mener une opération de grande envergure destinée à détruire les bases palestiniennes au Liban : le 6 juin 1982, après avoir bombardé le Sud-Liban pendant deux jours, l'armée israélienne l'investit. L'opération « Paix en Galilée » commence.

Shimon Peres : Oui. Il faut rappeler que trois jours avant, notre ambassadeur à Londres, Shlomo Argov, avait été victime d'un attentat qui le laissera paralysé. Begin est persuadé que c'est Arafat qui a commandité l'attentat depuis Beyrouth. Il est alors convenu que les FDI iront investir le Liban et le débarrasser, une fois pour toutes, des bases palestiniennes.

Boutros Boutros-Ghali : L'attentat contre l'ambassadeur israélien avait été commis par un commando du groupe d'Abou Nidal, opposé à l'OLP. Mais cette différence échappait à Begin, à moins qu'il n'ait feint de l'ignorer afin d'avoir un prétexte pour intervenir au Liban.

Shimon Peres : En fait, Sharon avait envie d'en découdre, et pensait qu'il tenait là une occasion d'en finir avec son ennemi intime, Arafat.

Bien que dans l'opposition, mes relations personnelles avec plusieurs officiers me permettaient de me tenir au courant de ce qui se discutait au sein du cabinet Begin : en réalité, il n'y avait pas un plan d'attaque, mais deux : un « petit » et un « grand ». Le « petit » prévoyait une incursion limitée à quarante kilomètres de la frontière. Quarante kilomètres, parce que cela correspondait à la distance maximale que pouvaient couvrir des Katiouchas palestiniennes. Cette opération devait prendre quatre jours, au bout desquels nos troupes devaient regagner Israël. Begin, comme c'est l'usage, m'a invité en tant que dirigeant du principal parti de l'opposition, pour me mettre au courant de son plan. Je me suis rendu à son invitation en compagnie des généraux Rabin et Bar-Lev. Là, nous avons marqué notre accord à ce plan, mais à la condition expresse que l'incursion ne dépasse pas les quarante kilomètres et que nos forces rentrent bien après quatre jours. En revanche, si la pénétration devait être plus profonde ou l'opération durer plus longtemps, nous nous y opposerions. Mais, comme je viens de vous le dire, le gouvernement avait en réserve un second plan.

André Versaille : Le gouvernement ou Sharon ?

Shimon Peres : Sharon faisait partie du gouvernement. Mais vous avez raison de poser la question puisque ce point reste jusqu'à aujourd'hui très controversé. Des proches de Begin affirment que Sharon est allé bien plus loin que ne le voulait Begin, alors que Sharon a toujours prétendu avoir eu l'accord du Premier ministre. Pour ma part, je crois que Sharon est allé plus loin que ne le voulait Begin. Non qu'il n'en ait fait qu'à sa tête, mais il s'est probablement arrangé pour aller chaque fois plus loin que la situation ne l'exigeait. En réalité, le deuxième plan a été immédiatement mis en œuvre, mais progressivement : Sharon expliquait chaque jour qu'étant harcelé par les Palestiniens, il devait pénétrer plus profondément dans le pays. Mais c'était de l'intoxication.

Je me souviens de ce que m'avait dit, à cette époque, Mendès France, qui devait mourir quelques mois plus tard : « *Si vous entamez cette campagne, vous verrez que vos soldats vous diront qu'ils se sont fait des amis dans la population, que les relations avec celle-ci sont globalement bonnes, et cela pourra être le cas les premiers jours. Mais peu après, vous serez contestés de plus en plus violemment par cette population et même par la vôtre lorsqu'elle verra que de plus en plus de soldats israéliens se font tuer. Dès ce moment-là, vous aurez perdu la guerre.* »

Et c'est vrai qu'au début, notre armée fut applaudie par des foules chi'ites qui nous jetaient des poignées de riz en signe de bienvenue, et cela dura plusieurs jours.

André Versaille : Oui, on se souvient de ces images surprenantes. Comment le monde arabe a-t-il réagi à ces images ?

Boutros Boutros-Ghali : Les Israéliens vont évidemment exploiter ces images qui servent leur propagande, et les Arabes vont bien sûr les minimiser, de sorte qu'une très grande partie du monde arabe ne verra pas ces images. Les télévisions du monde arabe auraient fait le jeu d'Israël en diffusant de pareilles informations, d'autant plus que ces signes de bienvenue ne se manifesteront que très peu de temps.

Shimon Peres : Il faut reconnaître que la désinformation ne se produira pas que chez les Arabes. Nous avons, nous aussi, été victimes de la désinformation orchestrée par Sharon. Celui-ci estimait que la destruction de l'OLP était essentielle à la sécurité d'Israël, et que tout le reste, absolument tout, devait y être subordonné. Je pense que c'en était devenu une idée fixe. En fait, Sharon pensait qu'en menant cette guerre libanaise contre l'OLP il allait pouvoir changer la donne au Moyen-Orient. Et, lorsque la population libanaise se retournera contre nous, de faux rapports militaires seront diffusés, faisant état d'une population toujours très satisfaite de notre présence. Au début, les soldats ont cru que ces fausses informations étaient destinées à tromper l'ennemi, puisque toute guerre se double d'une guerre psychologique. Mais il s'avérera qu'elles étaient à usage interne, pour conforter l'action de l'armée auprès du gouvernement et de la population israélienne. Nos soldats s'en trouveront amers et démoralisés.

ANDRÉ VERSAILLE : Boutros Boutros-Ghali, comment expliquez-vous que les États arabes n'interviennent pas lorsque les troupes israéliennes entrent au Liban ? En effet, du 6 au 10 juin 1982, lorsque Tsahal atteint les portes de Beyrouth, l'OLP se trouve seule à combattre les forces israéliennes. À part la Syrie, mais qui battra très vite en retraite, les États arabes, non seulement n'interviennent pas militairement, mais n'envoient aucun soutien matériel notable. Les avions chargés d'armes et de fournitures médicales en provenance de l'Arabie saoudite et de l'Algérie atterrissent à Damas et non à Beyrouth. Même les milices chi'ites, druzes et sunnites se tiennent hors du champ de bataille.

BOUTROS BOUTROS-GHALI : D'abord, d'un point de vue militaire, les États arabes ne disposent pas de la logistique nécessaire pour intervenir. Ensuite, l'intervention israélienne a lieu avec l'accord d'une fraction libanaise, donnant la perception qu'on était en présence d'un prolongement du conflit interlibanais. Pour autant, l'opinion publique et les médias ont considéré l'agression israélienne comme un nouvel exemple de sa volonté expansionniste. Et le front du refus arabe, certains Égyptiens compris, s'est durci et a trouvé dans cette intervention un nouveau motif pour dénoncer la « paix séparée » conclue entre l'Égypte et Israël au détriment de la solidarité arabe. Car il ne fait pas de doute pour le monde arabe que c'est la paix de Camp David qui, en neutralisant l'Égypte, a permis aux Israéliens de faire la guerre au Liban. Et, bien sûr, cette situation donne une vigueur nouvelle aux fondamentalistes égyptiens et renforce la position de ceux qui veulent que Le Caire prenne ses distances avec Israël.

ANDRÉ VERSAILLE : En juillet, les Israéliens font le siège de Beyrouth-Ouest, considéré par Begin et Sharon comme la « *capitale mondiale du terrorisme* ». Ce siège durera soixante-dix jours pendant lesquels les FDI bombarderont la ville. Les combats feront rage et, inévitablement, la population civile sera durement éprouvée. L'ensemble de la communauté internationale (y compris les Américains) condamne cette offensive, et Israël va se retrouver très isolé.

Shimon Peres : Oui, et cette guerre ne sera pas du tout populaire chez nous : beaucoup d'Israéliens vont dénoncer cette offensive. Plus grave, la contestation gagnera l'armée. Pour la première fois, nos soldats ne parviendront que très difficilement à s'identifier aux buts d'une guerre. Ainsi, le colonel Geva va demander à être relevé de ses fonctions pour ne pas participer à l'attaque de Beyrouth. Il sera limogé. Comme il s'agit d'un chef de brigade très respecté dans l'armée, ce limogeage va faire grand bruit en Israël. Quant à la presse, elle était très critique quant à la manière dont le gouvernement, et surtout Sharon, menait cette guerre.

André Versaille : Étonnamment, les capitales arabes ne semblent pas trop s'émouvoir de la situation de Beyrouth. Comment cela s'explique-t-il ?

Boutros Boutros-Ghali : Parce que tout le monde voit bien que le Liban est devenu un bourbier et que personne ne pense pouvoir être efficace. Alors, on se contentera de condamnations, d'autant que les Arabes regardent cette opération comme une nouvelle manifestation de l'expansionnisme israélien, car une partie de l'opinion publique est convaincue que cette intervention est un premier pas vers l'annexion du Sud du Liban par Israël.

Shimon Peres : Ce qui s'avérera complètement faux.

Boutros Boutros-Ghali : Je suis d'accord. Il n'en reste pas moins que c'est la perception qui domine alors l'imaginaire arabe.

André Versaille : Les Fdi auront raison des forces palestiniennes. Leurs bases seront détruites et les activistes vaincus devront fuir le Liban. Arafat a bien tenté de négocier un retrait total des forces palestiniennes du Liban contre la reconnaissance par l'Onu du droit à l'autodétermination des Palestiniens, mais les Américains ont opposé leur veto, de crainte que cette défaite militaire ne se transforme en « victoire politique ». Le retrait des Palestiniens se fera donc sans contrepartie, et se déroulera sous le contrôle d'une force d'interposition américano-italo-française : le 21 août, Arafat et 15 000 combattants palestiniens, munis de leurs seules armes légères, s'embarquent les uns pour l'Algérie, d'autres pour le Yémen, d'autres encore pour la Tunisie, tandis que 4 500 militants palestiniens d'obédience syrienne se replient vers la Bekaa, région solidement tenue par les Syriens.

Shimon Peres : Le gouvernement israélien, et Sharon en particulier, étaient obsédés par Arafat et la présence de l'Olp au Liban. Mais un accord fut conclu entre l'émissaire américain Philippe Habib et Begin pour laisser Arafat et ses hommes quitter le Liban avec leurs armes légères, ce qui libérait le Liban de l'Olp. Je ne suis pas sûr que cet arrangement plut beaucoup à Sharon, mais Begin avait donné son accord.

Je vous raconte une chose peu connue : Arafat quitte Beyrouth en empruntant un chemin distant d'à peine deux cents mètres de nos forces. Parmi celles-ci, il y a des tireurs israéliens qui, voyant le chef palestinien passer aussi près d'eux, le tiennent en joue, attendant l'ordre de tirer. On a donc appelé Begin pour obtenir son aval, mais Begin a refusé, car cela aurait contrevenu aux accords signés, et il avait donné sa parole. Le Premier ministre essuiera d'ailleurs les critiques de certains de ses amis pour n'avoir pas saisi cette occasion d'éliminer enfin celui qui était considéré comme le pire ennemi d'Israël, mais Begin, et il faut lui reconnaître cette qualité, était un homme de parole.

ANDRÉ VERSAILLE : Arafat quitte donc Beyrouth, et c'est vous, Boutros Boutros-Ghali, qui allez l'accueillir lorsqu'il fera escale en Égypte.

BOUTROS BOUTROS-GHALI : Oui. Arafat et ses hommes se sont embarqués pour Chypre à bord d'un bateau français ; de là, ils se sont rendus à Port-Saïd et ont emprunté le canal de Suez pour débarquer enfin à Ismaïlia où je suis allé les recevoir en compagnie d'Oussama el-Baz. Je les ai ensuite conduits en hélicoptère au palais de Koubé. L'entrevue avec Moubarak allait être difficile, parce que le président égyptien ne pardonnait pas à Arafat d'avoir manifesté sa joie devant les caméras de télévision du monde entier à l'annonce de l'assassinat de Sadate. Les deux hommes ont néanmoins eu un entretien privé de deux heures. Je ne sais pas ce qui s'est dit lors de cette rencontre, la première depuis la visite de Sadate à Jérusalem, et il est peu probable que nous l'apprenions un jour (chez nous, les entretiens secrets sont vraiment secrets et personne ne publie de « verbatim »). Quoi qu'il en soit, les deux dirigeants se sont réconciliés. Ensuite un déjeuner fut servi lors duquel nous avons partagé le pain et le sel, symbole de réconciliation. Après quoi, j'ai reconduit Arafat à Suez, en hélicoptère. Il semblait fatigué, mais nous avons eu une conversation où il m'a fait part de son optimisme inébranlable en l'avenir. Il m'a également prié de demander à Moubarak de faire escorter son bateau par un navire de guerre égyptien pendant sa traversée de la mer Rouge jusqu'à sa destination, au Yémen. « *Je pense*, m'a-t-il dit, *qu'il est important pour l'Égypte de montrer à l'opinion publique internationale que la cause palestinienne peut compter sur son soutien...* » Mais Moubarak ne donnera pas suite à cette demande : il était trop compliqué d'improviser le déplacement d'un bâtiment militaire à la dernière minute.

Arafat a embarqué sur un bateau français sous les acclamations de ses partisans. Nous nous sommes embrassés, avec effusion, puis je suis remonté dans l'hélicoptère d'où j'ai regardé le bateau s'éloigner lentement, conduisant Yasser Arafat vers une nouvelle terre d'exil.

ANDRÉ VERSAILLE : Au lendemain de l'évacuation des combattants de l'OLP, Béchir Gemayel est élu par le Parlement libanais à la présidence. Il était manifestement le « candidat d'Israël ». D'aucuns ont prétendu que les Israéliens étaient pour quelque chose dans cette élection.

Shimon Peres : Franchement, je ne le pense pas. Les élections libanaises sont une chose si particulière, où se mêlent tant d'influences contradictoires – familiales, relationnelles, financières, de réseaux, etc. – que je ne crois pas que le plus subtil des Israéliens pourrait s'y retrouver.

Boutros Boutros-Ghali : Je ne partage pas ce point de vue. Selon mes informations, les Israéliens ont joué un rôle capital dans l'élection de Béchir Gemayel. D'abord, les troupes israéliennes ont escorté plusieurs députés à la session parlementaire ; ensuite, certaines voix ont été achetées par les services israéliens ; enfin, un ou deux députés de la Bekaa ont été transportés par hélicoptère israélien jusqu'à l'école militaire de Baadba où a eu lieu l'élection. Que l'on ne me dise donc pas que les Israéliens n'ont pas joué de rôle dans l'élection de Béchir Gemayel !

Mais ce qui est plus grave, c'est que dans tout le monde arabe, Béchir Gemayel sera considéré comme le premier chef d'État arabe choisi et soutenu par Israël, ce qui ne faisait que confirmer, aux yeux des États du front du refus, la volonté de domination d'Israël sur le monde arabe avec tout ce que cela représentait de dangers pour le devenir de l'arabisme.

Shimon Peres : Laissons ces fantasmes absurdes, et revenons sur cette élection. Je pense vraiment que vous vous trompez. À supposer même que Begin et Sharon aient voulu exercer une quelconque influence, comment auraient-ils pu y arriver ? C'est là un schéma purement théorique. Les leaders libanais avaient d'étranges alliances et aucun d'eux n'était lié à un seul parti. Les connections et les arrangements étaient multiples. Le Liban n'était pas un pays, c'était un inextricable complexe d'influences.

Ce qui est vrai, par contre, c'est que Begin et Sharon souhaitaient ardemment l'élection de Béchir, croyant que celle-ci allait permettre la conclusion d'une véritable paix avec des accords de coopération à la clé. D'ailleurs, peu avant cette élection, Begin avait eu des contacts avec Béchir. Je me souviens qu'il avait disparu pendant toute une nuit, et lorsqu'on lui en a demandé la raison, il a répondu : « *On ne demande pas à un gentleman où il a passé la nuit.* » En réalité, il était allé rencontrer Béchir en compagnie de Sharon et en était revenu radieux, faisant des déclarations fantastiques selon lesquelles nous allions faire la paix avec le Liban. C'était là une illusion à laquelle je n'ai jamais cru.

André Versaille : Qu'attendaient les Israéliens de Béchir ? Il semble que Begin ait voulu très rapidement conclure un traité de paix avec le Liban et que

Béchir s'y soit refusé. De peur de se voir discrédité aux yeux de la moitié de sa population ? Et quels rapports le nouveau dirigeant maronite voulait-il avoir avec les Israéliens ?

BOUTROS BOUTROS-GHALI : Avant son élection, Béchir avait eu besoin de l'aide israélienne. Dès le lendemain, il n'en aura plus besoin. Il prendra donc naturellement ses distances avec Israël, condition essentielle s'il voulait passer pour le président de tous les Libanais et non pour un collaborateur d'Israël. Il va donc refuser la signature d'un traité de paix ainsi que tout projet d'alliance libano-israélien.

SHIMON PERES : Je pense que les deux parties se sont fait des illusions sur les engagements militaires et politiques que l'autre était prêt à prendre : les Maronites pensaient que nous allions nous charger de leur guerre, et Begin croyait que les Maronites allaient adopter nos positions et devenir *de facto* une espèce d'avant-garde pro-israélienne. Cela n'avait pas le sens commun : chacun doit veiller à ses propres intérêts et lutter lui-même pour les défendre. Ce que nous pouvions espérer de mieux, c'est que l'union des deux grandes familles maronites, les Gemayel et les Chamoun, permettrait de rebâtir un Liban unifié et pacifique. Cela aurait déjà été très bien. Nos rapports avec les Maronites étaient très bons, mais de là à imaginer que nous pourrions bientôt parvenir à une véritable paix… La seule chose que nous pouvions réalistement espérer, c'était l'instauration d'une situation précaire de ni paix ni guerre.

ANDRÉ VERSAILLE : Mais le 14 septembre 1982, Béchir est tué. Son frère Amine lui succède à la présidence du Liban. Cet assassinat met-il un terme aux espoirs israéliens de faire une paix ?

SHIMON PERES : C'est un coup dur pour le Likoud qui y avait mis beaucoup d'espoir, et moins pour nous, l'opposition, qui n'avions pas cru aux rêves de Begin.

BOUTROS BOUTROS-GHALI : De toute façon, il était évident que cette paix n'aurait jamais été acceptée par Damas ! Begin et Sharon, qui avaient une vision déformée de la réalité dans la région, se berçaient d'illusions. Le traité de paix entre l'Égypte et Israël avait déjà constitué une défaite politique pour Assad. Imaginez alors un traité de paix entre Israël et le Liban !

ANDRÉ VERSAILLE : La Syrie est pointée du doigt comme commanditaire de l'assassinat. Que vous en semble-t-il ?

BOUTROS BOUTROS-GHALI : Tout ce que je crois savoir, c'est que Habib Tanyos Chartoumi, un jeune militant du parti national syrien, hostile à Béchir

Gemayel, aurait placé une charge de dynamite dans la pièce surplombant l'endroit où se trouvait Béchir Gemayel, qui a été tué sur le coup. L'enquête établira qu'il a agi sur les instructions d'agents syriens qui n'avaient aucune envie d'un président libanais qui leur soit hostile, ce qui était le cas de Béchir.

Shimon Peres : Je pense qu'il ne fait pas de doute que cet assassinat fut le fait des Syriens : vous avez raison, Béchir aurait vraisemblablement conduit une politique trop indépendante au goût de Damas qui ne pouvait pas envisager un Liban qui ne lui soit pas entièrement soumis.

André Versaille : Dans la nuit du 16 au 17 septembre 1982, des forces phalangistes, dirigées par le Chrétien Hobeïka, mues par le désir de vengeance consécutif à l'assassinat de Béchir Gemayel, attaquent les camps palestiniens de Sabra et Chatila. Ils massacrent des centaines de civils (on parle généralement de 1 200 tués) dont beaucoup de femmes et d'enfants (un quart d'entre eux sont des Libanais chi'ites). Les FDI se trouvent à proximité et ne bougent pas.

Ces massacres, qui seront universellement médiatisés, susciteront une grande émotion dans le monde, et également chez les Israéliens.

Shimon Peres : Oui, Sabra et Chatila va provoquer une immense émotion en Israël. C'est un choc qui se traduira une semaine plus tard, le 25 septembre, par la plus grande manifestation de protestation jamais organisée en Israël : 400 000 personnes sont dans les rues pour exiger que la lumière soit faite sur le rôle de l'armée israélienne dans ces tueries.

Et beaucoup de militaires vont se rallier aux positions des manifestants. Ils étaient scandalisés par ce qui s'était passé à Sabra et Chatila, qui éclaboussait l'armée. Plus généralement pour beaucoup d'entre eux, ce massacre témoignait de notre embourbement dans une guerre qui ne pouvait rien nous apporter.

André Versaille : Cette conduite d'un corps de l'armée provoquera la première grande fissure intra-israélienne. L'unanimité autour de Tsahal, considérée comme une « armée populaire et morale », vole en éclats : l'attitude de Tsahal sera presque considérée comme une trahison de l'idéal sioniste de l'armée. Qu'est-ce qui explique la passivité, sinon la complicité, de l'armée israélienne ? Quel est son intérêt dans ces massacres ?

Boutros Boutros-Ghali : Pour moi, il n'y a pas passivité mais complicité des Israéliens. Pour commencer, des fusées éclairantes ont été lancées par l'armée israélienne pour faciliter l'entrée des phalanges dans le camp. Ensuite, une fois les massacres perpétrés, les bulldozers israéliens sont intervenus pour détruire les bidonvilles des camps. Et pour terminer, ces bulldozers ont creusé les fosses communes où ont été jetées les victimes des massacres. D'après les rapports que nous avons reçus, tout signe permettant d'identifier les bulldozers israéliens avait été effacé. Dans les déclarations qu'il fit après le massacre, le gouvernement israélien jugea plus sage de ne pas incriminer ses alliés, les phalangistes, et affirma que ce carnage avait été l'œuvre d'unités libanaises qui s'étaient introduites dans les camps. Peine perdue, le massacre des camps palestiniens de Sabra et de Chatila va ternir durablement l'image d'Israël et soulever l'opprobre de la communauté internationale.

ANDRÉ VERSAILLE : Étonnamment, alors que 400 000 personnes manifestent en Israël, les États arabes interdisent toute manifestation. Comment cela s'explique-t-il ?

BOUTROS BOUTROS-GHALI : C'est très simple. D'abord, le monde arabe n'a aucun intérêt à envenimer la grave crise qui a résulté de ces massacres entre Chrétiens arabes et Musulmans arabes, crise que les Israéliens, pour leur part, cherchent à attiser en disant : « *Des goyims tuent des goyims, c'est une affaire intérieure libanaise.* » Ensuite, même dirigées contre Israël, les manifestations sont systématiquement réprimées dans le monde arabe, parce que ces régimes autoritaires craignent par-dessus tout les débordements populaires. Les manifestations sont interdites. Point.

ANDRÉ VERSAILLE : Sous la pression de l'opinion publique israélienne, le gouvernement Begin charge Yitzhak Kahane, président de la Cour suprême, de constituer une commission d'enquête pour faire toute la lumière sur ces événements. Celle-ci conclut à la responsabilité indirecte des FDI et d'Israël dans ces massacres. Elle va jusqu'à comparer le rôle d'Israël à celui des autorités russes et polonaises lors des pogroms organisés contre les Juifs au XIXe siècle. Comment expliquez-vous que ces massacres aient pu se commettre sous l'œil – et le contrôle – de l'armée israélienne ?

SHIMON PERES : Je dois vous dire que, en dehors du rapport émis par la commission israélienne d'enquête, j'ai très peu d'informations sur cette question. Au début, nous pensions que nous étions très impliqués. Il s'avère que nous l'étions, bien sûr, mais que nous ne sommes pas à la base de ces tueries : ce n'est pas Tsahal qui les a ordonnées. La commission d'enquête a déclaré l'armée coupable de n'avoir pas été vigilante ; de n'avoir pas veillé à la sécurité des populations. Ce qui est évidemment déjà très grave.

C'est le général Sharon qui a surtout été mis en cause : la commission a recommandé sa démission et, en cas de refus de celui-ci, son limogeage par le chef du gouvernement. Comme Sharon a refusé de démissionner, Begin, sous la pression de l'opinion publique, lui a retiré le ministère de la Défense, tout en le conservant dans son gouvernement comme ministre sans portefeuille.

ANDRÉ VERSAILLE : Le jugement rendu par la Cour vous a-t-il paru équitable ?

SHIMON PERES : Oui. Je crois vraiment que les juges ont fait preuve d'indépendance en tentant de faire toute la lumière sur cette tragédie, avec la volonté d'identifier le plus précisément possible toutes les responsabilités.

BOUTROS BOUTROS-GHALI : Pour le monde arabe, ce jugement n'a en rien changé la perception qu'il avait de ce « pogrom » : celui-ci était une preuve supplémentaire que les victimes d'hier étaient devenues les bourreaux d'aujourd'hui.

ANDRÉ VERSAILLE : En septembre 1983, Menahem Begin démissionne. Pourquoi ? Certains ont invoqué le chagrin que lui a causé la mort de sa femme, d'autres le bourbier libanais ?

SHIMON PERES : Franchement, je n'en sais rien, et je crois que personne ne le sait. Il est vrai que son retrait de la vie politique fut très étrange. Il avait déclaré qu'il désirait rédiger ses Mémoires, ce qu'il n'a pas fait. Il ne ressemblait plus du tout au Begin que l'on avait connu. Malade, il a vécu littéralement en reclus, sans vouloir voir personne. Je pense que le fiasco libanais l'a miné : il n'était pas facile d'être le dirigeant d'un pays embourbé dans une guerre qui n'avait aucune chance de déboucher sur une victoire, et qui ne pouvait pas résoudre « notre » question libanaise.

ANDRÉ VERSAILLE : Quel regard portez-vous sur le bilan politique de Menahem Begin ?

SHIMON PERES : Si l'on excepte sa paix avec l'Égypte, qui est bien sûr une chose capitale, je pense qu'il s'est constamment trompé. Je crois que son idéologie extrémiste l'a empêché d'avoir une réelle vision politique. Il était le concurrent de Ben Gourion, mais sans Ben Gourion, l'État d'Israël ne serait pas né. Begin a contribué à la création d'Israël, mais je ne crois pas qu'on puisse le considérer comme l'un de ses « pères fondateurs ».

J'ajoute immédiatement qu'en dépit de son idéologie, Begin était un authentique démocrate, mais, en fin de compte, c'était plus un « rhétoricien » qu'un homme d'État.

Sa paix avec l'Égypte est importante, mais il faut dire qu'il a eu la chance d'avoir eu affaire à Sadate. Si nous avions eu en face de nous un Sadate palestinien, la paix aurait été conclue depuis longtemps. Par contre sa guerre libanaise fut une faute énorme.

Quant au plan intérieur, le fait d'avoir cultivé l'opposition entre Sépharades et Ashkénazes n'était pas une belle chose. Il a caressé les Juifs d'Afrique du Nord dans le sens du poil ; il les a confortés dans leur sentiment de victimisation, en leur répétant qu'ils étaient discriminés, afin de devenir leur champion et de gagner leurs voix. C'est vrai qu'ils étaient discriminés, mais pas parce qu'ils étaient sépharades. En réalité, ils subissaient la discrimination « naturelle » propre à la situation de toute nouvelle immigration : à chaque vague d'immigration, les nouveaux arrivants se sont sentis discriminés, tout simplement parce qu'ils avaient du mal à s'adapter, à se faire des relations, à créer des réseaux, etc., ce qui les mettait en situation d'infériorité par rapport aux Israéliens déjà installés et intégrés. Je trouve qu'exploiter cette situation pour en faire un capital politique n'est guère reluisant.

BOUTROS BOUTROS-GHALI : Pour moi, Begin, avec qui j'ai souvent eu l'occasion de m'entretenir, est d'abord l'homme qui a signé le traité de paix avec l'Égypte et qui a tenu parole sur le retrait des troupes israéliennes du territoire égyptien. Je veux bien croire qu'il a été dupé par Sharon dans la guerre du Liban, il n'empêche qu'il a été rattrapé par son imaginaire qui lui faisait voir dans l'OLP une forme de renaissance du nazisme, dans Arafat un Hitler des temps modernes, et dans la Charte nationale palestinienne un nouveau *Mein Kampf*. Cette hantise chez Begin était tellement patente que le grand écrivain israélien Amos Oz, dont j'apprécie beaucoup les livres, lui a adressé un jour une lettre ouverte dans laquelle il disait notamment : « *Monsieur le Premier ministre* [...] *Hitler ne se cache ni à Nabatiyé ni à Saïda, ni à Beyrouth... Il est mort, il y a trente-sept ans.* »

ANDRÉ VERSAILLE : En 1984, après des élections anticipées, se met en place, en Israël, un gouvernement de coalition à « direction tournante » : les deux premières années, de 1984 à 1986, vous êtes, Shimon Peres, Premier ministre, et Itzhak Shamir, ministre des Affaires étrangères (quant à Itzhak Rabin, il sera ministre de la Défense). De 1986 à 1988, ce sera Shamir qui prendra le poste de Premier ministre, et vous, celui des Affaires étrangères. Cette cohabitation tournante était une première. Comment l'envisagiez-vous ?

SHIMON PERES : Au début, j'avais certaines appréhensions, mais un grand rabbin d'Israël, Ovadia Yosef, m'a rassuré. Il m'a dit : « *Tu sais, Shimon, la cohabitation peut donner de très bons résultats. Il y a un exemple dans la Bible. – Dans la Bible ? Où cela ? – Dans la Genèse. – Je ne vois pas. – Eh bien, quand Adam se rendit compte qu'Ève était la seule femme sur terre, et qu'Ève comprit qu'il n'y avait pas d'autre homme sur terre qu'Adam, ils ont décidé de cohabiter. Et ils ont appelé cela "le Paradis". Et cela dura assez longtemps avant que le Serpent ne s'en mêle...* »

Plus sérieusement, lorsque je suis devenu Premier ministre, j'ai fait quatre promesses : quitter le Liban dans les six mois ; réduire l'inflation dans les neuf mois ; régler les relations avec l'Égypte ; et entamer des négociations avec les Palestiniens (mais pas avec l'OLP). La mise en cause de l'OLP sera d'ailleurs telle que, en septembre 1985, la Knesset votera la loi anti-OLP interdisant aux citoyens israéliens toute prise de contact avec des membres de cette organisation.

André Versaille : Pensez-vous que cette loi fut sage ?

Shimon Peres : À supposer qu'elle ne le fût pas, comment s'y opposer ? Dès lors que les combattants de l'OLP étaient considérés comme des criminels, il était dans l'ordre des choses de les mettre à l'index et de prohiber tout contact avec eux.

André Versaille : Historiquement, il est dans l'ordre des choses que tous les mouvements nationalistes de libération soient considérés comme criminels. Quelques années plus tard, ces mêmes « criminels » sont devenus des gouvernants « respectables ». Begin et Shamir avaient également commis des actes terroristes.

Shimon Peres : Il est vrai que la plupart des mouvements nationalistes de libération ont commis des exactions et recouru au terrorisme. Cependant, je le répète, l'OLP, le Fatah, le FPLP, et d'autres organisations palestiniennes ont été beaucoup plus loin dans le terrorisme aveugle. Ils ne se sont pas contentés de s'attaquer aux soldats, ils s'en sont bien plus souvent pris à des civils, des femmes et des enfants. Qui plus est, comme nous l'avons déjà dit, ils n'ont pas borné leurs actions au territoire israélien : ils ont jeté des bombes dans des synagogues et des écoles juives en dehors d'Israël. Ils ont donc été d'une cruauté aveugle bien plus grande que les autres mouvements de libération nationale comme l'ANC en Afrique du Sud, par exemple.

Pour en revenir au Liban, en six mois nous l'avions quitté, laissant le Sud-Liban dans les mains de l'armée chrétienne de Sa'ad Haddad. (Malheureusement, étant donné les attaques que nous avons continué de subir, nos forces seront amenées graduellement à réinvestir la zone frontalière du Liban.)

Je dois dire que l'armée israélienne dans son ensemble a très bien réagi à l'instruction de ce retrait. Rabin était d'accord et les soldats contents, car notre armée n'avait pas d'hostilité envers les Libanais : si Sharon était agressif, l'état-major ne l'était pas et le contingent encore moins.

Pour autant, comme nous nous y étions engagés, nous avons soutenu les combattants chrétiens et en particulier ceux de l'Armée du Sud-Liban de Sa'ad Haddad dont nous avons assuré l'entraînement. Leurs officiers étaient admis en Israël et formés par nous avant de partir rejoindre leur armée.

André Versaille : Parlons de cette petite armée chrétienne minoritaire installée avec la collaboration des Israéliens. Ceux-ci lui avaient permis de constituer un véritable fief quasiment indépendant au Sud-Liban, au point que le

18 avril 1979, Sa'ad Haddad proclame la naissance de l'« État du Liban libre ». Cela avait-il un sens ? Sa'ad Haddad avait-il une quelconque légitimité ? Et un mini-État libanais chrétien pouvait-il avoir une chance d'être reconnu un jour par la communauté internationale ?

SHIMON PERES : Remettons-nous dans le contexte de l'époque : l'État politique du Liban avait éclaté et chaque communauté, chaque faction, possédait plus ou moins son fief : le Hezbollah dans le Sud-Ouest, les Druzes au Moukhtara, les Syriens dans la Bekaa, etc. Dans ces conditions, nous voulions que la région frontalière soit contrôlée par des alliés. C'est la raison pour laquelle nous avons soutenu l'Armée du Sud-Liban qui, par ailleurs, protégeait sa propre population en danger.

Vous parlez de légitimité, mais dans un pays où toutes les autorités avaient perdu leur légitimité, n'importe qui pouvait se prétendre légitime. Le Liban n'était plus un État intégré, c'était une région composée de petits fiefs qui formaient autant d'États dans l'État, qui, lui, n'existait plus.

BOUTROS BOUTROS-GHALI : La question n'est pas là : les Israéliens ont créé de toutes pièces une armée libanaise à leur solde qui devait, en occupant le Sud-Liban, servir de force tampon dans cette zone de « sécurité ». Ce système n'a rien de nouveau : lors de l'invasion de la Russie, les Allemands avaient formé des forces militaires composées de minorités de l'Union soviétique, et plus près de nous, les Français pendant la guerre d'Algérie ont recruté les Harkis. En revanche, la proclamation, le 18 avril 1979, d'un État du Liban libre est un acte particulièrement grave qui a alimenté l'obsession du monde arabe quant à la volonté expansionniste d'Israël : l'État juif n'hésitait pas à fractionner un pays arabe pour mieux le dominer, à l'instar de ce qu'avaient fait les Français pendant leur mandat en Syrie.

ANDRÉ VERSAILLE : Shimon Peres, à l'époque, vous pensiez que la campagne israélienne au Liban avait une quelconque justification ?

SHIMON PERES : Oui, si elle s'était limitée à quarante kilomètres. Elle aurait même pu être un succès. Mais elle s'est étendue et dès lors enlisée. Elle fut chère, surtout en vies humaines, du côté libanais, bien sûr, mais aussi du côté israélien, puisqu'elle provoqua la première année la mort de près de 650 de nos soldats.

En fin de compte, toute cette campagne fut une grande erreur. Sharon a cru qu'en investissant le Liban, il allait pouvoir détruire les bases palestiniennes et sécuriser le Nord d'Israël. Ce fut un échec. Nous nous sommes embourbés dans une guerre interminable. Sans compter que nous nous sommes compliqué la vie en nous associant à des alliés sur lesquels nous ne pouvions pas compter. Car, comme je vous l'ai dit, ce que voulaient les Chrétiens libanais, c'était que nous fassions leur guerre.

Bien sûr, nous devions tenter d'avoir les meilleures relations possibles avec les Libanais. Aider les Chrétiens, soit, mais en faisant extrêmement attention à ne pas nous immiscer dans la politique libanaise en prétendant y jouer un rôle. Quand bien même nous l'aurions voulu, c'eût été impossible. Le Liban est un écheveau d'intérêts contradictoires : n'importe qui s'allie à n'importe qui pour le trahir après. Le mensonge est la règle. Dans ces conditions, pourquoi nous être engagés dans ce guêpier ?

ANDRÉ VERSAILLE : En fin de compte, Hafez el-Assad n'a-t-il pas gagné politiquement la partie ? Il a empêché le Liban de conclure une paix ou même un traité de non-belligérance avec Israël ; il a imposé sa *Pax syriana* et s'est assuré sur le Liban une emprise bien plus importante que celle qu'il avait eue jusque-là. De la fin des années quatre-vingt à fin 2004, les présidents et Premiers ministres libanais étaient tous contrôlés par Damas.

SHIMON PERES : C'est quoi « avoir gagné » ? Si vous entendez « gagner » dans le sens militaire étroit, sans doute avez-vous raison. Mais la sujétion d'un pays à un autre peut-elle être considérée comme une véritable victoire ? Personnellement je ne considère pas une victoire militaire comme telle : la victoire est politique ou n'est pas.

Les Syriens sont restés au Liban jusqu'en 2005. Suite à l'assassinat du ministre Rafic Hariri, vraisemblablement commis avec la complicité (au moins !) des services secrets de Damas, ils ont dû le quitter de manière peu glorieuse. Et, dans quel état se trouve aujourd'hui le Liban ? Son économie était importante pour Damas du fait des centaines de milliers de Syriens qui allaient travailler au Liban et dont les salaires allaient enrichir la Syrie. Or, à force de peser sur cette économie, les Syriens l'ont détruite, si bien que le Liban a fini de manière naturelle par être gangrené par la corruption et le trafic de drogue.

Et la Syrie, où en est-elle aujourd'hui ? Elle est gouvernée par une minorité, les Alaouites ; elle a conservé une certaine force de frappe, mais pas tellement impressionnante, et elle ne jouit pas d'un véritable *leadership*. Pas de paix, pas de prospérité : le pays s'est même appauvri.

Vous parlez d'une victoire…

BOUTROS BOUTROS-GHALI : C'est une interprétation très personnelle de l'Histoire. Je vois les choses autrement. Malgré les défaites militaires, le président el-Assad, qui appartient à une minorité, a su garder le pouvoir jusqu'à sa mort. Et nonobstant la supériorité militaire des Israéliens, Damas leur tient tête en contrôlant, à la frontière israélo-libanaise, une guerre d'usure menée par le Hezbollah. Bien plus, la succession du président el-Assad s'est déroulée en toute quiétude et si vous comparez la situation de la Syrie à celle des autres pays du tiers-monde, on peut dire que Damas s'en sort plutôt bien. Même si ses forces ont dû quitter le Liban, elle en garde encore le contrôle : il y aurait aujourd'hui de nombreux agents syriens qui auraient pris la nationalité libanaise…

Au crédit d'Assad, il faut remarquer que sa paix imposée a supprimé les luttes intestines qui déchiraient le Liban depuis 1975.

SHIMON PERES : À quel prix…

BOUTROS BOUTROS-GHALI : Non seulement cette paix a entraîné la suppression des luttes intestines, mais elle a permis au Liban de renaître de ses cendres et de refaire de Beyrouth un centre financier, économique et culturel. Malgré son coût humain et économique, cette présence a donc été plutôt positive. Ni l'intervention israélienne ni les interventions onusiennes n'ont permis d'aboutir à ce résultat. Je pense donc que pendant la période de convalescence du Liban, la Syrie a joué un rôle plutôt constructif et relativement pacificateur.

Cependant, revers de la médaille, après avoir « pacifié » le Liban, les Syriens n'ont plus voulu le quitter, et se sont conduits en occupants jusqu'à leur retrait en 2005.

XIV – Le Moyen-Orient dans la tourmente

*Émergence du Hezbollah – La chute du shah et la révolution islamique
– Sadate n'est pas inquiet du danger islamiste… – … et l'Occident
encore moins – La guerre irano-irakienne – Négociations secrètes
entre Shimon Peres et le roi Hussein – Sabotage de Shamir*

André Versaille : L'Olp chassée du Liban, on y voit émerger des milices chi'ites, notamment le Hezbollah, financées par l'Iran, et qui relèvent des Gardiens de la révolution islamique iranienne. Avec le Hezbollah, le combat anti-israélien, qui était jusque-là le fait de Palestiniens sinon « laïques », en tout cas non fondamentalistes, est largement repris en main par des groupes religieux.

Boutros Boutros-Ghali : Je ne suis pas d'accord avec vous lorsque vous dites qu'auparavant le combat contre Israël était mené par des laïcs, ou plus ou moins laïcs : non, il a toujours été le fait de religieux. Il y avait bien sûr le Fplp de Georges Habache ou le Fdplp de Nayef Hawatmeh, mais ils étaient très minoritaires. Dans l'ensemble, les mouvements palestiniens étaient, non pas islamistes, mais musulmans, et la religion était un élément moteur du mouvement national palestinien.

Shimon Peres : En tout cas, le projet d'une Palestine laïque et démocratique où cohabiteraient en belle harmonie Musulmans, Chrétiens et Juifs, était un discours convenu à usage de l'Occident. À la fin des années soixante-dix, Arafat, qui avait compris le poids de l'opinion publique occidentale, européenne et américaine, voulait à toute force faire accepter l'Olp par cette opinion. Il ne pouvait donc pas apparaître comme un islamiste fanatique. D'ailleurs, les leaders européens auxquels il était allé faire sa cour, le lui ont déclaré sans ambages : « *Si vous apparaissez comme un islamiste, vous n'aurez aucune chance de convaincre les Occidentaux.* »

Et de fait, à se présenter comme « progressistes », porteurs du projet d'une Palestine « laïque et démocratique », les mouvements nationalistes vont peu à peu gagner la sympathie des cercles progressistes européens.

ANDRÉ VERSAILLE : Quoi qu'il en soit, c'est le Hezbollah chi'ite qui est devenu le principal mouvement anti-israélien au Liban. Il a émergé grâce aux financements de la République islamique iranienne qui a lancé la vague islamiste intégriste. Je vous propose de revenir à la genèse de cette vague.

Dans le courant de l'année 1978, les choses bougent en Iran. Le régime est de plus en plus violemment contesté par le peuple. En outre, dans l'opinion internationale – notamment occidentale –, le shah passe pour l'un des tyrans les plus sanguinaires du monde. Parallèlement, un ayatollah appelé Khomeiny fait de plus en plus parler de lui. Il semble symboliser l'espoir de millions d'Iraniens. La monarchie menace de vaciller. Le shah étant un allié d'Israël, la situation iranienne est suivie de près par Jérusalem.

SHIMON PERES : Oui, nous avions bâti des relations solides avec l'Iran du shah ; c'était ce qu'on appelle une « relation de périphérie » : comme nos voisins immédiats étaient nos ennemis, il nous avait paru important de nouer des relations avec les États qui entouraient le monde arabe hostile.

BOUTROS BOUTROS-GHALI : Un ancien précepte de la diplomatie indienne préconise d'être en bons termes avec le voisin du voisin.

SHIMON PERES : Exactement, surtout si le voisin est un ennemi. C'est pourquoi, comme je vous l'ai raconté, dans les années cinquante et soixante, nous avons tout naturellement cultivé de bonnes relations avec l'Iran, l'Éthiopie du Négus, le Soudan, le Maroc, etc. Mais c'est de l'Iran que nous étions le plus proches et avec lequel nous avons développé une coopération à plusieurs niveaux et dans divers secteurs : militaire, économique, etc. Nous avons notamment construit ensemble un pipeline qui reliait la mer Rouge à la Méditerranée.

ANDRÉ VERSAILLE : Shimon Peres, vous avez été plusieurs fois en Iran rencontrer le shah, jusqu'en 1978. Vous vous attendiez à sa chute prochaine ?

SHIMON PERES : Personnellement, non. Mais notre ambassadeur qui connaissait très bien le pays et qui parlait couramment le persan, oui. Il n'arrêtait pas de nous alerter, en nous disant que la situation du shah devenait très instable, et que de plus en plus de franges de la population lui étaient très hostiles. Il n'y avait pas que le luxe insolent de ses Palais des Mille et Une Nuits tapissés de marbre et d'ors (je me souviendrai toujours des montagnes de pistaches, de loukoums, etc.), il y avait surtout une corruption immense. J'ai entendu des histoires hallucinantes à propos de la corruption qui régnait autour du shah.

Boutros Boutros-Ghali : Quelle était dans tout cela la part de la réalité, et la part de la fiction ? Et pouvez-vous me citer un pays où il n'y a pas de corruption ?

Shimon Peres : Pas de cette dimension. En Iran, c'était vraiment exceptionnel. Ce n'était pas de la corruption de petite monnaie : c'était à coups de centaines de millions de dollars que l'on corrompait.

Je pense que le shah n'avait pas vraiment conscience de ce qui se passait dans son pays. Il était aveugle à certaines choses et avait du mal à opter pour une politique cohérente : d'un autoritarisme absolu, et exigeant le contrôle total sur tout ce qui pouvait l'être, il restait en même temps très hésitant dans ses décisions. Cette inconséquence dans la gouvernance ne pouvait que favoriser l'instabilité.

Le shah continuait à régner en monarque absolu, tandis que sous ses pieds, le sol grondait. L'influence de Khomeiny (qui passait d'ailleurs aux yeux de beaucoup pour un saint homme) commençait à se faire sentir et des vidéo-cassettes circulaient, montrant l'imam dans des prêches enflammés. Il y avait 500 000 étudiants à l'Université en faveur d'une libéralisation du régime, et 500 000 membres du clergé qui, disséminés dans tout le pays, jusque dans le moindre village, colportaient le message de Khomeiny. La question était de savoir lequel des deux groupes allait l'emporter sur l'autre. Quant à l'armée, elle oscillait entre les deux, mais semblait bien tenue par un shah très attentif à elle, et qui la connaissait très bien.

André Versaille : Le shah était un fidèle allié des États-Unis ; pourtant il sera lâché par Washington. Pourquoi ? Jimmy Carter, qui se voudra champion des droits de l'Homme, invoquera des raisons morales.

Boutros Boutros-Ghali : Je ne crois pas que ce soit pour des raisons morales que les États-Unis ont abandonné le shah. Je pense que les Américains avaient compris que le shah, gravement malade, perdait progressivement le contrôle de son pays.

Shimon Peres : Sans doute. Il n'empêche que le président américain était sincère dans sa croisade en faveur des droits de l'Homme.

André Versaille : Quel regard portez-vous sur cette politique des droits de l'Homme de Carter ?

Shimon Peres : Voyez-vous, on peut approuver cette idéologie ou la critiquer et, à l'époque, une bonne partie des Américains ne se privaient pas de la condamner, allant jusqu'à considérer Carter plus comme un prêcheur que comme un président. Néanmoins, il est indéniable que cette idéologie fut efficace, puisque, on l'a vu, sa diffusion a contribué à ébranler le système communiste. Mais, revers de la médaille, cette idéologie affaiblissait pas mal d'alliés de Washington, dont le shah. Et, de fait, sous Carter, les rapports entre les États-Unis et l'Iran changent. Les intrigues qui déchirent le leadership iranien, le système de corruption généralisée sur lequel reposent les élites civiles et militaires, et enfin la férocité bien connue de la police secrète, la Savac, tout cela est alors violemment dénoncé aux États-Unis puis en Europe.

Le shah se plaignait de la presse américaine qui n'arrêtait pas de publier des articles très critiques. Il m'en avait montré certains : comme il pensait que nous, les Israéliens, avions une influence sur cette presse, il voulait que nous intervenions auprès des journalistes. Vous le voyez, les mythes ont la vie dure…

André Versaille : Conspué par le mouvement populaire iranien et lâché par ses amis occidentaux et arabes, le shah est contraint de quitter le pouvoir et de partir en exil. L'ayatollah Khomeiny rentre en Iran et instaure immédiatement la république islamique. Comment réagit-on en Israël ?

Shimon Peres : La victoire était donc allée aux 500 000 membres du clergé. On verra très vite qu'il ne s'agissait pas d'un coup d'État classique fomenté par une opposition classique, mais de la mise en marche d'une véritable vague de fond religieuse extrémiste. En Israël, nous étions évidemment très préoccupés par cette situation où des fanatiques autoritaires allaient gouverner le pays. D'autant plus que l'on entendait sans arrêt ces discours haineux qui traitaient Israël de « *petit Satan* » (les États-Unis étant le « *grand Satan* »).

Boutros Boutros-Ghali : Et du côté égyptien, le gouvernement est fort mécontent d'avoir perdu un allié. Pour autant, Sadate n'est pas inquiet. Il n'empêche que cette victoire vient conforter les fondamentalistes égyptiens dans l'idée que leur accès au pouvoir est possible.

Après sa chute, le shah, qui avait d'excellentes relations avec Sadate, sera accueilli au Caire. Les deux dirigeants avaient précédemment conçu de grands projets ensemble. Je me souviens que le 9 janvier 1978, quelques semaines après notre voyage à Jérusalem, le shah était venu en visite officielle à Assouan où on lui avait réservé un accueil triomphal : vingt et une salves de canon, hymne impérial, hymne national égyptien. Le président Sadate et le shah, qui étaient à la tête de deux États puissants du Moyen-Orient, avaient eu à cette occasion de longues conversations en tête-à-tête. C'est lors de ces entretiens qu'ils avaient conclu une espèce de Sainte-Alliance destinée à combattre le communisme, et dont la première initiative fut l'envoi d'armes à la Somalie pro-américaine dans sa confrontation avec l'Éthiopie prosoviétique.

Ironie de l'Histoire, à peine un an plus tard, le 16 janvier 1979, quelques mois avant la signature du traité de paix avec Israël, nouvelle visite officielle du shah, avec le même apparat. Mais cette fois, il ne s'agissait pas de deviser de l'alliance conclue un an plus tôt, mais de préparer l'exil du shah qui viendra se réfugier en Égypte où il trouvera l'hospitalité qui lui a été refusée par la communauté internationale. C'est d'ailleurs en Égypte qu'il mourra.

Lorsque Sadate a décidé d'accueillir le shah en exil, je lui ai téléphoné pour lui faire part de mes appréhensions en tant que ministre chargé des Affaires étrangères. Je craignais en effet qu'un tel geste ne déclenche une vague d'attentats de la part des fondamentalistes contre nos ambassades. Il s'est fâché : « *Tu n'as donc aucun sentiment de reconnaissance !* » (Le shah nous avait aidés lors de la guerre de 1973 en nous fournissant du pétrole.) Je me suis excusé en expliquant que je ne désapprouvais pas sa décision d'accueillir le shah, mais que je me permettais seulement de le prévenir des conséquences possibles de ce geste. Il m'a répondu : « *La question de la protection des ambassades, c'est ton problème, et cela ne remettra pas en cause ma décision d'offrir l'hospitalité à mon frère le shah !* »

ANDRÉ VERSAILLE : Vous dites que Sadate n'était pas inquiet de l'évolution de l'Iran : il ne craignait donc pas une contagion fondamentaliste ?

BOUTROS BOUTROS-GHALI : Par la suite, j'ai eu l'occasion de m'entretenir avec Sadate du danger fondamentaliste, mais il ne semblait pas inquiet de l'arrivée des ayatollahs en Iran. Il considérait que l'Égypte étant sunnite et les révolutionnaires iraniens, chi'ites, il n'y avait pas lieu de craindre une contagion. Avec Moussa Sabri, rédacteur en chef du quotidien *Al-Akhbar*, nous avons essayé de convaincre Sadate du danger que représentaient les Frères musulmans en Égypte. En vain. Pour Sadate, le vrai danger provenait des communistes et de leurs alliés. Et, en sous-estimant le pouvoir de nuisance des fondamentalistes, il faisait la même erreur que le shah qui n'avait pas voulu voir le danger khomeiniste. L'un comme l'autre seront victimes de leur aveuglement. Il semble qu'ils avaient pris à leur compte l'obsession anticommuniste des Américains, obsession que je ne partageais pas. Selon moi, la déstabilisation des régimes arabes modérés serait le fait des fondamentalistes musulmans, et sûrement pas des communistes. Il me semblait clair qu'en dépit de leurs différences sectaires, les mouvements fondamentalistes s'entendaient pour lutter contre l'occidentalisation. Ainsi, lorsque le chef fondamentaliste soudanais, Hassan Tourabi, d'obédience sunnite, est allé voir l'ayatollah Khomeiny, chi'ite, il a obtenu toute l'aide militaire dont il avait besoin pour combattre les Chrétiens et les animistes du Sud du Soudan. Ce danger fondamentaliste m'a toujours semblé évident. Sans doute mon ouverture sur l'Occident et mon attachement à la laïcité m'ont-ils permis de mieux percevoir ce danger que mes compatriotes.

ANDRÉ VERSAILLE : Le geste de Sadate d'accueillir le shah en exil était-il uniquement guidé par la reconnaissance ou y a-t-il eu des compensations financières ?

BOUTROS BOUTROS-GHALI : Je ne pense pas un instant que ce geste de suprême hospitalité ait pu être motivé par des considérations financières. Sadate avait un sens profond de l'hospitalité et de la reconnaissance. Il voulait aussi mettre en évidence l'ingratitude de la communauté occidentale qui avait fêté le shah tant qu'il était au pouvoir et qui était prête à le livrer à la vindicte des ayatollahs maintenant qu'il était tombé. Sadate a voulu montrer qu'il agissait au nom d'une éthique politique, concept auquel il était devenu très sensible depuis sa consécration comme chef d'État de stature internationale.

ANDRÉ VERSAILLE : Cette minimisation du danger fondamentaliste n'est-elle pas due au regain de la guerre froide ? Cette même année 1979, les Soviétiques interviennent en Afghanistan ; pour les contrer, les États-Unis soutiendront toutes les factions résistantes afghanes, sans distinction, y compris les fondamentalistes talibans. Au nom du même principe : « On pourra toujours s'entendre avec les religieux (qui d'ailleurs ne représentent pas une force très importante), alors qu'aucun compromis n'est possible avec les communistes inféodés à la superpuissance soviétique. » Et pour les Occidentaux, d'une manière générale, le danger de l'expansion soviétique paraît alors bien plus prégnant que le développement du fondamentalisme musulman, alors peu perceptible en Occident.

BOUTROS BOUTROS-GHALI : Vous avez raison, mais je vous ferai remarquer que ce n'est pas un effet circonscrit à la guerre froide : jusqu'au 11 septembre 2001, les États-Unis ont totalement sous-estimé le danger fondamentaliste.

ANDRÉ VERSAILLE : Qu'est-ce qui explique que l'Occident n'ait pas perçu le danger khomeiniste ? Pour le coup, on ne peut pas dire que l'imam se soit avancé masqué : tout le monde connaissait le projet de révolution islamique avant que l'ayatollah ne parvienne au pouvoir. Le gouvernement français de Giscard d'Estaing a accueilli pendant plusieurs mois Khomeiny à Neauphle-le-Château d'où celui-ci appelait à la guerre sainte, sans que cela ne semble émouvoir ni la classe politique ni l'opinion publique françaises.

BOUTROS BOUTROS-GHALI : Je crois que l'ignorance était telle que les Français et les Occidentaux en général ont vu dans le mouvement khomeiniste un épiphénomène transitoire. Par ailleurs, ils pensaient que, dans la mesure où certains partis politiques occidentaux se revendiquaient de valeurs chrétiennes, il était naturel que des partis politiques du monde arabe se revendiquent de valeurs islamiques.

ANDRÉ VERSAILLE : Sauf que ce « renouveau islamique » veut retourner à un islam médiéval qui s'oppose totalement aux valeurs démocratiques modernes des droits humains, d'égalité entre hommes et femmes, etc.

Boutros Boutros-Ghali : Oui, bien sûr, mais l'Occident n'a que très peu perçu la dimension archaïque de ce mouvement, aussi peu que la dimension agressive à son endroit – même si, à l'époque, plusieurs experts ont tiré la sonnette d'alarme. Mais les politiques écoutent peu les experts qu'ils jugent trop enfermés dans leur spécialité, trop coupés de la réalité. Tout cela était flou, et puis, cela se passe loin, « *là-bas, chez des peuples qui n'ont pas les mêmes valeurs que nous, etc.* »

André Versaille : Une tolérance au nom du « droit à la différence » contre l'occidentalo-centrisme en quelque sorte ?

Boutros Boutros-Ghali : Exactement.

André Versaille : Tout le monde semblera surpris par la violence de l'intégrisme de la révolution islamique. On savait pourtant que Khomeiny voulait non seulement renverser la monarchie mais également instaurer une république fondamentaliste islamique.

Shimon Peres : Vous avez raison, mais personne, je crois, ne pensait qu'il allait vraiment instaurer une dictature religieuse de cette violence. Vous savez, tant de gens disent des choses excessives quand ils sont en exil, que l'on met ces diatribes sur le compte de la rhétorique. Et même ceux qui le croyaient sincère et déterminé ne pensaient pas qu'il parviendrait à ses fins.

Boutros Boutros-Ghali : Je pense que l'on considérait Khomeiny comme un illuminé exilé en France. Personne ne le prenait au sérieux, ni à l'étranger ni dans la classe dirigeante iranienne. Des amis iraniens étaient venus me voir au Caire, fin 1978, pour m'exposer leurs projets de développement. Et je leur disais : « *Vous êtes fous ? Dans les prochaines années, vous risquez d'avoir une révolution, de gauche ou de droite !* » Ils me répondaient : « *Mais non ! Les communistes, cela ne compte pas, quant aux mollahs, ils sont très marginaux et le resteront !* » Personne alors n'imaginait, même de loin, la lame de fond khomeiniste qui allait déferler sur le pays.

Shimon Peres : En ce qui nous concerne, nous nous rassurions par l'exemple turc : en Turquie, l'armée est la garante de la Constitution laïque, et plus d'une fois, elle a fait échec au clergé. La Turquie est à ma connaissance le seul pays au monde où une institution non démocratique défend une démocratie, ou une semi-démocratie. C'est l'un des héritages d'Atatürk jusqu'à aujourd'hui. Nous étions donc convaincus que l'armée iranienne, dont l'élite avait été formée à l'Ouest, aux États-Unis ou en Angleterre, ne laisserait jamais le clergé prendre le pouvoir et n'accepterait jamais Khomeiny…
Et l'Iran deviendra l'État qui exercera le plus violent pouvoir de nuisance dans le conflit qui nous oppose aux Arabes. Il tentera de saboter tout rapprochement

entre les Arabes et nous, en incitant les intégristes du Hezbollah au Liban et du Hamas dans les territoires occupés à multiplier les actions terroristes. Car Khomeiny, dont la doctrine reposait sur le rejet de la modernité et sur la haine de ce qui symbolisait la culture occidentale, voulait empêcher tout rapprochement entre les cultures occidentale et orientale en portant dans le monde musulman et au-delà la bannière de sa « révolution divine », ce qui constituait une grave menace contre la paix et la stabilité de la région.

ANDRÉ VERSAILLE : Très vite après le coup d'État, Arafat se rend à Téhéran pour saluer très médiatiquement la révolution khomeiniste. Pourquoi ? Que représente celle-ci pour les Palestiniens, majoritairement sunnites ?

BOUTROS BOUTROS-GHALI : Il ne s'agit pas d'une adhésion, et les gouvernants arabes l'ont bien compris. Ils savent qu'Arafat est seul, qu'il a donc besoin d'alliés, qu'ils soient fondamentalistes, communistes, africains, sud-américains ou autres, pour renforcer sa présence sur la scène internationale. Face à la puissance militaire israélienne, appuyée par la superpuissance américaine, il est prêt aux associations les plus insolites pour réaliser son rêve d'une coalition des « damnés de la terre ».

ANDRÉ VERSAILLE : L'avènement de la révolution islamique en Iran sera l'occasion pour Bagdad de déclencher la guerre contre Téhéran. Le conflit trouve son origine dans un différend pluriséculaire opposant les Arabes mésopotamiens aux Persans à propos de la région frontalière du Chatt el-Arab, que l'Iran et l'Irak revendiquent tous les deux. En 1975, deux traités signés entre Bagdad et Téhéran devaient délimiter les frontières terrestres et maritimes et instituer des rapports de bon voisinage entre les deux États. Cependant, les relations vont se détériorer très rapidement après l'avènement de la République islamique, au point que, dès octobre 1979, Bagdad remet en cause ces traités. Les incidents frontaliers vont aller en se multipliant, jusqu'à ce que, le 22 septembre 1980, l'armée irakienne pénètre sur le territoire iranien. Pourquoi Saddam Hussein se lance-t-il dans cette guerre ?

BOUTROS BOUTROS-GHALI : Pour plusieurs raisons. D'abord, des généraux iraniens, opposés au nouveau régime, avaient convaincu les autorités de Bagdad que l'armée iranienne était en pleine déliquescence et que la victoire irakienne serait aisée. En second lieu, les Américains favorisaient cette guerre qui pouvait mettre fin au régime de Khomeiny. Enfin, il faut prendre en compte la mégalomanie de Saddam Hussein.

SHIMON PERES : Je suis d'accord. À cette époque, du seul fait de la laïcité de son régime, Saddam Hussein avait gagné les suffrages des Occidentaux. En face, le programme de la révolution islamique et l'affaire des otages enfermés à l'intérieur de l'ambassade américaine* feront que l'Iran de Khomeiny apparaîtra comme le pire des régimes ; et face à celui-ci, la figure de Saddam sera considérée comme « civilisée ».

ANDRÉ VERSAILLE : Quels sont les enjeux arabes de cette guerre ?

BOUTROS BOUTROS-GHALI : Dans cette guerre, il y a l'imbrication de trois confrontations : Arabes contre Persans ; laïcité contre fondamentalisme ; sunnisme contre chi'isme. Les pays arabes soutiendront l'Irak, au nom de la solidarité interarabe, mais aussi par crainte du fondamentalisme chi'ite. La cohésion arabe sera très forte. Le Caire soutient activement Bagdad, alors que l'Irak a été le premier pays à condamner et à boycotter l'Égypte, suite à la visite de Sadate à Jérusalem. À l'occasion de cette crise, j'ai accompli une mission à Bagdad où j'ai rencontré le ministre des Affaires étrangères, Tarek Aziz, pour tenter de renouer les relations diplomatiques entre nos deux pays : « *Nous vous fournissons un soutien militaire important dans cette guerre. Il est donc normal que nous renouions nos relations diplomatiques.* » Mais Tarek Aziz m'a répondu : « *Nous avons été le premier pays à condamner l'Égypte, il ne nous est donc pas possible de procéder à une réconciliation avant les autres pays arabes.* » Quelques heures plus tard, j'ai rencontré Saddam Hussein qui a repris les mêmes arguments que son ministre, pour m'expliquer qu'il était délicat pour le moment d'officialiser les rapports entre Bagdad et Le Caire. Pour autant, les usines égyptiennes vont travailler à plein rendement pour fournir du matériel militaire à l'Irak. Mais ces livraisons d'armes se feront bien sûr de manière discrète : ni Le Caire ni Bagdad n'avaient intérêt à ce que leurs opinions publiques respectives soient au courant de ces transactions.

Cependant, en projetant l'image de deux pays musulmans engagés dans un conflit meurtrier, cette guerre souligne la division et la faiblesse du monde arabo-islamique, et le fait que, une fois de plus, il repousse dans le temps l'effort des tenants de la modernisation.

ANDRÉ VERSAILLE : Quel est l'enjeu de cette guerre pour les Occidentaux en général et pour les Américains en particulier ?

SHIMON PERES : L'affaiblissement de l'Iran islamique qui a commencé à exporter sa révolution. Voyez-vous, pour l'Occident, ce n'est pas tant le type de régime qui importe, mais sa dangerosité : un dictateur qui opprime ses citoyens

---

* Le 4 novembre 1979, une dizaine d'étudiants islamiques radicaux avaient pénétré dans l'ambassade américaine à Téhéran et pris en otage son personnel. Cette prise d'otages, qui durera 444 jours, entamera sérieusement l'image du président Carter au point de contribuer à lui faire perdre les élections face à Reagan.

ne suscitera guère de réactions occidentales ; mais si le régime entend essaimer ses « valeurs » et, par là, déstabiliser la région ou menacer des intérêts occidentaux, l'Occident se défendra et réagira de l'une ou de l'autre façon.

ANDRÉ VERSAILLE : L'Irak agresse l'Iran avec la bénédiction des Occidentaux, et surtout des Américains, qui vont soutenir unanimement Bagdad. En revanche, Israël, le « *petit Satan* », semble avoir été plutôt en faveur d'une victoire de Téhéran. Pourquoi ? Se dit-on que le khomeinisme n'est qu'une crise passagère ? Qu'il faut faire confiance aux tendances géostratégiques lourdes ?

SHIMON PERES : Nous avions été très surpris par la faiblesse de l'armée iranienne, et nous étions préoccupés par le devenir du Golfe, car une victoire totale de Saddam Hussein, dont nous nous méfiions comme de la peste, aurait constitué un très grand danger pour Israël. Des deux ennemis, Bagdad nous semblait le plus dangereux. D'autant que l'Irak partage une frontière avec la Jordanie, et que le royaume hachémite ne nous paraissait pas de force à empêcher les troupes irakiennes de traverser le pays, si d'aventure Saddam décidait de nous attaquer. Cette crainte d'une invasion possible de la Jordanie par l'armée de Bagdad est la raison pour laquelle nous avons toujours voulu garder le contrôle de la vallée du Jourdain. Une coalition irako-jordano-syrienne pouvait nous mettre sérieusement en danger. D'ailleurs, depuis des années, nous soutenions les Kurdes d'Irak, minorité opprimée et isolée, en révolte contre Saddam, en leur fournissant des armes, en formant leurs combattants, en envoyant des officiers sur place pour faire leur apprentissage, etc.

BOUTROS BOUTROS-GHALI : Oui, cela me semble évident : pour les Israéliens, Bagdad représente un danger plus grand que Téhéran. Après tout, Israël n'est pas en état de guerre avec l'Iran avec lequel il a entretenu de bons rapports jusqu'à la chute du shah, mais bien avec l'Irak dont les armées sont intervenues aux côtés de celles de Damas lors de la guerre d'Octobre 1973. Il est donc logique qu'Israël préfère une victoire iranienne. Sans compter que l'affaiblissement inévitable de ces deux États à l'issue de cette guerre meurtrière est dans l'intérêt d'Israël...

ANDRÉ VERSAILLE : Cette guerre est relativement peu relatée en Occident. Comment est-elle commentée dans le monde arabe ?

BOUTROS BOUTROS-GHALI : La presse arabe est assez variée, mais je ne me souviens pas que le déroulement de la guerre ait souvent fait trois colonnes à la une. Cela dit, à cette époque, j'étais personnellement très occupé à essayer de faire sortir l'Égypte de son isolement dans le monde arabe et dans le tiers-monde en général, je n'ai donc pas été très attentif à la manière dont cette guerre était relatée dans les médias arabes. Pour autant, il me semble que son traitement n'était pas proportionnel à sa gravité.

ANDRÉ VERSAILLE : Oui, car cette guerre sera effroyablement meurtrière. On parlera de près d'un million de morts. Nous sommes hors de toute proportion avec les guerres israélo-arabes, et encore bien plus avec les violences israélo-palestiniennes.

BOUTROS BOUTROS-GHALI : On en revient une fois de plus à la dichotomie dont je vous ai parlé à propos des situations coloniales et des dictatures dans les pays décolonisés. De même que dans un pays anciennement colonisé, on trouvera toujours moins choquantes les exactions du chef indigène envers sa population que les exactions d'un responsable colonial envers cette même population, on pourrait dire, en exagérant un peu et en simplifiant, que la guerre irano-irakienne a été perçue comme une sorte de « guerre civile » islamique. Alors que le conflit israélo-palestinien qui montre des Juifs opprimant des Arabes est ressenti comme une guerre coloniale.

ANDRÉ VERSAILLE : Franchement, cette volonté d'occulter la gravité des choses lorsqu'elles sont supposées se dérouler « en famille », ce n'est pas de l'aliénation ? Encore une fois, il s'agit de près d'un million de morts, alors que de 1967 à aujourd'hui, le nombre de Palestiniens tués dans les territoires occupés ne dépasse pas les douze mille morts.

BOUTROS BOUTROS-GHALI : Il faut faire la différence entre les affrontements qui opposent des armées de métier et une guerre où la population civile subit les exactions aveugles et impitoyables d'une force militaire d'occupation.

ANDRÉ VERSAILLE : Bon. Shimon Peres, en 1987, Shamir est devenu Premier ministre et vous, ministre des Affaires étrangères. À ce titre vous allez rencontrer secrètement le roi Hussein pour tenter de négocier un accord de paix avec Amman, et réaliser cette « option jordanienne », chère aux travaillistes.

SHIMON PERES : Oui, comme je vous l'ai dit, l'option jordanienne impliquait la partition du territoire, mais avec la Jordanie. Et nous estimions tout à fait envisageable de monter à moyen terme une sorte de confédération avec Amman. Notre premier intérêt, évidemment, c'était de placer les Palestiniens sous l'autorité jordanienne : ils ne seraient plus une population occupée par des Israéliens, par des Juifs, mais par Hussein qui les aurait gouvernés tout en gérant les mouvements nationalistes. J'avais déjà rencontré plusieurs fois secrètement le roi, à Londres, à Aqaba ou ailleurs, et mes relations personnelles avec lui étaient excellentes, chaleureuses même.

André Versaille : Ces rencontres étaient-elles sues dans les chancelleries arabes ?

Shimon Peres : Disons plus ou moins.

Boutros Boutros-Ghali : Oui. Tout de même ! De plus, l'option jordanienne avait été défendue par Sadate, lors des négociations qui ont abouti au traité de paix de 1979 : lui aussi envisageait la solution du problème palestinien dans le cadre d'une fédération jordano-palestinienne. Il était d'autant plus convaincu de l'intérêt de ce projet pour la Jordanie que, en y incluant la bande de Gaza, il permettrait à Amman de bénéficier d'un accès à la Méditerranée. « *Je vais obtenir la restitution de Gaza en plus de celle du Sinaï, et je l'offrirai à Hussein. Alors il nous rejoindra dans notre projet de paix* », déclarait volontiers Sadate.

André Versaille : Et il pensait que la Syrie allait donner son consentement ?

Boutros Boutros-Ghali : Sadate avait écarté la Syrie dans une première étape afin de permettre l'instauration de cette fédération jordano-palestinienne.

Shimon Peres : Il est vrai qu'Assad n'aurait jamais accepté ce projet. Il ne faisait confiance ni à Hussein ni à Arafat, et, bien sûr, encore moins à nous. Il n'était pas prêt à bouger de quelque manière que ce soit tant qu'il n'aurait pas obtenu la restitution totale du Golan : nous avons vu de quel œil il avait regardé la paix de Camp David.

André Versaille : Mais cela ne vous a pas empêché de tenter de mettre sur pied cette fédération.

Shimon Peres : Oui. En avril 1987, j'ai donc revu Hussein. La rencontre s'est déroulée chez un de ses amis, dans les faubourgs de Londres. Pendant les premières heures de la longue séance de travail, nous avons discuté de ce que pouvait être une solution possible. L'un des points d'accrochage était l'éventualité de la tenue d'une conférence internationale. Yitzhak Shamir y était très hostile, car il craignait de se voir forcer la main. De son côté, Hussein pensait que sans la tenue d'une telle conférence, on ne progresserait pas. J'ai alors proposé une conférence internationale à la condition expresse que rien ne puisse y être imposé, et que l'on en détermine à l'avance les limites.

Hussein était venu accompagné de son Premier ministre, Zeid al-Rifa'i. Très intelligent, subtil, Zeid était une espèce de Talleyrand jordanien, pour lequel j'avais beaucoup de respect.

La première séance dura près de quatre heures. Hussein avait un déjeuner avec un important délégué soviétique qu'il ne pouvait pas annuler. Avant de se rendre à son rendez-vous, il nous a dit : « *Écoutez, nous sommes très proches d'une solution. Pendant mon absence, tâchez donc de rédiger les grandes lignes d'un protocole.* »

Il est parti déjeuner et, avec Zeid, nous avons commencé à composer un texte. Zeid avait beau être charmant, il n'en était pas moins un négociateur coriace et nous nous heurtions sur plusieurs points.

Lorsque le roi est revenu, nous lui avons fait part de l'avancement du projet, comme de nos désaccords. Et je dois dire que sur plus d'un point, Hussein s'est rangé de mon côté. Ce qui montre combien il était désireux d'arriver à un compromis, car il savait que je ne pouvais pas rentrer à Jérusalem et retrouver l'inflexible Shamir les mains vides.

Nous avons donc mis au point un protocole assez équilibré qui envisageait une espèce de gouvernance à trois (les Jordaniens, avec en leur sein des Palestiniens de l'intérieur, et des Israéliens). Nous avons communiqué ce protocole aux Américains, notamment à Pickering (ambassadeur des États-Unis à Jérusalem, et précédemment à Amman, Pickering était respecté des deux parties), qui furent tout à fait stupéfaits de voir que nous étions parvenus à un accord. Le secrétaire d'État, George Shultz, en fut donc informé, et nous sommes convenus que cet accord passe non pas pour avoir été rédigé par Hussein et moi, mais apparaisse comme un plan proposé par les Américains aux deux parties.

C'était un samedi. Je suis rentré à Jérusalem le dimanche matin et j'ai immédiatement envoyé mon adjoint, Yossi Beïlin, pourvu du protocole, rencontrer George Shultz à Helsinki. (En route pour Moscou, Shultz s'était arrêté en Finlande.)

A*NDRÉ* V*ERSAILLE* : Et comment ce plan fut-il reçu par Shamir ?

S*HIMON* P*ERES* : J'avais été voir Shamir pour lui faire part du résultat heureux des entretiens que j'avais eus avec le roi de Jordanie et lui confier la teneur de l'accord censé avoir été rédigé par Washington. Il m'a demandé si je pouvais lui laisser le document. Je lui ai répondu que non, que je savais bien qu'il n'en ferait pas état, mais que j'avais peur de fuites éventuelles. Je lui ai donc seulement lu le texte. Comme à son habitude, Shamir n'a dit ni oui ni non.

Entre-temps, arrivé à Helsinki, Beïlin a remis le protocole à George Shultz qui en a pris connaissance et a donné son accord pour le présenter officiellement comme une proposition américaine.

Mais c'était sans compter avec Shamir. Sans m'en avertir, le Premier ministre a envoyé son ministre sans portefeuille, Moshé Arens, à Washington pour y rencontrer Shultz et le convaincre que ce plan était une catastrophe, et Arens est parvenu à dissuader Shultz de rendre le protocole public. Je me suis donc trouvé dans une situation impossible vis-à-vis de Hussein. Je ne pouvais même pas démissionner à grand fracas sans trahir le roi qui était évidemment furieux, puisque je lui avais promis que l'histoire de ce protocole resterait secrète.

En réalité, Shamir ne voulait signer aucun accord qui impliquerait un renoncement quelconque à la souveraineté israélienne sur une partie des territoires occupés. Et jusqu'à aujourd'hui, Shamir refuse toute idée de restitution de territoires. Par la suite, il rencontrera, lui aussi, Hussein pour discuter de plusieurs points des relations entre nos deux pays, mais continuera à s'opposer à tout retrait israélien des territoires occupés.

C'est à mon avis l'une des plus grandes erreurs que nous ayons faites. Je pense que nous avons manqué là une occasion unique : si Shamir avait accepté cet accord avec Hussein, les Jordaniens auraient directement contrôlé la Cisjordanie et nous nous serions épargné six ans d'Intifada et la mort de tant de gens. En fait, Shamir a ruiné l'avancée la plus importante depuis la visite de Sadate à Jérusalem. Oui, décidément, ce fut un vrai gâchis.

André Versaille : Mais, dans le fond, la fin de la monarchie n'était-elle pas inscrite dans cette « option jordanienne »? N'impliquait-elle pas l'instauration à moyen terme d'une république, donc la fin du régime hachémite ?

Boutros Boutros-Ghali : Je ne crois pas que l'option jordanienne impliquait nécessairement l'instauration d'une république. Mais il est vrai que l'une des manières de mobiliser la population, dont la majorité est palestinienne, aurait été de nommer un président palestinien à la tête d'une république palestino-jordanienne. Cela dit, un roi hachémite à la tête de cette fédération aurait plus facilement bénéficié de l'appui des Américains, des pays du Golfe et des Israéliens.

Shimon Peres : Notez que Hussein avait eu à ce propos des discussions assez poussées avec Arafat ; ils étaient même arrivés assez près d'un accord. Mais Arafat a commis une erreur : concernant la jouissance de l'autorité, Arafat a dit au roi : « *Et pourquoi ne ferions-nous pas comme en Israël, une direction tournante : deux ans vous, deux ans moi ?* » Être roi à mi-temps, c'était une proposition un peu excessive pour Hussein et les discussions se sont arrêtées là.

XV – LE TEMPS DE L'INTIFADA

*Soulèvement populaire contre l'occupation israélienne – Les effets
de l'occupation – Un peuple discriminé – Les conditions de vie
des Palestiniens – Les Palestiniens, la société arabe la plus avancée
de la région ? – La répression israélienne surmédiatisée ? – La légitimité
de l'OLP menacée par l'Intifada ? – Les effets de l'Intifada –
« La répression israélienne affaiblit le camp de la paix arabe »
– L'image de Tsahal de plus en plus ternie – La question de la torture –
La montée des fondamentalistes a-t-elle été encouragée par les Israéliens ?
– Vers une reconnaissance israélienne des droits nationaux palestiniens ?*

ANDRÉ VERSAILLE : « *Nous nous serions épargné six ans d'Intifada* »,
dites-vous. Et de fait, le 9 décembre 1987, soit exactement vingt ans après
qu'Arafat eut appelé à la reconquête de la Palestine, la population palestinienne se soulève. La première Intifada vient de se déclencher. Elle est
inattendue. L'étincelle qui a mis le feu aux poudres est un « banal » accident
de la circulation : le matin du 8 décembre, au nord de la bande de Gaza, un
transporteur de chars percute plusieurs camionnettes véhiculant des ouvriers
palestiniens vers des chantiers de construction israéliens. Le choc fait quatre
morts et six blessés, tous arabes. Une rumeur se répand aussitôt : il ne s'agit
pas d'un accident mais d'une action de représailles délibérée, déclenchée
en réponse au meurtre d'un Israélien perpétré deux jours plus tôt. Dès le
lendemain, le 9, des milliers de Palestiniens affluent des camps de réfugiés
pour assister aux enterrements en criant : « *Jihad ! Jihad !* » Les FDI restent
calmes. Le jour suivant, de jeunes Palestiniens lancent des pierres sur les
véhicules de transport de troupes israéliens. Les soldats tirent sur la foule,
blessent plusieurs personnes et tuent un garçon de dix-neuf ans. Le soulèvement prend alors une ampleur jamais vue et contamine rapidement les autres
villages palestiniens.

Comment l'événement est-il perçu en Israël et en Égypte ?

Shimon Peres : En Israël, pas du tout comme quelque chose de significatif. À tel titre que Rabin, alors en voyage aux États-Unis, n'a pas cru nécessaire d'abréger son séjour et qu'il n'est rentré qu'une semaine après le déclenchement de l'Intifada. Quant à Shamir, il n'a pas plus réagi. Il faut dire que Shamir est un homme qui n'est jamais pressé : il se considère comme une espèce de léniniste (Lénine disait qu'il ne fallait pas ériger son impatience en stratégie…) ; impassible, il ne précipite jamais rien et se hâte toujours avec une sage lenteur. Au début de l'Intifada, même les observateurs de la presse israélienne n'ont pas mesuré la force et la détermination du mouvement : après tout, nous avions déjà essuyé plusieurs explosions de violence et elles étaient toujours restées éphémères et circonscrites. Nous regardions donc l'Intifada comme une révolte de plus, c'est tout. Personne ne réalisait l'orage qui se préparait. Les dirigeants palestiniens eux-mêmes n'ont rien vu venir, puisque ce mouvement, non planifié, était spontanément parti de la population.

Boutros Boutros-Ghali : Ce n'était pas la première fois que des éléments de la population palestinienne se révoltaient, mais cette fois-ci, la révolte était généralisée.

Tout le monde arabe soutiendra l'Intifada, y compris l'Égypte : la période antipalestinienne est passée : les attentats commis en Égypte, l'assassinat de Youssouf al-Siba'i, Arafat laissant libre cours à sa joie à l'annonce de l'assassinat de Sadate, tout cela est oublié. Et l'opinion publique égyptienne s'enthousiasme d'autant plus pour l'Intifada que les dividendes de la paix égypto-israélienne se sont révélés illusoires.

André Versaille : Selon vous, de quoi l'Intifada témoigne-t-elle ?

Boutros Boutros-Ghali : L'Intifada témoigne du côté inachevé de la paix de Camp David qui avait prétendu être le premier maillon d'une paix globale israélo-arabe, alors qu'elle n'a pas été en mesure de résoudre le problème palestinien.

André Versaille : L'Intifada ne peut-elle pas être également vue comme une contestation non seulement de l'OLP mais plus largement des gouvernements arabes en général qui se sont avérés totalement impuissants à aider les Palestiniens : « *C'est donc à nous de prendre notre destin en main.* » Et, de fait, ils vont « palestiniser » le conflit israélo-arabe.

Shimon Peres : Je crois que vous avez raison. D'ailleurs, Arafat et le bureau de l'OLP de Tunis ont été surpris, et ce mouvement les a désappointés. Je crois même qu'ils en ont eu peur, car il leur échappait et, d'une certaine manière, mettait en cause leur autorité. En fait, les Palestiniens pensaient que les Arabes ne feraient plus la guerre à Israël comme en 1948, au profit de la cause palestinienne, et que s'ils devaient un jour reprendre les armes, ce serait pour reconquérir leurs territoires perdus. L'Intifada fut donc l'expression d'une volonté de la population des territoires de ne plus dépendre des autres et de combattre euxmêmes, convaincus que personne d'autre ne les défendrait vraiment.

BOUTROS BOUTROS-GHALI : Oui, mais plus simplement, l'Intifada témoigne surtout du désespoir d'une population occupée, quotidiennement humiliée, brimée, et qui n'en peut plus. Les effets de l'occupation sont alors devenus proprement insupportables : les exactions militaires de plus en plus fréquentes, la manière profondément inégalitaire dont les territoires occupés sont administrés, mais aussi la montée vertigineuse du chômage (jusqu'à 40 %) et la généralisation de l'insalubrité, ont fini par rendre la situation des Palestiniens intenable, ainsi qu'en témoigneront les observateurs étrangers. Ces insurgés sont des révoltés bien plus que des révolutionnaires.

ANDRÉ VERSAILLE : Il faut dire que, dans les années qui précédèrent immédiatement l'Intifada, les territoires occupés avaient connu une profonde récession économique. Certains politologues israéliens, comme Ze'ev Schiff et Ehoud Ya'ari, avaient âprement critiqué la politique israélienne dans les territoires occupés qu'ils avaient qualifiée d'avide et d'égoïste, comparant ces territoires à un marché aux esclaves au profit de l'économie israélienne. Selon eux, cette politique avait empêché le développement de l'agriculture palestinienne dans le but de ne pas concurrencer celle des colons, par ailleurs subventionnée. Ainsi les colons usaient-ils douze fois plus d'eau que les Palestiniens, ce qui posait de gros problèmes d'irrigation des terres palestiniennes.

BOUTROS BOUTROS-GHALI : C'est évident ! Et franchement, il n'est pas utile d'appeler à la rescousse ces éminents politologues (dont je ne peux que louer le courage intellectuel), il suffit de lire les témoignages d'observateurs publiés régulièrement : ils vont tous dans le même sens.

SHIMON PERES : Pour répondre concrètement à cette question relative à l'utilisation de l'eau, je reconnais bien volontiers que les Israéliens usent bien plus d'eau que les Palestiniens, mais cela n'a rien de délibéré : on ne partage pas l'eau comme on partage un territoire. L'eau dévale les montagnes et se retrouve dans la nappe phréatique. Nous ne sommes pas propriétaires de cette nappe, elle nous est commune. Cependant, notre niveau de vie étant bien plus élevé que celui des Palestiniens, nous utilisons naturellement plus d'eau qu'eux. Sans compter que notre système de distribution est plus performant que le leur. Ce n'est pas une question d'inégalité dans la distribution, mais d'inégalité entre les niveaux de vie. Plus votre vie est citadine, plus vous gaspillez de l'eau.

À cela s'ajoute la composante industrielle : plus l'industrie se développe, plus on consomme d'eau.

Cette discrimination, bien réelle, reflète l'inégalité, elle ne la crée pas. Il y a des restrictions d'eau pour les fermiers juifs comme pour les fermiers arabes. Cependant, les Arabes vivent ces restrictions comme des mesures discriminatoires. Comme dans tous les pays du monde, bien des mesures administratives déplaisent aux citoyens. Lorsque les citoyens font partie de la même communauté que le gouvernement, ils se plaindront du gouvernement et voilà tout. Lorsqu'ils ne font pas partie de cette même communauté, ils se sentiront discriminés.

Il faut encore rappeler une évidence, à savoir que les Israéliens ont plus de facilité à se débrouiller dans les labyrinthes de l'administration israélienne que les Palestiniens des territoires. C'est un phénomène analogue à celui qui s'est produit à chaque fois qu'une nouvelle vague d'immigration juive est arrivée en provenance d'Afrique. Ces nouveaux Israéliens s'étaient, eux aussi, sentis discriminés (nous en avons parlé). En réalité, la discrimination est plus le fait de la complexité de la situation qu'une volonté politique.

Boutros Boutros-Ghali : Cette explication très sophistiquée est en contradiction avec des dizaines de rapports que j'ai lus et qui dénoncent une terrible discrimination dans la répartition de l'eau entre colons israéliens et paysans palestiniens. C'est ce qui explique que la superficie des terres arabes irriguées en Cisjordanie ait décliné de 30 % entre 1967 et 1987.

Shimon Peres : Je pense vraiment que vous caricaturez la situation. Je ne nie pas du tout qu'il y ait des discriminations. Mais si l'on veut avoir une vision complète de la situation, il faut également mentionner les actions clairement positives de la part de l'armée. Cela peut vous surprendre, mais notre armée, qui est bien intégrée dans les villages palestiniens, a toujours représenté et défendu efficacement les Palestiniens : étant là pour assurer le calme et la tranquillité et sachant combien la discrimination provoque la révolte, et donc un danger de déstabilisation de la région, l'armée veille à ce que l'eau soit fournie de manière équitable aux Palestiniens.

Il n'en reste pas moins que cette discrimination est une réalité. Nous n'avons pas été attentifs au fait que nous sommes partis de deux niveaux de vie différents. Il aurait fallu recourir à la discrimination positive – ce que nous avons fait, mais trop tard. Nous avons été fort lents, et avec le temps, le fossé entre les deux communautés s'est creusé. Depuis, malgré nos efforts, qui furent importants, le fossé ne se réduit que lentement. Je le répète : la discrimination ne fut pas planifiée, mais il est vrai qu'elle s'est développée.

Boutros Boutros-Ghali : Qu'elle ait été planifiée ou non, pour les Palestiniens cela revient strictement au même. Le fait est là : les Arabes sont victimes de discriminations incessantes et révoltantes, et le problème de l'eau n'en est qu'un parmi bien d'autres : les contrôles d'identité, les humiliations, les fouilles corporelles, les violences physiques, les sanctions collectives, les couvre-feux longs de plusieurs jours, les destructions de maisons, sont la réalité quotidienne des Palestiniens dans les territoires occupés.

Shimon Peres : Il faut sérier les questions : si on amalgame tout, on ne comprendra rien. Les contrôles d'identité renforcés, les fouilles, les couvre-feux, sont des mesures qui se multiplient après chaque attentat. Je ne nie pas que cette situation soit difficilement supportable, mais je veux tout de même rappeler que le système démocratique israélien permet aux Palestiniens de se défendre. Bien des Arabes qui ont introduit des plaintes auprès de la Cour suprême ont obtenu gain de cause contre le gouvernement. Vous parlez de la démolition des maisons de terroristes ou de complices de kamikazes : il est arrivé plus d'une fois que, bien que le gouvernement ait ordonné une destruction, la Cour suprême intervienne pour l'interdire. Ces jugements sont si peu rares que certains Israéliens considèrent la Cour suprême comme très partiale et prenant trop souvent la défense des Arabes contre l'armée. Ainsi, des religieux particulièrement fanatiques, estimant que la Cour suprême n'était pas en harmonie avec ce qu'ils pensaient être la loi juive, ont tenté de la rendre illégale…

Boutros Boutros-Ghali : Que vaut le droit à la défense quand le mal est déjà fait ?

Shimon Peres : Boutros, vous le savez, la démocratie n'évite pas le mal, elle permet seulement d'y remédier.

Boutros Boutros-Ghali : Vous en restez au niveau des principes. Le fond de la question, c'est que les Palestiniens sont discriminés. À partir de là, il n'est pas étonnant que les exactions se multiplient contre eux. Alors, bien sûr, vous pourrez me citer tel procès où tel Palestinien a finalement obtenu gain de cause. Soit, mais combien de ces victimes, régulièrement spoliées, ont-elles les moyens d'intenter un procès ? Lisez les rapports émis par votre propre Ligue des droits de l'Homme et vous serez édifié. Le système de répression est abominable et la soldatesque israélienne se conduit comme n'importe quelle armée d'occupation !

Et est-ce si étonnant lorsque l'on voit que les Arabes israéliens ne sont toujours pas considérés à l'égal des Juifs ?

Shimon Peres : Vous abordez là une autre question. La situation des Arabes israéliens s'est améliorée d'année en année, je reconnais cependant que nous avons été très lents à égaliser les situations des Arabes et des Juifs israéliens. Dans le domaine diplomatique, par exemple, nous avons mis beaucoup de temps avant de nommer un ambassadeur qui soit arabe.

Boutros Boutros-Ghali : Dans quel pays a-t-il exercé ses fonctions ?

Shimon Peres : En Finlande. Et cette nomination suscita une grande réprobation chez les amis que nous avions en Scandinavie.

Boutros Boutros-Ghali : C'était un Musulman, un Chrétien ou un Druze ?

Shimon Peres : Un Musulman. De même pour les hauts magistrats, nous avons pris du temps avant d'en nommer qui ne soient pas juifs. Cette évolution vers une ouverture du service public à des non-Juifs a commencé du temps où Golda Meir était Premier ministre. Lorsqu'elle forma son gouvernement en 1969, elle souhaitait confier un poste ministériel à un Druze. J'étais le seul à l'approuver, et il est devenu mon vice-ministre des Communications.

Boutros Boutros-Ghali : Soit, et alors ? Ce sont des « Arabes (ou des Druzes) de Cour » comme il y avait autrefois des « Juifs de Cour ». Vous le savez, Shimon, un des conseillers d'Arafat était juif. Encore une fois, qu'il y ait quelques Arabes dans la hiérarchie israélienne, qu'est-ce que cela prouve ? Ne sont-ils pas un symbole voyant destiné à occulter la triste réalité ? Vu de notre côté, ces Arabes « haut placés » ne sont que des « Arabes alibis ». Les Arabes israéliens considèrent qu'ils sont victimes d'une discrimination telle qu'ils se vivent comme des citoyens de troisième catégorie. Et ces inégalités sont plus intolérables encore que celles subies par les Africains noirs en Afrique du Sud durant l'apartheid.

Shimon Peres : Franchement, Boutros, si nous devons faire des rapprochements avec l'apartheid, je pointerais plutôt la situation des Juifs dans le monde arabe.

Boutros Boutros-Ghali : D'abord, à part au Maroc, il n'y a plus de Juifs dans le monde arabe. Ils ont tous émigré.

Shimon Peres : Ils ont tous *dû* émigrer.

Boutros Boutros-Ghali : Soit, mais cela ne change en rien la terrible situation des Arabes d'Israël et des Palestiniens parqués dans les territoires occupés.

André Versaille : Pour brosser un tableau compréhensible de la question, je vous propose de reprendre, à grands traits, la situation des Palestiniens depuis le début de l'occupation.

Shimon Peres : D'accord. Après la victoire de juin 1967, nous, la gauche, nous avons estimé que nous n'avions ni le droit moral ni la nécessité politique de demeurer en Cisjordanie et dans la bande de Gaza. De plus, nous pensions que nous avions à favoriser la situation des Palestiniens et à élever leur niveau de vie, ce qui fut effectivement réalisé dans plusieurs domaines : 150 000 à 200 000 Palestiniens ont pu aller travailler en Israël et tirer de ce travail l'essentiel de leurs revenus. Jusqu'au début des années quatre-vingt, je pense que cette occupation était « tolérable », et que la situation des Palestiniens ne fut pas si mauvaise.

À cette époque, Moshé Dayan avait en charge l'administration des territoires, et il faisait très attention à ce que les Arabes innocents ne payent pas pour les terroristes. En plus, il avait réussi à établir de bonnes relations avec plusieurs responsables palestiniens importants comme le maire d'Hébron, comme la famille Masri à Naplouse ou la poétesse palestinienne Fatwa Tuqan. En même temps, aussi étonnant que cela puisse vous paraître, plusieurs officiers israéliens responsables de la population palestinienne se sentaient investis d'une mission humanitaire et pas seulement militaire, et ils avaient à cœur de soulager la situation des Palestiniens occupés. Mais en même temps, ils avaient bien conscience qu'ils ne pouvaient pas baisser la garde face à l'OLP.

André Versaille : Ceci est sans doute vrai au lendemain de la guerre des Six Jours. Tant que les Palestiniens feront profil bas, les Israéliens prétendront mettre en place une occupation « à visage humain ». Mais lorsque les Palestiniens contesteront l'occupation israélienne, celle-ci deviendra une occupation « traditionnelle », avec son cortège d'humiliations et de souffrances infligées.

Shimon Peres : Ce n'est pas tout à fait exact puisque les aides se sont poursuivies. Nous avons réalisé des *joint-ventures* ; nous avons aidé 10 000 pêcheurs de Gaza en leur installant des frigos financés par l'armée ; nous les avons aidés à accroître l'efficacité de leurs bateaux en leur permettant d'acquérir des moteurs. Plus généralement, nous avons aidé la population à moderniser les villes en installant un réseau d'égouts et en lui fournissant gratuitement des matériaux pour lui permettre de construire des maisons ; nous avons tissé de bonnes relations avec des maires de plusieurs villes, etc. Enfin, nous avons essayé de transférer quelques milliers d'habitants de Gaza en Cisjordanie, de façon à alléger le poids démographique de cette bande de territoire déjà surpeuplée à l'époque ; et si cela n'a pas marché, c'est parce que les Palestiniens de Cisjordanie, considérant les Gazaouites comme frustres, moins éduqués, etc., n'ont pas accepté que nous construisions une ville pour eux au nord de la Cisjordanie.

Boutros Boutros-Ghali : En réalité, Shimon, les discriminations dont sont victimes les Palestiniens s'inscrivent dans la logique de la discrimination subie par les Arabes israéliens pendant les années qui ont suivi la création de l'État d'Israël. Et cette discrimination vient du fait que les Israéliens s'estiment parfaitement légitimes dans leur « *droit au retour sur la terre de leurs ancêtres* ».

À partir de là, les Palestiniens, qui, de votre point de vue, « *sont des Arabes comme les autres* », n'ont qu'à aller s'installer dans d'autres pays arabes.

Shimon Peres : Il est exact que pendant les années cinquante et soixante, les Arabes israéliens étaient soumis à l'autorité militaire. La principale raison de cette discrimination provenait évidemment de la guerre entre les Arabes et nous. Les Arabes israéliens étaient dans une situation impossible : être citoyens d'un pays en guerre avec la communauté à laquelle ils appartenaient. Tant que nous restions en conflit avec des pays arabes, nous ne pouvions pas nous attendre à ce que les Arabes israéliens se sentent pleinement israéliens. Ensuite, à la fin des années soixante, ce gouvernorat militaire fut démantelé, mais les Arabes continuaient à être en butte à des tas de mesures discriminatoires dans leur vie quotidienne. Plusieurs d'entre nous, dans le mouvement travailliste, militions en faveur de l'égalité des droits entre Arabes et Juifs. Nous avons voulu réduire les inégalités et les injustices : la question centrale pour les Arabes, c'était la confiscation des terres qui, dans tout le monde arabe, sont sacrées. Un décret fut promulgué interdisant les expropriations, sauf en cas de nécessité (en raison de l'érection d'une centrale électrique ou de la construction d'une route, par exemple, comme cela se pratique dans tous les pays). En 1984, pour les besoins de l'entraînement militaire, nous avions saisi une terre importante en Galilée qui appartenait à des villageois arabes. Comme nous avions promis de ne plus confisquer de terres, j'ai décidé de la rendre à ses propriétaires.

Par ailleurs, les Arabes israéliens se plaignaient d'être discriminés dans le cadre des allocations municipales, ce qui était vrai ; et nous avons tenté d'instaurer un régime égalitaire. Il se posait également un problème de manque d'école : nous n'avions pas construit suffisamment d'établissements scolaires pour les Arabes israéliens, parce que nous n'avions pas pris en compte leur démographie ; ils ont ressenti cela comme une discrimination, et nous pensions qu'ils avaient raison.

Il y avait encore la question des allocations familiales au bénéfice de ceux qui faisaient leur service militaire ; comme les Arabes étaient dispensés de service militaire, ils ne touchaient pas d'allocations, c'est également une inégalité que nous avons corrigée dans les années quatre-vingt-dix.

À présent, il faut tout de même mentionner des libertés démocratiques dont jouissent les Arabes israéliens, et dont ne bénéficient pas les citoyens arabes de beaucoup de pays de la région, notamment les libertés civiles et politiques que leur assure la Loi. Ainsi, outre la liberté de presse, totale, les Arabes israéliens ont la possibilité de créer leurs propres partis et donc d'avoir des députés à la Knesset qui défendent les droits de la minorité arabe.

Après la guerre des Six Jours, nous espérions que les Arabes israéliens serviraient d'intermédiaires avec les Palestiniens des territoires occupés. Mais cela leur était difficile, car ils auraient bien vite été suspectés de « collaboration » par l'Olp dont il ne faut pas sous-estimer la pression, ou traités de « traîtres » au pays, par les Israéliens juifs, s'ils se montraient trop proches des Palestiniens. Leur position était donc très délicate.

Pour en revenir aux Palestiniens des territoires, l'occupation n'a pas eu que des effets négatifs sur leur condition, car le contact avec les Israéliens leur a permis d'entrer dans la modernité, et a donc entraîné la transformation de la société palestinienne. On remarquera ainsi qu'à Gaza et en Cisjordanie, 95 à 99 % des enfants sont scolarisés.

BOUTROS BOUTROS-GHALI : C'est vrai, mais ceci n'est pas dû aux Israéliens mais aux diverses organisations dépendantes des Nations unies, comme l'Unwra.

SHIMON PERES : Oui, à l'Unwra et à d'autres organisations non gouvernementales. Mais ce que je veux pointer, c'est que les Palestiniens se sont convaincus qu'ils ne pourraient pas rivaliser avec les Israéliens s'ils ne passaient pas par la modernisation de leur société et s'ils ne repensaient pas leur système éducatif à destination des jeunes générations. Et dans ce domaine également, nous les avons aidés à bâtir des centres technologiques dans divers villages, où les enfants comme les adultes sont venus s'initier aux technologies modernes. Et ne prétendez pas qu'il ne s'agissait là que de mesures symboliques, puisque c'est sous l'occupation que vont naître les universités palestiniennes.

BOUTROS BOUTROS-GHALI : Soit. Et les Palestiniens vont regarder la société israélienne comme un modèle à imiter pour mieux s'opposer à leur asservissement. Ce phénomène n'a rien d'exceptionnel, on le retrouve dans toutes les situations coloniales, qu'elles soient françaises, anglaises, portugaises, espagnoles.

SHIMON PERES : Oui, et ce n'est pas le moindre des paradoxes, de manière générale, les Palestiniens, bien qu'occupés, constituent la société arabe la plus avancée de la région. L'agriculture palestinienne, qui est pour ainsi dire la même que la nôtre, est la plus performante du monde. Aujourd'hui, les fermiers palestiniens sont devenus aussi performants que les fermiers israéliens, donc bien plus que leurs frères vivant de l'autre côté de la frontière. Les Palestiniens nous reprochent de leur avoir confisqué des terres, mais, en leur permettant de se moderniser, leurs terres produisent huit fois plus qu'avant.

BOUTROS BOUTROS-GHALI : Je pense qu'il ne fait pas de doute que le contact avec la société israélienne, particulièrement dynamique, a été et reste un facteur de modernisation. Mais à quel prix ! Vous sous-estimez totalement les pesanteurs insupportables de l'occupation : quels que soient les avantages de vivre au contact d'une société évoluée comme la société israélienne, la réalité du régime militaire reste intolérable. Et d'ailleurs, lorsque l'on voit le taux vertigineux du chômage palestinien, on peut se poser des questions quant à ces « avantages ».

SHIMON PERES : On ne peut pas tout mettre sur le dos de l'occupation. Je crois franchement qu'une des raisons du chômage arabe tient à la mentalité villageoise des Palestiniens. Non seulement leur manière de vivre reste très traditionnelle, mais ils ont le sentiment que notre vie urbaine viole leurs valeurs. Ensuite, il y a la profonde dépendance à la religion. J'en veux pour preuve la différence entre les Musulmans et les Chrétiens. Les familles palestiniennes chrétiennes, plus réduites que les familles musulmanes, ont un niveau de vie bien plus élevé que ces dernières ; et les quelques initiatives industrielles ont été le plus souvent le fait de Chrétiens. Plus ouverts que les Musulmans, ils ont une façon de vivre plus moderne. Ainsi, Bethléem et Ramallah ont surpassé économiquement et socialement les autres villes de même dimension grâce au dynamisme des communautés chrétiennes majoritaires.

Du point de vue de l'urbanisation, les Palestiniens ont encore du retard à rattraper, et je pense que cela est dû à leur attachement à leur village, que la plupart d'entre eux n'envisagent pas de quitter pour la ville. Or, l'urbanisation et l'industrialisation vont de pair. Voyez Naplouse : le « grand Naplouse », avec ses villages environnants, compte 200 000 habitants, alors que la ville proprement dite n'en rassemble pas plus de 100 000. Et si l'agriculture y a été modernisée, il y a toujours très peu d'industries et de sociétés de service. Et comme le secteur agraire ne peut suffire à l'emploi, beaucoup d'habitants sont obligés de venir travailler en Israël.

BOUTROS BOUTROS-GHALI : Vous savez, malgré cette « mentalité villageoise », jusqu'à l'agression irakienne contre le Koweït en 1990, plus de 15 000 Palestiniens par an quittaient les territoires occupés pour aller travailler dans les pays du Golfe et faisaient parvenir à leur famille des centaines de millions de dollars.

Et puis, comment expliquez-vous que, malgré votre volonté de conduire une politique de pacification et d'égalité, vous en soyez arrivés à infliger aux Palestiniens des conditions de vie aussi dégradantes ? Les maisons démolies, les oliviers arrachés, les contrôles permanents qui s'éternisent à chaque *check-point*, où il est arrivé que même des ambulances véhiculant des patients soient bloquées pendant des heures, la liste est bien longue… Comment expliquez-vous que vous en soyez arrivés là ?

SHIMON PERES : À cause des exactions commises par les terroristes. Car, pendant ce temps, l'OLP et d'autres groupes palestiniens montaient en puissance et multipliaient les attentats. Or, si nous avions à cœur d'élever le niveau de vie des Palestiniens, il était hors de question de ne pas tout mettre en œuvre pour lutter contre ces terroristes. Donc, en réponse à ces attentats de plus en plus meurtriers, fomentés par les Arafat, Habache, Jebril, etc., l'occupation s'est progressivement durcie.

BOUTROS BOUTROS-GHALI : Ne pensez-vous pas que c'est l'occupation militaire, la confiscation des terres, l'expansion des colonies de peuplement, l'arrogance et l'agressivité des colons et des autorités israéliennes qui, en anéantissant tout espoir de trouver une solution à cette misère, ont alimenté le terrorisme ? Je n'affirme rien. Je vous pose la question.

Pouvez-vous comprendre que la violence de la répression israélienne que l'on voit tous les jours à la télévision ait radicalisé l'opinion publique arabe ?

SHIMON PERES : Oui, à la condition de prendre également en compte la manière dont cette répression est médiatisée.

ANDRÉ VERSAILLE : Vous pensez qu'Israël souffre d'une certaine surmédiatisation ? Mahmoud Darwich a déclaré un jour : « *Dans notre malheur, nous avons une chance, c'est que ceux qui nous oppriment sont des Juifs, sinon on n'en parlerait pas.* »

BOUTROS BOUTROS-GHALI : « *Jews make news* », disent les journalistes américains, c'est connu.

SHIMON PERES : Parlons de la dialectique attentat/répression. Prenons l'attentat contre la boîte de nuit de Tel-Aviv, le Dolfinarium, en juin 2001, qui avait provoqué la mort de vingt-deux jeunes gens : vous êtes au gouvernement, pensez-vous qu'il soit possible de passer outre ? On peut repousser la riposte, de deux jours, trois jours, mais il ne peut pas ne pas y avoir de réponse militaire, et celle-là sera évidemment médiatisée.

Les Américains et les Britanniques ont compris que l'arme la plus dangereuse lors d'une guerre, ce sont les caméras de télévision. C'est pourquoi Margaret Thatcher a interdit aux télévisions de couvrir la guerre des Malouines. Et cette guerre est passée comme une espèce de « guerre abstraite ». Chez nous, nous autorisons les télévisions à filmer les soldats qui font sauter une maison palestinienne.

BOUTROS BOUTROS-GHALI : Mais les médias n'inventent pas la répression ! L'occupation israélienne et les maisons palestiniennes que vos soldats font sauter, les assassinats ciblés sont une réalité. Les chaînes de télévision du monde entier ne font qu'en diffuser les images. Ensuite, contrairement à ce que vous laissez entendre, les médias diffusent beaucoup plus d'images des attentats que de la répression.

Shimon Peres : Ce que voient les téléspectateurs, c'est qu'une armée fait sauter une maison de civils. Ils ne voient pas les événements qui ont poussé cette armée à agir ainsi. Au mieux, on l'expliquera, mais cela n'aura jamais le même impact que le choc des images.

Rappelez-vous la manière dont les événements de Jénine de 2003 ont été relatés : ceux-ci ont fait la « une » des journaux pendant des jours et des jours et l'on a parlé de « massacres », alors que le bilan se monte à 53 tués du côté palestinien, et 28 du côté israélien, ce qui montre bien qu'il s'agissait d'un affrontement armé, et non d'un massacre. Mais comme la bataille a duré long-temps, ce sont les militaires israéliens en action que l'on a vus pendant plu-sieurs jours sur toutes les chaînes de télévision.

Par la force des choses, même la télévision la plus honnête ne pourra pas équilibrer ses images : un attentat ne se produit jamais devant les caméras, alors que la réponse militaire, elle, sera longuement filmée. C'est tout le problème de la liberté de la presse pendant un conflit. Je parle là de la télévision « la plus honnête ». Personne, je pense, ne niera qu'une grande partie des journalistes européens, à tort ou à raison, de bonne ou de mauvaise foi, se montrent très pro-Palestiniens et souvent très anti-Israéliens. Ils ont donc tendance à choisir certains événements plutôt que d'autres. C'est humain, on se sent le plus sou-vent du côté du faible, du seul fait qu'il est faible, plutôt que du fort, quelles que soient les responsabilités de chacun. C'est humain, mais c'est évidemment injuste : ce n'est pas parce qu'on est le plus faible que l'on est nécessairement dans son droit.

Cette médiatisation qui, pour beaucoup d'Israéliens, s'avère de parti pris, aura un effet pervers, contre-productif, puisqu'il va contribuer à radicali-ser une partie de plus en plus grande des Israéliens, y compris parmi les plus progressistes.

Nous, Israéliens, nous sommes évidemment tenus de faire tout ce qui est humainement possible pour épargner les vies de civils innocents. En principe, nous n'attaquons pas une maison ou un véhicule si des innocents y sont instal-lés. Nous prévenons et laissons le temps aux personnes d'évacuer. Mais il se produit inévitablement des bavures : on croit qu'une maison est vide, et elle ne l'est pas, ce fait sera médiatisé par toutes les chaînes de télévision du monde. À commencer par la nôtre…

André Versaille : Ne pensez-vous pas que, dans ce conflit, il y a une dis-proportion entre la gravité objective des événements et leur médiatisation ? Redisons-le, en termes de nombres de victimes, et si on le compare, par exem-ple, aux guerres d'Afrique noire (Congo, Rwanda) qui ont fait des centaines de milliers de morts, le conflit israélo-palestinien est ce qu'il est convenu d'appeler « un conflit de basse intensité ».

Et pourtant, on parle bien plus de ce qui se déroule ici que de ce qui se passe partout ailleurs. Non seulement plus, mais plus concrètement : tout le monde sait que la guerre en Tchétchénie est beaucoup plus sanglante que la répression de l'Intifada, mais n'ayant pratiquement pas d'images, cette guerre reste abstraite et ne suscite guère de réactions significatives.

Boutros Boutros-Ghali : À partir de quand peut-on estimer que les proportions entre l'intensité d'un conflit et sa médiatisation sont respectées ? Faut-il, au motif scandaleux que l'on passe bien souvent sous silence les guerres meurtrières perpétrées en Afrique ou, plus grave encore, le génocide au Rwanda, faut-il, au nom de ce silence coupable et intolérable, passer aussi sous silence ce conflit que vous qualifiez de « basse intensité » ? Cela étant, reste à savoir où sont placées les caméras. Et quelles images on choisit de nous montrer.

André Versaille : Pour revenir à l'Intifada, celle-ci se développe à grande vitesse, et le système qui avait permis vingt ans d'une occupation qui se voulait à « visage humain » se brise. Ce ne sont plus des groupes isolés qui manifestent, ce sont des pans entiers de la population qui se révoltent. Un peu partout, on verra apparaître des *keffiehs*, symbole de la résistance palestinienne depuis les années trente.

Parallèlement, l'Intifada va également mettre la direction de l'Olp à Tunis à rude épreuve : celle-ci doit parvenir à se faire respecter par les combattants des territoires, et, en même temps, ne pas se laisser supplanter dans le cœur de la population par les organisations intégristes.

Shimon Peres : L'Intifada a ôté sa légitimité à l'Olp en montrant qu'elle ne représentait aucunement les Palestiniens de l'intérieur. Mais il faut dire qu'en voulant rester un mouvement spontané, inorganisé, donc dépourvu de programme politique et de direction centralisée, elle a empêché toute possibilité de négociation.

Boutros Boutros-Ghali : Je n'ai jamais sous-estimé les difficultés d'une négociation avec un mouvement de libération, car j'ai moi-même été amené à négocier avec le Fmln au Salvador, avec la Renamo au Mozambique, ou avec Savimbi en Angola. Encore faut-il avoir la volonté politique de reconnaître, même *de facto*, ce mouvement « spontané, inorganisé ». Vous n'avez pas eu, à ce moment, cette volonté politique.

Shimon Peres : Le problème n'est pas que ce mouvement fut insurrectionnel, mais qu'il fut acéphale. C'était une révolte qui allait dans tous les sens, et personne ne représentait les insurgés. Les mouvements que vous citez étaient structurés et dirigés, l'Intifada n'était ni l'un ni l'autre.

ANDRÉ VERSAILLE : Cependant, Arafat et sa direction à Tunis, s'ils n'ont pas déclenché l'Intifada, ne vont pas tarder à exploiter la situation.

BOUTROS BOUTROS-GHALI : Oui, Arafat a pris le train de l'Intifada en marche et a bien manœuvré : il a très vite injecté des millions de dollars en Cisjordanie et dans la bande de Gaza pour se constituer une base solide au sein du mouvement. Cela dit, il ne faut pas sous-estimer les dissensions et les contradictions entre factions concurrentes au sein de l'Intifada.

ANDRÉ VERSAILLE : L'Intifada semble s'installer pour longtemps : deux, trois mois après son déclenchement, comment les Israéliens la considèrent-ils ?

SHIMON PERES : Le premier effet de l'Intifada fut d'avoir paralysé le camp de la paix : quand l'armée explique à la population que les mesures qu'elle prend sont indispensables à la sécurité, qu'est-ce que vous pouvez répondre ? Le cycle exaction-répression devient vite infernal et musèle le camp de la paix.

ANDRÉ VERSAILLE : Cependant, la majorité des actions de l'Intifada étaient peu violentes, il s'agissait souvent de « résistance passive ». Un des leaders de l'Intifada, Sari Nusseibeh, avait d'ailleurs lui-même recommandé de ne pas recourir aux armes à feu. Nous sommes assez loin de la violence des kamikazes de la deuxième Intifada.

SHIMON PERES : C'est juste, mais même si la première Intifada fut bien moins violente que la deuxième, on ne peut pas prétendre qu'elle se réduisait à de la « résistance passive » : les pierres ont beau ne pas être des armes à feu, ceux qu'elles atteignaient étaient sérieusement blessés. Et les combattants ne visaient pas seulement les soldats, les bus civils étaient également souvent bombardés de pierres. Sans parler des débordements répétés. Non, il y avait de la violence.

Cependant, nous étions conscients que notre réponse répressive était inadéquate. Nous vivions dans la contradiction et les Israéliens étaient partagés. Tout le monde reconnaissait qu'il fallait trouver une solution à la question palestinienne, mais en même temps, beaucoup, même parmi ceux qui appartenaient au camp de la paix, estimaient que pour l'heure, face à la multiplication des exactions, il fallait se serrer les coudes.

BOUTROS BOUTROS-GHALI : Vous parlez tout le temps du camp de la paix israélien mis à mal par l'Intifada. Mais il y a également un camp de la paix arabe que la situation au quotidien des Palestiniens et la brutalité de la répression israélienne vont affaiblir. La paix entre Israël et l'Égypte était déjà « froide », nous l'avons vu, elle va se refroidir encore plus du fait de la répression de l'Intifada : on verra à la fois les syndicats des médecins, des avocats, des journalistes, des ingénieurs s'opposer à tout contact avec Israël, et les fondamentalistes suspecter tout le monde de collusion avec Israël et de trahison de la cause palestinienne ; on demandera le rappel de l'ambassadeur d'Égypte en Israël, voire carrément la rupture des relations diplomatiques. Après la guerre du Liban, l'Intifada met une nouvelle fois l'Égypte en porte-à-faux avec le monde arabe, et aussi avec sa propre population totalement solidaire de cette « révolution des pierres ». Ce que les Israéliens semblent avoir du mal à comprendre, c'est que les violences faites aux Palestiniens renforcent les fondamentalistes, les extrémistes, et affaiblissent le camp arabe de la paix qui subira des critiques de plus en plus acerbes de la part de tous ceux qui refusaient ouvertement ou discrètement la normalisation des rapports avec Israël. Les images de la répression, relayées et amplifiées par la télévision, la presse et la littérature, révoltent les Égyptiens qui critiqueront de plus en plus violemment la faiblesse et la passivité du gouvernement, et finiront même par remettre en question le processus de paix jusqu'à prôner l'affrontement avec cet « *État criminel* ». Au scepticisme quant à la bonne volonté des Israéliens s'ajoute le credo des fondamentalistes qui n'ont jamais désarmé dans leur refus de l'existence de l'État juif... D'autant moins que la colonisation des territoires occupés se poursuit sans désemparer.

André Versaille : Pour l'opinion publique internationale, les implantations sont non seulement illégales, mais constituent autant d'obstacles à un règlement pacifique du conflit. Or, ces colonies ne sont pas que le fait de la droite, c'est très tôt après la victoire de 1967 que les travaillistes commencent à construire ces implantations. Ainsi, la colonie de Netzarim à Gaza, tout près du camp palestinien de Nusseirat, fut élevée sous le gouvernement de Golda Meir. Vous n'avez pas le sentiment, Shimon Peres, que les travaillistes ont une sérieuse responsabilité dans la mise en place de ces implantations ?

Shimon Peres : Une responsabilité, oui, mais qu'il ne faudrait pas exagérer. Quand nous avons quitté le pouvoir en 1977, il n'y avait que 3 500 colons en Cisjordanie. Aujourd'hui, il y en a plus de 200 000. Nous, les travaillistes, nous avons toujours été opposé à l'implantation de colonies dans des zones à forte densité arabe ou en Samarie, au nord de la Cisjordanie. En revanche, dans le souci de défendre Jérusalem, que nous voulions conserver unifiée, il nous semblait important de créer des implantations autour de la vieille ville arabe. La situation de Jérusalem nous paraissait préoccupante, du fait d'un afflux de Palestiniens d'Hébron qui venaient s'y installer et qui y construisaient des maisons, même illégalement. Quant aux implantations en Cisjordanie, elles n'ont pas été établies sans débat. Je vous donne un exemple. Au début des années soixante-dix, une polémique est née au sein du parti travailliste à propos d'Hébron. Hébron avait compté autrefois une communauté juive installée là depuis des siècles et qui fut massacrée en 1929. La liquidation d'une communauté juive ancestrale ôtait-elle aux Juifs leur droit à leurs propriétés ? Moshé Dayan était opposé à l'installation de toute implantation à Hébron. Yigal Allon proposa alors, plutôt que de bâtir des implantations à Hébron même, de les construire autour de la ville. C'est ainsi que fut créé le village de Kyriat Arba.

Il faut donc examiner ces questions en fonction des différentes époques, de la vision des choses qui évoluait, des gouvernements, de leurs priorités et de leurs objectifs. Dans le cadre de l'« option jordanienne », je pensais sincèrement que l'on pouvait parfaitement imaginer que, de même que des Arabes vivent sous autorités juives, des Juifs pouvaient vivre sous autorité arabe en Cisjordanie. En revanche, j'étais opposé à l'implantation de colonies à Gaza, comme Ben Gourion d'ailleurs qui, déjà en 1956, avait voulu que l'on évacue cette bande de terre.

Cela dit, je reconnais que la multiplication des colonies fut une erreur qui nous a installés dans une situation particulièrement compliquée.

BOUTROS BOUTROS-GHALI : Je pense, pour ma part, que les travaillistes ont effectivement une lourde responsabilité dans la politique d'implantations : dès lors qu'elles ont été autorisées au début de l'occupation, le mouvement était donné. La droite arrivant au pouvoir dix ans plus tard ne fera qu'amplifier un processus existant. Quelles que soient les raisons que vous avancez, Shimon, le fait est là : nous, Arabes, voyons un mouvement de colonisation des territoires qui a démarré sous les travaillistes et qui depuis a fait boule de neige. Et lorsque vous êtes revenu au pouvoir en 1992, vous avez poursuivi la politique de colonisation du Likoud.

SHIMON PERES : Lorsque nous avons repris le pouvoir en 1992, le gouvernement précédent avait accordé un nombre de permis de bâtir des implantations comptant en tout 24 000 habitations. Nous avons tenté de freiner le mouvement en annulant les permis de bâtir des habitations dont les fondations n'avaient pas été encore commencées. Nous avons annulé ainsi 12 000 permis de bâtir. Mais pour les autres, nous étions bien obligés de les accepter, sans quoi nous aurions enfreint la loi.

BOUTROS BOUTROS-GHALI : En fait, vous n'imaginez pas ce que cette situation a de tragique et de désespérant : alors que vous construisez de nouvelles habitations (en exploitant la main-d'œuvre palestinienne…), vous démolissez dans le même temps les habitations des Palestiniens.

ANDRÉ VERSAILLE : L'Intifada aura également des conséquences sur l'armée. Jusqu'à la guerre du Liban, Tsahal est sacrée pour les Israéliens. Avec la guerre du Liban, et surtout après Sabra et Chatila, son image d'armée populaire et exemplaire va en prend un coup. Avec l'Intifada, on ne parlera plus beaucoup d'armée « morale ».

SHIMON PERES : Ceci est dû à la spécificité de la situation : quand une armée affronte une autre armée, les choses sont claires. Comme le sont la victoire et la défaite. Lorsqu'une armée fait de la répression, il n'y a pas de victoire, c'est une guerre d'usure continue, et la population ne peut pas ressentir de l'enthousiasme comme après la victoire de la guerre des Six Jours. Je ne pense pas, cependant, que le respect pour l'armée ait fortement diminué.

ANDRÉ VERSAILLE : Il semble pourtant que l'Intifada ait porté un sérieux coup à l'image des FDI. L'armée, qui a toujours vaincu les armées arabes, plus nombreuses en effectifs, et qui se plaisait à se comparer à David luttant contre Goliath, se révèle impuissante à réduire des adolescents palestiniens armés de pierres. La comparaison du David contre Goliath s'inverse. Les soldats finissent par riposter avec violence, et la réputation des FDI va s'en trouver ternie, au point que certains soldats et officiers vont refuser de servir dans les territoires occupés. Quant à l'opinion publique occidentale, américaine incluse, elle est choquée par la brutalité de la répression, tandis que de nombreux Israéliens sont eux-mêmes scandalisés par le comportement de leurs soldats.

SHIMON PERES : L'armée fut, en effet, mise dans une situation très difficile face aux lanceurs de pierres. Nos soldats se trouvaient devant des jeunes gens, alors qu'ils n'avaient pas été formés pour faire de la répression policière. Et le malaise s'amplifiait, lorsque les soldats voyaient les images d'actualité montrant la répression exercée contre des adolescents qui jetaient des pierres contre des chars. (Je précise en passant que ce n'est pas l'armée qui faisait le travail de fond : celui-ci était effectué par le Shin Beth qui traquait les terroristes et les meneurs.)

BOUTROS BOUTROS-GHALI : Ne demandez pas au monde arabe de faire la distinction entre le Shin Beth et l'armée. Tout ce que l'on voit, c'est l'occupation et son cortège de sévices et de destructions. On apprendra même qu'ordre était donné aux militaires israéliens de briser les os des jeunes insurgés…

SHIMON PERES : C'était évidemment au figuré. Pour ce qui est du refus de certains militaires de servir dans les territoires occupés, franchement, c'était une minorité – et ça le reste. Cependant, étant donné la place de l'armée dans l'opinion israélienne, ces refus ont fait du bruit.

Nous, les travaillistes, nous avions plutôt tendance à ne pas tenir rigueur à ces soldats. Le Likoud, oui. Et à titre personnel, je pensais que si ces soldats avaient vraiment un problème de conscience, il fallait le respecter. De manière générale, la classe politique se rendait bien compte qu'elle avait un gros problème sur les bras. Cela nous désolait tous de voir nos soldats obligés de pourchasser ces jeunes lanceurs de pierres palestiniens. C'était insupportable, car nous n'avons jamais voulu être une nation dominatrice. Nous, dont l'idéal sioniste était de bâtir un pays où l'éthique serait la règle, nous étions terriblement mal à l'aise de nous voir devenir tout à coup une nation opprimant un autre peuple.

André Versaille : Le terrorisme se développe dans les territoires occupés, mais également en Israël même. Il devient plus sanglant. Les actions les plus meurtrières sont surtout le fait des mouvements fondamentalistes comme le Hamas et le Jihad. Ainsi le Hamas lance-t-il des opérations militaires dès mars 1988 et le Jihad recourt-il à l'attentat-suicide à partir de l'été 1988. Les actions de répression seront également plus dures et un grand nombre de combattants palestiniens vont se retrouver emprisonnés (on parle de plus de 50 000 incarcérations durant la première Intifada). En même temps, Israël sera accusé (y compris par des avocats israéliens et des ligues de défense des droits de l'Homme) de recourir à la torture.

Shimon Peres : Ce fut un débat en Israël. On sait qu'un attentat se prépare. Un terroriste est attrapé. S'il parle, on peut déjouer l'attentat. Que doit-on faire ? La Cour suprême a alors admis que, dans ce cas-là, on avait le droit de recourir à de « légères pressions » : cela veut dire qu'on n'avait pas le droit d'infliger des sévices corporels à un prévenu, mais qu'il était par exemple autorisé de le laisser longtemps les yeux bandés. Ce qu'il faut savoir, c'est que toute forme de torture fut interdite par Menahem Begin. C'est lui qui fit mettre la torture hors-la-loi en modifiant la législation. Nous, les travaillistes, lui avons alors apporté notre soutien, mais, il faut le reconnaître, l'initiative est venue de lui.

Je sais qu'il y a eu plusieurs plaintes pour usage de torture, mais, la plupart de temps, les enquêtes ont conclu à l'absence manifeste de preuve, voire carrément à l'affabulation. Je ne nie pas que des exactions parfaitement condamnables aient été commises, ce que je dis, c'est que la torture comme celle qui se pratiquait en Irak sous Saddam Hussein, en Syrie ou en Russie est absolument inexistante en Israël. Il suffit, pour s'en convaincre de consulter les rapports annuels de la Ligue des droits de l'Homme.

Boutros Boutros-Ghali : Étrange argument ! Vous semblez légitimer la « torture légère » en Israël en expliquant qu'elle est moins grave que celle qui se pratique en Irak ou en Syrie. C'est aberrant !

Shimon Peres : Je ne légitime pas la torture. J'explique la torture en Israël qui est très différente de celle qui se pratique ailleurs. Ce mot de torture peut recouvrir des réalités diverses. Si l'on veut porter des jugements, il me semble important de définir les choses, de donner la mesure de la violence et d'établir des comparaisons avec ce qui se passe dans d'autres pays. Sans quoi on reste dans la confusion.

ANDRÉ VERSAILLE : Pourtant, cette politique répressive ne paraît pas avoir eu d'effet dissuasif. Il semble même que la répression n'ait fait que renforcer la détermination des révoltés. Les prisons israéliennes deviendront rapidement des lieux d'endoctrinement idéologique. À leur libération, les militants étaient plus déterminés à la lutte qu'au début de leur incarcération. Certains affirment même que c'est à l'intérieur de ces prisons que se tissèrent les relations qui permirent la constitution ou le renforcement de réseaux d'activistes.

SHIMON PERES : Ce que l'on peut dire, c'est que l'Intifada a été la preuve que le *statu quo* qui devait assurer la sécurité d'Israël était totalement illusoire. Et de fait, la possession du territoire a coûté bien plus cher en vies humaines que sa conquête, et la pacification s'est révélée impossible. Nous avons fini par être complices de notre propre malheur. Au lieu de travailler au bien du pays, nous avons mobilisé toutes nos forces à le quadriller et à combattre vainement la menace intérieure. Bien sûr, il ne sera jamais question de pactiser avec le terrorisme, mais l'instauration d'une politique militaire, souvent inadéquate, a eu comme conséquence de provoquer et de multiplier la haine contre les Israéliens.

ANDRÉ VERSAILLE : Je vous propose de revenir à la contagion fondamentaliste. Entre 1967 et 1987, la communauté des fidèles musulmans a doublé dans la bande de Gaza, tandis que le nombre de mosquées est passé de 77 à 160. Dans les années quatre-vingt, 40 nouvelles mosquées sont créées chaque année en Cisjordanie. Avec le déclenchement de l'Intifada, de nouvelles forces palestiniennes voient le jour. Elles ne sont pas simplement religieuses, elles sont intégristes, c'est le cas du Hamas et du Jihad islamique.

En outre, le Hamas s'active socialement. Il met en place des écoles primaires et secondaires ; construit des bibliothèques, des cliniques et des crèches ; organise des clubs sportifs et monte même des banques du sang. Bref, le Hamas finit par concurrencer sérieusement l'OLP – sur le terrain, mais aussi dans le cœur de la population.

Par ailleurs, tant le Hamas que le Jihad s'avèrent bien plus radicalement anti-israéliens que l'OLP. Le Hamas refuse, en effet, toute idée de paix avec Israël, contre qui il s'engage dans une guerre sainte totale. Son but officiel et affiché est la destruction d'Israël, qu'il assimile au « Mal ». Et de citer les *Protocoles des Sages de Sion* comme explication des visées expansionnistes des Juifs supposés vouloir contrôler la région du Nil à l'Euphrate avant de conquérir le monde entier. Le Hamas impute encore aux Juifs la Révolution française, la Révolution bolchevique, la Première Guerre mondiale (par laquelle les Juifs sont supposés avoir voulu détruire le califat ottoman), la Seconde Guerre mondiale, l'ONU et le Conseil de sécurité afin de dominer le monde. Par ailleurs, comme le Shin Beth recrute souvent ses indicateurs parmi les trafiquants de drogue ou les prostituées, le Hamas assimilera les autorités israéliennes au développement de la drogue et au relâchement des mœurs chez les Arabes.

Et malgré cela, il semble que les Israéliens aient favorisé le développement de ces mouvements religieux pour concurrencer l'OLP et provoquer son affaiblissement. Ceux qui accusent le gouvernement israélien d'avoir favorisé le Hamas et le Jihad islamique expliquent qu'il avait pour objectif de radicaliser le conflit afin de montrer à l'opinion internationale que, décidément, il n'y a pas d'interlocuteur du côté palestinien. Et il semble bien que la répression israélienne sera plus rigoureuse à l'encontre des activistes de l'OLP qu'envers ceux du Hamas.

SHIMON PERES : Non, ce n'est pas comme cela que les choses se sont passées. Je ne crois pas du tout qu'il y ait eu une politique d'« encouragement » des groupes religieux pour affaiblir l'OLP. Au début, le Hamas se présentait surtout comme une organisation religieuse qui ne nous avait pas paru trop dangereuse. Et sans doute pendant trop longtemps les avons-nous considérés comme plus religieux et plus sociaux que l'OLP – ce qu'ils étaient, et sont toujours, d'ailleurs. Pour autant, si le Hamas et le Jihad islamique ont gagné du terrain sur l'OLP, ce n'est pas grâce à je ne sais quel machiavélisme israélien, c'est parce qu'en plus de leurs exactions terroristes, qui leur ont valu une réputation d'intransigeance dans leur refus d'Israël, et donc de « pureté », ils accomplissaient auprès des Palestiniens les plus démunis ce travail social que vous rappelez.

BOUTROS BOUTROS-GHALI : Personnellement, je ne suis pas suffisamment informé pour savoir dans quelle mesure les Israéliens ont ou non encouragé le Hamas et le Jihad pour affaiblir l'OLP, même si cela me semble être dans la logique des choses.

Mais je voudrais soulever un point peu perçu concernant les fondamentalistes palestiniens : le fait que l'État d'Israël se soit construit sur des bases religieuses, et que cela lui ait réussi, a encouragé les fondamentalistes. L'émergence du Hamas n'est pas sans relation avec l'existence d'une faction religieuse puissante en Israël. D'une manière un peu paradoxale, les fondamentalistes juifs israéliens ont été le « modèle » des fondamentalistes palestiniens. Que les Juifs soient parvenus à créer un État en s'appuyant sur la religion a encouragé les Palestiniens à suivre la même voie : « S'ils ont réussi à bâtir leur État sur des bases religieuses, pourquoi pas nous ? » Une fois cette frange intégriste installée, le succès de la vague fondamentaliste iranienne va renforcer les intégristes palestiniens dans leur détermination, et cela culminera avec l'émergence du Hamas en 1987.

SHIMON PERES : Je suis assez d'accord avec vous. Cependant, pour comprendre le succès de ces fondamentalistes, il faut également prendre en compte leur cohérence. Les militants du Hamas et du Jihad forment un groupe plus compact que l'OLP, qui était, elle, composée de diverses sectes : il y avait là des ex-communistes, des laïcs, des militants formés en Union soviétique, etc. Arafat m'a raconté que lors d'un pèlerinage à La Mecque, il s'était rendu compte que certains de ses collaborateurs ne savaient même pas prier : ils regardaient les autres et les imitaient…

ANDRÉ VERSAILLE : De plus en plus solidement implantés dans les territoires occupés, les comités de choc palestiniens commencent à dicter leurs lois : ils vont imposer des grèves et des fermetures de commerces en signe de protestation. Ils feront également fermer des cinémas, saccager les magasins qui exposent des mannequins vêtus de robes légères et incendier les cafés qui servent des boissons alcoolisées. Enfin, ils vont enjoindre les commerçants à ne plus payer l'impôt et forcer les collecteurs d'impôts à la démission. Ainsi, malgré la répression israélienne, on verra les commerçants obéir aux mots d'ordre des fondamentalistes au point qu'en juillet 1988, Rabin annoncera à la Knesset que les recettes fiscales en provenance des territoires ont chuté de 40 % depuis le début de l'Intifada.

Comment réagit l'opinion publique à la découverte de ces nouveaux maîtres de la rue ?

SHIMON PERES : Le tableau n'est pas aussi noir que celui que vous brossez. Mais il est vrai que le Hamas n'a pas ménagé ses efforts pour tenter, par tous les moyens, de dissuader tous les Palestiniens qui étaient en faveur de la paix. Ils en ont tué des centaines et des centaines, la plupart sur base de fausses accusations de « collaboration ».

ANDRÉ VERSAILLE : En 1967, les Israéliens se rendent compte qu'il y a vraiment un peuple palestinien ; de 1967 à 1987, on parle d'une « question palestinienne » ; avec l'Intifada, il est devenu clair que cette « question palestinienne » est une question nationale : on ne peut plus faire semblant de la considérer comme un problème de réfugiés. L'opinion publique israélienne commence-t-elle à se dire que la paix passe par une autonomie puis par l'instauration d'un État palestinien ?

SHIMON PERES : En 1987, le Likoud ne veut absolument pas entendre parler d'autonomie, et moins encore d'État. Nous, les travaillistes (qui allions quitter le gouvernement en 1988), nous étions en faveur de l'« autonomie ». En ne parlant que d'« autonomie », nous espérions gagner suffisamment de voix pour obtenir la majorité, ce qui aurait été impossible si nous parlions d'« État ».

Quoi qu'il en soit, à la fin des années quatre-vingt, il devenait de plus en plus évident à nos yeux que nous nous dirigions vers la création d'un État palestinien, même si nous continuions officiellement à le refuser. Comme nous ne parvenions toujours pas à admettre l'idée d'« autodétermination », nous parlions de « *solution permanente* ». C'est le chef du parti de gauche, le Mapam, Victor Shemtov, ministre de la Santé, et Aron Yariv, chef du Service de renseignement, qui les premiers parlèrent ouvertement d'« autodétermination », ce qui impliquait la création d'un État palestinien. Nous, les travaillistes, allions encore mettre des années avant de nous y résoudre.

ANDRÉ VERSAILLE : Parmi les conséquences de l'Intifada, on remarquera la transformation de la société palestinienne. En unissant les Palestiniens des territoires, elle a renforcé le sentiment communautaire, voire identitaire ; une nouvelle classe d'activistes a supplanté la classe des « notables » qui formait les cadres des autorités ; enfin, les femmes ont vu, dans une certaine mesure, leur statut se modifier et plusieurs d'entre elles sont devenues des figures politiques marquantes : je pense notamment à Hanane Ashrawi, qui deviendra une figure politique reconnue, ainsi qu'à toutes celles qui ont pris une part active dans les manifestations qui se sont déroulées dans les territoires occupés.

En même temps, le 31 juillet 1988, à un moment où l'Intifada fait rage, le roi Hussein annonce que la Jordanie rompt ses liens « *légaux et administratifs* » avec la Cisjordanie « *conformément au vœu de l'OLP* ». Pourquoi ce geste ? Et pourquoi à ce moment ?

BOUTROS BOUTROS-GHALI : Je crois que cette rupture est à mettre en rapport avec le sabotage par Shamir des négociations que Shimon Peres a menées à Londres en 1987. Après le refus par Shamir de l'option jordanienne, l'ampleur prise par l'Intifada a dû convaincre le roi Hussein que cette option n'était plus envisageable. Et le monde arabe, dans son ensemble, paraît avoir accueilli cette décision de façon plutôt positive.

XVI – TOURNANTS GÉOSTRATÉGIQUES

*L'avènement de Gorbatchev en URSS – Évolution de l'OLP – « Ni la mer
ni les Arabes n'ont changé » – « Le numéro de la Maison-Blanche est
le 202-456-1414… » – Saddam Hussein envahit le Koweït – La première
guerre du Golfe – Saddam Hussein, le Nasser de la fin du XXᵉ siècle ? –
La guerre du Golfe vue d'Israël – Ne pas toucher à l'équilibre régional –
Bush veut relancer les négociations de paix – Conférence israélo-arabe
à Madrid : une mesure pour rien ? – Rabin, Premier ministre,
et Clinton, Président – Vers une nouvelle période d'immobilisme ?*

ANDRÉ VERSAILLE : Entre-temps, en 1985, Gorbatchev est arrivé au pouvoir
en Union soviétique, et très vite on se rendra compte qu'il a manifestement une
autre manière d'envisager les relations internationales.

Quatre ans plus tard, le mur de Berlin tombe et l'on comprend que le bloc
de l'Est n'est plus ce qu'il était : en ce qui concerne le Moyen-Orient, il est
clair que si les choses se poursuivent, les Arabes vont bientôt perdre leur
premier soutien. Dès lors, l'option militaire n'est plus envisageable avant
plusieurs années.

SHIMON PERES : Une précision peut-être : à ce moment-là, c'est d'abord
en raison de ses difficultés économiques que l'Union soviétique ne peut plus
apporter un soutien militaire efficace aux Arabes sans contrepartie financière.

BOUTROS BOUTROS-GHALI : Vous savez, dès lors que l'Égypte avait conclu la
paix avec Israël, l'option militaire n'était plus envisageable. La fin de la guerre
froide a donc eu bien moins de conséquences qu'on ne l'imagine pour les
États arabes, ou pour les Palestiniens. En revanche l'affaiblissement de l'empire soviétique ne pouvait que conforter ceux pour qui la négociation était la
seule solution au conflit. Cependant, la fin de la guerre froide a eu une autre
conséquence, inattendue celle-là : la substitution du terrorisme international à
la confrontation militaire.

ANDRÉ VERSAILLE : Mais comprend-on, au lendemain de la chute du Mur, qu'il n'y aura bientôt plus qu'un seul supergrand, les États-Unis, et que celui-ci est résolument du côté des Israéliens ?

SHIMON PERES : Non, pas à ce moment-là. Nous nous rendions bien compte que quelque chose de très important se passait, mais nous n'en tirions pas nécessairement de conclusions relatives au conflit qui nous opposait aux Arabes.

BOUTROS BOUTROS-GHALI : Dans le monde arabe non plus, à l'exception du président Sadate, qui avait très tôt compris que la solution du problème était, de toute façon, entre les mains des Américains. Ce n'est vraiment qu'avec la première guerre du Golfe, en 1991, puis avec l'effondrement de l'empire soviétique, que l'on prend conscience de cette « unipolarité ». Et cela se confirmera spectaculairement lorsqu'on verra les pays d'Europe centrale, la Pologne, épicentre du pacte de Varsovie, en tête, vouloir faire partie de l'OTAN. Comme on a mis du temps à prendre conscience de la faiblesse de l'Union soviétique, on mettra du temps à comprendre la fin de la bipolarité.

ANDRÉ VERSAILLE : Autre effet de la politique étrangère de Gorbatchev, l'URSS va accepter de laisser les Juifs soviétiques qui le désirent émigrer en Israël.

SHIMON PERES : L'artisan de ce rapprochement fut Chevardnaze, le futur président de la Géorgie, à l'époque ministre des Affaires étrangères de Gorbatchev. Chevardnaze, lorsqu'il était à la tête du Politburo géorgien, manifestait déjà beaucoup d'amitié envers les Juifs, et il a été le premier à évoquer la question de l'émigration des Juifs soviétiques. De plus, Moscou avait déjà été pressé de demandes de la part de bien des gouvernants occidentaux : Reagan, bien sûr, mais également Kreisky, Thatcher, etc., avaient demandé à l'Union soviétique de permettre l'immigration des Juifs. Vous le savez, beaucoup de gens surévaluent totalement l'importance de l'influence des Juifs dans le monde, en particulier aux États-Unis. Ce fut peut-être le cas de Chevardnaze. Quoi qu'il en soit, celui-ci en a conclu qu'il y avait là une carte importante à jouer. En même temps, l'Union soviétique, qui aspirait à sortir de la guerre froide et de la compétition avec les États-Unis qui l'avaient épuisée, commençait à revoir sa diplomatie. Elle en était revenue de sa politique de soutien aux États arabes sur lesquels elle avait tellement investi. Dès lors, plus rien ne s'opposait à ce que l'URSS laisse émigrer les Juifs. C'est véritablement à ce moment-là que, personnellement, j'ai commencé à percevoir un changement dans la politique soviétique.

Bien évidemment, le monde arabe a très mal reçu cette décision qu'il a considérée comme un geste hostile envers lui.

Boutros Boutros-Ghali : Et comment en serait-il autrement ? Depuis 1948, les Arabes, qui n'avaient jamais pu imposer leur volonté politique, plaçaient tous leurs espoirs dans l'évolution démographique. Or, voilà que brusquement l'Union soviétique permet à ses Juifs d'émigrer en Israël, ce qui allait retarder les effets attendus et souhaités de l'explosion démographique palestinienne. Vous imaginez la colère des Palestiniens !

De plus, pas mal de Juifs soviétiques venus en Israël accaparaient les petits travaux confiés jusqu'alors aux Palestiniens qui voyaient leur taux de chômage encore augmenter.

André Versaille : Pendant ce temps, l'Olp évolue. En juin 1988, le conseiller politique d'Arafat, Bassam Abou Sharif, lance un ballon d'essai : tout en rejetant encore les résolutions 242 et 338 des Nations unies comme bases de négociations, il en appelle à une « *paix durable* » et reconnaît la nécessité et la légitimité d'une sécurité pour Israël. Il témoigne d'une compréhension pour « *les siècles de souffrance du peuple juif* » et prône la création d'un État palestinien à côté de l'État juif, sur la base du plan de partage de la Palestine de 1947.

Exilé à Tunis, Arafat va essayer de concilier l'inconciliable : répondre aux exigences israéliennes et américaines, c'est-à-dire reconnaître Israël, et renoncer au terrorisme, sans toutefois se couper de sa base. Certains crient à la trahison, mais peu à peu, un courant majoritaire palestinien se rallie à lui. Pour encourager ses partisans, le 15 novembre 1988, lors de la session du Conseil national palestinien d'Alger, Arafat proclame l'indépendance palestinienne et la création d'un État palestinien sur une partie de la Palestine (mais prenant pour base le plan de partage de 1947), et dont la capitale serait « *à Jérusalem* ». Tout en glorifiant l'Intifada, la déclaration reconnaît la nécessité d'un « *règlement global* », et l'engagement de négociations directes avec Israël. Cependant, Arafat réaffirme le droit de lutter pour l'indépendance et contre l'occupation étrangère – ce qui revient à approuver les violences commises par l'Intifada. Le texte passe par 253 voix contre 46 et 10 abstentions.

Quelques semaines plus tard, Arafat, interrogé par le *Spiegel*, se déclare en faveur d'un État arabe en Palestine à côté de l'État juif. En l'espace de quelques jours, 55 pays, dont l'Union soviétique, la Chine et l'Inde, reconnaissent l'« État » palestinien.

Une solution du partage de la Palestine en deux États avait déjà été émise dans les années soixante-dix et quatre-vingt par des responsables palestiniens – principalement du Fatah – mais plusieurs d'entre eux avaient été assassinés par des membres du groupe d'Abou Nidal qui réduisaient au silence les dirigeants palestiniens « réalistes » enclins à la négociation.

BOUTROS BOUTROS-GHALI : Comme vous pouvez l'imaginer, cette évolution de l'OLP ne pouvait que satisfaire l'Égypte : voir l'OLP prête à négocier avec Israël, alors qu'elle nous avait fermement condamnés lorsque nous avions fait de même en 1977, montrait que nous avions eu raison.

ANDRÉ VERSAILLE : Mais les Israéliens ne favoriseront pas la montée en puissance d'une fraction modérée à l'intérieur de l'OLP. Pourquoi ? Méfiance d'un double langage ? Ou, encore une fois, par refus d'une paix qui impliquerait la restitution des territoires ?

SHIMON PERES : L'OLP était une coalition de plusieurs groupes et son chef était lui-même une coalition de perceptions divergentes. Arafat était, philosophiquement parlant, la personne la moins disciplinée qui soit. Il était réellement bourré de contradictions. Quelques fois, il se considérait comme un prophète, d'autres fois comme le plus grand des généraux, d'autres fois encore comme le principal dirigeant du monde arabe. Et, selon son humeur, il se conduisait comme l'un de ces personnages qu'il était convaincu d'incarner. L'OLP était un amalgame de forces sans discipline et sans unité, et il n'est pas possible d'avoir une négociation avec une organisation indisciplinée et non cohérente.

Et bien sûr, Arafat ou d'autres vont lancer des « petites phrases » qui sembleront aux Occidentaux et, parmi eux, aux socialistes, comme autant de pas en avant, comme autant de témoignages d'ouverture. Ainsi Arafat dira-t-il, lors d'une interview à la télévision française en mai 1989, que la Charte de l'OLP était devenue « *caduque* ». Soit, mais l'OLP n'était pas engagée par cette parole : la preuve en est qu'elle mettra encore des années avant d'amender cette Charte.

Je ne nie pas qu'il y ait eu certains ballons d'essai, certaines volontés d'ouverture. Je prétends que cela ne signifiait pas pour autant que l'ensemble des composantes de l'OLP était prêt à nous reconnaître et à entrer dans un véritable processus de négociation avec nous. À cette époque, toute la politique d'Arafat était faite de phrases ambiguës, comme s'il ne pouvait pas adopter un langage clair. Et, de fait, il ne le pouvait pas, parce que la majorité de l'OLP ne l'aurait pas suivi.

ANDRÉ VERSAILLE : La même année, en 1988, Arafat veut repositionner l'OLP lors de l'Assemblée générale des Nations unies. Mais les États-Unis jugeant l'avancée de l'OLP trop timide refuseront à Arafat, qu'ils considéraient toujours comme terroriste, de lui délivrer un visa pour participer à la session suivante de l'Assemblée générale des Nations unies à New York. Néanmoins, le Département d'État a remarqué un changement de ton et pousse officieusement l'OLP à clarifier sa position, afin de pouvoir modifier son attitude envers elle. L'air est aux compromis. On convient qu'une session spéciale de l'Assemblée générale des Nations unies se tiendra à Genève (cette délocalisation a-t-elle été expressément envisagée pour permettre à Arafat de participer à la session ?). En même temps, un ballet diplomatique, télécopies, textes et traductions à l'appui, se met en place entre les États-Unis et l'OLP.

Le secrétaire d'État Shultz tient à ce que Yasser Arafat déclare explicitement et sans ambages que l'OLP renonce définitivement au terrorisme et reconnaît à Israël le droit d'exister, de vivre à l'intérieur de frontières sûres et reconnues, dans la paix et la stabilité. « *Si le président Arafat déclare cela,* dit-il, *les États-Unis reconnaîtront l'OLP et entameront un dialogue avec elle.* »

Le 13 décembre 1988, lors de l'Assemblée générale réunie à Genève, Arafat s'adresse aux Israéliens en ces termes : « *Je viens vers vous au nom de mon peuple et vous tends la main afin que nous puissions conclure une paix réelle, une paix fondée sur la justice.* »

Washington n'est pas convaincu : Arafat n'a pas clarifié sa position concernant les résolutions 242 et 338 relatives au droit à l'existence d'Israël et au terrorisme. Deux jours plus tard, le 15 décembre, Arafat déclare lors d'une conférence de presse à Genève : « *Nous renonçons totalement au terrorisme sous toutes ses formes, qu'il soit individuel, collectif ou d'État.* » Et il ajoute que le Conseil national palestinien reconnaît les résolutions 242 et 338 comme « *bases de négociation avec Israël dans le cadre d'une conférence internationale* ».

Les Américains sont satisfaits. Lors d'une conférence de presse le même jour, Shultz reconnaît l'avancée décisive de l'OLP et décide d'entamer « *un dialogue substantiel avec les représentants de l'OLP* ».

Globalement, la communauté internationale estimera qu'Arafat a fait le nécessaire ; le chef palestinien est enfin devenu une figure acceptable sinon respectable. Même le gouvernement de Mme Thatcher lui réserve un certain accueil en envoyant le ministre du Foreign Office à sa rencontre. En revanche, on a l'impression que cette avancée de l'OLP dans le sens de la reconnaissance d'Israël ne fait pas l'affaire du gouvernement israélien, en particulier du Premier ministre Shamir qui n'est pas disposé à emboîter le pas aux Américains. Estimant qu'Arafat pratique le double langage, Yitzhak Shamir ne veut pas entendre parler d'Arafat ni de l'OLP.

SHIMON PERES : C'est vrai : « *Ni la mer ni les Arabes n'ont changé* », dira-t-il. Shamir estimait que négocier avec Arafat revenait, pour reprendre ses propres mots, « *à introduire un porc dans la synagogue* ». Mais je dois dire à sa décharge que l'opinion générale israélienne ne croyait pas non plus au changement d'Arafat.

BOUTROS BOUTROS-GHALI : Oui, la méfiance des Israéliens ne se dissipe pas facilement. Nous avons vu, en son temps, que l'opinion publique israélienne et l'équipe au pouvoir avaient également mis plusieurs mois avant d'être convaincues de la sincérité de Sadate dans sa proposition de paix, et cela malgré la visite historique à Jérusalem.

ANDRÉ VERSAILLE : Apparemment, Ezer Weizmann est le seul ministre de la coalition à avoir salué le geste d'Arafat, considérant cette évolution comme « *l'avènement d'une ère nouvelle* ».

SHIMON PERES : Oui, mais à l'époque, Weizmann n'est pas très représentatif, et il dirige un petit parti qui ne l'est pas plus.

ANDRÉ VERSAILLE : Peut-être, mais il restait une figure éminemment estimée et respectée des Israéliens.

SHIMON PERES : Il était très aimé, c'est vrai, et il possédait un réel charisme. Il n'empêche qu'il n'était pas reconnu comme un véritable homme d'État. Il a fini par devenir le président de l'État d'Israël (1993-2000), ce qui témoigne du respect que tout le monde lui vouait, mais après son passage dans le cabinet de Begin, à l'époque des négociations de Camp David, il n'a pas eu véritablement une carrière politique effective.

Quoi qu'il en soit, comme toujours, une minorité d'Israéliens voulait croire Arafat et déclarait qu'il fallait se fier à ses déclarations publiques, à la position officielle, et ne pas tenir compte de ce qui pouvait se dire en privé ou officieusement. Mais la majorité de la population israélienne considérait ces discours officiels comme hypocrites et tenait pour vraie la parole palestinienne que l'on entendait en privé. C'est pourquoi le Likoud a toujours exigé qu'Arafat fasse ses déclarations en arabe, car ce qui est publiquement prononcé en arabe l'engageait, ce qui n'était pas le cas de ses déclarations faites en anglais sur des chaînes de télévision occidentales très peu regardées par les populations arabes.

En ce qui me concerne, j'estimais que les choses étant ce qu'elles étaient, il fallait nous montrer patients devant la disparité des diverses déclarations, qu'elles soient publiques ou privées. Un poète arabe que j'admire, Nizar Qabbani, a composé un poème dans lequel il exhorte les Arabes à se libérer de leur impérialisme le plus prégnant : celui des mots. Le langage arabe, dit-il en substance, est comme un joug sur nos épaules, en ce qu'il nous empêche de nous exprimer librement.

ANDRÉ VERSAILLE : Les mois passent : en 1989, aux États-Unis, George Bush succède à Ronald Reagan et James Baker à George Shultz. La nouvelle Administration voudra faire progresser la situation au Moyen-Orient, qui semble sérieusement bloquée, et cela en commençant par exercer des pressions sur Jérusalem. Le 22 mai 1989, James Baker déclare : « *Le temps est venu pour Israël d'abandonner une fois pour toutes la vision irréaliste d'un État juif aux frontières plus vastes. Les intérêts israéliens en Cisjordanie et à Gaza, qu'il s'agisse de la sécurité ou d'autres domaines, peuvent être pris en compte dans un accord basé sur la résolution 242. Il faut renoncer à l'annexion, mettre fin aux activités de colonisation, […] tendre la main aux Palestiniens comme à des voisins aux droits politiques légitimes. »*

Et de fait, cette Administration va mener une politique moyen-orientale moins pro-israélienne que ne le fut celle de Reagan. Comment les Israéliens regardaient-ils le nouveau président ?

SHIMON PERES : Cela dépend. La droite israélienne, en commençant par Shamir, le considérait comme très pro-arabe. Cela me semblait injuste, car lorsqu'il était encore le vice-président de Reagan, George Bush avait accompli des choses qui nous avaient impressionnés. Je pense au sauvetage des Juifs d'Éthiopie : lorsqu'il a appris que ces Juifs se dirigeaient à pied vers le Soudan, Bush a envoyé des avions américains pour les recueillir. C'est une chose que j'avais personnellement négociée avec lui, et je lui en reste profondément reconnaissant. George Bush m'est apparu comme un homme politique tout à fait honnête. Je lui vouais un réel respect et je ne l'ai jamais regardé comme un ennemi. Devenu président, il a voulu essayer de résoudre le conflit du Moyen-Orient et, pour cela, il devait adopter la position la plus neutre possible et ne pouvait évidemment pas accepter la politique extrémiste de Shamir. Nous-mêmes, qui faisions partie de la coalition d'union nationale, rejetions cette politique, ce qui nous amènera, en mars 1990, à nous retirer du gouvernement. Le nouveau cabinet qui sera formé en juin sera radicalement conservateur, donc fermé à toute concession, ce qui énervera les Américains, au point qu'un jour le secrétaire d'État, James Baker, excédé par tant de mauvaise volonté, lancera publiquement à l'adresse du gouvernement israélien : « *Le numéro de la Maison-Blanche est le 202-456-1414. Lorsque vous envisagerez sincèrement la paix, appelez-nous.* »

BOUTROS BOUTROS-GHALI : En Égypte, la volonté du nouveau président américain de s'impliquer davantage dans ce conflit ne pouvait que nous satisfaire, car, comme je vous l'ai dit, nous étions convaincus depuis longtemps que les Américains détenaient les clés du problème. C'était l'une des constantes de la politique égyptienne, depuis l'arrivée de Sadate au pouvoir, que de tenter d'obtenir l'implication des États-Unis dans le problème du Moyen-Orient. Et, nous l'avons vu, Sadate y était arrivé, puisque Jimmy Carter s'était totalement investi dans ce conflit, et a joué ce rôle essentiel dans le processus de paix israélo-égyptien.

ANDRÉ VERSAILLE : La guerre irano-irakienne s'est terminée au mois d'août 1988. Il n'y a eu ni vainqueur ni vaincu. Seulement deux pays qui sont sortis

très affaiblis d'une guerre qui a causé la mort de près d'un million de personnes, et a mis les deux pays dans une situation économique désastreuse. Arguant
qu'il a été le fer de lance des Arabes contre les Persans, et que l'Irak a perdu
plus de 400 000 hommes dans cette guerre, Saddam veut que les États du Golfe
l'aident financièrement. En outre, il reproche au Koweït de ne pas lui avoir
versé les sommes qu'il s'était engagé à lui payer. Le Koweït refuse de l'entendre et l'on sent bien que Saddam n'en restera pas là.

Sur le contentieux proprement dit, Saddam a-t-il raison ?

BOUTROS BOUTROS-GHALI : Il est vrai qu'au nom de la solidarité arabe, n'importe quel État arabe pauvre peut exiger l'aide financière des monarchies du
Golfe. Cependant, l'Irak n'est pas un pays pauvre. Toute la question est de
savoir s'il a véritablement reçu des promesses de la part du Koweït. Il est tout à
fait possible que ce contentieux ne soit qu'un prétexte pour pouvoir s'emparer
du Koweït. On sait que les gouvernements successifs à Bagdad ont toujours
considéré le Koweït comme une province de l'Irak.

ANDRÉ VERSAILLE : En effet, déjà en 1973, Saddam, alors numéro deux mais
homme fort du régime, avait mobilisé l'armée irakienne aux frontières du
Koweït. Toutefois, il avait dû reculer devant la menace d'intervention concertée
des pays arabes. À cette époque, la Ligue arabe avait pu empêcher la guerre.
Qu'est-ce qui fait que cette fois-ci, elle n'y est pas parvenue ?

BOUTROS BOUTROS-GHALI : En 1973, l'Irak n'était pas aussi puissant. Et puis,
la Ligue arabe a essentiellement été conçue à l'origine pour lutter en faveur de
la décolonisation des États arabes et de la Palestine. C'est pourquoi elle ne parviendra pas toujours à résoudre les conflits interarabes ou intra-arabes.

ANDRÉ VERSAILLE : Le 2 août 1990, Saddam envahit le Koweït. Comment
réagit-on dans le monde arabe ?

BOUTROS BOUTROS-GHALI : Cette agression choque évidemment. Et elle est
condamnée par la majorité des États arabes. En revanche, les populations, dans
leur ensemble, sont favorables à Saddam Hussein qui ose défier les Koweïtiens
qui, du fait de leur richesse, ne sont pas aimés.

SHIMON PERES : C'est peu dire ! Les Koweïtiens sont considérés comme
arrogants, méprisants et absolument pas solidaires des masses arabes, ce qui
n'est d'ailleurs pas faux.

ANDRÉ VERSAILLE : L'ONU condamne immédiatement l'invasion et décrète que
si l'armée irakienne ne se retire pas du Koweït, elle sera délogée par la force. Sous
commandement américain, une coalition de pays – dont plusieurs arabes – se pré-

pare à faire la guerre à Saddam si celui-ci ne dégage pas ses troupes. La crise va durer plus de cinq mois avant que les armées coalisées ne passent à l'offensive militaire. Qu'est-ce qui fait que pendant cinq mois, Saddam ne bouge pas ? Plus, au dernier moment, Mitterrand fait savoir au dirigeant irakien que s'il promet seulement de se retirer, la menace militaire des coalisés sera suspendue. Aucun effet. Pendant ce temps, que font les chancelleries arabes pour désamorcer la crise ?

BOUTROS BOUTROS-GHALI : Les pays arabes ont essayé de convaincre Saddam Hussein de quitter le Koweït, l'Union soviétique a essayé, la Chine a essayé, tout le monde a essayé. En vain. Nous avions affaire à un dictateur mégalomane enfermé dans l'exercice solitaire du pouvoir.

ANDRÉ VERSAILLE : Saddam ne croit-il pas à une réponse militaire ?

BOUTROS BOUTROS-GHALI : Je crois que Saddam Hussein, qui considérait avoir gagné la guerre contre l'Iran (même si ce n'est pas exact), était persuadé que les coalisés ne déclencheraient pas l'offensive militaire, ou qu'une fois déclenchée, elle s'arrêterait immédiatement et que l'on passerait alors à des négociations. Je pense qu'il était certain de pouvoir marchander son retrait contre quelques milliards de dollars. Et peut-être a-t-il cru que les Américains, qui l'avaient soutenu pendant sa guerre contre l'Iran, le laisseraient faire ou négocieraient financièrement son retrait.

En réalité, l'invasion du Koweït était préméditée depuis longtemps. En 1989, Saddam Hussein avait conclu un pacte quadripartite avec l'Égypte, la Jordanie et le Yémen. Il s'attendait donc à être soutenu par ses trois partenaires. Mais, s'étant senti abusé par cette manœuvre programmée, Moubarak se joindra d'autant plus volontiers à la coalition anti-Saddam.

ANDRÉ VERSAILLE : D'aucuns prétendent que Saddam aurait été piégé par les États-Unis : il aurait fait part de son projet à l'ambassadrice américaine, qui, à tout le moins, ne l'aurait pas dissuadé, et Saddam aurait pris ce « silence » pour un feu vert.

BOUTROS BOUTROS-GHALI : Je ne crois pas beaucoup à cette thèse du complot, si répandue parmi les intellectuels du monde arabe.

SHIMON PERES : Même si c'était vrai, Saddam avait tout le loisir de se retirer. André Versaille vient de le rappeler, la veille même du déclenchement des hostilités, Mitterrand faisait savoir à Saddam que, s'il s'engageait à se retirer, l'attaque serait suspendue.

BOUTROS BOUTROS-GHALI : Je pense que Saddam Hussein misait sur une certaine frilosité de l'opinion publique occidentale qui ne tolère pas que ses soldats meurent dans un conflit qui ne menace pas directement leurs pays. Il n'avait pas oublié le précédent libanais dont nous avons parlé, lors duquel les États-Unis avaient retiré leurs troupes après l'explosion d'un camion kamikaze sur une caserne américaine, faisant 241 morts. Ce fut également le cas pour les Français, puis pour les Italiens. Ces retraits précipités, lorsqu'il y a mort d'hommes, ont fortement marqué les esprits arabes, et certainement celui de Saddam Hussein. Il s'est probablement dit que, dès que quelques Américains seraient tués, Washington arrêterait la guerre et proposerait des négociations.

Et puis, encore une fois, il faut faire la part de la mégalomanie : il n'est pas le premier dictateur à se perdre dans la folie de ses rêves de grandeur.

ANDRÉ VERSAILLE : Pour voir les choses en termes géopolitiques plus larges, l'invasion du Koweït ne témoigne-t-elle pas doublement de l'effondrement de la puissance soviétique ? Une Union soviétique puissante n'aurait sans doute pas permis à l'Irak de commettre l'irréparable, et si d'aventure cet irréparable avait été commis, elle aurait mis son veto à toute coalition onusienne contre Bagdad.

BOUTROS BOUTROS-GHALI : Je ne crois pas qu'il faille mettre l'invasion du Koweït sur le compte de l'affaiblissement de l'Union soviétique. En fait, cette guerre est regardée comme une affaire intérieure arabe et, de toute façon, tout le monde croit que Saddam va manœuvrer pour négocier son retrait en obtenant en compensation des avantages financiers et pétroliers de la part des pays du Golfe.

ANDRÉ VERSAILLE : Les Américains prennent la tête d'une action anti-Saddam. Ils réussiront à entraîner les pays arabes et musulmans dans la coalition onusienne avant d'entreprendre l'opération *Tempête du désert*. Qu'est-ce qui fait que, pour la première fois, de nombreux pays arabes se rangeront aux côtés des Américains pour faire la guerre à un autre pays arabe, alors même que les populations de ces mêmes pays étaient, elles, totalement solidaires de Saddam ?

BOUTROS BOUTROS-GHALI : À cette époque, les États-Unis ont des relations très proches avec pas mal de pays arabes modérés comme l'Égypte. Et la diplomatie américaine parviendra à convaincre ces pays de se joindre à la coalition pour libérer le Koweït.

ANDRÉ VERSAILLE : Une décennie plus tard, Washington exercera une pression tout aussi forte, il ne ralliera aucun État arabe.

BOUTROS BOUTROS-GHALI : La situation sera très différente. La première intervention s'est faite avec l'approbation des Nations unies, en réponse à l'agression du Koweït par l'Irak. La seconde, décidée unilatéralement par Washington, n'a d'autre but que de renverser le régime irakien. Nous ne sommes pas du tout dans le même cas de figure.

Ce que les pays arabes reprochent à Saddam, c'est qu'en envahissant le Koweït, il rompt l'équilibre régional. Et ils sont d'autant plus mécontents que cette invasion provoque la fuite du Koweït de milliers de travailleurs immigrés arabes qui seront obligés de rentrer précipitamment chez eux, avec toutes les difficultés que vous pouvez imaginer.

Par ailleurs, les armées de ces pays, qui en constituent l'ossature, sont intéressées à participer à cette guerre : ces militaires arabes qui restent confinés dans leurs casernes à préparer des batailles qu'ils ne livrent jamais vont, enfin, participer à une guerre, et quelle guerre ! Sur un front plus ou moins éloigné, et en collaboration avec l'armée américaine de surcroît, l'armée la plus forte du monde !

De leur côté, les gouvernements avaient fait leurs calculs politiques : cette campagne pouvait entraîner une recomposition régionale et les absents ont toujours tort : il faut donc participer pour jouer un rôle, pour peser sur la situation, pour empêcher éventuellement que les choses n'aillent trop loin…

André Versaille : Alors que la majorité des gouvernements condamne Saddam, à commencer bien sûr par les Occidentaux, la Jordanie, pourtant très prooccidentale, se solidarise avec l'Irak. Pourquoi ?

Boutros Boutros-Ghali : Parce que des rapports géopolitiques étroits lient Amman à Bagdad. Il était donc risqué, pour la Jordanie, limitrophe de l'Irak, de s'opposer à Bagdad. On a également laissé entendre que le roi Hussein avait espéré pouvoir jouer les médiateurs entre les principaux protagonistes de ce conflit – l'Irak, le Koweït, les États-Unis –, et que ce jeu aurait pu lui faire obtenir certains avantages territoriaux ou autres à l'issue de la crise. Tout est possible, d'autant qu'à ce moment-là, les jeux ne semblent pas faits. La guerre sera-t-elle effectivement lancée ? Et même les offensives militaires déclenchées, on pouvait parier sur une certaine frilosité occidentale et surtout américaine. Je vous l'ai dit, les Arabes ont été très surpris de voir combien il était facile de faire reculer le colosse américain. Hussein a peut-être fait le même raisonnement que Saddam.

Shimon Peres : Sans compter qu'Amman a historiquement été liée à Bagdad qui lui fournissait son pétrole.

André Versaille : Yasser Arafat va résolument se ranger du côté de Saddam. Pourtant, le Koweït était un des bailleurs de fonds de l'OLP.

Boutros Boutros-Ghali : C'est vrai, mais il faut prendre en compte la réalité en Palestine où la situation ne cesse de se dégrader. Pourquoi, dès lors, Arafat ne serait-il pas tenté d'être solidaire de Bagdad ? Pourquoi ne pas essayer une nouvelle stratégie ? De plus, l'opinion publique palestinienne soutient Saddam Hussein qui se présente, d'ailleurs, comme le défenseur des

Palestiniens. N'a-t-il pas été jusqu'à proposer de se retirer du Koweït si Israël se retirait des territoires occupés ?

ANDRÉ VERSAILLE : Dans le monde arabe, cette proposition est prise au sérieux ?

BOUTROS BOUTROS-GHALI : Sans doute pas par les gouvernements, mais pour une grande partie de la population arabe, ce marché est cohérent : « Pourquoi se précipite-t-on pour punir Saddam qui vient d'investir le Koweït et ne fait-on rien contre Israël qui, malgré les injonctions répétées des Nations unies, ne se retire pas des territoires arabes qu'il occupe depuis un quart de siècle ? » La « proposition » de Saddam est de toute façon reçue comme un geste de solidarité en faveur des Palestiniens. Ce n'est qu'une parole, mais c'est déjà ça.

ANDRÉ VERSAILLE : En quelque sorte, « dire », c'est « faire » ?

BOUTROS BOUTROS-GHALI : Non. Dire, c'est ranimer l'espoir. Cela étant, Arafat a bien évidemment commis une grave erreur. S'acoquiner avec Bagdad comme il l'a fait l'a trop clairement placé du côté de l'Irak. Ce fut une faute, non seulement par rapport aux États-Unis et au monde occidental, mais aussi par rapport à la grande majorité des pays arabes. Les pays du Golfe étaient furieux, et l'OLP va en payer le prix : les Saoudiens et les Koweïtiens qui finançaient l'OLP vont mettre un terme à leur aide financière.

ANDRÉ VERSAILLE : En Occident, on a tôt fait de comparer n'importe quel dictateur à Hitler : ce fut le cas pour Nasser en 1956, et ce sera le cas pour Saddam en 1990. Au-delà de ces comparaisons abusives, on remarque pourtant des analogies dans les comportements des populations envers leur chef : Raymond Aron raconte dans ses *Mémoires* que, étant en Allemagne au début des années trente, il pouvait débattre calmement de tous les sujets avec ses collègues allemands, sauf de la « question allemande ». Ainsi même des Allemands qui n'aimaient pas du tout Hitler le « défendaient » d'une certaine manière, parce qu'ils considéraient que, derrière la plupart des attaques contre le Führer, c'était en réalité l'Allemagne elle-même qui était visée. Les Arabes modérés, voire « progressistes », semblent avoir une réaction analogue : bien que n'aimant pas Saddam, et le tenant pour un tyran, ils contestent le fait que ce soit pour défendre le Koweït que les coalisés font la guerre à Bagdad. Ils considèrent qu'il s'agit d'une manière hypocrite d'attaquer le monde arabe et de le réduire : alors plutôt Saddam que l'Occident et ses *« pseudo valeurs »*.

BOUTROS BOUTROS-GHALI : Votre analyse est intéressante sur plusieurs points. Je dirais que Saddam est un peu regardé par les populations arabes comme le Nasser de la fin du XXe siècle : Saddam est populaire auprès des masses arabes parce qu'il ne cède pas devant la pression générale ; il est celui qui fait face au monde occidental, qui ne plie pas l'échine devant les Américains, qui s'oppose aux monarchies du Golfe. Ce chef populiste, qui n'appartient pas à la classe des émirs rétrogrades, apparaît comme l'homme fort de la région, l'homme en qui les masses peuvent avoir confiance pour qu'il rende sa dignité au monde arabe colonisé. Au risque de me répéter, je crois que c'est l'obsession du fait colonial qui continue à dominer l'imaginaire arabe.

ANDRÉ VERSAILLE : Vous revenez souvent sur le colonialisme. Ne pensez-vous pas que cette obsession de la colonisation handicape sérieusement l'évolution d'une partie au moins du monde arabe ? Ne croyez-vous pas que cette victimisation est non seulement absurde mais grave, en ce qu'elle empêche toute prise de conscience lucide quant à la réalité de la situation ?

BOUTROS BOUTROS-GHALI : Oui, mais cette obsession de la colonisation n'est pas le fait du seul monde arabe : toutes les nations ex-colonisées d'Asie, d'Afrique et d'Amérique latine ont été traumatisées par le colonialisme.

ANDRÉ VERSAILLE : Pas toutes : regardez les pays asiatiques et d'Extrême-Orient, voyez la Corée du Sud, Singapour, Hong Kong, l'Inde, etc., ils ont tiré un trait sur le passé et ils avancent plutôt bien. Ne croyez-vous pas que la victimisation est très ancrée dans la mentalité arabo-musulmane ?

BOUTROS BOUTROS-GHALI : Je vais souvent dans les pays d'Asie, et je peux vous assurer que le fait colonial est toujours très présent dans les esprits. Cela dit, je partage l'idée que les dirigeants des pays arabes ont souvent brandi le fait colonial pour atténuer la responsabilité de leurs échecs. Pour autant, faut-il mettre sur le compte de la victimisation l'intervention anglo-franco-israélienne en Égypte, en 1956 ? Faut-il mettre au compte de la victimisation l'occupation des territoires palestiniens et le développement continu de colonies de peuplement ? Faut-il mettre au compte de la victimisation l'intervention américaine en Irak au motif que Bagdad aurait détenu des armes de destruction massive ?

ANDRÉ VERSAILLE : Non, mais ne pensez-vous pas que la victimisation systématique est une des causes du blocage d'une partie du monde arabe ? Il semble que celui-ci cherche moins la vérité que la reconnaissance de sa souffrance. Et celle-ci leur paraît à ce point incommensurable, que la vérité sur tel ou tel point lui semble relever du détail, qui de toute façon ne change rien à la Vérité (avec majuscule) qui est que le monde arabe demeure, depuis plus d'un siècle, la victime de l'Occident. Tout le reste est insignifiant. Cette attitude les prive de tout esprit critique, de tout débat public, et laisse la place à une vision totalitaire du monde.

De ce point de vue, ne pensez-vous pas que les élites intellectuelles arabes (sauf exceptions qui ne sont guère nombreuses) n'ont pas toujours fait la preuve d'un très grand courage ? Aujourd'hui encore, plus de quarante ans après l'émancipation de l'Algérie, on entend des voix arabes autorisées expliquer que le désordre algérien est le fruit de la colonisation française. Il ne fait pas de doute qu'il est plus facile d'être un intellectuel contestataire à Paris qu'à Tripoli ou à Damas. Mais de nombreux intellectuels arabes vivent précisément dans de grandes capitales européennes, et on entend assez peu de discours critiques, sinon contre les autorités arabes modérées considérées être à la solde des Américains. Voyez le terrorisme, ne trouvez-vous pas que sa condamnation (lorsque condamnation il y a, ce qui est relativement récent) est pour le moins timide : on ne voit guère en Occident de grandes manifestations de rue contre le terrorisme où ces intellectuels ne risquent rien.

BOUTROS BOUTROS-GHALI : Vous me posez en fait deux questions bien différentes. Concernant la première, je vous accorde que la victimisation systématique qui domine le monde arabe (et qui a une base réelle) est une des causes du blocage de notre société. Pour ce qui est de la seconde, je ne partage pas le reproche que vous faites aux élites arabes. Si vous lisez la presse arabe, si vous regardez les différentes chaînes de télévision, si vous consultez les sites internet et si vous comptez le nombre d'opposants qui croupissent en prison ou qui ont été agressés ou tués par les intégristes, vous constaterez que les élites arabes, comme celles d'Amérique latine ou d'Afrique, luttent avec courage pour réformer les régimes rétrogrades et autoritaires de leurs pays respectifs.

ANDRÉ VERSAILLE : Saddam prévient les Israéliens : s'ils persistent dans leur refus, il brûlera la moitié d'Israël par ses armes chimiques et rendra Jérusalem à l'Islam. Comment cette menace est-elle prise en Israël ?

SHIMON PERES : Nous avons bien sûr pris la menace au sérieux, mais avec la conscience tout de même que le danger était limité. Saddam aurait pu causer des dégâts, mais relativement faibles, et il savait que nous pouvions répliquer d'une manière violente, et infliger à l'Irak les pires dommages. Il savait qu'il n'avait donc pas vraiment intérêt à faire beaucoup plus que de l'agitation.

ANDRÉ VERSAILLE : Il est hors de question, pour les Américains, d'admettre la participation d'Israël à cette coalition : une implication des Israéliens amènerait, *ipso facto*, les États arabes à s'en retirer. Comment cette exclusion est-elle vécue par les Israéliens ?

SHIMON PERES : Il y avait des Israéliens qui voulaient que l'on prenne les armes contre l'Irak, mais c'était une minorité. Quant à Shamir, Premier ministre à l'époque, il était bien résolu à ne pas mêler Israël à cette guerre pour ne pas provoquer une dissolution de la coalition.

BOUTROS BOUTROS-GHALI : De leur côté, les Arabes regardent cette non-participation des Israéliens comme une suprême habileté de la diplomatie américaine, en même temps qu'un nouveau gage de la solidité de l'alliance américano-israélienne : après tout, les Américains non seulement protègent les Israéliens mais, de surcroît, leur épargnent une guerre.

ANDRÉ VERSAILLE : Saddam Hussein répondra aux bombardements onusiens par l'envoi de Scuds sur Israël, avec l'évidente volonté d'impliquer militairement l'État juif dans le conflit. Or, les Israéliens sont interdits de riposte et devront se contenter d'utiliser les « *Patriots* » fournis par Washington, et censés intercepter les missiles en vol. C'est la première fois que les Israéliens verront leur défense confiée à un État étranger.

SHIMON PERES : Ce n'est pas comme cela que nous avons pris les choses. Nous n'avons pas confié notre défense à un État étranger, il se trouve que cet État était en guerre contre un pays, dans un conflit dans lequel nous n'étions pas impliqués. Cette guerre, les Américains la faisaient pour le compte des Nations unies, et nullement pour le nôtre. Il était donc naturel que nous n'intervenions pas, et d'autant moins que cela pouvait nuire à la cohésion de la coalition.

ANDRÉ VERSAILLE : Les reportages télévisés de l'époque nous montrent d'un côté les Israéliens faire la file pour prendre possession des masques à gaz que l'État leur offrait, de l'autre, des Palestiniens sur les toits des maisons applaudir à l'arrivée des Scuds.

SHIMON PERES : Les Arabes israéliens restaient circonspects. C'étaient les Arabes des territoires qui manifestaient leur joie. Cette attitude choqua nombre d'Israéliens, et bien sûr cela alimenta la chronique. Personnellement, cela ne m'émouvait guère. Des Arabes fêtaient chaque Scud qui tombait sur Israël : et puis quoi ? C'était « choquant », « spectaculaire », sans doute, mais qu'est-ce que cela avait réellement comme importance ? Je fais peut-être partie d'une minorité, mais les manifestations populaires ne m'impressionnent pas beaucoup : ce qui m'importe, ce sont les conséquences et, en l'occurrence, on n'en voit pas. Cela reste de l'agitation, du spectacle. Pas plus.

ANDRÉ VERSAILLE : Les *Patriots* s'avéreront finalement peu efficaces, et le territoire israélien sera atteint par plusieurs Scuds. Chose étrange, alors que les Israéliens redoutaient par-dessus tout des bombardements chimiques, les Scuds lancés par Bagdad n'étaient pas chimiquement chargés. Comment cela s'explique-t-il ?

BOUTROS BOUTROS-GHALI : Franchement, je l'ignore. Je pense que Saddam voulait surtout prouver au monde qu'Israël n'était pas à l'abri de ses armes. Ce qui pouvait le faire passer pour un héros auprès des populations arabes. Pour cette démonstration, il n'était sans doute pas nécessaire de pousser plus avant, car envoyer des Scuds chimiquement chargés aurait pu entraîner une riposte disproportionnée de la part d'Israël ou des Américains.

SHIMON PERES : Je pense tout simplement que Saddam n'avait pas la capacité de charger chimiquement ou bactériologiquement ses Scuds. C'est une chose que de gazer des populations, comme il l'avait fait quelques années plus tôt, c'en est une autre que de sophistiquer des missiles. Je dois dire qu'en ce qui me concerne, je restais très sceptique quant à la nécessité de pourvoir la population en masques. Il m'était cependant difficile de le déclarer publiquement. Et puis, rien ne prouvait que j'avais raison. Toutefois, si le choix de cette distribution avait dépendu de moi, je ne suis pas sûr que je m'y serais résolu. Mais il est vrai qu'il fallait tenir compte des craintes de la population.

J'avais déjà été confronté à ce genre de situation. À l'époque de Nasser, nos services de renseignements nous avaient avertis du danger potentiel des nouveaux missiles égyptiens mis au point par les chercheurs nazis recueillis par Le Caire après la Deuxième Guerre mondiale. Le cabinet israélien était très préoccupé par cette menace, à laquelle je ne croyais pas du tout. Mon attitude agaça Golda Meir : « *Comment sais-tu ce que tu ignores ?* », m'a-t-elle demandé. « *Parce que je sais ce que, eux, ils ignorent* », lui ai-je répondu. Et j'avais raison : en ce temps-là, seuls trois ou quatre pays avaient la capacité d'armer convenablement des missiles, car cela nécessitait une infrastructure particulièrement sophistiquée, ce dont, je le savais, l'Égypte ne disposait pas.

ANDRÉ VERSAILLE : La guerre se poursuit, mais les coalisés n'iront pas jusqu'à tenter de renverser Saddam.

BOUTROS BOUTROS-GHALI : Non, parce que les gouvernements arabes ont fait pression sur les Américains afin qu'ils n'entrent pas dans Bagdad, car si l'opinion publique arabe pouvait accepter que l'on fasse la guerre à un pays arabe pour libérer un autre pays arabe, elle n'aurait pas accepté que l'on mène, aux côtés des Américains et des Occidentaux, une guerre destinée à renverser un gouvernement arabe. Et les Américains accepteront de ne pas renverser le régime.

Par contre, lorsque, une douzaine d'années plus tard, George Bush fils se lancera dans une nouvelle guerre contre l'Irak, aucun État arabe ne le suivra. Dans les deux cas, en 1991 et en 2002, les États arabes se sont opposés à ce que l'on touche au gouvernement de Bagdad.

ANDRÉ VERSAILLE : Et sans doute les Américains voulaient-ils, eux aussi, préserver le *statu quo* dans la région, craignant qu'une déstabilisation ne s'avère incontrôlable. En revanche, le fils Bush, entouré de néo-conservateurs de choc, va au contraire vouloir modifier ce *statu quo* au profit d'un remodelage de la région qui leur soit plus favorable.

BOUTROS BOUTROS-GHALI : Oui, votre analyse est pertinente, mais il va y avoir, entre-temps, les agressions du 11 septembre 2001 à New York et Washington.

ANDRÉ VERSAILLE : Saddam aurait-il pu aller plus loin, et tenter d'investir l'Arabie saoudite ?

BOUTROS BOUTROS-GHALI : Vous me rappelez la conversation que j'ai eue plus tard avec un stratège français. « *Ce que je ne m'explique pas, me disait-il, c'est pourquoi Saddam n'a pas poussé ses troupes quelques kilomètres plus loin, jusqu'en Arabie saoudite pour s'emparer des puits de pétrole. Il y serait parvenu sans coup férir : l'armée américaine n'étant pas présente, l'Arabie n'aurait pas pu plus se défendre que le Koweït. À ce moment, tenant les puits de pétrole, les autres pays auraient été obligés de négocier et peut-être même de lui abandonner le Koweït contre la libération de l'Arabie.* »

SHIMON PERES : Saddam savait que s'il touchait à l'Arabie saoudite, les Américains réagiraient immédiatement et vigoureusement. Il n'a donc pas voulu prendre ce risque. Par contre, il ne croyait pas qu'on lui ferait la guerre pour libérer le Koweït.

BOUTROS BOUTROS-GHALI : Ce stratège avait ajouté une réflexion politiquement tout à fait incorrecte : « *Cela dit, le débat concerne plus la manière dont Saddam a agi que la question de fond. Imaginons un autre dirigeant irakien qui aurait eu le même but que le dictateur irakien, mais plus intelligent que lui, et surtout plus au fait de l'Histoire, comment s'y serait-il pris ? Il n'aurait pas utilisé la violence militaire, mais aurait fomenté en sous-main une révolution au Koweït, lors de laquelle un général Ahmad quelconque aurait pris le pouvoir et instauré la république. L'Irak aurait alors immédiatement reconnu le nouveau régime. À partir de ce moment, un interminable débat se serait déroulé au sein des Nations unies où se seraient empoignés le porte-parole du nouveau régime, "progressiste", évidemment, et celui de l'ancien qui n'aurait pas manqué d'être assimilé à celui des Bourbons. Trois ans plus tard, le général Ahmad et Saddam Hussein auraient signé un accord créant une fédération entre l'Irak et le Koweït. Enfin, trois ans plus tard encore, l'Irak aurait annoncé l'intégration du Koweït à l'Irak… Qui aurait eu à redire ? Mais évidemment,* conclut-il, *nous sommes là dans la politique fiction…* »

Je me souviens également d'avoir eu un entretien avec un responsable irakien et de lui avoir dit que la manière brutale dont Saddam avait envahi le Koweït rappelait trop aux Occidentaux l'*Anschluss*. Il m'a regardé et m'a demandé : « *Qu'est-ce que cela veut dire, l'Anschluss ?* »

Vous comprenez ce que je veux dire lorsque je parle du « sous-développement » de ces régions ? Elles ne sont pas dans le train de l'Histoire…

ANDRÉ VERSAILLE : La guerre d'Irak sera très rapidement remportée par la coalition, mais en fin de compte, qu'est-ce que cette guerre a résolu ?

SHIMON PERES : Sur le plan général, elle n'a rien résolu du tout. Mais elle ne fut pas entreprise pour résoudre quelque chose. Le président Bush avait claire-ment défini l'objectif de cette guerre, qui était d'ailleurs celui des Nations unies : la libération du Koweït. Et dès le moment où le Koweït fut libéré, la guerre s'est arrêtée. Comme vient de le dire Boutros, il n'a jamais été question d'aller plus loin et d'entrer à Bagdad. Et si, au cours de la guerre, les Américains avaient voulu outrepasser cet objectif, la coalition se serait immédiatement délitée.

Par ailleurs, et c'est un aspect non négligeable de cette guerre, elle aura été l'occasion de confronter la technologie moderne aux armes classiques : si les Américains l'ont emporté contre l'armée irakienne, tout de même importante, c'est surtout grâce aux nouvelles technologies.

ANDRÉ VERSAILLE : Mars 1991, l'Irak est vaincu et le Koweït libéré. L'OLP ayant soutenu le camp des perdants, elle sera rejetée par les pays occidentaux et les États arabes de la coalition. Dès lors, elle se verra privée de l'appui politique et financier que les États du Golfe et l'Arabie saoudite lui apportaient jusque-là.

BOUTROS BOUTROS-GHALI : Cette nouvelle donne mettra l'OLP à rude épreuve et les Palestiniens dans une situation économique d'autant plus désastreuse que le Koweït expulsera quelque 300 000 d'entre eux vers la Jordanie : les fonds que les Palestiniens envoyaient à leurs familles, et qui représentaient une somme annuelle d'environ un demi-milliard de dollars, seront perdus. Quant à Yasser Arafat qui s'est tellement affiché aux côtés de Saddam, il est considéré *persona non grata* par les riches pays arabes.

SHIMON PERES : Et en Israël personne, ni à droite ni à gauche, n'imagine trai-ter avec lui. On lui fait encore moins confiance qu'auparavant et on ne le prend plus du tout au sérieux.

BOUTROS BOUTROS-GHALI : Mais ce n'est pas seulement l'OLP qui est dans une position délicate. La Jordanie et le Yémen, qui ont soutenu la politique de Sad-dam Hussein, se trouvent dans une situation similaire, ce qui va, dans une certaine mesure, atténuer l'isolement d'Arafat. D'autant que l'opinion publique arabe, dans son ensemble, était pro-irakienne et qu'il a fallu toute l'habileté des diffé-rents gouvernements arabes pour contrer cet élan collectif en faveur de l'Irak.

ANDRÉ VERSAILLE : La situation de l'OLP est-elle alors discutée dans le monde arabe ?

BOUTROS BOUTROS-GHALI : Non, on en a très peu débattu. Une fois la victoire remportée, les gouvernants arabes n'ont eu qu'une idée, oublier cette guerre. Évitons donc tout ce qui pourrait rappeler cet événement. Et l'on ne condamnera ni Hussein, ni le Yémen, ni Arafat : « *Ils se sont trompés. Point.* »

ANDRÉ VERSAILLE : Voilà tout ?

BOUTROS BOUTROS-GHALI : Voilà tout.

ANDRÉ VERSAILLE : Pour rallier la Syrie, George Bush avait promis à Assad qu'après avoir repoussé Saddam hors du Koweït, il s'activerait à régler le conflit israélo-arabe et à inciter les Israéliens à restituer le Golan. Forts de leur victoire dans la guerre contre l'Irak et de leur position d'unique superpuissance (si l'empire soviétique ne s'est pas encore effondré, il a perdu sa force), les Américains vont tenir leur promesse et remettre les négociations de paix à l'ordre du jour. Ayant tenu le radicalisme arabe en échec, avec le soutien des pays arabes modérés et du reste de la communauté internationale, les Américains ont acquis assez de crédibilité auprès des États arabes pour les convaincre d'abandonner leur politique de refus vieille de plus de quarante ans et d'accepter enfin de s'asseoir à la même table qu'Israël.

Et très vite après la défaite irakienne, le 6 mars 1991, George Bush fait un discours au Congrès, dans lequel il exprime sa volonté de « *mettre un terme au conflit israélo-arabe* ». Washington va s'employer à organiser une nouvelle conférence internationale en vue de résoudre le conflit. La Syrie, l'Égypte et la Jordanie en acceptent le principe.

Cependant, du côté israélien, le Premier ministre Yitzhak Shamir refuse toute avancée. Plus tard, lors d'un entretien télévisé, il dira qu'il n'entendait pas « *siéger à la même table que les membres d'une organisation terroriste* ». En réponse aux pressions de Washington, il ira même jusqu'à essayer de faire jouer le lobby juif américain. Les relations entre les deux Administrations se détérioreront d'autant plus qu'à chaque fois que James Baker se rendra en Israël, une nouvelle implantation sera construite...

SHIMON PERES : Oui. Même si je ne crois pas qu'il s'agissait d'une politique délibérée, ces nouvelles implantations étaient perçues par les Américains comme autant de provocations qui ne pouvaient qu'empoisonner nos relations.

ANDRÉ VERSAILLE : Vu d'ici, cela rappelait la façon de faire chinoise après les événements de Tienanmen en 1989 : à chaque fois qu'une délégation politique occidentale d'une certaine importance se rendait à Pékin, les autorités chinoises s'empressaient de remettre quelques dissidents en prison.

SHIMON PERES : Mais non ! Nous ne sommes pas aussi bien organisés que les Chinois… En réalité, ces implantations se montaient de manière continue et désordonnée, que Baker se rende chez nous ou non.

BOUTROS BOUTROS-GHALI : S'il ne s'agissait pas de provocations délibérées, c'est encore pire : cela signifie que les colons pouvaient agir en toute impunité, sans tenir compte de l'autorité de l'État.

SHIMON PERES : Je suis d'accord avec vous. Comme Shamir était en faveur de la multiplication des implantations en Cisjordanie, il existait une politique d'encouragement active à la colonisation, mais aucune politique d'opposition à cette colonisation. À cette époque, Sharon était le ministre du Logement et avait en charge la politique d'implantation dans les territoires, et il a carrément changé la face de la Cisjordanie : en 1991, treize mille nouvelles habitations furent mises en chantier, contre vingt mille au cours des vingt-deux années précédentes.

ANDRÉ VERSAILLE : Pour les pays arabes, cette nouvelle position américaine est une victoire incontestable. Que se dit-on dans les capitales arabes ?

BOUTROS BOUTROS-GHALI : N'exagérons pas. Ce n'est pas une victoire, puisque des colonies continuent à se monter en dépit de la nouvelle attitude américaine. Cette multiplication des implantations inquiète les capitales arabes qui constatent, d'une part, la puissance du lobby juif aux États-Unis et, d'autre part, l'incapacité ou le manque de volonté politique des États-Unis à dominer cette situation.

ANDRÉ VERSAILLE : James Baker fera la navette entre Israéliens et dirigeants palestiniens des territoires, pour les convaincre de participer à la Conférence qui doit se dérouler à Madrid, mais les Palestiniens de l'intérieur refuseront de désavouer l'OLP, basée à Tunis – condition *sine qua non* pour Shamir. Après douze semaines de navette, le blocage s'avère total. James Baker va alors voir Assad, et lui dit : « *Si vous acceptez de soutenir notre initiative, le monde entier sera aux côtés de la Syrie et rejettera la faute sur Israël.* » Et Assad accepte. Baker revient en Israël pour tenter de convaincre Shamir. Pour toute réponse, Shamir relance la construction de nouvelles implantations juives – ce que James Baker, furieux, dénoncera publiquement comme étant une manœuvre de sabotage du processus de paix. Comme on peut s'y attendre, les Palestiniens de l'intérieur protestent vigoureusement contre cette politique du fait accompli.

En même temps, à Tunis, le Conseil national palestinien, réuni le 28 septembre 1991, débat de l'opportunité d'entamer une négociation avec les Israéliens. Plusieurs dirigeants s'opposent violemment à toute participation à cette conférence. Ainsi, George Habache, chef du FPLP, explique son opposition :

« *La délégation palestinienne a demandé à Baker :*
– "Sera-t-il question du droit au retour des réfugiés ? – Non !
– D'un État palestinien ? – Non !
– De l'autodétermination ? – Non !
– L'OLP fera-t-elle partie de la délégation pour défendre notre cause ?
– Non !" »

En fait, les Américains voulaient que les Palestiniens de l'intérieur prennent le commandement et se substituent à l'OLP. Et finalement, Baker réussira à convaincre ces Palestiniens de participer à la conférence.

BOUTROS BOUTROS-GHALI : Oui, les Palestiniens de l'intérieur ont peur de voir la totalité des territoires occupés bientôt investie par les colons. Ils craignent également qu'un refus de leur part de participer à la conférence ne les marginalise davantage. Ils vont donc convaincre Arafat de leur permettre d'aller à Madrid. Ce qu'il finira par accepter.

SHIMON PERES : De son côté, Shamir se résoudra également à la tenue de cette conférence : il n'était plus possible pour lui de continuer à résister aux pressions, notamment financières, de plus en plus déterminées des Américains. Il posera cependant ses conditions : les interlocuteurs palestiniens participeront à la conférence, mais à l'intérieur d'une délégation jordano-palestinienne ; ils devront n'avoir jamais trempé dans des affaires de terrorisme et accepter de mettre en sourdine, pendant cinq ans au moins, la revendication d'un État palestinien ; enfin, ils ne seront en aucun cas liés de près ou de loin à l'OLP – ce qui était évidemment illusoire.

ANDRÉ VERSAILLE : Finalement, le 30 octobre 1991, s'ouvre la conférence dite de Madrid. Y participent Israël, la Syrie, le Liban, la Jordanie et, pour la première fois, une délégation palestinienne. La conférence, coprésidée par George Bush et Mikhaïl Gorbatchev, durera jusqu'au 4 novembre 1991. Bien qu'opposé à la tenue de cette conférence, Shamir décidera, plutôt que de se contenter d'envoyer une délégation, d'y participer personnellement. Manifestement pour la saboter : ainsi, pendant le sommet, lancera-t-il de sa tribune des déclarations incendiaires énumérant des exactions commises par les autorités syriennes, et concluant : « *Je pourrais poursuivre la litanie des faits qui démontrent à quel point la Syrie mérite l'honneur douteux d'être l'un des régimes les plus oppressifs et les plus tyranniques du monde.* » La riposte syrienne ne se fera pas attendre. Le lendemain, Farouk al-Chare, le ministre des Affaires étrangères de Syrie, exhibera un vieux document de la police britannique portant la photo de Shamir en déclarant : « *Voici une ancienne photo de M. Shamir qui fut distribuée en 1948. Cette photo fut diffusée parce que M. Shamir était recherché comme complice de l'assassinat du médiateur de l'ONU en Palestine, le comte Bernadotte.* » Ambiance.

Étrange conférence que les Israéliens tenteront de faire échouer, que le Hamas dénoncera violemment comme une « *capitulation* » et que l'OLP s'abstiendra de soutenir. Ce qui, après Madrid, fera dire à Hanane Ashrawi, la porte-parole palestinienne : « *En cas d'échec, l'OLP n'en aurait pas été entachée, en cas de succès, il aurait toujours été temps d'expliquer que l'OLP était derrière tout cela.* »

BOUTROS BOUTROS-GHALI : La conférence se déroule en effet dans une atmosphère hostile. Chaque partie plaide pour sa cause et lance des accusations contre l'adversaire. Et la presse des pays arabes rapportera surtout les accusations lancées par les délégations arabes.

Les Palestiniens furent peut-être les seuls gagnants, car pour la première fois, ils avaient l'occasion de se représenter eux-mêmes lors d'une conférence internationale, presque de manière autonome.

Les rencontres bilatérales qui se sont poursuivies dans les différentes capitales, après la conférence, me rappelaient les négociations que nous avions menées avec les Israéliens sur l'autonomie de la Palestine, et où ces derniers n'avaient guère l'intention de négocier quelque autonomie que ce soit : il s'agissait de gagner du temps pour satisfaire les Américains. Pour ce qui est de Madrid, si je me souviens bien, Shamir a déclaré plus tard à la presse qu'il n'avait jamais eu l'intention de faire progresser ces négociations.

ANDRÉ VERSAILLE : Quoi qu'il en soit, Madrid ne débouche sur rien, à l'exception de l'engagement des parties de poursuivre des pourparlers à Washington.

SHIMON PERES : En effet, il s'agit d'un « non-événement ». Nous nagions dans l'absurde. Shamir refusait la participation de l'OLP alors qu'en réalité les membres de la délégation palestinienne avaient évidemment été désignés par la direction de Tunis, au point que le chef de cette délégation n'était autre que le Dr Haidar Abed al-Shafi, l'un des fondateurs de l'OLP et co-rédacteur de sa Charte… Ainsi, du côté palestinien, ceux qui imposaient leurs vues ne participaient pas aux discussions, tandis que ceux qui y participaient n'étaient que la voix des absents… Quelle manière de se voiler la face ! Si le Likoud n'avait pas rejeté l'accord de Londres de 1987, Shamir se serait épargné une conférence dont il ne voulait pas, et il ne se serait pas retrouvé nez à nez avec le Dr Haidar al-Shafi.

BOUTROS BOUTROS-GHALI : Cette conférence est néanmoins importante en ce que, pour la première fois, la question nationale palestinienne est clairement inscrite à l'ordre du jour. Pendant longtemps, le conflit israélo-palestinien était resté un conflit auquel personne ne s'intéressait, un « conflit orphelin ». Le fait que les dirigeants des deux supergrands parrainent la conférence rendait enfin à la question palestinienne toute son importance.

ANDRÉ VERSAILLE : L'échec de la conférence n'est-il pas surtout dû à la délégation israélienne ? On a l'impression que Shamir a tout fait pour la saboter.

SHIMON PERES : Je dois dire que personnellement je n'avais pas cru à ce sommet. Vous mettez en cause les Israéliens, à raison : Shamir a été radical, extrémiste, fermé. Mais que pouvait-on attendre de Shamir ? Il a été pareil à lui-même. Il n'a jamais eu d'autre politique que l'immobilisme intransigeant. Cependant, l'échec de cette conférence doit être à mon avis également imputé aux Américains qui ont dépensé une énorme énergie pour l'organiser, mais peu d'efforts pour qu'elle puisse déboucher sur des résultats concrets.

BOUTROS BOUTROS-GHALI : À cette époque, j'étais en pleine campagne électorale en vue de mon élection au poste de secrétaire général des Nations unies, je n'ai donc pas suivi de très près cette conférence. Mais je partage votre point de vue : je pense également que les Américains ont déployé toute leur énergie pour sa préparation, et se sont montrés nettement moins actifs pour mettre en œuvre son suivi. C'était un peu de la politique spectacle.

ANDRÉ VERSAILLE : En juin 1992, de nouvelles élections législatives ont lieu en Israël. Cette fois, après quinze ans de domination de la vie politique par le Likoud, ce sont les travaillistes qui gagnent. Le candidat Yitzhak Rabin a remporté les suffrages en promettant notamment de relancer les négociations de paix. Il devient Premier ministre et ministre de la Défense, tandis que vous, Shimon Peres, vous vous voyez attribuer le portefeuille des Affaires étrangères. Rabin remplace Shamir, l'implacable faucon, mais cet ancien soldat n'est pas un tendre, il a combattu très fermement les Palestiniens en son temps.

BOUTROS BOUTROS-GHALI : Et comment ! On l'appelait « *Monsieur Sécurité* ». Je me rappelle aussi la formule qu'il utilisera plus tard, pendant la mise en place des accords d'Oslo : « *Combattre le terrorisme comme s'il n'y avait pas de processus de paix et poursuivre le processus de paix comme s'il n'y avait pas de terrorisme.* »
Mais encore une fois, pour la grande majorité de l'opinion publique arabe, il n'y a pas de différence fondamentale entre le Likoud et les travaillistes, puisque ces deux formations politiques s'opposent tant à la participation de l'OLP au processus de paix qu'à la création d'un État palestinien.

ANDRÉ VERSAILLE : Shimon Peres, ce n'est un secret pour personne, vos rapports avec Rabin ont souvent été houleux, et plus d'une fois vous avez été en âpre concurrence. Pourtant une véritable collaboration va s'installer entre vous.

SHIMON PERES : Peu de temps avant les élections de 1992, je me suis rendu chez Rabin pour discuter de nos relations à l'intérieur du futur gouvernement dans l'éventualité où nous gagnerions les élections. Je lui ai dit : « *Yitzhak, nous avons tous les deux à peu près soixante-dix ans et cela fait des années que nous nous comportons en rivaux. Ne penses-tu pas qu'il serait temps que nous changions d'attitude et travaillions dans un véritable climat de coopération pour essayer d'offrir la paix à notre pays ? Si vraiment nous travaillons de concert, nous pourrons prendre les décisions difficiles mais indispensables à l'établissement de la paix et épargner à nos enfants la poursuite de cette guerre dans laquelle personne n'a rien à gagner.* » Rabin a accepté, et c'est ainsi qu'après les élections, lors de la formation de son gouvernement, il m'a nommé ministre des Affaires étrangères.

Boutros Boutros-Ghali : La perception arabe est différente. Rabin vous avait nommé ministre des Affaires étrangères de mauvaise grâce et, malgré vos efforts réciproques, vos rapports restaient difficiles. Et la politique arabe comptait bien en jouer.

André Versaille : Changement politique à Jérusalem, bientôt suivi d'un changement politique à Washington. Quelques mois plus tard, en effet, le 3 novembre, le démocrate Bill Clinton gagne les élections et, en janvier 1993, il succède au républicain George Bush à la présidence des États-Unis.

Boutros Boutros-Ghali : La déception fut grande dans le monde arabe, parce que nous espérions la réélection de Bush que nous connaissions bien du fait de la crise et de la guerre d'Irak. Nous appréciions également le secrétaire d'État, James Baker, qui n'avait pas hésité à s'opposer à Shamir. Notre désappointement augmenta lorsque Clinton laissa entendre qu'il comptait se recentrer sur les affaires intérieures, et s'occuper moins activement des relations internationales. Au début de son premier mandat, ce changement de politique fut ostensible : ainsi, une fois élu, Bill Clinton ne m'a pas reçu (je suis alors secrétaire général de l'Onu), alors que j'avais été invité à déjeuner à la Maison-Blanche par le président Bush. Je n'étais en contact qu'avec le secrétaire d'État, Warren Christopher, et Madeleine Albright, représentante permanente des États-Unis auprès de l'Onu. Nous étions donc persuadés, du côté arabe, que nous allions passer par une nouvelle période d'immobilisme et que le problème du Moyen-Orient serait relégué au second plan.

Shimon Peres : À l'inverse, du côté israélien, on regarde Clinton avec sympathie. La population, qui n'a pas gardé un bon souvenir de Bush à cause des dissensions entre son Administration et notre gouvernement, pense que Clinton sera plus proche de nous.

ANDRÉ VERSAILLE : Malgré le désintérêt pour les questions internationales que vous lui prêtiez, Boutros Boutros-Ghali, Clinton va, au contraire, donner un coup d'accélérateur au processus de négociation. Il sera même le premier président des États-Unis à s'investir à ce point dans le conflit israélo-arabe depuis Carter. À votre avis, pourquoi ?

SHIMON PERES : Je crois que, comme beaucoup d'autres dirigeants, il s'est senti attiré, sinon fasciné, par ce conflit historique singulier, et il devait penser, à raison, que le moment était propice à une vigoureuse relance du processus de paix.

BOUTROS BOUTROS-GHALI : Oui, et puis il y a son électorat que ce conflit a toujours mobilisé. Cela dit, voyons les choses en face : Clinton ne s'impliquera réellement dans cette question que vers la moitié de son second mandat, et il sera évidemment trop tard.

XVII – OSLO, PREMIÈRE ÉTAPE DE LA PAIX ISRAÉLO-PALESTINIENNE

Le moment est propice à une avancée – Israël, cause du fondamentalisme
arabe ? – Pourparlers secrets à Oslo – Gaza et « quelque chose d'abord »
– « Négocier, ce n'est pas marchander, c'est inventer ensemble » –
Une poignée de main « insupportable » – Horrifiés par les concessions –
Trahison ! – Mettre une nouvelle dynamique en route – Un « Davos » à usage
du Moyen-Orient – Traduire les accords sur le terrain – Sécurité d'abord !
– « Cinq cents dollars par mois, et vous changez la donne au Moyen-Orient »
– Massacre de Palestiniens à Hébron – Arafat arrive à Gaza –
Les kamikazes reprennent du service – Arafat face au Hamas et au Jihad –
« Le Premier ministre a été élu par des Arabes » – « Nous avions confiance
dans notre service de sécurité » – Des funérailles internationales

ANDRÉ VERSAILLE : Venons-en aux négociations secrètes qui vont être entamées à Oslo en 1993, alors que les pourparlers israélo-arabes commencés à
Madrid se poursuivent à Washington.

SHIMON PERES : Il faut commencer par dire que ces pourparlers ne progressaient guère, au point que, lorsque nous avons reçu une série de rapports dont
les dates avaient été effacées, il nous fut absolument impossible de les remettre
dans l'ordre chronologique ! C'est vous dire à quel point les négociations pié-
tinaient à Washington. D'une part, les Syriens restaient très rigides ; d'autre
part, les deux parties de la délégation jordano-palestinienne ne marchaient pas
ensemble, ce qui n'était guère étonnant dès lors que les intérêts respectifs diver-
geaient ; enfin, après chaque séance, les délégations donnaient des conférences
de presse. Lorsqu'on négocie, on ne donne pas de conférence de presse, ou
alors c'est que l'on négocie avec la presse. Une négociation, pour qu'elle soit
efficace, doit rester secrète, sans quoi les négociateurs sont entravés par leurs
arrières qui n'arrêteront pas de les critiquer, et par la presse qui passera son
temps à les bousculer.

André Versaille : Depuis 1987, nous l'avons dit, une loi israélienne interdit tout rapport avec l'Olp. Pourtant, des contacts entre Israéliens et Palestiniens de l'Olp vont se nouer. Ce n'est pas la première fois, mais cette fois, ces échanges vont déboucher sur une réelle avancée.

Shimon Peres : En effet, au début de l'année 1993, deux universitaires israéliens, Yair Hirschfeld et Ron Pundak, avaient entamé des pourparlers secrets à Oslo avec des proches collaborateurs de Yasser Arafat, dont Abu Ala (Ahmed Qurei), le « ministre des Finances » de l'Olp. Ces pourparlers avaient été rendus possibles grâce à Terje Rod Larsen, un Norvégien spécialiste en sciences sociales et directeur de l'Institut norvégien des sciences sociales appliquées (le Fafo). Il dirigeait alors des recherches sur la vie quotidienne des Palestiniens dans les territoires occupés. Très concerné par le conflit israélo-palestinien, Larsen avait proposé ses bons offices aux deux parties. Ainsi va-t-il organiser des premières rencontres secrètes et informelles entre les deux Israéliens et trois hommes de l'Olp, Abu Ala, Hassan Asfour et Maher el-Kurd. Comme ces rencontres devaient rester secrètes, Larsen fournissait aux deux universitaires une « couverture scientifique ».

Je dois dire qu'au début, je n'avais pas tellement cru à cette initiative, même si, après l'échec des négociations avec le roi Hussein à Londres, j'en étais arrivé à la conclusion que la paix ne pourrait passer que par des négociations directes avec l'Olp. En tout cas, le moment était propice à une avancée : pour commencer, l'Union soviétique, qui avait toujours défendu les régimes arabes radicaux, s'était effondrée ; ensuite, même si Madrid n'avait rien donné, cette conférence avait montré que les Arabes pouvaient envisager un processus de négociation – au moins de paix froide – avec nous (bien des gouvernements arabes avaient compris que le fondamentalisme était bien plus dangereux pour la stabilité de la région et pour leur propre régime que ne l'était Israël, au point que certains commençaient même à nous regarder comme un partenaire possible) ; enfin, du côté palestinien, l'Intifada, qui n'avait finalement généré aucun bénéfice politique ou économique, s'essoufflait, tandis que l'Olp, comme nous l'avons vu, s'était retrouvée considérablement affaiblie après le bruyant soutien d'Arafat à Saddam Hussein : ses dirigeants devaient se rendre compte que leur politique ne débouchait sur rien et que des révisions, si déchirantes fussent-elles, étaient à envisager.

Les rencontres vont donc se poursuivre, et bientôt les deux universitaires israéliens nous feront savoir qu'Abu Ala s'était montré particulièrement ouvert, bien plus que les négociateurs palestiniens de Washington. Nous apprendrons également qu'à Tunis, Abu Mazen, membre du Comité exécutif de l'Olp, à qui Abu Ala faisait rapport, lui avait dit de ne pas couper le contact : « *Il y a sûrement quelque chose derrière.* »

Nous nous sommes interrogés sur le sens de cette ouverture, et nous en avons conclu que si les négociations de Washington risquaient de s'éterniser, à Oslo (où c'était clairement l'OLP qui s'exprimait) des voies de compromis pouvaient peut-être être trouvées.

Après m'être assuré que ces discussions étaient suffisamment sérieuses pour que l'on tente d'aller plus loin, j'ai décidé d'en informer Rabin qui ignorait l'existence de ces contacts. Je lui proposai d'entamer (toujours secrètement) de vraies négociations à Oslo, sans pour autant couper les pourparlers officiels de Washington.

Au début, Rabin n'y croyait guère, mais dès lors que ces pourparlers étaient secrets et donc susceptibles d'être désavoués à tout moment, il m'a laissé faire. Les entrevues se sont donc poursuivies.

BOUTROS BOUTROS-GHALI : Je voudrais faire une remarque. Lorsque vous dites que bien des gouvernements arabes commencent à comprendre que le fondamentalisme est plus dangereux pour la stabilité de la région que ne l'est Israël, au point que certains commencent même à le regarder comme un partenaire possible, vous vous faites de grandes illusions. D'abord, parce que les pays arabes considèrent que l'État d'Israël – et sa politique – est l'une des causes du fondamentalisme. Ensuite parce que, quoi que vous disiez, ils sont convaincus que les fondamentalistes palestiniens ont été encouragés par le gouvernement israélien pour contrer l'OLP.

SHIMON PERES : Les fondamentalistes sont essentiellement opposés aux « infidèles » : plus tard, on entendra Ben Laden enjoindre les Musulmans de faire la guerre à tous les infidèles qui ont participé aux Croisades. Ainsi appellera-t-il à la guerre sainte contre les Américains et contre les Juifs, qui n'ont pas, que je sache, participé aux Croisades. En réalité, ce que les fondamentalistes combattent en premier lieu, c'est la modernité qu'ils considèrent dangereuse pour l'islam.

Ce ne sont pas seulement les Occidentaux que les intégristes combattent, mais également les Arabes « laïques ». Vous avez rappelé à cet égard la lutte entre Nasser et les Frères musulmans en Égypte. On pourrait également rappeler l'opposition entre les partis Baas de Syrie et d'Irak et les religieux. Ces oppositions ont été et restent très fortes. À cet égard, tout le monde sait que l'islam n'est pas une religion à vision unique. Elle est perpétuellement en débat, et ce débat n'est guère pacifique. Je ne partage donc pas du tout votre point de vue selon lequel les Israéliens seraient une cause du fondamentalisme. Au mieux, il s'agit d'un prétexte.

BOUTROS BOUTROS-GHALI : Israël n'est évidemment pas la cause unique du développement du fondamentalisme, mais certainement ce qui l'alimente le plus. Vous ne voulez pas comprendre à quel point Israël, qui occupe la Palestine et surtout Jérusalem, troisième Lieu saint de l'islam, je le répète, est un point de fixation dans l'imaginaire arabe. Israël mobilise la rancœur arabe et féconde le fondamentalisme.

SHIMON PERES : Si l'occupation avait vraiment été un abcès de fixation, le refus arabe aurait commencé en 1967. Or, il a commencé dès avant la création même de l'État juif. Quant à l'occupation des terres palestiniennes, celle-ci fut le fait de l'Égypte et la Jordanie pendant près de vingt ans, avant que nous les occupions à notre tour.

BOUTROS BOUTROS-GHALI : Je vous l'accorde, le fondamentalisme est né en Égypte avec la création des Frères musulmans dans l'entre-deux-guerres. Mais il a été alimenté, renforcé, revitalisé par la création de l'État d'Israël.

ANDRÉ VERSAILLE : Je vous propose de revenir à Oslo : à Washington, vous négociez avec les Palestiniens mais aussi avec les Syriens et les Jordaniens. À Oslo, vous n'avez que les Palestiniens comme interlocuteurs.

SHIMON PERES : C'est vrai, mais, comme je vous l'ai dit, les pourparlers de Washington restaient dans l'impasse : les Syriens se montraient inflexibles et il semblait clair que les Jordaniens n'avanceraient vers nous que précédés des Palestiniens. Les Palestiniens s'avéraient donc la clé du processus. Cependant, de leur côté, les Américains essayaient de mettre sur pied un processus de négociation avec Damas. Ehud Barak, alors chef d'état-major, aurait, lui aussi, préféré commencer par obtenir une paix avec la Syrie. Cela aurait évacué la perspective d'une nouvelle guerre et affaibli les Palestiniens. Mais si nous rendions le Golan, Damas normaliserait-elle ses relations avec Israël ? Warren Christopher avait été voir Assad, et celui-ci s'était montré particulièrement méfiant et avait exigé mille précisions. Sceptique, Rabin a alors abandonné la priorité syrienne et m'a chargé d'accélérer les pourparlers avec l'OLP.

J'avais pensé aller moi-même à Oslo afin de sonder les trois négociateurs palestiniens sur la position de l'OLP, mais Rabin avait trouvé prématuré qu'un ministre prenne langue avec l'OLP. Il valait mieux que ce soit un haut fonctionnaire qui se rende à Oslo.

Nous avons donc envoyé Uri Savir, alors secrétaire général du ministère des Affaires étrangères, et il ne sera accompagné d'aucun membre du cabinet. Uri sera le chef de notre délégation et c'est lui qui par la suite entamera les négociations. Il s'agissait d'interroger les Palestiniens, et en même temps d'être très clair sur notre position : Jérusalem resterait en dehors de l'accord d'autonomie, et nous refuserions tout arbitrage international (il était temps d'apprendre à régler nos différends entre nous).

Nous voulions faire comprendre aux Palestiniens que le maintien des territoires sous occupation s'était imposé à nous comme une nécessité consécutive au refus arabe de 1967 (les trois « *Non* » de Khartoum) ; que nous cherchions le moyen de nous délivrer mutuellement de cette situation empoisonnée ; mais que nous ne pourrions avancer dans cette direction qu'à la condition d'être garantis dans notre sécurité.

Notre principe de départ fut de nous concentrer sur les sujets sur lesquels nos intérêts convergeaient, et de remettre à plus tard les questions les plus épineuses.

Les délégations se sont mises d'accord sur une première déclaration de principe. Mais Rabin restait sceptique. C'est alors que nous avons dépêché Yoël Singer, notre juriste spécialisé en matière internationale et qui avait l'oreille de Rabin. Celui-ci a pris connaissance de cette première esquisse et l'a trouvée floue, mal conçue, incohérente. Il faut dire que Yoël est extrêmement rigoureux. Selon lui, il fallait la reprendre à zéro. Ce qui a jeté un froid au sein des deux délégations. Alors Hirschfeld lui a dit : « *Mais enfin, tu ne vois pas que le résultat le plus important de cette première déclaration, c'est que les Palestiniens ont accepté le principe de la progressivité, ce qui nous permet de garder le contrôle de la suite du processus ?* » C'était vrai. N'empêche, il était bon que ce premier protocole soit sérieusement revu, et les deux délégations se sont remises au travail.

ANDRÉ VERSAILLE : À Washington, les négociateurs ne se doutent-ils pas de ce qui se trame à Oslo ?

SHIMON PERES : Non. Au point que, pour préserver le caractère secret d'Oslo, Arafat, qui suivait de près ces pourparlers, a dû raviver les négociations de Washington qui étaient au point mort. Il a donc enjoint les deux négociateurs, Hanane Ashrawi et Sa'eb Erekat, de reprendre les discussions, malgré leur forte réticence.

ANDRÉ VERSAILLE : Et, dans le monde arabe, personne ne soupçonne quoi que ce soit ?

BOUTROS BOUTROS-GHALI : Si, des bruits couraient, mais cela ne signifiait rien : il y avait eu tant de rencontres secrètes depuis des années que cela n'émouvait personne. D'ailleurs, le quotidien *an-Nahar* de mon ami Ghassan Tueni faisait état, en mai, de l'existence de négociations secrètes avec l'OLP, et à la mi-juillet, le journal israélien *Haaretz* signalait, lui aussi, que des négociations avaient lieu avec l'OLP. Cela dit, personne n'y a prêté attention, car nous étions tous persuadés qu'elles n'aboutiraient pas.

SHIMON PERES : En vérité, rien de sérieux n'a été su. Yitzhak Rabin et moi, nous étions convenus que pas un mot ne filtrerait, de manière à pouvoir discuter librement et non sous la pression de la presse, du monde politique ou de la rue. Non seulement le cabinet n'était au courant de rien, mais notre service secret, le Mossad lui-même, était dans l'ignorance. De même pour les services de renseignements arabes et la police secrète norvégienne. Nous étions tous bien conscients que la discrétion était essentielle pour maintenir un climat de confiance mutuelle entre les équipes de négociateurs.

Afin de s'assurer que la direction de l'OLP suivait bien ses délégués d'Oslo, Johan Jorgen Holst, le ministre norvégien des Affaires étrangères et Terje Larsen se sont rendus à Tunis pour y rencontrer Yasser Arafat. Celui-ci a alors fait monter les enchères : il demandait l'établissement d'une route reliant Gaza à Jéricho et sa périphérie ; il exigeait, en outre, que Jérusalem soit remis sur la table. Ce durcissement de la position d'Arafat a jeté le trouble, même au sein de sa propre équipe.

Les négociations étaient dans l'impasse et, à la suite de discussions orageuses entre les deux délégations, Abu Ala a décidé de se retirer de la négociation et a quitté la table. Alors, Uri Savir a été le rejoindre dans sa chambre et lui a dit : « *Écoute, nous ne parvenons pas à nous mettre d'accord sur une petite chose. Si nous essayions de nous accorder sur une grande ? – Que veux-tu dire ? – Si nous nous mettions d'accord sur une déclaration de reconnaissance mutuelle entre l'OLP et Israël, assorti d'une série de conditions ?* »

C'était là proposer de franchir d'un coup une grande étape, tant pour eux que pour nous. Abu Ala en a accepté le principe et les pourparlers ont pu reprendre.

André Versaille : Reconnaître Israël, qu'est-ce que cela signifiait concrètement pour les Israéliens ?

Shimon Peres : Pour Israël, il était important que l'OLP reconnaisse publiquement et ouvertement le droit d'Israël à exister à l'intérieur de frontières sûres, reconnues, et en paix (c'est-à-dire qu'elle annule les paragraphes de la charte palestinienne qui appellent directement ou indirectement à la destruction d'Israël) ; qu'elle accepte les déclarations 242 et 338 du Conseil de sécurité de l'Onu comme base de négociations ; que non seulement elle renonce publiquement à utiliser la terreur, mais qu'elle s'engage à lutter contre le terrorisme ; enfin, qu'elle s'oblige à résoudre les problèmes qui pourraient découler de négociations politiques futures sans recourir à la violence. C'est à ces conditions que nous nous sommes engagés à reconnaître l'OLP comme représentant légitime du peuple palestinien.

Ayant proposé cela, nous sentions bien que le passé pesait encore plus que l'avenir. Nous étions, eux comme nous, perclus de scepticisme et obsédés par nos décennies de souffrance. Depuis des lustres, nous ne cessions de nous lancer à la tête les injustices et les crimes que l'autre nous avait infligés. Il était très difficile de surmonter cinquante ans de rancœur, souvent justifiée puisque chacune des parties avait refusé à l'autre le droit de vivre sur la terre qu'il estimait exclusivement sienne. Pour autant, même si ce double refus s'était traduit en vies humaines détruites et en souffrances épouvantables, nous étions obligés de dépasser ce sentiment et de regarder vers l'avenir, en essayant de construire quelque chose d'équitable.

ANDRÉ VERSAILLE : Dans la première phase des négociations, l'une des propositions centrales d'Oslo avait été de commencer par accorder aux Palestiniens une autonomie sur la bande de Gaza. C'est l'idée de « *Gaza, d'abord* ».

SHIMON PERES : Oui, c'est un point que je défendais personnellement depuis pas mal de temps, au moins comme expérience pilote. Il n'était pas possible de proposer d'emblée l'autonomie des territoires de Judée et de Samarie, car nous n'aurions eu aucune chance de recueillir le soutien de la majorité de l'opinion israélienne. Nous avons donc pensé qu'il serait plus facile de commencer par un premier accord sur Gaza. C'était une zone moins sensible que la Cisjordanie, et la région comptait à l'époque 5 000 ou 6 000 colons (contre 8 000 en 2005). Ce n'était donc pas un problème humainement insurmontable.

BOUTROS BOUTROS-GHALI : Et Israël y avait tout à gagner. Je me rappelle les propos que m'avait tenus Moshé Dayan lors des négociations de Camp David : « *Gaza c'est une poudrière qui va exploser. S'il ne tenait qu'à moi, je vous restituerais Gaza.* » Et d'ajouter d'un ton sarcastique : « *Vous seriez les premiers à le regretter.* »

SHIMON PERES : Il faut le reconnaître, la situation dans la bande de Gaza était proprement insupportable. En 1974, quand je devins ministre, elle comptait quelque 350 000 Palestiniens sur 360 km². Aujourd'hui, elle en compte plus d'un million. La densité démographique fait partie des causes qui provoquent la misère puis la terreur. C'est une situation intenable que nous avons encore aggravée en ôtant aux Gazaouites 40 à 50 km² que nous avons alloués aux colons. La population de Gaza, confinée sur ce minuscule territoire, est appelée à doubler tous les douze ans. Il était donc évident que si nous ne nous retirions pas de Gaza, cette situation explosive que nous avions créée nous sauterait à la figure.

Cependant, il nous apparut bien vite que si Gaza occupait toute la négociation, les Palestiniens nous auraient certainement suspectés de ne vouloir leur restituer que ce territoire ingérable, berceau de l'Intifada. Ils pouvaient craindre que « *Gaza, d'abord* » ne s'avère « *Gaza, point final* ». Pour faire aboutir l'option « *Gaza, d'abord* », il fallait qu'elle devienne « *Gaza et "quelque chose" d'abord* ». Finalement, la première base de discussion s'est fixée autour de l'option « *Gaza et Jéricho, d'abord* », demandée par l'OLP. Comme

Jéricho est situé en Cisjordanie, l'État palestinien s'installait d'emblée sur les deux territoires.

Il était important que ce soit l'OLP qui demande cette option car, comme je vous l'ai dit, l'expérience m'avait appris que les propositions faites spontanément sont souvent rejetées par l'autre partie, toujours méfiante. De plus, notre acceptation de leur restituer cette ville de Judée pouvait être considérée par eux comme une première victoire.

J'ai accepté cette proposition d'autant plus volontiers qu'il n'y avait pas d'implantation juive dans la zone de Jéricho et que cette ville n'étant pas trop proche de Jérusalem, cela réduisait les problèmes de sécurité, et par conséquent apaisait les craintes de pas mal d'Israéliens.

À Oslo, les Palestiniens ont donc obtenu la reconnaissance de l'OLP en même temps que les territoires de Gaza et de Jéricho. Je souhaitais que l'on signe très vite ce premier accord, de manière à permettre à l'OLP de s'installer à Gaza et indiquer aux Palestiniens que c'était bien la nouvelle Autorité palestinienne qui contrôlait désormais la situation sur le terrain, et qu'elle était donc en charge d'y faire respecter la loi, maintenir l'ordre et empêcher les terroristes d'y commettre des attentats.

André Versaille : Le compromis d'Oslo est finalement mis au point le 18 août. Le 20 août, Shimon Peres, vous vous rendez à Oslo pour participer, toujours secrètement, à l'ultime phase de la négociation.

Shimon Peres : En fait, je me suis rendu tout à fait ouvertement à Oslo pour des rencontres officielles avec le gouvernement norvégien. Seule une petite partie de l'équipe qui m'accompagnait était au courant de la mission que je comptais remplir dans l'ombre – et qui était, bien sûr, le véritable but de mon voyage. Vers minuit, au terme du dîner offert par le Parlement norvégien, j'ai prétendu être fatigué et nous sommes rentrés à l'hôtel. De là, une demi-heure, une heure plus tard, j'ai rejoint les négociateurs.

Les choses avaient bien avancé, mais il s'agissait de conclure. J'ai donc eu une longue conversation de sept heures avec Yasser Arafat par Terje Larsen interposé. Et dans la nuit du 20 août, soit après quelque sept mois de négociations secrètes, les accords étaient enfin signés.

Nous étions arrivés au bout d'une des aventures diplomatiques secrètes les mieux gardées, et nous étions sûrs que la révélation de nos accords allait marquer un grand tournant dans l'histoire du Moyen-Orient. Cette même nuit était celle de mes soixante-dix ans. Abu Ala m'a souri et m'a dit : « *Cet accord, c'est votre cadeau d'anniversaire.* » C'était un beau cadeau d'anniversaire.

André Versaille : Qu'est-ce qui fait que cette fois, les négociations ont pu aboutir ?

SHIMON PERES : On pense toujours que, dans une négociation, c'est le fait de trouver un bon plan qui est essentiel. Ce n'est pas tout à fait vrai ; le plus important, c'est de trouver le bon interlocuteur. Car très souvent, lorsque l'on propose un accord, il est presque automatiquement rejeté par la partie adverse à cause de la suspicion que se vouent les négociateurs. Même les plans élaborés par des tiers supposés impartiaux suscitent la méfiance. Et il arrive souvent que chaque partie refusant les propositions de l'autre, la situation se bloque. À partir de là, il est inutile de vouloir l'emporter, il faut essayer de trouver une troisième voie. C'est pourquoi je considère la relation entre les partenaires comme primordiale. Une fois établie une bonne relation entre les partenaires, on peut commencer à progresser sur une idée qui sera bâtie conjointement. Négocier, ce n'est pas marchander, c'est inventer et créer ensemble.

C'est la qualité des relations qu'Uri Savir, notre négociateur en chef, et Abu Ala, chef de la délégation palestinienne, ont réussi à tisser entre eux qui leur a permis, malgré toutes les difficultés et les méfiances originelles, de parvenir à un accord.

Mais, bien sûr, ces négociations ont pris des mois. Dans le cas d'un conflit entre États, chacune des deux parties est convaincue d'avoir raison et sera prête à tout mettre en œuvre pour faire triompher sa cause. Or, un accord n'est possible que si l'on reconnaît que les arguments de chacun sont fondés, et qu'il n'est pas sain qu'une des parties s'obstine à vouloir obtenir gain de cause sur toute la ligne. Les deux camps doivent donc nécessairement renoncer à certaines revendications et accepter des compromis. Cependant, et bien que tout le monde reconnaisse cette nécessité, les négociateurs ont toutes les peines du monde à imposer ces compromis à leurs populations respectives. Il s'avère vite que négocier, c'est autant dialoguer avec son ennemi que discuter, et même plus âprement, avec son propre camp.

Mais si les négociations d'Oslo ont pu être menées à bien, c'est aussi grâce à un petit groupe de personnalités norvégiennes de premier plan décidé à faire passer des messages entre Israéliens et membres de l'OLP. Et parmi ces personnalités, il faut saluer le ministre des Affaires étrangères Johan Jorgen Holst et le directeur de l'Institut norvégien des sciences sociales appliquées, Terje Larsen, ainsi que leurs femmes respectives, Marianne et Mona. Ils montraient une maîtrise exceptionnelle des relations humaines et ont été d'une très grande efficacité tout en agissant avec une discrétion absolue. De grands efforts ont été accomplis pour nous aider à maintenir le rythme des rencontres tout en éconduisant les curieux.

Je mentionnerais également le rôle de l'Égypte. Hosni Moubarak (avec lequel j'étais en liaison permanente) et son conseiller personnel, Ossama el-Baz, ainsi que le ministre des Affaires étrangères, Amr Moussa, étaient au courant des négociations secrètes et ils nous ont résolument aidés, les Palestiniens et nous, pour avancer dans le processus de paix. L'Égypte a d'ailleurs été la puissance tutélaire des Palestiniens : c'est Ossama el-Baz qui, après avoir rencontré Rabin, au tout début des échanges d'Oslo, a convaincu Arafat du sérieux de notre démarche. D'ailleurs, depuis les accords de Camp David, l'Égypte a toujours été un partenaire privilégié dans la recherche des rapprochements. À chaque moment critique, l'OLP, Israël ou les États-Unis pouvaient faire appel à son aide.

ANDRÉ VERSAILLE : Contrairement à ce qui s'était passé lors des négociations israélo-égyptiennes, les négociations et la signature des accords d'Oslo se sont déroulées sans que les États-Unis y soient mêlés.

SHIMON PERES : Oui, et une fois l'accord signé, il fallait bien sûr en informer en priorité les Américains qui n'avaient pas véritablement été tenus au courant. Ils savaient que des négociations secrètes se déroulaient à Oslo, mais ils n'y croyaient guère. Il fut donc décidé que j'irais en informer personnellement Warren Christopher. Notre ambassadeur aux États-Unis organisa le rendez-vous qui eut lieu en Californie où Christopher était allé passer ses vacances. En compagnie de Johan Jorgen Holst ainsi que de Terje Larsen et de sa femme, je me suis donc envolé pour la Californie. Je me demandais comment les Américains allaient accueillir la nouvelle, et je craignais fort qu'ils ne se montrent vexés. Arrivés sur place, nous avons retrouvé Warren Christopher et Dennis Ross, le chef de l'équipe américaine chargée des pourparlers de paix pour le Moyen-Orient, à qui j'ai présenté les accords. Quand ils ont pris connaissance du texte, ils n'en revenaient pas : « *C'est une performance historique formidable !* », déclarèrent-ils, et ils n'eurent pas l'ombre d'un recul. Au contraire, ils se sont très généreusement engagés à soutenir ces accords. J'ai suggéré que nous annoncions que ceux-ci avaient été conclus sous les auspices des États-Unis. Ils ont refusé, mais ont proposé que la cérémonie de la signature officielle se déroule à Washington. Ils ont appelé Clinton qui a immédiatement accepté, et nous avons convenu d'une date.

ANDRÉ VERSAILLE : L'accord est alors dévoilé au monde. Comment réagit-on en Israël et dans le monde arabe ?

SHIMON PERES : En Israël, c'est un choc, bien sûr, mais globalement la population et la presse accueillirent favorablement ces accords. L'opposition, elle, était tellement étonnée et si peu préparée à cette nouvelle qu'elle a manifesté plus de surprise que d'opposition.

BOUTROS BOUTROS-GHALI : La délégation palestinienne de Washington tombe, elle aussi, des nues et ne cache pas son mécontentement. D'une part, elle a l'impression de s'être fait manipuler, et surtout, elle estime que l'accord fait la part trop belle aux Israéliens. Hanane Ashrawi dira plus tard : « *Nous étions très désagréablement surpris que l'essentiel de nos revendications – Jérusalem et les colonies – soit totalement passé sous silence.* »

En Égypte, en revanche, on regarde ces accords avec une satisfaction mêlée d'ironie : après nous avoir conspués, insultés, mis au ban du monde arabe, voilà que l'OLP se lance dans le même processus que celui que nous avions tracé en 1978. À la différence que, si les Palestiniens nous avaient suivis en 1978, ils auraient obtenu bien plus que ce qu'ils venaient de conclure. Mais nous restions dans l'expectative : Oslo n'était qu'un premier pas, sans valeur, s'il n'était pas suivi d'un second.

ANDRÉ V...   and moment que tout le
mor.   it doivent officiellement
ratifi   de la Maison-Blanche.
Le p.   tant que témoin. C'est
un m   et qui verra Rabin et
Arafa

Bo   qui excite l'opinion
publiq   enne. Que les négociation   ent été difficiles ou
faciles   Rabin, les amenant
à se sen

SHIM   e jusqu'au dernier
moment,   rce que, précisément, il   s question que le
traité soit   ...s Clinton a insisté pour que
Rabin se ...   ...on-Blanche, et celui-ci a fini par accepter. Mais pas vraiment de grand cœur. Lors de la cérémonie, on voyait Rabin qui semblait dire non de tout son corps à Arafat. Et puis Clinton a rapproché doucement les deux hommes pour une poignée de main. Arafat a tendu la main et on a vu Rabin hésiter. C'était presque au-dessus de ses forces. Sa répugnance était si évidente que je ne crois pas qu'elle ait échappé à beaucoup de monde. Et cette poignée de main va s'éterniser, Arafat n'arrêtait pas de secouer la main de Rabin... À la fin, lorsqu'il a pu se dégager, Rabin s'est tourné vers moi et m'a soufflé : « *À ton tour, maintenant...* », comme s'il entendait me faire partager une expérience insupportable.

Si je vous raconte cela, c'est pour vous montrer la lourdeur des blocages psychologiques mutuels qu'il a fallu vaincre pour parvenir à conclure ce premier accord avec l'OLP : même Yitzhak Rabin avait du mal à assumer que cette paix se fasse avec Arafat. Comme la majorité des Israéliens, il continuait de regarder le dirigeant de l'OLP comme le chef terroriste qui, pendant des décennies, avait commandité tant d'attentats, non seulement contre des Israéliens, mais également contre des Juifs dans le monde entier.

André Versaille : Boutros Boutros-Ghali, vous étiez bien sûr présent à la cérémonie.

Boutros Boutros-Ghali : Oui, et j'y ai retrouvé Carter, Kissinger, Bzrezinski, et tous les membres de l'ancienne équipe présente lors des négociations de paix égypto-israéliennes en 1979. J'étais partagé entre deux sentiments contradictoires : l'un mêlé d'amertume et de regrets rétrospectifs de voir, après tant d'années gâchées, les Palestiniens, à leur tour, emprunter les mêmes sentiers que nous, et participer, quatorze ans plus tard, à une cérémonie identique en tous points à celle qui avait conclu la paix israélo-égyptienne ; l'autre, plus constructif : la volonté d'aider les Palestiniens dans cette mise en œuvre des accords d'Oslo qui serait infiniment plus difficile que leur conclusion sur le papier. Je connaissais les extrêmes résistances des Israéliens quant à l'autonomie des territoires occupés : les « *autonomy talks* » me l'avaient amplement démontré. Comme j'étais bien placé pour prévoir les difficultés qu'allait devoir affronter Arafat.

Shimon Peres : Il n'empêche que c'était un grand moment, et j'ai été très touché de voir l'émotion de ceux qui, après la cérémonie, sont venus me féliciter pour ce qu'ils appelaient « *l'événement le plus important et le plus émouvant du XXe siècle* ».

André Versaille : Et un mois plus tard, vous vous voyez décerner le prix Nobel, conjointement à Yitzhak Rabin et Yasser Arafat.

Shimon Peres : Oui, et en même temps, je pensais déjà à la prochaine étape et à toutes les questions qu'il faudrait résoudre pour construire un nouveau Moyen-Orient. Cette paix établie, le véritable travail commençait : il fallait œuvrer conjointement à traduire nos accords dans la réalité. Mais les deux équipes allaient-elles pouvoir s'entendre ? Parviendraient-elles à surmonter leur méfiance réciproque ? Saurions-nous faire passer notre conviction à nos populations respectives ? Enfin, comment les extrémistes des deux bords allaient-ils réagir ?

André Versaille : En effet, l'acceptation de ces accords par les Palestiniens n'ira pas de soi. Arafat, qui connaissait bien son peuple, et voulait conserver son adhésion, se dépensera sans compter pour lui vendre cet accord comme une victoire palestinienne : « *Il nous a placés sur la carte géographique et politique* », déclarera-t-il. Il aura pourtant du mal à faire passer ce message car beaucoup de Palestiniens, à la fois à l'intérieur et à l'extérieur de l'OLP, sont horrifiés par « *l'étendue des concessions* » qu'il a dû faire. Ils considèrent que l'accord a été accepté par une partie palestinienne faible, et imposé par une partie israélienne forte ; qu'il donne tous les droits à Israël et reconnaît son existence ; que le peuple palestinien n'y a rien gagné, puisqu'il n'y a pas un mot sur l'autodétermination ni sur la fin de l'occupation. Aucun démantèlement de colonie n'est, en effet, prévu et l'armée israélienne conserve le contrôle de la majeure partie de la Cisjordanie et de la bande de Gaza. Quant à Jérusalem, elle demeure sous contrôle israélien. Enfin, pour le reste, il est seulement prévu une période transitoire n'excédant pas cinq ans, durant laquelle les Israéliens se retireront des territoires palestiniens occupés, du moins partiellement, et au bout de laquelle on parviendrait à un règlement permanent. Le détail est très vague. Pour la fraction dure du mouvement palestinien, il n'y a pas là de quoi chanter victoire, loin s'en faut. D'ailleurs, les extrémistes du Hamas se promettent de faire voler les accords en éclats par une campagne de terreur.

SHIMON PERES : Il est vrai qu'à Oslo, les Palestiniens ont fait des concessions importantes, et c'est ce qui nous a permis de signer ces accords. Ainsi ont-ils consenti à exclure Jérusalem-Est de l'accord d'autonomie (même s'il était entendu que les Palestiniens de Jérusalem-Est auraient le droit de participer aux élections) ; ils ont également accepté le maintien des implantations existantes, dont la sécurité continuerait de relever des FDI ; enfin, ils se sont engagés à combattre le terrorisme et les menaces extérieures qui pouvaient mettre en danger la sécurité des Israéliens dans les territoires dont ils auraient le contrôle.

En contrepartie, cinq domaines d'administration importants – la santé, l'éducation, les prestations sociales, le tourisme et la fiscalité – allaient être transférés aux Palestiniens.

Bien sûr, il subsistait des imprécisions ! Comment aurait-il pu en être autrement puisqu'il s'agissait d'un premier pas, et qu'il était bien entendu que nous nous engagions mutuellement à poursuivre les négociations sur l'autonomie d'autres régions de la Cisjordanie ?

Vous rappelez que les extrémistes arabes ont reproché au traité d'être trop peu avantageux pour les Palestiniens. C'est vrai, mais du côté israélien, la droite et les colons dénonceront, eux aussi, ces accords (mais bien sûr pour les raisons inverses) et parleront de « *lâcheté* » et de « *trahison* ». En réalité, ce premier pas heurtait de front les états d'esprit et les préjugés ancrés dans les mentalités des *deux* populations.

Les méfiances étaient réciproques, et une bonne partie de la population israélienne ne croyait pas à la parole d'Arafat. Elle considérait toute négociation avec l'OLP comme une capitulation suicidaire, et n'importe quel retrait des territoires comme un abandon des protections qui nous mettait en état de vulnérabilité absolue.

Même si la population israélienne était consciente de l'avancée historique que représentaient ces accords, l'évolution des mentalités n'était pas plus au rendez-vous que l'abandon des préjugés si longuement entretenus... Le chef de l'opposition de droite, Benjamin Netanyahu, va nous attaquer en déclarant que la « *sécurité d'Israël est confrontée à une menace sans précédent* », et que « *le gouvernement est en train de permettre à l'OLP de mener à bien ses projets de destruction de l'État d'Israël* ». Plus nous parlions d'espoir de paix, plus la droite et les colons parlaient de menaces apocalyptiques.

Tandis que nous tentions de trouver un compromis équilibré entre les intérêts des deux parties, tout en essayant de faire tomber le double mur de haine, les extrémistes des deux bords s'ingéniaient à renforcer ces barrières supposées leur garantir le maintien de leurs valeurs. Une course de vitesse a donc commencé entre ceux qui devaient traduire les principes des accords dans la réalité, et les extrémistes décidés à les faire capoter.

Et, plus les négociations évoluaient, plus la société israélienne se trouvait divisée entre ceux qui pensaient qu'une paix avec l'OLP était possible, souhaitable et dans l'intérêt des deux populations, et ceux qui considéraient que, de toute façon, les Arabes ne nous admettraient jamais, et qu'il fallait rester absolument ferme dans notre refus de restituer toute parcelle de territoire. Comme après les accords de Camp David, certains esprits allaient jusqu'à imaginer qu'en cas d'avancée sérieuse dans les négociations, nous risquions la guerre civile.

BOUTROS BOUTROS-GHALI : Et cette double position se reflétait chez les Palestiniens comme en miroir. Chez eux aussi, la négociation mettait en danger la cohésion politique de l'ensemble des forces vives palestiniennes. Danger que redoutait par-dessus tout Arafat. Comme vous le savez, dans l'histoire des mouvements de libération, les conflits entre les différentes factions ont souvent fait plus de victimes que les affrontements avec les colonisateurs.

SHIMON PERES : Je sais, et sans doute s'agissait-il, pour les Palestiniens, d'un retournement trop abrupt, car ils eurent du mal à emboîter immédiatement le pas à leur chef. La lenteur de la mise en place de l'accord en témoignera. Néanmoins, au lendemain de la signature du traité, les rues palestiniennes avaient changé de visage. On avait pavoisé et le drapeau palestinien n'étant plus interdit, on le verra apparaître partout, sur les toits, aux balcons, de même que les portraits d'Arafat qui seront exposés sur les murs, sur les devantures des magasins, etc.

ANDRÉ VERSAILLE : Par ailleurs, Damas est très mécontent, et soupçonne que les négociations que lui avait proposées Israël n'étaient qu'une manœuvre destinée à neutraliser son opposition aux accords israélo-palestiniens.

Boutros Boutros-Ghali : Il n'y a pas que Damas ! Le dépit est assez général dans le monde arabe.

Shimon Peres : Bien entendu, les « États du refus » dénoncent très violemment ces accords. La Syrie, l'Irak, la Libye, le Soudan et l'Iran parlent de capitulation déshonorante et jurent de poursuivre le combat.

Boutros Boutros-Ghali : Plusieurs pays se sentent trahis, à commencer par la Syrie bien sûr, mais aussi la Jordanie : ces États avaient continué à lutter pour la reconnaissance des droits nationaux des Palestiniens, et voilà que, malgré le grand principe édicté par la Ligue arabe de ne jamais signer de paix séparée avec Israël, celui pour lequel on s'était toujours battu fait cavalier seul et signe une paix séparée. Dans tout le monde arabe, les fondamentalistes considèrent cet accord comme une trahison. Et le front du refus, qui avait reproché à l'Égypte sa « paix séparée », se trouvait devant une deuxième paix séparée encore plus sacrilège que la première…

Shimon Peres : Je ne crois pas du tout que la Jordanie fût mécontente. Au contraire, les accords d'Oslo allaient permettre au roi Hussein, désireux de faire la paix avec Israël, de signer enfin un traité de paix avec nous. Sans Oslo, Hussein n'aurait jamais pu prendre cette initiative.

Boutros Boutros-Ghali : Je crois que vous avez raison. Amman attendait l'accord d'Oslo pour signer, à son tour, un traité de paix avec Israël. La Jordanie est un petit État sans ressources naturelles, il accueille une importante population de réfugiés, il est encadré, en outre, par deux États arabes dynamiques et agressifs, qui plus est, en guerre avec Israël. C'est dire qu'il a tout intérêt à conclure un traité de paix avec son voisin israélien, et obtenir ainsi sa bienveillance politique.

Shimon Peres : Quant à la Syrie, son cas est différent. Lorsque les accords d'Oslo furent conclus, les Américains m'ont encouragé à profiter du mouvement pour tenter d'amener également Damas à signer un traité de paix. Je dois dire que j'étais dubitatif : je ne voyais pas les Syriens prêts à entrer sérieusement dans un processus de paix. Je craignais même qu'ils ne veuillent s'immiscer dans les négociations avec les Palestiniens afin de les pousser à prendre les positions les plus extrêmes.

J'ai donc proposé à Rabin que l'on tente d'abord de faire la paix avec Amman, mais Rabin doutait de pouvoir faire bouger le roi tant que nous n'aurions pas fait la paix avec Damas. Il pensait qu'Amman n'aurait consenti à la paix que si nous nous engagions à accepter le retour des réfugiés et à transiger sur Jérusalem dont Hussein était le gardien. Rabin a cependant accepté que j'aille voir le souverain jordanien. Je me suis donc rendu chez le roi, et nous sommes parvenus à un accord : il resterait le gardien des Lieux saints musulmans de Jérusalem et, en contrepartie, je lui promis la restitution des terres qui longent la vallée de l'Arava que nous avions conquises en 1967, ainsi que des arrangements concernant l'eau. Je m'engageai également à l'aider à trouver des financements. Par contre, je refusai le retour des réfugiés.

La paix israélo-jordanienne sera signée le 24 octobre 1994 et, comme promis, Rabin et moi allions convaincre Clinton d'oublier la dette jordanienne qui s'élevait à six milliards de dollars et d'encourager le lancement de programmes économiques jordano-israéliens.

BOUTROS BOUTROS-GHALI : Vous remarquerez que la signature de cette paix se fait de façon assez discrète. La Jordanie signe, mais non sans réflexion. Fallait-il se précipiter, comme le souhaitaient les Israéliens, ou laisser un « *intervalle décent* », pour parler comme Kissinger ? Car la Syrie, qui représentait une menace pour le royaume hachémite, continuait à condamner toute paix séparée.

SHIMON PERES : Sans doute, mais en même temps, l'Égypte, le Maroc et la Tunisie soutenaient fermement l'accord. Et puis, d'autres États arabes modérés n'en revenaient pas de leur surprise et ne savaient pas trop comment réagir. D'une certaine manière, cet accord entre les Palestiniens et nous soulageait pas mal d'États arabes pour lesquels les hostilités obligatoirement manifestées contre Israël avaient perdu de leur sens.

BOUTROS BOUTROS-GHALI : Oui, parce que la question palestinienne, vécue comme l'injustice la plus insupportable faite aux Arabes, était enfin en voie de résolution. Pendant longtemps, les Israéliens ont pensé qu'ils pourraient passer outre les revendications palestiniennes, que le temps jouerait en leur faveur, que les États arabes finiraient par se lasser d'un combat qui semblait s'enliser, et qu'un jour ou l'autre, Israël pourrait conclure une paix séparée avec chacun de ses voisins arabes sans avoir à accepter la création d'un État palestinien. C'était une illusion ou une grave erreur.

SHIMON PERES : À présent, une nouvelle dynamique se mettait en place. Mais celle-ci restait très fragile et je craignais que l'on ne se contente d'accords politiques, comme si ceux-ci devaient naturellement entraîner des progrès économiques. C'est pourquoi je tenais à ce que, parallèlement à la mise en application des accords, on s'attèle à la question du développement des territoires. Ces négociations de paix devaient s'adosser à un progrès économique : il fallait que les Palestiniens obtiennent très vite une assistance financière leur permettant de sortir du marasme économique. Sans ces dividendes économiques, le processus de paix se serait bien vite grippé. J'ai donc personnellement rencontré des responsables de plusieurs pays désireux de s'impliquer résolument dans l'avenir de la région pour leur demander leur aide financière. Les pays du Nord de l'Europe ont toujours été très sensibles à la détresse des nations dans le besoin, auxquelles ils consacrent un à deux pour cent de leur budget. Je leur ai demandé de prévoir cinq pour cent de ce budget pour aider les Palestiniens, ce qu'ils ont accepté. J'ai également rencontré Jacques Delors, président de la Commission européenne, qui a appuyé l'idée d'augmenter l'aide d'urgence. De son côté, François Mitterrand a également promis le soutien de la France.

Ensuite, j'ai voulu organiser un sommet des ministres des Finances et des Affaires étrangères du monde entier. Celui-ci s'est tenu à Washington en octobre 1993, avec comme objectif principal de réunir les fonds destinés à permettre aux Palestiniens de monter leur infrastructure administrative. Le montant des dons et des prêts a atteint deux milliards et demi de dollars (somme qui sera augmentée d'un milliard supplémentaire). Cet argent provenait essentiellement des États-Unis, de l'Union européenne et du Japon. Pour sa part, Israël s'est engagé à verser vingt-cinq millions de dollars en cinq ans.

ANDRÉ VERSAILLE : Et les États arabes ?

SHIMON PERES : Les États arabes, par contre, n'étaient pas au rendez-vous. Les riches pays du Golfe n'avaient toujours pas digéré les manifestations de soutien d'Arafat à Saddam lors de l'invasion du Koweït, en conséquence de quoi, ils n'ont pas accepté d'apporter une quelconque contribution financière aux Palestiniens. Sous la pression des États-Unis, l'Arabie saoudite finira tout de même par verser une centaine de millions de dollars par an. De manière générale, les États arabes ont très peu contribué à ce financement. Tous ces États qui s'étaient faits les champions des Palestiniens lorsqu'ils étaient en guerre contre nous, se désintéressaient d'eux à présent qu'ils se trouvaient devant l'immense tâche de construire leur pays. Une fois de plus, ils se sont contentés de paroles…

ANDRÉ VERSAILLE : Et comment ont réagi les organisations juives américaines, dont plusieurs sont proches de la droite israélienne ?

SHIMON PERES : Mal, et nous avons dû lutter contre le lobby juif américain, l'Aipac, tenu par des représentants officieux du Likoud, ainsi que contre des dirigeants républicains qui menaient campagne contre l'octroi de toute aide supplémentaire à l'Autorité palestinienne. Il a fallu longuement leur expliquer que cette aide destinée à améliorer le sort des Palestiniens faisait partie de la lutte contre le terrorisme.

Nous avons demandé à Johan Jorgen Holst et Terje Larsen que leur fondation supervise cette entreprise de subvention destinée à financer l'infrastructure administrative palestinienne qui compte aujourd'hui quelque 120 000 fonctionnaires dont 40 000 à 50 000 en uniforme. Sans ces subsides, rien n'aurait été possible.

C'était tout de même un retournement spectaculaire de l'Histoire que de voir des Israéliens se charger de récolter des fonds au profit de l'OLP...

ANDRÉ VERSAILLE : Vous dites que cette paix devait s'adosser à un progrès économique. Mais on ne développe pas l'économie d'un État en se contentant d'assistance financière.

SHIMON PERES : Vous avez raison, il faut qu'un véritable processus économique s'enclenche. C'est pourquoi j'ai voulu que l'on aille plus loin en organisant une grande conférence économique internationale au Moyen-Orient. Autour de moi, peu y croyaient vraiment. Même le roi Hussein de Jordanie, auquel j'avais proposé d'être l'hôte de cette conférence, approuva l'idée mais restait réticent. Il est vrai qu'une rencontre de cette envergure dans un délai aussi proche ne semblait pas un projet très réaliste. J'ai alors pris contact avec les organisateurs du Forum économique mondial de Davos pour leur exposer mon projet, qui consistait à organiser une espèce de Davos mais à usage du Moyen-Orient, où seraient conviés les dirigeants politiques et les entrepreneurs les plus importants de la région. Ces organisateurs ont soutenu le projet ; restait à trouver le lieu. Je me suis alors tourné vers le roi du Maroc, Hassan II, qui a accueilli la proposition avec enthousiasme, ce qui fait qu'un an plus tard, le 30 octobre 1994, la Conférence économique du Moyen-Orient et de l'Afrique du Nord s'ouvrait à Casablanca. Ce fut un formidable événement soutenu par les Américains, les Européens, les Japonais... Quelque quatre mille représentants du monde politique, économique et financier, en provenance du monde entier étaient présents. Pour la première fois, des centaines d'Israéliens et d'Arabes se rencontraient pour discuter ouvertement de questions économiques. Et l'on verra ce spectacle inédit où, dans la foule d'officiels et d'hommes d'affaires, des kippas se mêlaient à des keffiehs...

Ce fut un succès au point qu'il fut décidé de rééditer cette initiative chaque année. Ainsi, la Conférence suivante s'est tenue à Amman (octobre 1995). Lors de celle-ci, l'accent fut mis sur le développement régional. On y a évoqué la construction d'un aéroport, la création d'une riviera touristique dans la zone Aqaba-Eilat, d'une banque régionale du Moyen-Orient, un projet de planification économique israélo-palestino-jordano-égyptienne, etc. Par la suite la Conférence s'est déroulée au Caire (novembre 1996), puis à Doha (novembre 1997), et chaque fois avec le même succès. Clairement, le boycott d'Israël par les Arabes n'était plus à l'ordre du jour.

Il était évident que les accords d'Oslo, suivis de ces conférences régionales, devaient amarrer la paix et inaugurer un Moyen-Orient nouveau, où commençaient à s'ébaucher, d'une conférence internationale à l'autre, les premières lignes d'un Marché commun moyen-oriental. Le processus s'est perpétué jusqu'au changement de gouvernement en Israël : le cabinet Netanyahu n'a pas poursuivi l'expérience, tandis que du côté égyptien, Amr Moussa, ministre des Affaires étrangères, a changé d'attitude et nous a privés de son soutien.

ANDRÉ VERSAILLE : Et comment réagit l'Autorité palestinienne ?

SHIMON PERES : Les choses n'iront pas de soi, car Arafat avait beaucoup de mal à accéder aux exigences exprimées par les donateurs concernant la transparence et la responsabilité dans la gestion de cet argent. C'étaient là des questions qui lui étaient totalement étrangères : il considérait ces sommes comme une compensation due à l'Autorité du peuple palestinien qui avait tant souffert. Point final. En même temps, Arafat donnait l'impression qu'il se préoccupait davantage d'asseoir son pouvoir que de mettre sur pied une véritable politique économique.

Mais ce qui me semblait important, c'était que le processus de mise en place de l'État palestinien progresse régulièrement.

ANDRÉ VERSAILLE : Les accords d'Oslo signés, il s'agit de les traduire sur le terrain.

SHIMON PERES : Il est dans l'ordre des choses que les progrès ne peuvent se mettre en place que par étapes. Et c'est ce à quoi nous avons travaillé dès le lendemain d'Oslo : nous avons reconnu l'identité palestinienne ; nous avons permis à l'Autorité palestinienne de quitter Tunis pour s'installer à Gaza et d'exercer son contrôle sur certaines zones de la Cisjordanie ainsi qu'à Gaza ; nous avons libéré de très nombreux prisonniers ; nous avons aidé (y compris financièrement) l'Autorité palestinienne à monter son administration et ses forces de police ; nous avons accepté le principe de la création d'un État palestinien dans la bande de Gaza et en Cisjordanie ; enfin nous nous sommes mis d'accord sur l'idée de parvenir graduellement à une complète autodétermination.

ANDRÉ VERSAILLE : Et comment se passe la coopération entre Israéliens et Palestiniens ?

SHIMON PERES : Elle ne se fera pas facilement. Du côté des Israéliens, il s'agissait de se libérer de leur mentalité d'occupants, tandis qu'il fallait amener les Palestiniens à coopérer naturellement avec ceux qu'ils combattaient depuis des décennies.

Les négociations concrètes concernant la mise en application des accords furent très laborieuses pour une raison essentielle : Israël s'était engagé à partager le pouvoir avec l'Autorité palestinienne, mais en même temps, nous tenions absolument à garder le contrôle sur tout ce qui relevait de la sécurité.

Les Palestiniens regardaient cette exigence comme un sérieux empiétement sur leur souveraineté : ils estimaient que tant que l'armée israélienne serait visible, la population ne se sentirait pas plus libre que sous l'occupation. Un jour, Abu Ala, le chef de la délégation palestinienne, a déclaré à Uri Savir : « *Vous étiez nos occupants, et maintenant vous voulez devenir nos matons !* » Et il est vrai que, de notre point de vue, le principe de la libre circulation des personnes et des biens palestiniens devait rester soumis à des considérations de sécurité dont nous voulions être seuls juges. Pour tout dire, en matière de sécurité, nous ne faisions pas confiance à l'Autorité palestinienne, car elle ne parvenait visiblement pas à mettre en place des procédures efficaces de lutte contre les terroristes.

J'ai tenté d'expliquer notre point de vue à Arafat : « *Je comprends vos difficultés, et nous avons, croyez-moi, tout intérêt à ce que vous réussissiez. Cependant, il est hors de question que nous mettions notre population en danger. Et nous savons bien, vous comme nous, que le Hamas est en train de fourbir ses armes et de préparer des attentats en vue de torpiller nos accords. Et vous comme nous avons intérêt à le mettre hors d'état de nuire.* » La discussion portait sur la sécurité des frontières de Gaza. Pour nous, il n'était pas question d'abandonner les postes-frontières aux seuls responsables palestiniens ; il allait de soi que l'armée israélienne devait en garantir l'accès, sans quoi une fois à Gaza, n'importe qui pouvait pénétrer, sans plus de contrôle, en Israël même. J'étais d'autant plus ferme que visiblement Arafat n'avait pas une idée bien claire de ce qu'était la « sécurité extérieure » et que personne autour de lui n'en avait la moindre expérience.

Mais Arafat (et de façon générale, la délégation palestinienne) voyait surtout dans cette mesure une manière particulièrement humiliante de limiter l'Autorité palestinienne. Si nous pouvions comprendre ce sentiment, il nous était impossible de renoncer à ce point, d'autant qu'il s'agissait d'un accord intérimaire et que, si les choses se passaient bien, notre position pouvait évoluer. Les discussions seront âpres, et ce chapitre des accords d'Oslo relatif à la sécurité des postes-frontières comptera finalement plusieurs dizaines de pages.

BOUTROS BOUTROS-GHALI : Pour comprendre la véhémence de l'opposition à vos exigences sécuritaires, il faut se mettre à la place des Palestiniens qui subissent l'occupation depuis des décennies : bâtir, travailler, se déplacer, se rendre à l'étranger leur est interdit sans votre permission. L'administration israélienne dans les territoires occupés est devenue proprement tentaculaire.

Je conçois que pas mal de restrictions résultent de préoccupations sécuritaires, mais franchement, Shimon, ne sont-elles pas souvent aussi le fait d'un pouvoir militaire, bureaucratique, absolument hermétique à la dimension humaine des territoires occupés ? Et vos contrôles à chaque *check point* ne sont-ils pas objectivement humiliants ? Les Israéliens rejettent souvent d'un revers de la main ce sentiment d'humiliation qu'ils mettent sur le compte de l'« hypersusceptibilité arabe ». Il était normal, et dans le cas présent capital pour la crédibilité des accords, que les Palestiniens entrant à Gaza aient vraiment le sentiment de rentrer chez eux. Le caractère systématique de la fouille approfondie, le fait que les Palestiniens doivent attendre des heures et des heures, voire une journée entière avant de passer à la fouille corporelle est d'autant plus insupportable que les douaniers ne se privent pas d'exprimer leur mépris. Ces attentes interminables sont le symbole même de l'occupation exécrée.

Il semblerait, selon les statistiques, qu'un tiers de la population masculine palestinienne des territoires occupés ait été, à un moment ou à un autre, inquiétée ou détenue dans les prisons israéliennes. Comment ne pas comprendre, dans ces conditions, que l'idée même de soldats israéliens fouillant les Palestiniens à la frontière de cette terre que l'on venait de leur présenter comme autonome, leur soit proprement insupportable ?

Encore une fois, je crois que les Israéliens n'ont jamais fait cas de la dignité des Arabes. Ici encore, on retrouve cette mentalité de colons face aux indigènes. Je me rappelle un fax que j'ai reçu, en avril 2002, alors que je me trouvais à Dakar, et qui faisait état des déclarations de Desmon Tutu condamnant la politique israélienne en Cisjordanie et à Gaza, la comparant à l'apartheid. « *J'ai vu*, disait-il, *l'humiliation des Palestiniens aux points de contrôle et aux barrages, et leur souffrance.* » Et il faisait un parallèle avec la manière dont les policiers blancs empêchaient les Noirs de circuler librement.

SHIMON PERES : Je comprends, mais pouvez-vous comprendre à votre tour que notre rigidité sécuritaire est aussi la conséquence du terrorisme aveugle, d'abord, et du laxisme palestinien en matière de combat contre le terrorisme, ensuite ? Et je dirais que ce laxisme était plus le fait d'Arafat que de sa police. Car, aussi surprenant que cela puisse paraître, la collaboration qui fonctionna le mieux fut celle qui se fit entre les services israéliens et palestiniens qui opéraient ensemble sur le terrain contre les terroristes.

BOUTROS BOUTROS-GHALI : Au risque de me répéter, Shimon, je pense que vous, les Israéliens, ne saisissez pas bien la mentalité arabe. Vous pensez pouvoir vous appuyer sur les informations et les données chiffrées « *objectives* » que vous transmettent les services de renseignements pour connaître l'état d'esprit et les états d'âme des Palestiniens. Mais le meilleur service de renseignements, de par la nature de son travail, a du mal à saisir les états d'esprit, d'autant moins que ceux-ci sont en perpétuelle évolution.

SHIMON PERES : C'est vrai que nous avions une vision monolithique de la société palestinienne. Nous la regardions comme fondamentalement antidémocratique, dénuée de tout esprit critique, et prête à suivre les mots d'ordre des dirigeants les plus radicaux. Reconnaissez cependant que, vu de l'extérieur, c'est bien comme cela qu'elle apparaissait.

BOUTROS BOUTROS-GHALI : Je m'étonne que vous disiez cela. Vous avez connu des dirigeants, vous avez connu des Palestiniens de la diaspora qui, ayant enfin échappé à l'occupation et à ses servitudes (qui anesthésient toute velléité d'initiative) ont pu laisser s'exprimer une autre image du monde palestinien. Comparés aux différents peuples arabes, les Palestiniens sont parmi les plus évolués. Les contacts qu'ils ont eus avec les pèlerins chrétiens durant des siècles les ont obligés à s'ouvrir sur le monde extérieur. D'ailleurs, c'est vous, en bons colonisateurs, qui avez expulsé les élites palestiniennes, privant ainsi la population de ses têtes pensantes. Durant une période de ma vie, j'étais membre de la commission des experts de l'Organisation internationale du travail, et j'ai pu voir la liste des syndicalistes palestiniens que vous aviez expulsés, laissant les forces ouvrières sans cadres, livrées à elles-mêmes.

SHIMON PERES : Écoutez, prenons l'exemple d'Arafat et de son langage. Pendant la guerre, on adopte tout naturellement un langage guerrier, mais on l'abandonne lorsque l'on passe à la phase des négociations. C'était ce dont Arafat semblait incapable. L'un de ses problèmes, c'était son langage violemment agressif à l'encontre d'Israël pendant les négociations mêmes. Cela lui faisait perdre toute crédibilité aux yeux des Israéliens. Je vous donne trois exemples que j'ai personnellement vécus.

En 1993, nous fûmes invités, Arafat et moi, au Conseil de l'Internationale socialiste, à Lisbonne. Le principe du débat consistait à répondre, l'un après l'autre, aux cinq mêmes questions. À ce moment, Arafat et moi avions de très bonnes relations, et nous étions convenus de nous montrer le plus positifs possible. L'organisateur m'avait demandé si je ne voyais pas d'inconvénient à être interrogé en premier. J'acceptai volontiers et je fus vraiment très constructif. Lorsqu'arriva le tour d'Arafat, celui-ci s'est lancé dans une diatribe d'une agressivité invraisemblable, racontant des choses absurdes comme de prétendre que notre armée utilisait des balles recouvertes d'uranium pour tuer les Palestiniens ! J'étais atterré. Le débat terminé, je lui ai demandé ce qu'il lui était arrivé : « *Nous étions convenus de ne pas nous agresser.* » Arafat s'est excusé en me déclarant que son discours avait été écrit avant que nous nous soyons mis d'accord sur le ton à adopter, et qu'il n'avait pas pu improviser un autre laïus…

Il n'empêche que les conséquences ont été désastreuses. Outre le fait que je suis passé pour un idiot (Élie Wiesel m'a demandé pourquoi j'avais été si complaisant envers un adversaire si violent), ce débat a été retransmis à la télévision israélienne et vous imaginez sans peine les réactions de mes concitoyens en entendant les attaques d'Arafat.

Je dois dire que je n'ai vraiment pas compris pourquoi Arafat s'était conduit de la sorte, parce que, contrairement à l'effet escompté, il s'est déconsidéré, non seulement aux yeux des Israéliens, mais à ceux de l'ensemble des dirigeants socialistes.

Un peu plus tard, nous sommes à nouveau réunis, cette fois à Majorque, à l'occasion d'une rencontre multiculturelle organisée par l'Espagne. Avant le débat, je me suis entretenu en privé avec lui, et je lui ai dit : « *Écoutez, vous avez un réel problème de crédibilité en Israël. Vous dites des choses qui sont absolument erronées, quand vous parlez par exemple de balles recouvertes d'uranium : de telles balles n'existent pas, ni en Israël ni ailleurs. Croyez-moi, vous vous décrédibilisez totalement en lançant de pareilles sottises.* » Il n'a rien voulu entendre ; il m'a répondu qu'il savait ce dont il parlait, qu'il était un ingénieur, etc. Puis, il a prononcé son discours et fait état d'un complot israélien pour réoccuper la région. Ce plan se serait appelé « *Géhenne* » en hébreu, c'est-à-dire, expliquait-il, « *Attaque* ». Je lui fis remarquer que premièrement ce complot était totalement imaginaire, et qu'en outre, il faisait même une erreur de vocabulaire, car en hébreu, « *géhenne* » ne signifie pas « *attaque* » mais « *enfer* ». J'eus beau le conjurer de ne pas répéter ces choses parce qu'en Israël tout le monde se moquerait de lui, il n'en n'a pas démordu : il disait tenir ces informations de source sûre, de ses services de renseignements…

Il y eut une troisième confrontation malheureuse entre Arafat et moi. Elle eut lieu à Davos où nous fûmes tous les deux invités à prendre la parole devant plusieurs centaines de dirigeants du monde entier. Cela se passait le 28 janvier 2001, au moment donc de la dernière partie des négociations de la dernière chance, une dizaine de jours avant les élections qui allaient amener Sharon au pouvoir. C'est dire si cette prestation allait être regardée par les Israéliens. D'accord, cette fois-ci encore, de ne pas nous agresser, nous montons ensemble sur l'estrade et nous nous donnons l'accolade. Mais à ma grande surprise, Arafat me ressert à peu près les mêmes accusations avec la même violence. Comme en Israël, nous étions en pleine campagne électorale, la droite n'a pas manqué d'exploiter le discours d'Arafat.

Moubarak m'a demandé un jour ce qu'il pouvait faire pour améliorer les relations entre les Israéliens et Arafat. Je lui ai répondu : « *Monsieur le Président, il vous suffit pour cela de réserver un budget de cinq cents dollars par mois pour le consacrer à payer les honoraires d'un bon rédacteur qui composerait les discours d'Arafat. Cinq cents dollars par mois, monsieur le Président, et vous changez la donne au Moyen-Orient !* » Je ne plaisantais pas : à chaque fois que je rentrais de voyage, des ministres ou des députés me tombaient dessus en me disant : « *Vous avez entendu la dernière déclaration d'Arafat ? Qu'en dites-vous ? Et c'est avec cet homme-là que vous voulez faire la paix ? Comment pouvez-vous lui garder votre confiance ? Etc.* »

En ne se souciant pas de sa crédibilité, Arafat nous a fait perdre la nôtre et a contribué de manière déterminante à mettre les faucons israéliens au pouvoir. On ne se rend pas assez compte du soutien qu'a apporté Arafat (et, bien sûr, les intégristes du Hamas et du Jihad) aux extrémistes israéliens. Les arguments de ceux-ci sont simples : « *Écoutez ce que dit Arafat, et voyez en votre âme et conscience si l'on peut signer un accord de paix avec un homme qui profère de telles déclarations ?* »

ANDRÉ VERSAILLE : Pour en revenir à la mise en œuvre des accords, il est étonnant de voir comment des oppositions fortes pouvaient se déclencher, non seulement à propos de points importants, mais également sur des questions de principes : dans son livre, *Les 1 100 jours qui ont changé le Moyen-Orient*, Uri Savir rapporte des discussions concernant le transfert des réserves naturelles créées par les Israéliens depuis 1967. Négociation sur une question secondaire, mineure, et sur laquelle il aurait apparemment dû être facile de se mettre d'accord : la délégation israélienne, soucieuse de l'environnement, voulait s'assurer que les Palestiniens conserveraient ces réserves et les entretiendraient convenablement ; la délégation palestinienne, elle, trouvait choquant qu'au moment où les Israéliens leur restituaient leur terre, ils se permettent en même temps d'exiger que celles-ci soient entretenues à la mode israélienne. Il était hors de question pour eux qu'une telle exigence soit consignée dans le protocole d'accord. C'était une question de principe : « *Vous nous rendez nos terres et nous en faisons ce que nous voulons. Elles ne sont plus à vous.* » Manifestement, les Palestiniens avaient regardé cette exigence comme une expression de mépris, comme si les Israéliens les avaient considérés comme des rustres, étrangers à toute préoccupation écologique.

BOUTROS BOUTROS-GHALI : Oui, c'est une anecdote relative à une question mineure, mais vous avez raison, elle est très édifiante. Une fois de plus, nous retrouvons cette mentalité de colons arrogants qui ne parviennent pas à voir les populations autochtones autrement que comme des populations primitives.

ANDRÉ VERSAILLE : Mais, bien entendu, l'essentiel des négociations a tourné autour de questions plus fondamentales.

SHIMON PERES : Oui, et parmi les problèmes que nous avions à affronter durant les négociations figurait celui de la libération des détenus. Nous savions que, sans une libération massive de détenus, l'OLP ne pourrait pas faire accepter les accords à son peuple. Du côté des Israéliens, cependant, ce geste serait incompréhensible : tant de nos concitoyens avaient souffert du terrorisme que toute idée de relâcher des hommes jugés coupables par un tribunal démocratique leur était insupportable. Plus, pas mal d'Israéliens voulaient que l'Autorité palestinienne extrade les détenus coupables d'assassinats d'Israéliens. Bien sûr, les Palestiniens ont refusé.

Il fut finalement convenu que l'Autorité palestinienne arrêterait et jugerait les Palestiniens suspects de terrorisme. Mais là encore, il est évident que cette mesure serait extrêmement difficile à mettre en application, puisque naguère encore, l'assassinat d'Israéliens était considéré comme faisant naturellement partie de la lutte de libération nationale.

ANDRÉ VERSAILLE : Le 25 février 1994, alors que la mise en œuvre des accords a débuté, Baruch Goldstein, un médecin juif violemment opposé à toute idée de création d'un État palestinien, va commettre en plein mois de rama-dan un attentat contre des Palestiniens qui prient dans la mosquée d'Abraham à Hébron. Vêtu de son uniforme militaire, ce réserviste tuera à la mitraillette vingt-neuf fidèles musulmans, avant d'être tué à son tour. Né à Brooklyn, Goldstein était un colon de Kyriat Arba, colonie juive située aux portes d'Hé-bron, et membre du Kach, mouvement extrémiste et raciste, il n'est pas exagéré de le dire, du rabbin Meir Kahane.

BOUTROS BOUTROS-GHALI : Ce massacre fut un choc terrible. Non seulement dans les territoires occupés, mais dans tout le monde arabe et musulman où il a suscité une indignation et une colère immenses. On a vu des manifestations, non seulement en Iran et dans d'autres pays du refus, mais également dans les États qui soutenaient le processus de paix : en Égypte, en Jordanie, au Maroc, en Tunisie…

SHIMON PERES : Et comme vous pouvez l'imaginer, ce fut un choc énorme en Israël également : un Juif qui commettait un attentat terroriste et aussi meur-trier ! Entrer dans une mosquée et mitrailler de sang froid des fidèles en train de prier ! Personnellement, je n'avais jamais pensé qu'un tel acte puisse être commis par un Israélien juif ! J'ai éprouvé un choc vraiment violent. Je n'étais évidemment pas le seul, tout le pays, en dehors d'une infime minorité de fanati-ques, était horrifié par ce crime.

Il faut préciser que les autorités religieuses les plus extrémistes ont condamné cet acte. Mais il faut également dire que plusieurs centaines de personnes ont assisté aux funérailles de Baruch Goldstein transformé en « *martyr* » et en « *héros dévoué à une cause sacrée* ». Sa tombe à Kyriat Arba est devenue un lieu de recueillement pour ces quelques fanatiques. C'est incroyable, mais c'est ainsi. Cela montrait que nous aussi, nous pouvions abriter des terroristes et qu'à présent, il ne fallait pas seulement craindre les fondamentalistes du Hamas ou du Jihad. À peine signés, les accords de paix allaient être mis en danger par les extrémistes des deux bords, en l'occurrence d'accord entre eux.

J'étais d'autant plus atterré que cet acte, qui allait évidemment être surmédiatisé dans le monde arabe, serait perçu comme une agression contre l'islam, révélatrice de notre supposée « haine des Musulmans ».

Nous avons donc immédiatement placé des membres de ce mouvement en détention et frappé d'illégalité deux organisations extrémistes racistes : le Kach et le Kahane Chai. Nous espérions que cet acte n'était que celui d'un déséquilibré isolé et ne refléterait en tout cas pas un courant significatif en Israël.

Sur le terrain, il fallait réagir très vite. Tout de suite après le massacre, des émeutes ont éclaté à Hébron, qui se soldèrent par la mort de six Palestiniens. L'armée imposa alors un couvre-feu à la ville. Malheureusement, même si ce fut dans le but d'enrayer la violence, cette mesure fut extrêmement mal vécue par les Palestiniens qui considéraient qu'après avoir subi un massacre, ils étaient punis, eux, les victimes...

Par ailleurs, comme on pouvait s'y attendre, ce crime eut des répercussions sur les négociations en cours. Arafat, à qui nous avions bien sûr exprimé nos plus sincères condoléances, a interrompu les pourparlers. Puis, expliquant que si l'on ne faisait rien, il perdrait la confiance de son peuple et que le processus risquait d'être compromis, il a posé comme condition à la reprise des négociations l'évacuation de tous les colons d'Hébron (voire de Kyriat Arba), ainsi que la création d'une force de police palestinienne dans la ville. En même temps, il a demandé au Conseil de sécurité de condamner Israël.

BOUTROS BOUTROS-GHALI : Il n'avait pas tort : à Hébron il n'y avait que quarante-deux familles juives et la Yeshiva ne comptait qu'une centaine d'étudiants. Était-il vraiment impossible de les déplacer, au moins à Kyriat Arba ? Le 26 février, j'ai envoyé, en tant que secrétaire général des Nations unies, une lettre à Yitzhak Rabin dans laquelle j'exprimais ma compassion pour le drame d'Hébron et l'espoir que celui-ci ne compromette pas le processus de paix. Je terminais, à peu près en ces termes : « *Je suis bien conscient qu'Israël s'est toujours opposé à la présence de Casques bleus dans les territoires occupés, mais face au drame de Hébron ne serait-il pas possible d'avoir une présence onusienne qui collaborerait étroitement avec votre gouvernement ? Si vous en êtes d'accord, je suis prêt à vous envoyer un émissaire pour discuter des modalités de cette coopération. De mon point de vue, cette initiative serait à même de créer un climat apaisé qui permettrait de dépasser la grave crise de confiance qui s'est installée entre Palestiniens et Israéliens.* »

Je n'ai jamais reçu de réponse. En revanche, le porte-parole de Mme Albright, Monsieur Rubin, m'a reproché cette ingérence dans les affaires internes d'Israël. J'ai rétorqué : « *J'ai envoyé une lettre à Rabin, et c'est Rubin qui me répond* », réponse publiée dans la presse arabe. Et le bruit a très vite couru dans les allées des Nations unies que cette réplique était entachée d'antisémitisme...

SHIMON PERES : Le massacre perpétré par Goldstein a redoublé ma conviction qu'il fallait absolument démanteler la Yeshiva d'Hébron située au sein même de la population arabe (ce que nous avions d'ailleurs déjà envisagé, mais que pour des raisons techniques trop longues à expliquer, nous avions repoussé à plus tard).

Pourtant, à ce moment-là c'était politiquement infaisable, car nous nous serions heurtés à des réactions très violentes de la droite israélienne. Rabin a donc fini par annuler l'ordre d'évacuation. La crainte des réactions des colons nous empoisonnait l'existence et, plus d'une fois, je me suis emporté contre ceux qui n'arrêtaient pas de nous mettre en garde contre elles.

Finalement, Arafat a compris qu'une opération de force contre les Juifs d'Hébron soulèverait de telles protestations qu'elle desservirait le processus de paix. Il a donc accepté la reprise des négociations. C'était une décision courageuse, parce que très impopulaire, allant à l'encontre des exigences de pas mal de Palestiniens des territoires et de bien des personnalités du monde arabe en général qui réclamaient, en effet, l'évacuation des colons d'Hébron comme condition *sine qua non* à la reprise des négociations.

ANDRÉ VERSAILLE : Les choses vont s'apaiser et quatre mois plus tard, le 1er juillet 1994, Arafat, exilé de Palestine depuis 1967, arrive à Gaza sous les acclamations.

SHIMON PERES : Oui, l'enthousiasme est à son comble. Ils sont cent mille Palestiniens à l'attendre sur la place principale de Gaza. Et les autres, y compris les Israéliens, suivent bien sûr l'événement à la télévision.

Côté israélien, ce retour est loin de faire l'unanimité. Rabin et moi avions eu une discussion à ce sujet. Personnellement j'estimais qu'il fallait qu'Arafat puisse quitter Tunis et s'installer à Gaza. Je pensais que c'était très important et que c'était juste. Rabin n'y était pas favorable. Il craignait les réactions de la population israélienne face à l'installation à Gaza de l'homme qui avait commandité tant d'attentats depuis Tunis. D'autant qu'il n'était pas totalement convaincu qu'Arafat avait vraiment renoncé à la terreur. Et bien sûr, la droite ne nous a pas ratés : dans la presse et à la Knesset, elle nous a tiré dessus à boulets rouges.

De manière générale, les interrogations ne manquaient pas. Arafat et la direction de Tunis allaient arriver à Gaza. Oui, mais quel type d'Autorité allaient-ils installer ? Les responsables palestiniens, et les intellectuels encore plus, savaient que leur *raïs* n'était pas vraiment un démocrate : comment la « résistance de l'intérieur » allait-elle pouvoir travailler avec Arafat ? Et comment se répartiraient les compétences et les responsabilités ? Un espace démocratique, même limité, pouvait-il au moins être envisagé ?

Cette dernière question a été bien vite entendue : il était hors de question pour Arafat de se voir dépossédé de la moindre parcelle de pouvoir. D'ailleurs, parmi les problèmes que nous allions rencontrer, il y avait bien sûr l'ignorance de l'équipe dirigeante palestinienne en matière d'organisation gouvernementale, mais, tout aussi préoccupante, l'obsession de Yasser Arafat de continuer à concentrer tous les pouvoirs entre ses mains. Sans parler de sa manie de cultiver les dissensions qui divisaient ses conseillers : diviser pour régner restera jusqu'à la fin son principe.

Néanmoins, l'arrivée d'Arafat à Gaza est un moment historique, pour lui comme pour son peuple. Encouragés par les retraits graduels des FDI des territoires occupés, la plupart des Palestiniens envisagent alors l'avenir avec optimisme. Et cet optimisme se traduira dans la vie quotidienne. Ainsi verra-t-on, peu à peu, quelques changements significatifs dans la population gazaouite, qui témoigneront d'une occidentalisation des mœurs. Notamment dans la manière dont les femmes vont s'habiller : les jupes commenceront à raccourcir et les voiles seront moins omniprésents. En un mot, la manière de vivre se rapprochera de la nôtre, ce qui ne plaira pas aux fondamentalistes, déjà bien déterminés à relancer leur campagne de terreur contre l'application des accords.

ANDRÉ VERSAILLE : Comment ce retour d'Arafat à Gaza est-il considéré du côté arabe ?

BOUTROS BOUTROS-GHALI : Pour les pessimistes, c'est une foire aux illusions ; pour les fondamentalistes, c'est le prix de la trahison ; pour les optimistes, c'est la première étape d'un long processus. Et, dans l'idée de renforcer la présence de l'Autorité palestinienne à Gaza, je me suis battu pour que l'UNRWA soit transférée de Vienne à Gaza. Alors que j'avais obtenu votre accord, Shimon, ainsi que celui de Yasser Arafat, les fonctionnaires internationaux, y compris palestiniens, se sont opposés à ce transfert. Ils multipliaient les rapports justifiant leur refus. Les frais : un tel déplacement coûterait trente millions de dollars ; le choix du lieu : pourquoi Gaza et non une ville de Cisjordanie dès lors qu'il y avait autant de réfugiés en Cisjordanie qu'à Gaza, etc. J'ai dû me battre une année entière avant d'obtenir le transfert de l'UNRWA à Gaza. Il faut dire, à la décharge de ces fonctionnaires, que la bande de Gaza se trouvait – et se trouve encore – dans un état effroyable : surpeuplée (Gaza a l'un des taux de natalité les plus élevés au monde), elle souffre d'un chômage proprement endémique et d'une situation économique désastreuse, notamment à cause du bouclage régulier imposé par les Israéliens. On peut ajouter à cela un système d'égouts défectueux, voire inexistant, une alimentation en eau potable et un réseau électrique tout aussi déficients. Cette misère chronique était d'autant plus mal supportée que les colons israéliens de la bande de Gaza jouissaient d'une situation totalement différente : ils vivaient dans des conditions absolument normales qui, comparativement, apparaissaient comme luxueuses. Étonnez-vous après cela de la facilité avec laquelle le Hamas et le Jihad parviennent à recruter leurs kamikazes...

ANDRÉ VERSAILLE : Bientôt, ces kamikazes du Hamas et du Jihad reprendront, en effet, du service. Toute avancée dans le processus de réconciliation joue en défaveur des fondamentalistes : plus la stabilité sociale et la situation économique progressent, moins ils ont de chance de rallier des partisans. Mais il n'y a pas que les intégristes qui s'insurgent contre le processus de paix. Parmi les plus opposés, on trouve les chefs palestiniens de la première heure : Georges Habache, dirigeant du FPLP, déclare qu'« *il faut mettre Arafat à la poubelle* » ; Ahmed Jebril, leader du FPLP-CG, prédit qu'Arafat subira le même sort que Sadate ; et Nayef Hawatmeh, dirigeant du FDLP, promet de mettre l'accord en pièces par les moyens les plus violents. Même à l'intérieur de l'OLP on trouve des responsables palestiniens qui considèrent qu'Arafat a capitulé devant les « *diktats* d'Israël » ; entre autres, Farouk Kaddoumi, un des fondateurs du Fatah et chef du Département politique (Affaires étrangères) de l'OLP.

SHIMON PERES : Et les menaces seront mises à exécution. En opposition à l'opinion de nombre d'Israéliens qui critiquaient notre évacuation de Gaza, estimant que les Palestiniens en profiteraient pour multiplier leurs attaques contre des villages israéliens, j'étais persuadé que la restitution de ce territoire allait renforcer les Palestiniens modérés. Il n'en fut rien. Les attaques ne se sont pas arrêtées : ni contre les implantations de Gaza ou de Cisjordanie, ni même dans les villes israéliennes situées derrière la ligne verte.

Alors, face à cette terreur, que manifestement l'Autorité palestinienne ne parvenait ou ne voulait pas combattre avec suffisamment de détermination, nous avons décidé de fermer les frontières de Cisjordanie et de Gaza. Était-ce la bonne réponse ? Certains militaires estimaient que la méthode n'était pas appropriée, mais, pour l'opinion publique israélienne, cette politique était rassurante, et de fait ces mesures protégeaient la population.

BOUTROS BOUTROS-GHALI : Sans doute, mais les fondamentalistes n'ont pas manqué de tirer argument de la situation pour « expliquer » que l'accord Gaza-Jéricho n'était que la poursuite de l'occupation par d'autres moyens. Je pense que vous avez une vision particulièrement « sécuritaire » de la sécurité, c'est-à-dire étroitement technique, et non une vision politique globale qui prendrait en compte les effets induits. Par exemple, faire en sorte que l'ensemble de la population palestinienne n'ait pas le sentiment de continuer à vivre sous le contrôle permanent des forces d'occupation.

Shimon Peres : Vous regardez les choses du point de vue théorique. Essayez de voir la situation telle qu'elle est vécue en Israël : les attentats se multiplient, et avec une violence accrue ; ainsi, entre autres, en octobre l'explosion au centre de Tel-Aviv d'un autobus par un kamikaze provoque la mort de vingt-deux personnes. Face à cela, que faites-vous ? Cet attentat va avoir pour conséquence immédiate la mise en cause des accords d'Oslo : la droite va rendre le gouvernement responsable de cette tragédie et organiser une importante manifestation lors de laquelle on entendra « *Cette paix nous tue !* » et « *Rabin, assassin !* ».

Je dois reconnaître que, moi-même, je n'avais pas toujours mesuré et encore moins anticipé la force des oppositions aux accords de paix d'Oslo.

On imagine mal à l'extérieur d'Israël, à quel point Yitzhak Rabin et moi avons été insultés, traités de traîtres et d'assassins. Rabin, qui était pourtant l'un des généraux les plus prestigieux d'Israël et qui avait mené le pays à la victoire en tant que chef d'état-major en 1967, a été conspué d'une manière scandaleuse. Des photomontages ont circulé, qui le montraient coiffé d'un keffieh ou bien vêtu d'un uniforme nazi, campagne de haine totalement inédite, qui se soldera par son assassinat, en novembre 1995.

Et malgré cela, Arafat ne réagit que très mollement pour endiguer le terrorisme, comme s'il avait du mal à comprendre le péril qui guettait les accords. Persuadé que la solution était dans la modification progressive de l'environnement psychologique, il ne prenait pas de mesures sérieuses contre les extrémistes. Il faut savoir qu'Arafat s'est toujours considéré comme l'homme le mieux informé du monde, ce qui était dramatique, puisqu'une bonne partie de ses informations étaient fausses.

Boutros Boutros-Ghali : Yasser Arafat se rendait très bien compte que les attentats mettaient en danger les accords d'Oslo péniblement mis en œuvre. Le tout est de savoir si, à ce moment-là, il avait les moyens de s'opposer frontalement aux fondamentalistes et aux extrémistes. Personnellement je ne le crois pas.

Contrairement à ce que l'on pense communément, sa situation n'était pas aisée. Quelle que fût sa popularité, Arafat, chef « historique » sans aucun doute, restait tout de même un dirigeant « de l'extérieur » qui n'avait pas subi l'occupation israélienne. Il était dès lors possible que, malgré les prises de position officielles, une frange significative de Palestiniens ne reconnaissaient pas vraiment son leadership. De plus, Arafat n'avait aucune racine à Gaza, ce qui, dans la société gazaouite, constituait un désavantage pour lui.

André Versaille a rappelé sa perpétuelle volonté d'obtenir le consensus, ce qui est vrai, et si, comme on le dit, c'est de là qu'il tirait sa légitimité, cela témoigne en même temps d'une certaine impuissance. Ce n'est qu'en position de force que l'on peut se permettre de combattre des oppositions, surtout lorsqu'elles sont armées. Et j'ajouterais, mais ceci n'engage que moi, que Yasser Arafat n'avait aucune confiance dans les promesses et les engagements des Israéliens qui, à ce moment, continuaient d'étendre les implantations et intensifiaient la construction des colonies à Jérusalem-Est.

SHIMON PERES : Ce qui me paraît sûr, c'est qu'Arafat ne voulait pas se confronter militairement au Hamas et au Jihad. Il tenait avant tout à préserver l'unité entre tous les courants palestiniens. Or, tous les dirigeants palestiniens avaient traversé une phase terroriste plus ou moins longue, et voilà qu'à présent, il s'agissait de passer à la phase politique, donc par la négociation et le compromis. Mais plusieurs dirigeants étaient restés des terroristes, et Arafat n'imaginait pas tirer sur ses anciens camarades. Il croyait toujours pouvoir convaincre les extrémistes de renoncer à la terreur et de le rejoindre sur sa ligne.

BOUTROS BOUTROS-GHALI : Oui, sa politique sera de laisser aux extrémistes le temps de se reconvertir. Après tout, Menahem Begin et Yitzhak Shamir étaient des terroristes qui se sont reconvertis en hommes politiques respectés.

SHIMON PERES : Mais qui ont renoncé au terrorisme. Dans les discussions que j'ai eues avec Arafat, j'ai essayé de l'inciter à prendre des responsabilités d'homme d'État, sans quoi, lui disais-je, nous ne pourrions jamais aboutir. Je lui donnais l'exemple de Ben Gourion qui fit désarmer puis entrer dans le rang toutes les forces, dissidentes ou non : l'Irgoun, le Lehi, mais aussi les forces armées du Palmach, etc. Mais Arafat ne voulait rien entendre : il me soupçonnait de vouloir le pousser à la guerre contre les factions armées pour diviser le mouvement palestinien et l'affaiblir. Il est donc resté à moitié solidaire des autres groupes, dans une ambiguïté totale.

Pour en revenir aux attentats, ils provoqueront inévitablement des tensions en Israël et l'extrême droite religieuse et nationaliste nous accusera d'avoir vendu la Terre d'Israël aux assassins des Juifs.

Le 5 octobre 1995, le jour de la ratification des deuxièmes accords d'Oslo (Oslo II) par la Knesset, quelque dix mille opposants manifesteront violemment leur rejet de ces accords. À cette occasion, le chef de l'opposition, Benyamin Netanyahu, les qualifiera d'accords de « *reddition* » et de « *menace pour l'existence même de l'État d'Israël* ». Comme six Israéliens arabes font alors partie de la courte majorité gouvernementale (61 membres sur 120), il prétendra que la ratification de ces accords est le fait d'une majorité non juive de la Knesset. « *Rabin compte sur tous les partis arabes antisionistes soutenant l'OLP* », déclarera-t-il, remettant ainsi en question la citoyenneté des Arabes israéliens.

ANDRÉ VERSAILLE : Ce sera également la position de Yigal Amir, l'assassin de Rabin, qui dira à son procès : « *Le Premier ministre a été élu par les Arabes ;*

20 % de ceux qui ont voté pour lui étaient des Arabes. Puis-je tolérer que des Arabes décident du sort de mon pays ? »

SHIMON PERES : C'est ça. Et bien que l'opinion publique israélienne fût en grande partie favorable au processus de paix d'Oslo, cet argument que l'accord n'avait pas été ratifié par une majorité juive allait se distiller dans la population, faisant entendre par là que notre gouvernement ne représentait pas le peuple israélien, qu'il était donc illégitime. Et lors de manifestations, des tracts et des panneaux continueront à représenter Rabin en uniforme nazi. Ça ira très loin puisqu'on verra même des enfants arborant des étoiles jaunes brodées du mot « Colon », se mêler aux manifestants qui scandaient « *Rabin est un traître !* », « *Rabin est un assassin !* ».

La haine grossissait, devenait palpable. Mais ni Rabin ni moi n'étions prêts à faire marche arrière. Rabin est resté très ferme et nous avons poursuivi le processus entamé. (Ce fut l'un des moments où nous nous sommes sentis le plus solidaires.) Nous avons donc appliqué notre plan de désengagement tel que prévu par les accords. Les FDI se sont retirées des principales villes de Cisjordanie : Jénine, Qalqiliya, Tulkarem, Naplouse, Ramallah et Bethléem. Quant à Hébron, suite à une nouvelle vague d'attentats-suicides à Jérusalem et à Tel-Aviv, nous avons décidé son ajournement. Malheureusement, il y eut quelques « couacs » : lors de notre retrait de Jénine, les autorités palestiniennes ont été assez maladroites et ne sont pas intervenues lorsque des Palestiniens ont lancé des pierres contre nos forces. L'armée n'a pas répliqué, pour ne pas envenimer la situation, mais ces images, retransmises à la télévision, ont donné du grain à moudre à tous ceux qui, en Israël, considéraient ce premier retrait comme un marché de dupes.

Vous voyez, Boutros, la maladresse, le manque de sens psychologique, la non-prise en compte de l'état d'esprit de l'Autre sont assez bien partagés. Arafat lui-même ne s'est jamais soucié de la psychologie des Israéliens. Je pense qu'il a eu tort, et qu'à l'instar de ce que firent en leur temps Sadate, puis le roi Hussein, il aurait dû essayer sinon de séduire les Israéliens, à tout le moins de travailler son image d'homme politique responsable authentiquement engagé dans son rapprochement avec nous.

BOUTROS BOUTROS-GHALI : Les situations ne sont pas comparables : le président Sadate pouvait s'appuyer sur un pays, un gouvernement, une armée, un budget, une histoire millénaire. Arafat ne pouvait s'appuyer que sur un mouvement de libération désorganisé, à la merci de l'aide financière des États arabes qui faisaient passer leurs intérêts nationaux respectifs avant ceux des Palestiniens.

SHIMON PERES : Sans doute, mais cela ne l'empêchait pas de tenir compte de la psychologie et de l'état d'esprit des Israéliens. Quoi qu'il en soit, ces premiers retraits, qui témoignaient bien de notre volonté de renoncer à l'occupation, ont eu un bon impact dans les pays arabes : manifestement nous n'étions plus regardés de la même manière. En nous retirant de villes de Cisjordanie, nous sortions également de l'exil régional dans lequel nous étions confinés depuis tant d'années.

ANDRÉ VERSAILLE : Pendant ce temps, la droite ne cesse de manifester contre Rabin et contre vous, Shimon Peres. Certains promettent même de vous juger pour trahison, comme les Français avaient jugé Pétain et Laval… Comment réagit le camp de la paix israélien devant ces menaces ?

SHIMON PERES : Face aux attaques de plus en plus agressives de la droite, la gauche ne se manifestait pas beaucoup ; tout se passait comme si les choses étaient sur les rails. En réalité, la droite mesurait, bien plus que la gauche, le progrès historique que nous étions en train d'accomplir. Et elle le voyait évidemment comme une catastrophe, puisqu'il annonçait la palestinisation progressive de la Cisjordanie et de la bande de Gaza.

Nous avons donc voulu réagir en organisant, le 4 novembre 1995, une grande manifestation de soutien au processus de paix. Ce fut un succès : nous avons réuni une centaine de milliers de sympathisants qui manifestaient dans l'allégresse. Sur la place des Rois de Tel-Aviv, la foule chantait et dansait. Nous étions, Yitzhak et moi, sur la terrasse de l'Hôtel de ville, face à cette population jeune et joyeuse. Yitzhak était très heureux. Nous avions prévu de descendre ensemble l'escalier pour nous mêler au public, mais les agents de la sécurité nous en ont empêchés : une rumeur courait selon laquelle le Hamas avait l'intention de commettre un attentat. Mais nous n'étions pas inquiets, nous avions confiance dans notre service de sécurité. Yitzhak ne savait ni chanter ni danser, mais ce jour-là, il n'a pas refusé l'invitation de la chanteuse Miri Aloni, et avec elle, nous avons entonné l'hymne de la paix : « *Que le soleil se lève, que le matin rayonne.* » Il faut dire qu'aucun de nous ne chantait très bien ni ne se rappelait vraiment les paroles. On nous avait donc donné une feuille où elles étaient écrites. Après la chanson, Yitzhak a glissé le papier dans la poche de sa veste puis il est descendu de l'estrade.

Un peu plus tard, on a entendu trois coups de revolver. Rabin venait d'être tué. Une des balles lui avait transpercé le cœur, traversant la feuille qui contenait les paroles du chant de la Paix.

ANDRÉ VERSAILLE : Comment expliquez-vous que le Shin Beth n'ait pas déjoué l'attentat ?

SHIMON PERES : Le Shin Beth craignait, en effet, une attaque, mais du Hamas. Personne ne pensait que le coup pouvait être porté par un Juif…

Moi-même, je n'aurais jamais imaginé cette éventualité. Et puis, il s'agissait du geste d'un homme isolé. C'est pour cela qu'il a réussi. Vous pouvez mettre en place le nombre de policiers que vous voulez, comment voulez-vous repérer, dans une foule de plus de cent mille personnes, un homme seul qui dissimule un pistolet ?

Cet assassinat provoque évidemment une émotion énorme en Israël, mais aussi un peu partout dans le monde. À Tel-Aviv, la place des Rois d'Israël se mue en mémorial. Les murs et les trottoirs sont couverts d'hommages à Yitzhak Rabin. À Jérusalem, des centaines de milliers d'Israéliens défileront devant le catafalque installé sur l'esplanade face à la Knesset. Parmi ceux-ci, on verra beaucoup de jeunes se recueillir en déposant des bougies du souvenir. Énormément d'Israéliens se sont également installés devant le domicile de Rabin en soutien à sa veuve, Leah. Et le jour des funérailles, quatre mille dignitaires venus du monde entier seront présents aux obsèques : Bill Clinton, Hosni Moubarak, Hussein de Jordanie, Jacques Chirac, le prince Charles d'Angleterre, vous-même, Boutros, et bien d'autres. À l'aéroport Ben Gourion, des avions atterrissent en provenance de quatre-vingt-six pays dont plusieurs États arabes : Maroc, Oman, Qatar…

Boutros Boutros-Ghali : Personnellement, c'est par la radio que j'ai appris l'assassinat de Yitzhak Rabin, et j'ai été submergé par une vive émotion.

Ma dernière rencontre avec lui avait eu lieu à New York, le 12 novembre 1993. Nous avions dîné à la résidence de l'ambassadeur d'Israël. Lorsqu'on m'a demandé de prendre la parole ce soir-là, je me suis aperçu que Rabin semblait appréhender mes propos. Mais au fil de mon intervention, je l'ai vu s'adosser à son siège et se détendre : « *Je me souviens*, avais-je dit, *des premiers mots du livre de Thomas Mann,* Joseph et ses frères : *"Très profond est le puits du temps." Il est très profond, en effet, au Moyen-Orient le puits de l'Histoire. Au début du XXᵉ siècle, Théodore Herzl est venu au Caire pour négocier avec mon grand-père, alors ministre des Affaires étrangères, la création au Sinaï d'une colonie juive. Trente ans après, au moment où l'Égypte est admise au sein de la Société des Nations, mon oncle, lui aussi ministre des Affaires étrangères, a proposé que s'instaure un dialogue entre Juifs, Musulmans et Chrétiens afin que la paix puisse régner dans le territoire de Palestine sous mandat. Quarante ans après, j'accompagne le président Anouar el-Sadate dans son voyage historique à Jérusalem. J'espère que d'autres générations ne viendront pas s'ajouter au puits du temps avant que ne s'établisse une paix réelle en Palestine.* » Yitzhak Rabin était souriant, l'ambiance du dîner chaleureuse. L'ambassadeur d'Israël Gad Yaacobi prononça une prière, et pendant un instant on put croire que la paix régnait enfin au Moyen-Orient.

À l'annonce de sa mort, j'ai immédiatement appelé l'ambassadeur d'Israël pour lui dire que je comptais assister aux obsèques. Là on m'avait réservé une place aux côtés du président Moubarak et j'ai prononcé un discours dans lequel j'ai rappelé qu'un autre homme d'État avait été assassiné pour avoir signé la paix : Anouar el-Sadate. Je l'ai fait avec d'autant plus de satisfaction qu'aucun autre orateur n'avait songé à mentionner le président égyptien.

André Versaille : À ce moment, vous pensiez que cet assassinat pouvait mettre le processus de paix en péril ?

Boutros Boutros-Ghali : J'étais partagé entre deux sentiments contradictoires. Un : la très grande émotion suscitée en Israël par cet acte allait renforcer le camp de la paix ; deux : nous risquions de revenir à la case départ, et tout serait alors à recommencer.

Par ailleurs, le fait que le Premier ministre israélien ait été assassiné par un terroriste juif me permettra de dire aux Israéliens que le terrorisme n'est pas le propre des Palestiniens. Une fois encore, nous constatons l'existence d'une « alliance objective » entre les extrémistes israéliens et palestiniens.

XVIII – OSLO DANS L'IMPASSE

*Poursuivre le processus de paix – « Nous envahirons la Palestine
et nous en expulserons les sionistes » – « Le terrorisme impose de recourir
à des méthodes de guerre » – Élections palestiniennes : Arafat élu
avec 85 % des voix – Le terrorisme reprend – « Mort à Peres,
mort aux Arabes » – Un sommet des faiseurs de paix – Opération
« Raisins de la colère » – Bombardement de Kfar Kana – « Bibi est bon
pour les Juifs » – « Si vous n'arrêtez pas les terroristes, le processus de paix
est mort… » – Attentats terroristes et multiplication des implantations*

ANDRÉ VERSAILLE : Shimon Peres, Rabin mort, vous lui succédez. C'est maintenant à vous, en tant que Premier ministre, que revient la tâche de poursuivre le processus de paix.

SHIMON PERES : Oui, et j'ai bien évidemment continué à appliquer les accords d'Oslo. Dès le 7 décembre, Yasser Arafat et moi avons décidé d'aller de l'avant en lançant la mise en application de l'accord intérimaire : Israël évacuera six villes de Cisjordanie ainsi que 460 villages, tandis que 1 000 prisonniers palestiniens seront libérés.

Bien sûr, la droite israélienne m'accusera de commettre une grave « *erreur stratégique* » en évacuant ces villes. Mais je continue à penser que le véritable choix n'est jamais stratégique : il est éthique.

Malheureusement, pendant ce temps, à Gaza, les islamistes du Hamas manifestent violemment contre les accords d'Oslo et brûlent des drapeaux israéliens. Bien intégrés dans le tissu social comme dans les mosquées et les organisations de charité, ces fanatiques ne cessent de répéter que la Palestine doit être « *entièrement libérée* » par les armes. Partout les slogans refleurissent : « *Nous envahirons la Palestine et nous en expulserons les sionistes, les oppresseurs, les violeurs !* », « *La seule voie est celle du fusil !* », etc. Et le Hamas va tenter de saboter le processus de paix en déclenchant une campagne d'attentats-suicides.

Il fallait donc tout mettre en œuvre pour prévenir les exactions qui se préparaient. Or, parmi les chefs terroristes, il y avait Yehia Ayash, le « cerveau » du Hamas, dit « l'ingénieur », le principal fabricant de bombes et notre « ennemi public n° 1 ». Ayash, par sa capacité à organiser des attentats-suicides particulièrement sanglants, constituait une réelle menace pour le processus de paix. Je suis donc allé voir Arafat et je lui ai dit : « *Ayash est à Gaza. S'il vous plaît, arrêtez-le, mettez-le en prison avant qu'il ne commette de nouveaux attentats.* » Arafat m'a répondu : « *Mister Peres, je vous affirme qu'Ayash n'est pas à Gaza.* » Je lui ai répété : « *Il est à Gaza et il prépare de nouvelles attaques.* » Arafat n'en démordait pas : « *Je vous dis que je suis certain qu'il n'est pas à Gaza.* » Alors, nous lui avons envoyé le chef des services secrets (qui se trouve être de surcroît un militant de la Paix) qui lui a prouvé qu'Ayash était bien à Gaza. Il lui a même indiqué où il se cachait, mais Arafat n'a rien voulu entendre. Alors, devant toutes ces dénégations, que pouvions-nous faire ? Nos services ont donc pris les choses en main et le 5 janvier 1996, ils ont éliminé l'« ingénieur ».

BOUTROS BOUTROS-GHALI : Je voudrais rappeler ici qu'Arafat et Rabin avaient conclu un accord dans le cadre duquel Arafat ramena Ayash de Cisjordanie à Gaza, afin de lui garantir une protection. En contrepartie, le Hamas mit un terme à toutes ses opérations contre les Israéliens et ce durant plus d'un an. L'assassinat d'Ayash fit voler cette trêve en éclats, en déclenchant la vengeance du Hamas qui reprit aussitôt ses opérations kamikazes, en particulier à Jérusalem. Vous voyez, mon cher Shimon, que nous sommes tout à fait en désaccord sur le déroulement de ces tragiques événements.

ANDRÉ VERSAILLE : En tout cas, Ayash sera dès lors considéré comme un martyr, et aura droit à des « funérailles nationales » à Gaza, tandis que le Hamas jurera de le venger.

Saeb Erekat, l'un des principaux négociateurs palestiniens, a déclaré que cet assassinat fut « *la plus grande erreur stratégique de cette période envers le processus de paix* ». Il estimait que ce processus se déroulait bien et qu'une atmosphère dénuée de toute violence régnait depuis des mois dans les territoires occupés. Avec le recul, considérez-vous que cet assassinat ciblé fut « politiquement rentable », ou était-ce l'erreur qui mit le feu aux poudres chez les Palestiniens ?

SHIMON PERES : Supposons que cet homme, qui avait perpétré une soixantaine d'attentats sanglants contre des Israéliens, en commît un nouveau. Imaginez la réaction de la population israélienne apprenant que nous étions au courant qu'Ayash s'apprêtait à commettre un nouvel attentat, et que, sachant où il se trouvait, nous n'ayons rien tenté…

Nous ne voulions pas tuer Ayash, nous voulions que les Palestiniens le mettent hors d'état de nuire. La vie d'Ayash aurait été épargnée si Arafat l'avait fait arrêter, ce qui lui était tout à fait possible. J'ignore pourquoi il ne l'a pas fait. La peur d'avoir sur les bras un prisonnier encombrant ? La crainte d'une réaction violente des extrémistes ? Je ne sais pas.

ANDRÉ VERSAILLE : L'hypothèse que son propre service de renseignements lui ait menti et qu'Arafat croyait sincèrement qu'Ayash avait quitté Gaza vous semble-t-elle plausible ?

SHIMON PERES : Ce n'est pas impossible. On remarquera néanmoins que, dans sa déclaration qui a suivi la mort d'Ayash, Arafat a fait son apologie.

BOUTROS BOUTROS-GHALI : Oui, mais ceci confirme que l'accord conclu entre Rabin et Arafat, qui permit la trêve, n'avait pas été respecté. Il s'agissait pour Arafat de calmer l'exaspération dans les rangs palestiniens.

SHIMON PERES : Ce fut tout le problème d'Arafat : vouloir à tout prix conserver de bonnes relations avec tout le monde. Encore une fois, si l'on veut être un dirigeant, il faut pouvoir suivre une ligne cohérente au prix de conflits avec la frange extrémiste de son camp, sans quoi on ne fait rien avancer.

BOUTROS BOUTROS-GHALI : Ne pensez-vous pas que l'assassinat est en contradiction flagrante avec la morale et le droit ? Vous parliez tout à l'heure d'éthique, de choix moral. Ne croyez-vous pas qu'une condamnation à mort sans procès, sans jugement, viole toute morale ? Aux yeux des Palestiniens, le sang de Yehia Ayash justifie le sang des victimes israéliennes des kamikazes. Vous aviez les moyens d'enlever Ayash, de l'emprisonner et de le juger. Vous avez montré, à maintes reprises, que vous étiez capables de monter de telles opérations. Pourquoi avoir choisi l'assassinat ? Par commodité ? J'ai essayé de dresser la liste des assassinats ciblés que vous avez perpétrés : Samih Halaba, vingt-huit ans, tué par l'explosion de son téléphone portable, Hussein Abayat, tué dans sa jeep par une roquette, Ibrahim Bani Uda, Massoud Ayad, membre de la garde présidentielle d'Arafat, le cheikh Yassin sur sa chaise roulante, et tant d'autres. Ne vous rendez-vous pas compte que, dans l'esprit des militants et des populations arabes, ces assassinats programmés appellent des représailles programmées ?

SHIMON PERES : Pour commencer, je vous le répète, nous avons demandé à l'Autorité palestinienne d'arrêter une série de terroristes afin de les empêcher de commettre ou de commanditer des attentats. Pour toutes les raisons que nous avons évoquées, l'Autorité palestinienne n'a rien fait. C'est pourquoi nous nous en sommes chargés. Pourquoi ne pas les avoir arrêtés, me demandez-vous ?

Vous en parlez vraiment à votre aise : comme s'il suffisait d'aller frapper à leur porte avec un mandat d'arrêt. Quant à la procédure d'enlèvement, même si nous avons réussi de telles opérations, celles-ci sont extrêmement difficiles et longues à mettre en œuvre, alors que nous étions dans des situations d'urgence.

Cela vous choque, mais voyez donc ce qui se passe dans d'autres pays démocratiques : au mois de juillet 2005, Londres a subi un attentat terroriste qui fit une cinquantaine de morts. Le lendemain même, Scotland Yard, police réputée démocratique s'il en fut, donnait comme instruction à ses hommes de « tirer pour tuer » (*shoot to kill*), et cela non pas sur des terroristes dûment identifiés (comme cela se passe en Israël), mais sur des « suspects », c'est ce qui explique la mort du Brésilien innocent tué dans le métro de Londres le lendemain de l'attentat. Il s'agissait évidemment d'une erreur, puisque cet homme était un innocent, d'une erreur de « cible » mais pas de méthode. Il n'était pas question d'arrêter le « suspect », mais de le tuer délibérément : ils ont tiré, à vue, à la tête, huit fois. Je vous donne cet exemple, non pas bien sûr pour porter un jugement sur la police anglaise, mais pour répondre à votre apostrophe relative à une manière « démocratique » de lutter contre le terrorisme. Le terrorisme n'est pas une variante du banditisme : quand un État démocratique lutte contre le banditisme, il doit évidemment respecter le droit et toutes les lois démocratiques. Mais le terrorisme est une véritable guerre menée contre un État en vue de le détruire. Dès lors, en cas de danger pour sa population, l'État le plus démocratique du monde ne peut pas ne pas recourir à des « méthodes de guerre ».

BOUTROS BOUTROS-GHALI : Mais enfin, il y a une différence capitale entre un accident (le Brésilien tué par la police anglaise) – il s'agit d'ailleurs d'un cas unique – et une politique délibérée d'assassinats ciblés. Si séduisante que soit votre argumentation, elle ne résiste pas à la triste réalité des faits.

ANDRÉ VERSAILLE : Entre-temps, des élections palestiniennes vont se tenir le 20 janvier 1996.

SHIMON PERES : Oui, comme prévu par l'accord Oslo II, des élections libres se tiennent dans les territoires occupés, y compris à Jérusalem-Est. C'était très important pour la poursuite du processus de paix. Ces élections devaient permettre à l'Autorité palestinienne de s'installer solidement dans les principaux centres urbains de la Cisjordanie. Le scrutin s'est déroulé sans problème sous le contrôle de la communauté internationale. En élisant leur Président ainsi qu'un Conseil législatif, les Palestiniens ont exprimé leur soutien au processus de paix. En outre, élu démocratiquement président de l'Autorité palestinienne avec 85 % des voix, Yasser Arafat a vu sa légitimité confirmée. Je vous fais également remarquer que c'est la première fois de leur histoire que les femmes palestiniennes ont eu le droit de voter et que la majorité de la population palestinienne n'était plus administrée par une puissance étrangère. Les sentiments des gens, la manière dont ils ont accueilli l'Autorité palestinienne, témoignaient de ce que nous entrions dans une nouvelle ère, dans une nouvelle page d'histoire que les Palestiniens et nous écrivions ensemble.

BOUTROS BOUTROS-GHALI : Je ne crois pas que ce fut le sentiment des Palestiniens. Car enfin, c'est la communauté internationale qui a demandé ces élections, et c'est encore la communauté internationale qui les a contrôlées. Quant aux Palestiniens, ils estimaient exercer légitimement leur droit de futurs citoyens d'un État en gestation, reconnu par nombre d'autres États.

ANDRÉ VERSAILLE : Mais pour le Hamas, qui a boycotté ces élections, la paix avec Israël est plus que jamais sacrilège. Et les slogans vont ressurgir : « *Nous ne t'avons pas oublié, Ayash !* », « *Le Hamas vengera Ayash !* » Deux semaines plus tard, à la fin du mois de février 1996, ils passent à l'action.

BOUTROS BOUTROS-GHALI : Cela confirme bien que l'assassinat de Ayash a été une grossière erreur commise par les services israéliens.

SHIMON PERES : Le terrorisme reprend en effet : coup sur coup, deux attentats perpétrés, non pas dans les territoires occupés mais en Israël même, font 27 morts et 80 blessés. Après l'accalmie, l'angoisse de l'insécurité reprend les Israéliens. En colère, des foules accusent le processus de paix d'être responsable de ces tueries.

Ce n'était pas fini : en mars, à Jérusalem, une nouvelle bombe humaine se faisait sauter dans un autre autobus, entraînant la mort de 19 personnes. Le lendemain, un nouvel attentat-suicide devant un centre commercial à Tel-Aviv faisait 14 morts, tous des adolescents, et 157 blessés. La colère de la population israélienne est à son comble.

S'insurgeant violemment contre le processus de paix, l'opposition menée par le dirigeant de la droite nationaliste, Benjamin Netanyahu, s'est alors remise en marche. En même temps, la campagne de haine va reprendre contre moi.

ANDRÉ VERSAILLE : C'est peu dire : on lira partout des slogans comme : « *Peres démission !* » Et pire, sur le ton du Hamas, on entendra des manifestants scander : « *Par le sang, par le feu, nous expulserons Peres !* », « *Mort à Peres !* » et « *Mort aux Arabes !* ».

Vous commencez à perdre du terrain. Alors, de peur d'un retour de la droite au pouvoir, et donc de l'arrêt probable du processus de paix, une série de dirigeants politiques internationaux vont vous témoigner un soutien spectaculaire.

SHIMON PERES : En effet, Clinton, avec qui j'avais d'excellentes relations, m'a appelé : « *Shimon, que pourrais-je faire d'utile ?* » Je lui ai proposé d'organiser une Conférence internationale contre le terrorisme à Charm el-Cheikh. Il a accepté, et Washington, en collaboration avec Le Caire, va prendre l'initiative de monter cette conférence qui sera organisée en une semaine. Le 13 mars 1995, tous ces dirigeants vont se retrouver à Charm el-Cheikh. Ils avaient compris le danger : « *Nous ne devons pas et nous ne laisserons pas le terrorisme changer le cours de l'Histoire* », déclarera Clinton.

ANDRÉ VERSAILLE : Oui, et l'on verra sur toutes les chaînes de télévision cette image étonnante de vous, à Charm el-Cheikh, entouré de Clinton, Hussein, Moubarak, vous-même, Boutros Boutros-Ghali, le président russe Boris Eltsine, les émirs du Golfe, Chirac, le Premier ministre britannique John Major, le chancelier allemand Helmut Kohl, le roi Hassan II du Maroc, Arafat, les Premiers ministres canadien, tunisien, se tenant par la main.

SHIMON PERES : C'était en effet un soutien spectaculaire et précieux. Pour autant, il ne fut pas suffisant.

ANDRÉ VERSAILLE : Non, car une partie de l'opinion israélienne a même semblé n'y voir qu'une opération médiatique électoraliste.

BOUTROS BOUTROS-GHALI : Pas seulement l'opinion publique israélienne : le chancelier Helmut Kohl vous a demandé, en ma présence, d'une façon peu diplomatique : « *Alors Shimon, vous pensez que cette conférence va vous aider lors des prochaines élections ?* »
Il faut bien dire que le thème du sommet n'était pas très précis : tantôt il s'agissait de la lutte contre le terrorisme, tantôt de la paix. Une impression d'improvisation a dominé toute cette conférence. À la fin, il a été décidé de nommer une commission d'experts, mandatée par les Nations unies, pour débattre des mesures à prendre contre le terrorisme. Mais cette initiative restera sans lendemain. Finalement, oui, il faut le reconnaître, ce sommet s'est réduit à une opération « hollywoodienne », destinée à appuyer votre campagne électorale – pour les meilleures raisons du monde, d'ailleurs.

ANDRÉ VERSAILLE : Pendant ce temps, depuis le Sud-Liban, le Hezbollah poursuit et intensifie ses pilonnages de la Galilée au Nord d'Israël. Le cabinet israélien estime que les ripostes graduées ne suffisent plus et décide d'organiser une opération de plus grande envergure.

SHIMON PERES : Le Hezbollah avait créé au Nord d'Israël une situation proprement insupportable. Il avait lancé une attaque contre les villages du Nord d'Israël pendant les fêtes de Pâque, et la population avait été contrainte de rester confinée dans les abris. Je ne voulais pas attaquer le Liban ; je me suis donc tourné vers les États-Unis en leur demandant d'enjoindre les Syriens de freiner les milices chi'ites. Les Américains ont pris contact avec Damas, mais les attaques du Hezbollah se sont poursuivies : un jour, deux jours, trois jours, sept jours, aucune accalmie. La population de la région du nord était obligée de rester terrée et nous ne réagissions toujours pas… Vous imaginez la colère et les injures que j'essuie en tant de Premier ministre ?

Nous ne pouvions plus nous contenter de réactions molles. Une réponse plus appropriée s'imposait. Je le répète, je voulais à tout prix éviter que l'on investisse le Liban une nouvelle fois. Notre armée va donc entreprendre une opération au Sud-Liban, fief du Hezbollah et des milices chi'ites : « *Raisins de la colère* ». Elle débute le 11 avril 1996 et a pour but de détruire les bases militaires du Hezbollah, et en même temps de faire pression sur les gouvernements libanais et syrien pour qu'ils brident les milices chi'ites.

André Versaille : Mais après deux semaines de bombardements, des obus israéliens tombent sur une position de l'Onu, à Kfar Kana, où sont réfugiés de nombreux civils libanais. Cent deux personnes sont tuées.

Shimon Peres : Oui, le pire venait d'arriver. Un commando de dix-huit soldats avait été envoyé près de Kana pour faire taire les mortiers et les katiouchas qui harcelaient des villages israéliens. Les hommes du Hezbollah s'étaient installés à Kana, parce que les forces des Nations unies y étaient établies. Ils pensaient que, s'ils nous pilonnaient de là, nous ne répliquerions pas. Il se trouve que sept cents civils libanais s'étaient installés dans les abris des Nations unies, ce que nous ignorions. Notre commando parti, il fut attaqué de toute part. Il a donc demandé à l'artillerie de le couvrir. En cas de danger, un commando ne doit pas requérir une autorisation du chef d'état-major pour obtenir l'aide de l'artillerie. Celle-ci est donc entrée en action sans que ni le chef de l'état-major ni moi ne le sachions. Et puis ce fut l'accident dramatique : trois ou quatre salves atteignirent les abris et causèrent la mort de plus de cent civils.

Boutros Boutros-Ghali : Permettez-moi de vous contredire. Votre version reprend la version officielle que toute la classe politique israélienne répète à satiété. Je suis sûr que demain se lèvera un nouveau professeur Benny Morris, une nouvelle figure emblématique des nouveaux historiens israéliens, qui nous dira toute la vérité sur le massacre de Kana. Laissez-moi vous exposer ma version, basée sur le rapport d'experts que j'avais commandé, en tant que secrétaire général des Nations unies. Les bombardements israéliens étaient intenses, et afin de s'en protéger, près d'un millier de civils, femmes et enfants compris, sont allés se réfugier dans le camp de Kana, un site de la Finul, les bâtiments des Nations unies étant considérés à juste titre comme le lieu le plus sûr de toute la zone du Sud-Liban. Le 18 avril, l'artillerie israélienne a bombardé ce camp. On entendit soudain « *une sorte de chœur de hurlements* », dira plus tard un membre du personnel des Nations unies, à propos de cette tragédie. C'était la première fois dans l'histoire de l'ONU que les forces armées d'un État membre attaquaient un camp de Casques bleus.

Devant ce drame, décidé à réagir rapidement, j'ai réuni mes proches collaborateurs. On m'a proposé de dépêcher sur place deux militaires du Département des opérations du maintien de la paix (DPKO), un général hollandais et un officier britannique. À leur retour, ceux-ci m'ont expliqué que les obus tirés par l'artillerie israélienne étaient des Shrapnells qui, en explosant, projettent des éclats destinés à faire un maximum de victimes ; ils ont ajouté qu'un avion israélien sans pilote, un drone, survolait le lieu du carnage afin de prendre des photos, bref que l'attaque israélienne était clairement délibérée.

De leur côté, les Israéliens se sont empressés de déclarer qu'il s'agissait d'une erreur, que ce bombardement n'avait rien de prémédité et qu'il n'y avait jamais eu de drone dans la région. Ehoud Barak, ancien chef d'état-major, et à l'époque ministre des Affaires étrangères, m'a téléphoné pour me répéter qu'il s'agissait bien d'une erreur. Il m'a demandé de mentionner cette information dans le rapport, et promis de m'envoyer un général israélien pour en fournir la preuve. J'ai donc retardé la publication du rapport. Entre-temps, le président des États-Unis, Bill Clinton, est venu à la rescousse des Israéliens, parlant, à son tour, de « *tragique erreur de tir dans l'exercice, par Israël, de son droit de légitime défense* ». La presse américaine lui a emboîté le pas en défendant également la thèse de l'accident : tantôt il s'agissait d'expliquer que la cible visée était une position tenue par le Hezbollah, située à une centaine de mètres des locaux des Nations unies ; tantôt, comme le titrait le *Washington Post*, que « *les armes de technologie ne sont pas infaillibles* ». Puis le général israélien est arrivé à New York et a rencontré l'équipe du Département du maintien de la paix, devant laquelle il a soutenu la thèse de l'erreur, sans apporter aucun élément nouveau susceptible de l'étayer.

Les choses se sont compliquées pour les Israéliens lorsqu'une vidéo, filmée par un soldat norvégien, a montré l'avion survolant les lieux du massacre, tandis que l'on entendait distinctement les obus exploser et que l'on voyait les bâtiments de l'ONU en feu. Le commandement israélien a alors déclaré que l'avion était chargé d'une autre mission, sans rapport avec l'accident de Kana. C'est à ce moment que j'ai reçu des injonctions discrètes de la part de l'Administration américaine qui me proposait : soit, d'éviter de publier le rapport ; soit de dépêcher une seconde mission en vue de la publication d'un nouveau rapport ; soit enfin, de me contenter d'un rapport oral et d'éviter tout document écrit. On me laissait également entendre que si l'attaque avait été préméditée, elle avait été déclenchée sans l'autorisation du Premier ministre ; que si ce rapport était publié, cela risquait de vous nuire, à vous, Shimon Peres, qui étiez en pleine campagne électorale et qu'il était dans l'intérêt du processus de paix que le parti travailliste l'emporte, afin que vous, qui aviez conclu les accords d'Oslo, puissiez poursuivre leur mise en œuvre. On me disait enfin que, s'il me restait une petite chance de me faire élire pour un second mandat comme secrétaire général de l'Onu, la publication de ce rapport l'anéantirait définitivement…

Malgré mon souhait de me faire réélire, j'ai publié ce rapport qui soutenait que l'attaque n'avait rien d'une bavure et qu'elle avait été préméditée. (Par parenthèses, je ne crois pas que la publication du rapport ait contribué si peu que ce soit à l'échec électoral du parti travailliste.)

Si je peux ajouter un élément personnel, mon attitude face à ce massacre est devenue, aux yeux des Arabes, un symbole de la résistance. Certains diront même, au moment de ma non-réélection en tant que secrétaire général de l'Onu, que j'avais été la dernière victime de l'opération israélienne de Kana… Et des années plus tard, lorsque je me suis rendu à Kana, à la demande de la population et des autorités libanaises, j'ai été accueilli comme le « *héros qui avait contribué à faire connaître la vérité sur les souffrances et la tragédie du peuple palestinien à Kana* ».

SHIMON PERES : Très bien : vous dites qu'il s'agissait d'une attaque concertée, préméditée, et faite pour tuer. Dans quel intérêt ? En quoi ce crime nous profitait-il ?

BOUTROS BOUTROS-GHALI : Pour venger la centaine de civils israéliens tués par le Hezbollah. Je veux bien croire que ni votre cabinet ni votre état-major ne souhaitaient cela, mais en tout cas ceux qui ont agi l'ont fait en parfaite connaissance de cause, avec l'objectif de tuer le maximum de civils pour atteindre les combattants du Hezbollah là où cela les blesserait le plus, dans leur famille.

SHIMON PERES : Écoutez, ça n'a pas de sens. Notre armée ne commet pas de bombardements contre des civils pour venger qui que ce soit. Vous ne trouverez pas d'exemple de ce genre de vengeance dans toute l'histoire de l'armée israélienne.

BOUTROS BOUTROS-GHALI : Encore une fois, je ne prétends pas que cette tuerie ait été planifiée en haut lieu, mais je tiens pour certain qu'elle a été décidée sur le terrain, délibérément, par les soldats dans le feu de l'action.

SHIMON PERES : Inimaginable : ils seraient passés en cour martiale ! Notre état-major ne permet pas que des opérations susceptibles de provoquer de telles conséquences puissent être décidées sur le terrain. Provoquer sciemment une tragédie humaine – et qui de surcroît éclabousserait gravement l'armée israélienne ? Je vous le répète, c'est impensable.

En tout cas, la FINUL a, elle aussi, sa part de responsabilité. Elle aurait au moins dû nous avertir que sept cents civils s'étaient réfugiés chez elle, et surtout, ne pas permettre au Hezbollah d'installer son camp à côté du sien et, de là, mitrailler les villages israéliens.

ANDRÉ VERSAILLE : Les conséquences de l'affaire de Kana seront désastreuses pour le processus de paix. En Israël, la minorité arabe israélienne réagit très durement.

BOUTROS BOUTROS-GHALI : Pas seulement en Israël, c'est dans l'ensemble du monde arabe que l'on verra se multiplier les manifestations anti-israéliennes, dont certaines seront violentes : au Caire, des terroristes fondamentalistes tueront dix-sept touristes grecs qu'ils avaient pris pour des Israéliens...

ANDRÉ VERSAILLE : En Israël, la minorité arabe représente 20 % de l'électorat et elle va boycotter les élections, privant ainsi les travaillistes des voix qui leur manquaient pour l'emporter sur la droite. Du point de vue palestinien, ce boycott ne fut-il pas une erreur dans la mesure où il permettra à la droite, résolument hostile aux accords d'Oslo, de revenir aux affaires et de freiner le processus de paix ?

BOUTROS BOUTROS-GHALI : Sans doute, mais vous en parlez comme d'une décision mûrement réfléchie et prise dans la sérénité. Ce boycott résulte du profond, de l'insupportable sentiment de révolte des Arabes israéliens devant la situation chaque jour plus tragique de leurs frères palestiniens. Et peu à peu, ces Arabes israéliens vont s'identifier aux militants palestiniens. Car eux aussi ont vécu un demi-siècle de marginalisation, sinon d'humiliations, dans la société israélienne qui, clairement, n'était pas la leur. Cette population « n'y croit plus ». À cela il faut, bien sûr, ajouter sa radicalisation progressive due au travail ou à la propagande du mouvement fondamentaliste toujours à l'œuvre. Rien n'a été fait pour résorber l'important taux de chômage et rehausser la piètre qualité du système éducatif. Israël a été incapable de trouver une solution durable pour l'intégration de plus d'un million d'Arabes possédant la nationalité israélienne. Cette tragique minorité est confrontée à un double rejet : pour les Israéliens, ils constituent une éventuelle cinquième colonne au cœur de la société israélienne ; pour les Palestiniens des territoires occupés, ce sont des traîtres ou au mieux des « béni-oui-oui ». Dans tous les cas, ils demeurent des citoyens de troisième catégorie. Vous n'avez rien fait pour tenir compte de la situation tragique de cette minorité qui atteindra les deux millions dans les prochaines décennies.

SHIMON PERES : De toute façon, ce boycott fut une erreur qui entraîna le ralentissement sinon le gel du processus de paix. Mais je dois reconnaître que depuis longtemps l'un des problèmes du parti travailliste était de n'avoir pas su donner l'image d'un partenaire avec lequel le processus pouvait avancer.

À ce propos, vous avez d'ailleurs rappelé que, lors des élections de 1980, Sadate espérait la victoire du Likoud, plutôt que celle des travaillistes.

ANDRÉ VERSAILLE : Néanmoins, comme convenu par les accords d'Oslo, le Conseil national palestinien se réunit à Gaza le 25 avril 1996, pour modifier la Charte palestinienne et annuler les articles mettant en cause l'existence de l'État d'Israël et appelant à sa destruction. On remarquera, cependant, qu'aucune nouvelle charte dépourvue de ces articles n'ayant été promulguée, la droite israélienne déclarera, non sans force, que l'ancienne charte restait entre-temps d'application...

SHIMON PERES : Je pense que c'est le problème de la droite israélienne particulièrement rhétorique, et qui s'accroche plus aux mots qu'à la réalité. Elle regarde tout au microscope. Comment voulez-vous avancer si vous regardez tout et en permanence au microscope ? Si vous passez l'eau que vous buvez au microscope, vous en serez dégoûté tant elle vous apparaîtra chargée de bactéries. Bien sûr, il reste des ambiguïtés dans cette modification de la Charte et, moi aussi, j'aurais souhaité que les Palestiniens aillent plus loin, mais ce n'est pas le plus important : ce qui compte, c'est qu'elle ait été officiellement modifiée, pour le reste, nous pouvons espérer que le temps fera son œuvre. De toute façon, je considère qu'il est plus constructif d'aller de l'avant dans des conditions globalement positives plutôt que de s'échiner à vouloir clarifier à l'excès certaines ambiguïtés avant de poursuivre le processus de paix.

ANDRÉ VERSAILLE : Comment cette modification de la charte est-elle regardée par les Arabes ?

BOUTROS BOUTROS-GHALI : Cet abandon des articles appelant à la destruction d'Israël renforce l'espoir du camp de la paix qui y voit l'accélération du processus élaboré à Oslo. Mais en même temps, bien sûr, les fondamentalistes s'insurgent contre ce qu'ils ne peuvent que considérer comme une nouvelle trahison de l'OLP.

ANDRÉ VERSAILLE : Le moment des élections israéliennes est arrivé. Les citoyens se rendent aux urnes le 29 mai 1996. Le score est serré, mais c'est finalement Benjamin Netanyahu qui est élu avec 50,4 % des suffrages exprimés. Comment expliquez-vous cette victoire de la droite, à peine quelques mois après l'assassinat de Rabin ? Certains mettent en cause votre campagne insuffisamment percutante, et surtout le fait que, malgré les demandes de vos amis, vous n'ayez pas voulu « exploiter » l'assassinat de Rabin.

SHIMON PERES : Il est vrai que je n'ai pas voulu exploiter ce drame, tandis que, il faut bien le dire, Netanyahu a mené de son côté une campagne totalement dépourvue de fair-play. Ce fut un feu nourri contre moi, prétendant que si j'arrivais au pouvoir, je diviserais Jérusalem. Les groupes religieux l'ont appuyé en répétant sur tous les tons et sur toutes les affiches, que « *Bibi est bon pour les Juifs...* », faisant de moi « *le candidat des Arabes* ». Nous avions d'un côté la vision religieuse déduisant de la Bible le droit des Juifs sur toute la Palestine ; de l'autre, une conception politique qui prenait en compte la réalité du terrain : la Bible d'un côté, la géopolitique de l'autre.

BOUTROS BOUTROS-GHALI : Vous n'avez pas voulu exploiter l'assassinat de Rabin, ce qui d'un point de vue moral est compréhensible et louable, mais permettez-moi de vous dire en toute franchise que, du point de vue politique, ce fut une erreur fatale.

SHIMON PERES : De toute façon et de manière décisive, ce sont les attentats qui m'ont fait perdre les élections. J'étais donné gagnant, mais les terroristes m'ont cassé. Nous avions trente à quarante tentatives d'attentats par nuit à déjouer. Je me suis donc plus occupé du terrorisme que des élections. Il fallait assurer beaucoup de choses à la fois : tenir les promesses de désengagement faites aux Palestiniens, lutter contre les terroristes et mener la campagne électorale. J'ai manqué de temps. Et puis j'avais perdu Rabin, ce qui m'a laissé dans une grande solitude.

Il y a eu seulement trente mille voix d'écart entre Netanyahu et moi, sur trois millions, ce qui, vous en conviendrez, n'est pas beaucoup. Sans la campagne de terreur, je l'aurais emporté.

Pendant toute la durée de la campagne, le Hamas a multiplié ses attaques, tandis que le Hezbollah pilonnait les villages israéliens au nord. Je me souviens du premier de ces attentats qui allaient s'égrener tout au long de la campagne. Ce fut l'explosion d'un autobus dans le centre de Jérusalem, qui fit des dizaines de morts. Il était sept heures du matin et je me rendais à mon bureau. Les responsables de ma sécurité m'ont appris l'événement et, contre leur avis, je me suis immédiatement rendu sur les lieux de l'attentat. J'arrive, l'endroit est jonché de cadavres, des blessés crient de douleur, les ambulanciers s'affairent, on voit du sang partout. Des centaines d'Israéliens sont venus, et dès qu'ils m'aperçoivent, commencent à me conspuer : « *Traître ! Assassin ! Vois ce que tu as provoqué avec tes accords d'Oslo !* »

Ce fut un moment très dur. On ressent une immense solitude lorsqu'on affronte la haine et que l'on sait au fond de soi-même que c'est injuste. Mais voilà, c'est votre peuple... Et les attentats se sont poursuivis, à Jérusalem, à Tel-Aviv, et chaque jour la télévision montrait les images sanglantes de ces attentats, et des manifestants qui m'insultaient et me tenaient responsable de cette situation...

J'ai été voir Arafat et je lui ai dit : « *Écoutez, si vous n'arrêtez pas les terroristes, le processus de paix est mort...* » À la fin, Yasser Arafat a compris qu'il ne pouvait plus se contenter d'essayer de négocier un cessez-le-feu avec les intégristes et il a donné l'ordre de neutraliser le Hamas et le Jihad islamique. Plus de deux mille combattants du Hamas se sont retrouvés sous les verrous, une vingtaine de dirigeants de différents groupes ont été tués et leurs archives saisies. De l'avis même du Hamas, c'était le coup le plus dur infligé à son organisation.

Nous avions là la preuve que, s'il le voulait vraiment, Arafat pouvait neutraliser les extrémistes et que la coordination sécuritaire entre services israélien et palestinien pouvait fonctionner.

BOUTROS BOUTROS-GHALI : Oui, mais il faut se rendre compte à quel point, du côté palestinien, cette collaboration sécuritaire avec les Israéliens était impopulaire, étant donné les actions préventives et les assassinats ciblés auxquels vous vous livriez.

SHIMON PERES : Il n'empêche que les chefs palestiniens ont tout de même réussi à persuader leurs hommes de la nécessité d'une telle action, afin que l'Autorité palestinienne puisse imposer son contrôle. Mais il était trop tard : lorsqu'Arafat s'est décidé à arrêter les terroristes, le mal était fait... Il s'y serait pris un mois plus tôt, tout aurait pu être sauvé. Paradoxalement, c'est Netanyahu qui en bénéficiera : il pourra dire : « *Vous voyez, j'arrive, je me montre ferme, et le terrorisme s'arrête...* »

L'Histoire est pleine d'ironie, vous savez...

ANDRÉ VERSAILLE : Devenu Premier ministre, Netanyahu doit respecter les engagements internationaux pris par Israël, notamment les accords d'Oslo auxquels il s'est toujours opposé. Après son élection, de nombreux dirigeants arabes sont inquiets. Ils craignent qu'Israël cesse de remplir ses engagements et freine le processus de paix.

BOUTROS BOUTROS-GHALI : Je ne suis pas sûr qu'au début, les Arabes aient regardé Netanyahu comme un extrémiste. Après tout, il a dit tout et son contraire, il est allé voir Moubarak et a multiplié les promesses, il a joué un double, voire un triple jeu. Et puis, comme je vous l'ai déjà dit, dans l'esprit de bien des dirigeants arabes, l'écart entre les travaillistes et le Likoud est marginal. De plus, ils considèrent que la politique israélienne dépend moins de la tendance politique du Premier ministre au pouvoir que de la position et du jeu de l'Administration américaine. Au lendemain de l'élection de Netanyahu, je me souviens avoir interrogé des Palestiniens sur leurs sentiments à propos du nouveau Premier ministre. Ils m'ont répondu : « *Nous attendons de voir la position des Américains...* »

Les politiciens arabes ne sont pas moins pragmatiques que d'autres : Netanyahu étant au pouvoir, ils savaient qu'il allait falloir composer avec lui.

ANDRÉ VERSAILLE : Après quatre mois de difficiles négociations, le gouvernement Netanyahu accepte d'évacuer 80 % de la ville d'Hébron, mais garde sous contrôle le tombeau des Patriarches et les implantations juives. Il dira : « *C'était un accord signé par Peres, et j'allais l'appliquer, mais avec une idée majeure, celle de donner la partie arabe d'Hébron en échange du reste de la Judée-Samarie – ou presque tout le reste…* »

Malgré tout, Arafat considère qu'il a remporté une victoire, puisque Netanyahu lui a donné une partie de ce que la droite israélienne considère être la terre d'Israël. Pour les colons juifs, c'est un jour de deuil et ils accusent le Premier ministre de les avoir trahis.

SHIMON PERES : En fait, de moins en moins d'Israéliens faisaient confiance à Netanyahu. Le 23 octobre 1998, celui-ci signait les accords de Wye River, par lesquels il acceptait un retrait supplémentaire de plus de 13 % de la Cisjordanie. Or, en privé, il expliquait que l'application de ces mesures dépendrait du respect par les Palestiniens de leurs propres engagements ; et comme il était certain que les Palestiniens ne tiendraient pas leurs promesses, Israël n'aurait pas à tenir la sienne…

ANDRÉ VERSAILLE : Par les accords d'Oslo, Israël s'est engagé à ne pas construire de nouvelles implantations, mais Benjamin Netanyahu estime que cela ne concerne pas Jérusalem, et il autorise la construction d'un nouveau quartier juif au sud de la ville, en Cisjordanie.

BOUTROS BOUTROS-GHALI : Et les Palestiniens ne s'y trompent pas, la colonisation a repris.

ANDRÉ VERSAILLE : On considère généralement qu'il y a deux obstacles majeurs à la paix : les attentats terroristes, d'un côté, les implantations, de l'autre. Lequel de ces deux obstacles vous semble avoir le plus fort pouvoir de nuisance ?

BOUTROS BOUTROS-GHALI : Je pense que l'installation de deux cent mille colons en Cisjordanie rend, sinon impossible, du moins très improbable une restitution générale de ce territoire, donc la création d'un État palestinien viable, condition indispensable à la paix.

Bien sûr, un attentat contre un autobus faisant trente tués, hommes, femmes, enfants, est épouvantable. Mais, les choses sont ainsi faites, le temps efface ce drame de la mémoire de la majorité des citoyens (à l'exception, bien sûr, des proches des victimes). En revanche, la multiplication des colonies inscrit la présence israélienne dans la géographie et, dans ce cas, le temps n'efface rien. Au contraire, ces implantations ne font que croître et embellir au fil des années.

L'arrêt des constructions de nouvelles colonies en territoires occupés reste le leitmotiv des Palestiniens, des Arabes, des Musulmans depuis les premiers contacts de Camp David en 1978. Et le problème est récurrent. Depuis toutes ces années, nous disons aux Israéliens : « *Cessez de construire de nouvelles implantations si vous voulez susciter la confiance des Palestiniens et des Arabes, nécessaire à la conclusion d'une paix globale. Comment pouvez-vous négocier l'avenir des territoires occupés si durant les négociations vous modifiez la démographie et la géographie de ces territoires ? Comment voulez-vous donner l'espoir aux Palestiniens si vous nous placez chaque jour devant un fait accompli en installant une nouvelle colonie de peuplement ?* » En guise de réponse, nous nous voyons opposer toute une série d'arguties du genre : « *Nous n'avons pas bâti une nouvelle colonie, nous avons agrandi l'ancienne* », etc.

Quitte à me répéter, j'affirme que la politique des implantations est le meilleur moyen de renforcer les extrémistes arabes et d'affaiblir les partisans de la paix à qui l'on rétorque : « *Vous avez devant vous des preuves en béton qui montrent que les Israéliens ne rétrocéderont jamais tous les territoires.* »

Il sera très difficile pour votre gouvernement, quel qu'il soit, de déloger la totalité des colons, d'autant plus que, dans leur très grande majorité, ce sont des intégristes juifs dont l'extrémisme et le fanatisme n'ont pas grand-chose à envier aux intégristes islamiques. Et s'ils ne sont pas évacués, les Palestiniens obtiendront – au mieux – un territoire plus ou moins autonome en peau de léopard, marqué un peu partout par des implantations israéliennes protégées par les FDI. Situation qui ne peut que multiplier les actions de guérilla.

On peut donc dire que les attentats sont plus cruels, mais qu'ils ont finalement un pouvoir de nuisance moindre que celui des implantations.

Shimon Peres : Je reconnais que la multiplication des implantations est une erreur, et qu'elle a affaibli le camp de la paix arabe. Il est également vrai qu'il ne sera pas du tout aisé de démanteler toutes les colonies.

Par contre, je ne partage pas du tout votre avis relatif aux effets du terrorisme. Vous ne prenez pas en compte l'impact de ces attentats sanglants sur les Israéliens de bonne volonté. Combien de ceux-ci ne se sont-ils pas radicalisés et ont finalement voté en faveur de la droite, à la suite précisément de ces attentats : encore une fois, c'est parce que le Hamas a perpétré des attentats pendant la période électorale qui suivit la mort de Rabin que les Israéliens ont voté pour Netanyahu qui gela le processus de paix. Les terroristes savaient ce qu'ils faisaient : en multipliant les exactions, ils ont envoyé dans les bras des faucons des gens sincèrement engagés dans un désir de négociation, affaiblissant ainsi sérieusement le camp de la paix israélien.

Je crois vraiment que vous n'imaginez pas les traumatismes que provoque le terrorisme. Je vous donne l'exemple d'Uri Savir, cet ardent militant pour la paix qui fut le négociateur des accords d'Oslo. La première pensée qui lui est venue à l'esprit, lorsqu'il est arrivé en Norvège pour rencontrer les membres de l'OLP, était de savoir si les Palestiniens qu'il allait rencontrer avaient ou non été impliqués dans des opérations terroristes.

BOUTROS BOUTROS-GHALI : Bien sûr, mais si vous parlez des impacts psychologiques, je vous dirais qu'à votre tour, vous ne mesurez pas à quel point l'implantation d'une nouvelle colonie est vécue comme une humiliation et ce qu'elle entraîne d'humiliations à rebondissement du fait de la multiplication incessante des contrôles et des fouilles consécutives à ces implantations.

À ce propos, comment, vous qui vous considérez comme la seule démocratie de la région, pouvez-vous justifier les destructions de maisons, en contradiction avec toutes les conventions internationales ? Un rapport, établi par Peter Hansen, directeur de l'UNWRA, montrait que depuis le déclenchement de la seconde Intifada jusqu'à fin 2003, 1 134 maisons avaient été démolies à Gaza, laissant 10 000 personnes sans abri. De 2001 à 2002, 32 maisons ont été détruites par mois ; à partir de 2003, le chiffre passe à 72 maisons par mois. Il s'avère que très souvent, ces maisons ont été détruites parce qu'elles étaient situées à un « mauvais endroit », c'est-à-dire à un endroit de passage… Comment, vous, l'homme d'Oslo, pouvez-vous accepter cette politique délibérée de destruction d'habitations et d'infrastructures, de surcroît, dans un pays aussi misérable, alors que quelques kilomètres plus loin, les Palestiniens voient se construire de nouvelles maisons aux toits rouges réservées aux Israéliens ?

SHIMON PERES : Personnellement j'aurais été plus sélectif dans la destruction de ces maisons. Pour autant, ces maisons n'ont pas été détruites aveuglément ou de manière délibérée et gratuite : il s'agissait d'habitations appartenant à des terroristes ou les ayant abrités. J'ajouterais une évidence que l'on a tendance à oublier : une maison se reconstruit ; une personne tuée par un attentat ne ressuscite pas.

BOUTROS BOUTROS-GHALI : Voyez-vous, ce que je reproche à Israël, c'est de se prétendre la seule démocratie du Moyen-Orient, alors qu'il utilise des procédés criminels que s'interdit n'importe quel régime démocratique. Si Israël est une démocratie, il l'est à la manière d'Athènes : sa démocratie est réservée aux seuls Juifs ; les autres, quoi qu'ils fassent, resteront toujours des esclaves.

XIX – Retour à la case départ ?

Ehoud Barak, Premier ministre – « Assad est prêt à vous rencontrer,
mais il ne veut pas fixer de date » – Israël retire ses troupes du Liban,
au grand dam de Damas – Un plan de paix « tout compris » – Démasquer
Arafat – « L'Intifada allait de toute façon se déclencher » – Une nouvelle
Intifada dans les territoires occupés – Regain de l'antisémitisme arabe
– Escalade de la violence – Clinton propose son plan… trop tard –
« C'était lui demander de faire des concessions insupportables »

ANDRÉ VERSAILLE : Revenons au processus de paix. Sous le gouvernement de Netanyahu, celui-ci piétine et la situation paraît bloquée. Les islamistes palestiniens continuent leur campagne de sabotage, et en Israël, ceux-là mêmes qui avaient porté Netanyahu au pouvoir réclament son départ. Le 21 décembre 1998, une écrasante majorité de la Knesset se prononce en faveur d'élections anticipées.

Sur le terrain, l'application des accords de Wye Plantation est suspendue. Néanmoins, comprenant que toute action terroriste profiterait à Netanyahu, Arafat poursuit la répression des intégristes.

De son côté, la gauche israélienne se mobilise en faveur d'Ehoud Barak, le candidat du parti travailliste, « le général le plus décoré de l'histoire du pays ». Il promet de grands changements aux Israéliens : faire la paix avec les Palestiniens comme avec les Syriens, et retirer Tsahal de la zone de sécurité du Sud-Liban « *avant un an* ». Le 17 mai 1999, il est élu avec 56 % des voix.

SHIMON PERES : Le gouvernement Netanyahu avait perdu la confiance d'une très grande partie de la population tant son mandat avait été mauvais. Netanyahu était surtout un homme de communication, qui faisait sans cesse des effets d'annonce sans que ceux-ci soient suivis d'actions. En réalité, ce n'est pas sur son programme que Barak a été élu, ce sont les maladresses répétées et les incohérences de Netanyahu qui lui ont permis de remporter les élections.

ANDRÉ VERSAILLE : Ehoud Barak voudrait commencer par conclure un traité de paix avec la Syrie, qui lui paraissait plus important que la paix avec les Palestiniens.

BOUTROS BOUTROS-GHALI : En quoi il avait tort, évidemment : la paix avec les Palestiniens est plus importante, et surtout plus urgente que celle avec la Syrie, puisqu'il s'agit de permettre à des millions de Palestiniens brimés et humiliés quotidiennement d'obtenir enfin l'autonomie et un statut de citoyens dans un pays qui soit le leur, et aux Palestiniens de la diaspora de passer du statut de réfugiés à celui de citoyens résidant à l'étranger. Dans le différend avec la Syrie, ce n'est que le plateau du Golan qui est en jeu. L'attitude de Barak est symptomatique d'un courant israélien très majoritaire qui espère conclure une paix séparée avec chacun de ses voisins, et ajourner aussi longtemps que possible la création d'un État palestinien.

ANDRÉ VERSAILLE : Toutes les tentatives de négociations avec Damas s'étaient heurtées à l'exigence d'Hafez el-Assad du retrait israélien de l'ensemble du plateau du Golan. Il semblerait, cependant, qu'avant sa mort, Rabin ait accepté un repli sur les lignes du 4 juin 1967.

BOUTROS BOUTROS-GHALI : Oui, nous avons tous entendu cette information. Mais lorsqu'on cherchait à en obtenir la confirmation, on se heurtait à des interprétations contradictoires.

SHIMON PERES : Après les funérailles de Rabin, j'ai eu un entretien avec Clinton. Celui-ci m'a demandé si j'étais au courant de cette tractation. Je lui ai répondu que je ne l'étais pas, mais que je m'engageais à respecter les promesses faites par Rabin, qu'elles aient été écrites ou verbales. Mais aucun accord formel n'avait été pris : ce n'était que spéculations. Il s'agissait en fait d'une proposition globale et non pas d'une offre en bonne et due forme. C'était une proposition faite aux Américains : « *Si nous nous retirons du Golan, les Syriens, de leur côté, accepteraient-ils de, etc.* » Autant d'éléments donnés aux Américains pour leur permettre de sonder les Syriens. Mais ceux-ci n'ont pas répondu du vivant de Rabin.

ANDRÉ VERSAILLE : Espériez-vous pouvoir conclure une paix avec Damas avant les élections de mai 1996, et, dans la foulée, avec Beyrouth ?

SHIMON PERES : Oui. Warren Christopher était venu me voir après une visite à Damas. Il m'avait dit qu'Assad voulait conclure une paix. Quelles seraient nos conditions ? Je lui ai répondu que ce traité devait être un traité de paix globale qui nous réconcilierait avec l'ensemble des États arabes ; qu'il inaugure une ère de paix au Moyen-Orient et qu'il soit donc signé par l'ensemble des chefs d'État de la région.

Et Assad a accepté. J'ai donc dit à Warren Christopher que, si cette paix devait être conclue, nous avions tout intérêt à ce qu'elle le soit avant les élections israéliennes de mai. Et j'ai suggéré une rencontre à Damas entre Assad et moi. Christopher a donc été voir Assad, et à son retour il m'a dit : « *Assad est prêt à vous rencontrer, mais il ne veut pas encore fixer de date.* » Je lui ai dit en plaisantant : « *Un rendez-vous avec une fille sans date fixée, c'est comme un rendez-vous sans fille.* » Et les choses en sont restées là.

ANDRÉ VERSAILLE : En 1999, sous le gouvernement Barak, les délégations israélienne et syrienne se rencontreront secrètement à plusieurs reprises à Berne, en Suisse, en présence du médiateur américain, Dennis Ross, invité en tant que témoin. L'Administration Clinton considère, en effet, que la paix avec la Syrie peut être la clé d'un règlement global dans la région. De son côté, Assad semble également prêt à une avancée. Il a accepté de reprendre les négociations sans condition.

Dans leurs déclarations, Assad et Barak rivalisent d'amabilité l'un envers l'autre : Assad décrit Barak comme « *un homme fort et honnête* » qui cherche à conclure une paix avec Damas ; tandis que Barak considère que le président syrien a construit « *une Syrie forte, indépendante et pleine d'assurance, une Syrie qui, à* [son] *sens, joue un rôle capital dans la stabilité du Moyen-Orient…* » En matière de langue de bois diplomatique, on fait rarement mieux.

Enfin, le 15 décembre, à Washington, un premier round de négociations officielles commence à la Maison-Blanche entre Israël et la Syrie. Pourtant, malgré la volonté apparente des deux parties, le processus s'arrête très vite. Pourquoi ?

BOUTROS BOUTROS-GHALI : Warren Christopher a essayé d'amener Damas à s'ouvrir aux Israéliens, mais sans succès. En fait, Assad ne faisait pas du tout confiance aux Israéliens. (Et réciproquement !) Il y avait eu précédemment le retrait partiel des Israéliens du Golan et la démilitarisation d'un segment de cette zone suite aux accords négociés par Kissinger en 1974, mais les deux États ont continué à se regarder en chiens de faïence.

Clinton va essayer de convaincre Assad de se montrer plus souple. Il le rencontrera à Genève, le 26 mars 2000, mais l'entretien ne durera que très peu de temps et ne débouchera sur rien. Ce n'est pas étonnant, car cette rencontre avait été très mal préparée par les Américains qui n'avaient aucunement pris en compte ni la sensibilité ni l'état d'esprit des Syriens. C'est une constante : les négociateurs israéliens ou américains sont totalement incapables de comprendre la mentalité et la sensibilité des Arabes, que ce soient celles des dirigeants ou celles des populations. Les Syriens avaient également des concessions à faire, et Assad avait beau être un dictateur, il ne pouvait pas faire fi de son opinion publique très hostile à Israël. On pense toujours que les régimes autoritaires peuvent se dispenser d'obtenir l'appui de leur opinion publique. Au contraire : dans bien des cas, c'est justement parce qu'ils ne sont pas élus démocratiquement qu'ils ont le plus besoin du soutien de leur opinion publique.

ANDRÉ VERSAILLE : Boutros Boutros-Ghali, vous étiez alors secrétaire général de l'ONU : quel regard portiez-vous sur Assad et son jeu politique face à Israël ?

BOUTROS BOUTROS-GHALI : Je n'avais pas une vision précise de la situation, du fait que l'ONU a toujours été écartée de ce conflit. À titre personnel, cependant, c'est une question que j'ai évidemment suivie, et je comprenais les réticences du président Assad. Pour autant, je ne voyais pas concrètement où il voulait en arriver. Je me souviens d'un entretien de deux heures avec lui, à Genève, pendant lequel il s'est étendu sur le passé, se plaçant du point de vue de l'historien plus que de celui du politicien. Il pensait en termes de décennies plutôt qu'en termes de mois ou d'années, et il était persuadé que le temps jouerait en sa faveur, tablant, lui aussi, sur l'explosion démographique du monde arabe.

SHIMON PERES : Franchement, je ne crois pas qu'Assad fut capable de vues larges, englobant les questions politiques, sociologiques et économiques. Plus concrètement, je ne pense pas non plus qu'il fut prêt à définir la paix qu'il proposait. Tout se passait comme s'il voulait qu'après la restitution de la totalité du plateau du Golan, s'instaure une situation de « ni paix ni guerre », une paix glacée, en quelque sorte, dépourvue même d'échange d'ambassadeurs.

BOUTROS BOUTROS-GHALI : Peut-être. Mais après tout, la paix conclue entre l'Égypte et Israël, en dépit des efforts gouvernementaux entrepris de part et d'autre, est elle aussi restée froide, du fait de l'opposition de la société civile égyptienne à toute normalisation avec Israël. Et malgré cette opposition, les relations gouvernementales entre les deux pays sont restées normales.

SHIMON PERES : Sans doute, mais les relations *diplomatiques* entre Le Caire et Jérusalem, elles, ne sont pas restées froides. J'ai rappelé l'aide que nous avaient apportée Moubarak et, de manière générale, l'équipe au pouvoir, lors des négociations d'Oslo. Des relations semblables avec la Syrie d'Assad étaient inconcevables.

Cela étant, je ne pense pas qu'Assad soit le seul responsable de l'échec des négociations. Barak me paraît avoir également commis des erreurs. Il n'est pas exclu que, compte tenu des déclarations d'ouverture de Barak, Assad ait réellement été prêt à entamer des négociations. Mais que Barak, s'étant rendu compte qu'il était allé plus loin que sa majorité ne l'aurait admis, a fini par prendre peur et a commencé à tergiverser, ce qui a rallumé la méfiance d'Assad.

ANDRÉ VERSAILLE : En Israël, la droite et les colons du Golan font très mauvais accueil à la perspective d'un accord avec la Syrie. Ce ne sont pas les seuls, car certains membres du gouvernement Barak rejoignent les protestataires.

La popularité d'Ehoud Barak décline sérieusement. Il décide alors, comme promis lors de sa campagne électorale, de mettre un terme à l'occupation israélienne de la zone de sécurité du Sud-Liban. En l'absence d'accord avec la Syrie, Barak opère un retrait unilatéral des troupes israéliennes et les ramène sur la frontière. Apparemment au grand dam de Damas.

SHIMON PERES : Oui, parce qu'Assad considérait l'enlisement israélien au Sud-Liban comme une carte dans son jeu : par milices chi'ites interposées, il pouvait réguler à son gré et selon ses besoins le harcèlement des Israéliens à la frontière. Dans le chef d'Assad, il nous aurait « libérés » du Liban en échange de la restitution du Golan. En retirant nos troupes, nous privions donc Damas d'une monnaie d'échange.

En principe, rien ne s'opposait à une paix avec le Liban, puisqu'aucun des deux pays n'avait de revendication sur le territoire de l'autre. Notre seule exigence était que le Liban nous garantisse la sécurité sur sa frontière avec Israël et ne permette pas que les terroristes utilisent cette région comme base de lancement de leurs attentats contre nous. Le vrai problème du Liban n'était pas ses relations avec Israël, mais avec la Syrie. Et, de fait, c'est bien la Syrie qui empêche le Liban de faire la paix avec nous.

ANDRÉ VERSAILLE : Les FDI se retirent le 25 mai 2000. Ce retrait, qui met un terme à près de deux décennies de durs combats entre l'armée israélienne et des milices arabes comme le Hezbollah, sera considéré par les miliciens chi'ites comme une victoire.

BOUTROS BOUTROS-GHALI : Absolument. Et pas seulement par les miliciens chi'ites : c'est par l'ensemble de la population arabe, et libanaise en particulier, que ce retrait des forces israéliennes sera considéré comme une grande victoire. Et est-ce tellement faux ? Pourquoi les FDI se sont-elles retirées, sinon parce qu'elles s'embourbaient dans une guerre d'usure coûteuse en vies humaines et qu'elles savaient ne pas pouvoir la terminer victorieusement ? Il s'agit donc bien d'une forme de défaite. Malgré sa force aérienne et ses divisions blindées, Israël a dû se retirer devant le courage de combattants déterminés équipés d'armes légères ! La preuve que les kalachnikovs et les grenades peuvent l'emporter sur l'arsenal le plus sophistiqué. La leçon est entendue : le Hamas et le Jihad en concluent que si le Hezbollah est parvenu à chasser les FDI du Liban, ils pourront, eux aussi, faire plier l'armée israélienne et reconquérir la Palestine…

SHIMON PERES : C'est évidemment un raisonnement absolument faux. La frontière qui séparait nos deux pays étant une frontière permanente et internationalement reconnue, il n'a jamais été question pour nous de rester au Liban et encore moins d'en conquérir une partie.

ANDRÉ VERSAILLE : Peu après, le 10 juin 2000, Assad succombe à une crise cardiaque. À ce moment-là, les Israéliens considèrent-ils que les négociations de paix avec Damas sont ajournées pour longtemps, ou au contraire que celles-ci pourront bientôt reprendre, et dans un meilleur climat, avec son successeur, son fils Bachar el-Assad ?

SHIMON PERES : Vous savez qu'en réalité, le fils d'Assad appelé à succéder à son père n'était pas Bachar, mais son fils aîné, Bassel, qui s'est tué dans un accident. Bachar n'était donc pas regardé par les Syriens eux-mêmes comme le successeur choisi d'Hafez. Quant à nous, nous espérions qu'il serait plus ouvert, plus moderne, mais ce n'est pas le cas.

ANDRÉ VERSAILLE : De son côté, Yasser Arafat voit le temps passer avec impatience. En outre, il craint la conclusion d'un accord entre Israël et la Syrie, dont les Palestiniens feraient les frais.

BOUTROS BOUTROS-GHALI : Oui, d'autant plus que, pendant ce temps, Israël poursuit sa politique d'implantation en Cisjordanie. Vous remarquerez que sous le gouvernement Barak, supposé de gauche, la construction et l'élargissement des implantations existantes se sont poursuivis à la même cadence que sous le gouvernement Netanyahu...

ANDRÉ VERSAILLE : En effet, mais à cela, Barak répondait qu'il s'agissait d'engagements pris par le gouvernement précédent et que leur annulation aurait pu les faire condamner par la Haute Cour de Justice ; que, par ailleurs, la poursuite du programme de colonisation calmait la droite ; et qu'enfin, si un accord définitif était signé, tout cela n'aurait plus aucune importance.

BOUTROS BOUTROS-GHALI : Autant de justifications qui ont été reprises par les gouvernements successifs depuis les accords de Camp David en 1978...

ANDRÉ VERSAILLE : Les pourparlers israélo-palestiniens reprennent en mars 2000, mais le processus ne progresse guère. Barak veut sauter les étapes et conclure un accord global et permanent avec les Palestiniens, sans passer par les retraits successifs de Cisjordanie, prévus par les accords d'Oslo. Il estime que discuter sur les questions secondaires, ou se concentrer sur telle phase de tel redéploiement est de la perte de temps. Il veut résolument aller de l'avant et tout ficeler en une fois. Mais les Palestiniens se méfient de cette précipitation.

SHIMON PERES : Barak avait préparé un plan global censé tout prévoir, absolument tout, de sorte qu'après sa signature, les Palestiniens n'expriment plus jamais de revendication. Ce plan me semblait illusoire et je le lui ai signifié. Mais Barak prend ses décisions tout seul, sans aucune considération pour les opinions de son entourage. Je lui ai dit que, s'il prétendait tout cadenasser en une fois et pour toujours, le traité ne serait jamais signé, car les Palestiniens exigeraient alors le droit au retour des réfugiés ainsi que Jérusalem-Est. Il n'était pas possible de se mettre d'accord sur tout en une fois et définitivement. Plutôt que d'exiger le tout ou rien, il valait mieux résoudre les questions une à une et progresser pas à pas dans le processus de paix.

ANDRÉ VERSAILLE : Et laisser des ambiguïtés positives ?

SHIMON PERES : Mais oui ! Bien sûr ! Sans cela la négociation se bloque. Et c'est ce qui est arrivé.

BOUTROS BOUTROS-GHALI : Je partage votre opinion. Il faut savoir vivre avec ces ambiguïtés. Il faut avoir l'humilité de se dire qu'on ne pourra pas tout régler et qu'il faut laisser aux nouvelles générations la possibilité de trouver des solutions aux problèmes que nous avons été incapables de résoudre.

ANDRÉ VERSAILLE : Il semblerait que Barak craignait que le processus « saucissonné » ne mène Israël à abattre la plupart de ses cartes (les territoires qu'il détenait encore en Cisjordanie et dans la bande de Gaza), sans obtenir en retour le règlement d'une paix globale et définitive.
Dans une position de plus en plus difficile, le Premier ministre va persuader Bill Clinton d'organiser un sommet israélo-palestinien à Camp David.

SHIMON PERES : Tout le monde sentait que le temps allait faire défaut. Il y avait non seulement un risque d'amplification d'attaques terroristes qui remettraient tout en cause, mais également la désintégration annoncée de la coalition gouvernementale israélienne.

ANDRÉ VERSAILLE : Ehoud Barak part donc pour Camp David, estimant que s'il ne parvient pas à conclure un accord historique avec les Palestiniens, c'en serait fini du processus de paix. De son côté, Yasser Arafat accepte de s'envoler pour les États-Unis mais à contre-cœur car, depuis neuf mois, Israël n'a pas effectué de retrait en Cisjordanie. Arafat n'a accepté la tenue de ce sommet qu'avec l'assurance qu'il ne sera pas tenu pour responsable de son éventuel échec.
À Camp David, entre les 11 et 26 juillet, tout devra être abordé : l'État palestinien, ses frontières, sa sécurité, le statut final de Jérusalem, les problèmes de l'eau, les réfugiés… Toutes questions qui n'avaient pas encore été discutées à un niveau élevé entre Israéliens et Palestiniens.

Les deux délégations s'installent à Camp David, mais l'atmosphère n'est pas très bonne : les relations personnelles entre les deux dirigeants, Ehoud Barak et Yasser Arafat, semblent franchement mauvaises.

SHIMON PERES : Lorsqu'il a commencé à négocier, Barak ne voulait pratiquement avoir affaire qu'à Clinton et très peu à Arafat. Quant aux autres membres de la délégation palestinienne, il n'avait que peu de considération pour eux. Barak est resté à Camp David pendant quinze jours, et n'a rencontré Arafat, en privé, qu'une demi-heure… Qu'est-ce que c'est que cette manière de négocier ?

En réalité, Barak était persuadé qu'il n'était pas possible de faire la paix avec Arafat dont il critiquait âprement la personnalité. Bien sûr, comme tous les dirigeants, Arafat était très susceptible et assoiffé de prestige ; mes rencontres avec lui n'étaient pas nécessairement agréables, et j'ai dû apprendre à faire la distinction entre ses manies et sa capacité à prendre les décisions qui ont fait avancer les négociations. Il est exact qu'il tentait d'éluder les questions et qu'il a toujours fallu lui mettre la pression pour lui faire prendre des décisions. Mais rien ne prouve que Barak ait eu raison, et rien ne garantissait qu'il serait plus facile de faire la paix avec les successeurs d'Arafat.

En outre, Barak a cédé sur des choses qui n'auraient probablement pas eu l'aval de la Knesset : partage de la souveraineté sur Jérusalem, restitution de pratiquement tous les territoires occupés, etc. Clinton lui-même était impressionné par cette « générosité », mais cela n'était pas très crédible. Plus tard, Barak dira que son véritable but avait été de démasquer Arafat. Je ne sais pas si c'est vrai. Si c'est vrai, c'est honteux. Quel sens cela avait-il ? Arafat avait un double langage ? Soit, triple même, et alors ? La question n'était pas de « démasquer » Arafat, mais d'avancer dans le processus de paix.

ANDRÉ VERSAILLE : En Israël, la droite se mobilise contre les concessions que Barak pourrait faire à Camp David. Deux cent cinquante mille personnes manifestent place Rabin, à Tel-Aviv. C'est le plus important rassemblement de la droite dans l'histoire du pays. Parallèlement, en Cisjordanie et à Gaza, l'agitation fait tache d'huile parmi les opposants palestiniens au processus de paix.

SHIMON PERES : Oui, mais comme toujours, ces manifestations sont plus spectaculaires que significatives. J'ai peut-être tort mais, comme je vous l'ai dit, je suis personnellement peu sensible à ces démonstrations qui, de manière générale, expriment plus un moment de colère qu'un sentiment profond.

ANDRÉ VERSAILLE : Le sommet de Camp David se termine sur un échec. Américains et Israéliens en rejettent la responsabilité sur Arafat. Arafat, lui, ne fournit pas d'explication. À son retour à Gaza, la population lui fait un accueil triomphal, tandis que les extrémistes lancent un appel au soulèvement, à une nouvelle Intifada.

Les négociations vont néanmoins reprendre. Israéliens et Palestiniens ne veulent pas que Camp David marque la fin du processus de paix.

C'est à ce moment que se passe un événement qui a fait couler beaucoup d'encre : très tôt, le matin du 28 septembre 2000, Ariel Sharon, le dirigeant du Likoud, escorté de ses gardes du corps et de nombreux policiers, se rend sur l'esplanade des Mosquées. Des appels à la manifestation sont lancés par le Fatah, mais ils vont peu mobiliser. Le pire sera évité : quelques jets de pierre, mais ni mort ni blessé grave. Cependant, le lendemain, vendredi 29 septembre 2000, après la prière sur le Haram el-Charif, des jeunes Palestiniens commencent à lancer des pierres en direction des policiers. Le chef de la police israélienne est blessé et, très vite, la situation dégénère. À la fin de la journée, on compte 4 manifestants palestiniens tués et 160 blessés. Ces images, relayées par les chaînes satellitaires, embrasent la région en quelques heures. L'Intifada al-Aqsa est née.

Cette fois, l'Autorité palestinienne va immédiatement récupérer puis structurer cette nouvelle Intifada. Elle va largement utiliser ses médias pour pousser les Palestiniens à se lancer à l'attaque des militaires israéliens. On verra même certains policiers palestiniens se mêler aux manifestants et tirer sur les soldats israéliens.

Ehoud Barak accuse Yasser Arafat d'être responsable de cette nouvelle Intifada, tandis que les Palestiniens et les Arabes israéliens considèrent la venue ostensible du général Sharon sur l'esplanade des Mosquées comme une provocation délibérée qui a mis le feu aux poudres.

BOUTROS BOUTROS-GHALI : Je pense que, devant l'impasse dans laquelle on se trouvait, l'Intifada allait de toute façon se déclencher. L'amertume, si elle fut grande chez les Israéliens, le fut encore plus du côté des Palestiniens. L'Intifada n'avait besoin que d'une étincelle et ce fut cette initiative de Sharon. Pourquoi Sharon a-t-il décidé d'effectuer cette visite ? Pourquoi a-t-il choisi ce moment plutôt qu'un autre ? Qu'avait-il en tête ? Pourquoi les autorités israéliennes ont-elles autorisé cette visite ? Je l'ignore.

ANDRÉ VERSAILLE : Plus qu'une provocation à destination des Arabes, ne peut-on pas imaginer un calcul électoral ? En effet, en se montrant sur l'esplanade des Mosquées, Ariel Sharon se présentait comme l'homme qui ne ferait pas de concession sur Jérusalem. D'une certaine manière, Ehoud Barak était coincé : en interdisant la visite du lieu à Sharon, il se serait montré plus soucieux des Arabes que de la volonté absolue de la majorité des Israéliens de conserver Jérusalem unie.

SHIMON PERES : Sans doute, mais quand on gouverne on est perpétuellement en butte à des choix risqués. C'est notre métier. Quels que soient les calculs respectifs que l'on ignore, ce que l'on a vu, c'est que Barak n'a pas empêché l'initiative de Sharon.

BOUTROS BOUTROS-GHALI : Et bien sûr, le déclenchement de l'Intifada va entraîner le cycle infernal attentat-répression qui atteindra de part et d'autre un degré de haine et de violence jamais égalé. Chose à signaler, pour la première fois, des éléments de la minorité arabe d'Israël vont participer à l'Intifada – émeutes à Jaffa, à Acre, à Nazareth... La police israélienne a parfois utilisé des balles réelles contre les manifestants. Treize Arabes israéliens ont été tués et des centaines d'autres blessés. Ces émeutes vont inquiéter les Israéliens qui, je pense, ont dû ressentir une peur diffuse devant une éventuelle tentative arabe de créer des zones autonomes arabes sur le territoire même d'Israël : si vous établissez des colonies israéliennes dans les territoires palestiniens occupés, pourquoi n'établirions-nous pas des colonies palestiniennes en Israël ?

SHIMON PERES : Cela me semble peu réaliste. Et, de toute façon, il n'y a eu que très peu d'Arabes israéliens à s'engager aux côtés des Palestiniens. Surtout en regard de la violence généralisée provoquée par cette deuxième Intifada. De manière générale, depuis la naissance d'Israël, la population arabe israélienne est toujours restée loyale à la nation. Même au moment de la guerre du Golfe, alors que beaucoup craignaient un soulèvement, rien ne s'est passé.

BOUTROS BOUTROS-GHALI : Dans le monde arabe, cette nouvelle crise, bientôt suivie de l'arrivée de Sharon au pouvoir (Sharon, dont les Arabes n'ont pas oublié la responsabilité dans les massacres de Sabra et de Chatila, et que la presse arabe décrira comme le « boucher du Liban »), va susciter un accroissement de la haine que les Arabes portent à l'État juif. L'antisionisme se double alors d'un véritable antisémitisme avec une large diffusion des *Protocoles des Sages de Sion*, et autres libelles judéophobes encore plus violents.

SHIMON PERES : Oui, nous assistons non plus à des campagnes anti-israéliennes, mais à des manifestations clairement antisémites, que l'on ne peut plus considérer comme des « dérapages ».
Je pense que les gouvernements arabes ont eu tort de favoriser le développement et la multiplication de ces manifestations violemment antisémites. Que les Arabes s'acharnent sur Israël et montent des campagnes antisionistes, même très dures, tout le monde peut le comprendre. Mais on n'imagine pas les effets désastreux que produit, en Israël, cet antisémitisme des plus vulgaire qui se dégage de pas mal d'articles de presse et de la diffusion populaire de ces libelles antisémites que l'on trouve couramment dans le commerce. Ceux-ci

vont jusqu'à reprendre les calomnies nazies comme *Les Protocoles des Sages de Sion*, précisément, publié depuis des décennies dans plusieurs éditions arabes, saoudiennes, égyptiennes, syriennes, et même jordaniennes. Le ministre égyptien Ossama el-Baz a eu le courage de dénoncer cet antisémitisme, mais je crains qu'il ait été peu suivi. Aujourd'hui, on a même tiré un feuilleton télévisé des *Protocoles des Sages de Sion*.

BOUTROS BOUTROS-GHALI : Les Israéliens n'ont eu de cesse depuis des décennies de dénoncer la haine antisémite diffusée dans les territoires occupés et dans les pays arabes. Soit, c'est vrai, mais celle-ci reste verbale (ou écrite), alors que les Palestiniens vivent personnellement et quotidiennement la discrimination et l'injustice dans leur chair. Cette haine antisémite résulte d'un puissant sentiment d'humiliation éprouvé par les Arabes qui se sentent totalement impuissants à aider leurs frères palestiniens. Et la certitude qu'en dehors des déclarations solennelles et des condamnations de pure forme, aucune réponse pratique ne viendra des États arabes, accroît encore cette frustration et redouble la haine.

Il sera donc très compliqué d'expliquer à un responsable de l'information d'un pays arabe, que la publication des *Protocoles* fera plus de tort à la cause arabe que le bénéfice escompté. Et il est d'autant plus difficile d'interdire ces écrits antisémites qu'ils agissent comme une espèce de consolation, perverse, je vous l'accorde bien volontiers, ou de dérivatif, à une population extrêmement frustrée de voir ses autorités en situation de faiblesse extrême et ne pas intervenir, alors qu'à quelques kilomètres de là, une population sœur est opprimée par des Juifs. Rappelez-vous cette image d'Arafat bloqué dans son bunker, qui a fait le tour de toutes les chaînes de télévision et qui ne suscite aucune réaction de la part des gouvernants arabes. Pour la rue, c'est proprement insupportable : « *Déjà, vous ne faites rien, vous êtes faibles, vous êtes lâches, au moins laissez-nous nous exprimer librement !* » Et, une fois encore, on voit la rhétorique s'enflammer pour compenser ce silence diplomatique et la faiblesse objective des Arabes. En Égypte, cette haine embrase toute la population, jusqu'à la bourgeoisie la plus assise qui n'a pas l'habitude de manifester ce genre de sentiments aussi crûment. On entendra des choses que l'on n'avait plus connues (du moins pas avec cette violence ni cette constance) depuis le voyage de Sadate à Jérusalem.

On ne le répétera jamais assez : la haine anti-israélienne, avec ses nombreux glissements vers l'antisémitisme, est un phénomène populaire profond, elle n'est pas le résultat d'une propagande d'État. Ce sont, au contraire, les gouvernements arabes qui essaient de brider cette haine anti-israélienne et antiaméricaine. Et bien plus anti-israélienne qu'antiaméricaine : c'est en bonne partie parce qu'ils défendent inconditionnellement les Israéliens que les Américains sont détestés chez nous.

SHIMON PERES : Je comprends les raisons que vous pointez, moi je vous fais part des effets produits. Par ailleurs, lorsque vous dites que cet antisémitisme agit comme un « dérivatif », permettez-moi d'en douter : à voir les manifestations de haine et la multiplication des exactions des kamikazes, j'ai l'impression que cet antisémitisme, de plus en plus violent et haineux, agit plutôt comme un incitatif meurtrier. Quoi qu'il en soit, toutes ces publications n'ont fait que renforcer la méfiance de ceux qui en Israël pensent que, dans le fond, les Arabes n'ont pas changé, qu'ils n'acceptent pas l'État d'Israël et qu'ils n'ont qu'une envie, celle de jeter les Juifs à la mer.

ANDRÉ VERSAILLE : Le bilan monte de jour en jour : après une semaine, il sera de 64 morts et de 2 300 blessés palestiniens, tandis que 5 Israéliens sont tués.

Le 12 octobre 2000, à Ramallah, des réservistes israéliens se trompent de route et pénètrent en secteur palestinien. Ils sont appréhendés et conduits au commissariat. Persuadés que ces soldats appartiennent à une unité spéciale, de jeunes Palestiniens deviennent de plus en plus violents et finissent par pendre les Israéliens. Des images de ce lynchage sont diffusées sur les télévisions du monde entier et provoquent une grande émotion en Israël.

Pour Israël, l'Autorité palestinienne dans son ensemble est responsable de ces meurtres. Quelques heures plus tard, des hélicoptères de combat israéliens détruisent le commissariat de police où s'est déroulé le lynchage. D'autres objectifs, en Cisjordanie et à Gaza, sont également attaqués et détruits (non sans avoir prévenu à chaque fois les habitants en leur laissant le temps de quitter les lieux).

Les combats deviennent de plus en plus durs et les tentatives pour mettre en place un cessez-le-feu échouent. Jamais, depuis les accords d'Oslo, la confrontation n'avait atteint une telle intensité.

BOUTROS BOUTROS-GHALI : Oui, nous assistons à une escalade de part et d'autre. De leur côté, les Arabes vont réunir en octobre un sommet extraordinaire au Caire. Le ton des dirigeants est dur. L'Égypte et la Jordanie parviennent toutefois à empêcher le vote d'une résolution qui remettrait en cause leurs traités de paix respectifs avec Israël ou demanderait la rupture des relations diplomatiques avec lui. Dans la foulée, l'Égypte rappellera néanmoins son ambassadeur et la Jordanie omettra de remplacer le sien. Quant aux États arabes qui entretenaient des relations officieuses avec Israël, ils s'empressent de les rompre. Israël se voit à nouveau isolé.

SHIMON PERES : Et de notre côté, le pays s'enfonce dans la crise. Après chaque attentat, après chaque mort israélien, la droite critique encore plus durement Ehoud Barak.

ANDRÉ VERSAILLE : La coalition gouvernementale vole en éclats. Les élections législatives anticipées sont inévitables. Ehoud Barak surprend tout le monde en démissionnant le 9 décembre ; il y aura donc des élections pour le poste de Premier ministre dans deux mois seulement. Barak n'a plus que soixante jours pour conclure un accord avec les Palestiniens, sa seule chance d'être réélu.

En dernier recours, quelques semaines avant de quitter la Maison-Blanche, Bill Clinton soumet aux Israéliens et aux Palestiniens son propre plan. Le président américain a fixé un cadre plus restreint, étant entendu que c'est à l'intérieur de celui-ci qu'il s'agit à présent de négocier, et non pas au-delà. Clinton a communiqué sa proposition à Moubarak, qui aurait considéré qu'il fallait soutenir ce projet et pousser Arafat à l'accepter.

BOUTROS BOUTROS-GHALI : C'est exact, à une précision près : le président Moubarak se bornera à jouer les facilitateurs, laissant Yasser Arafat maître de ses décisions.

ANDRÉ VERSAILLE : Selon ce plan, les Palestiniens devraient se voir restituer entre 94 et 96 % de la Cisjordanie, ainsi que certains quartiers arabes de Jérusalem.

SHIMON PERES : Ici encore il ne s'agit pas de « propositions », mais d'« options » données à Clinton : « *Si je cédais 94 ou 96 % de la Cisjordanie, est-ce que les Palestiniens, etc.* »

ANDRÉ VERSAILLE : C'est sur cette base qu'à l'invitation du gouvernement égyptien, les négociateurs se retrouvent à Taba dans le Sinaï, du 21 au 27 janvier 2001. C'est le dernier round. Des progrès importants seront réalisés, mais personne ne paraît y croire vraiment. D'autant moins que tout le monde semble persuadé que les travaillistes vont perdre les élections et que tout ce qui est discuté sera annulé par Ariel Sharon que les sondages donnent gagnant.

Finalement, les Israéliens vont accepter le « plan Clinton », les Palestiniens également, mais en proposant tellement d'amendements que cela revient à un refus. À votre avis, pourquoi ?

BOUTROS BOUTROS-GHALI : Il reste tant de zones d'ombre, qu'il me semble trop tôt pour tirer des conclusions. Ce sera aux historiens de trancher. Ce que je sais, c'est que dans ce type de négociation, il y a tellement d'éléments « psychologiques » peu perceptibles de l'extérieur, mais souvent déterminants, que j'ai du mal à porter un jugement. Pour vous dire le fond de ma pensée, je pense que la négociation a surtout échoué du fait d'un climat d'extrême méfiance mutuelle : Barak et Arafat ne se faisaient pas du tout confiance, chacun créditant l'autre d'arrière-pensées. Et au fil des jours, cette méfiance ne fera que s'amplifier. Je crois que derrière les questions concrètes débattues, les psychologies respectives ont empêché tout rapprochement. Il s'agit d'une négociation entre partenaires dont les situations sont inégales ; dès lors, comme il arrive souvent, le plus faible commet des erreurs. Les éléments les plus déterminants ne sont pas toujours les plus visibles. Prenons un exemple : la majorité de la délégation américaine était composée de Juifs. Cela a-t-il eu un impact sur l'état d'esprit des Palestiniens ? Je l'ignore, mais ce point ne me semble pas neutre. Comme je vous l'ai dit, nous, les Égyptiens, considérions le fait d'avoir affaire à des Américains juifs comme plutôt positif (je vous rappelle les bons rapports que nous entretenions avec Henry Kissinger, Bob Strauss, Saul Linovitch), mais il est tout à fait imaginable que, dans l'état de faiblesse où ils étaient placés, les Palestiniens aient vécu cette situation comme un handicap. Vous ne pouvez pas comprendre l'état d'esprit des négociateurs palestiniens, si vous perdez de vue l'énorme décalage entre les situations respectives : encore une fois, les Israéliens sont les occupants, ils ont en main tous les atouts ; les Palestiniens sont les occupés, ils n'ont rien à offrir en échange…

SHIMON PERES : Je suis assez d'accord avec vous. D'ailleurs, du côté de Barak, l'échec est également en partie dû à des problèmes psychologiques. Par exemple, Barak avait visiblement conservé une attitude rigide et soupçonneuse : il était resté dans un état d'esprit guerrier, alors qu'à mon avis, il fallait d'emblée passer à une attitude « d'après-guerre ». Si l'on vient à la table des négociations avec la conviction que le camp d'en face n'est pas sincère, on n'est pas loin de dévoiler sa propre insincérité. Nous sommes mutuellement obligés de parier sur l'autre, et pour cela, apprendre à comprendre ses doutes, ses espoirs, et surtout ses peurs. Cela n'est pas simple, mais je ne vois pas d'alternative.

BOUTROS BOUTROS-GHALI : Je ne crois pas qu'on puisse devenir un bon négociateur du jour au lendemain. Il faut des années de pratique.

SHIMON PERES : Oui, et il était peut-être difficile à un général comme Barak de se mettre dans l'état d'esprit d'un négociateur qui allait nécessairement être amené à faire des concessions. Ce n'était ni dans sa mentalité ni dans sa culture.

À la guerre, on vise à remporter la victoire la plus totale possible. Dans les négociations de paix, la volonté d'aboutir à une victoire totale n'a pas de sens : le sens d'une négociation est au contraire d'aboutir à un équilibre des concessions pour conclure un accord globalement satisfaisant pour les deux partenaires.

La situation du négociateur est inverse de celle du militaire : un bon général ne doit rien laisser au hasard, il doit travailler à réduire toutes les incertitudes, alors que, lors de négociations, la créativité peut naître précisément de l'incertitude. Entrer dans un processus de paix amène d'ailleurs à pénétrer dans une zone d'incertitude ; on n'est jamais sûr de l'autre, et l'on est également très peu sûr de soi. On investit sans jamais savoir le bénéfice que l'on en tirera.

Cela dit, il est évident qu'Arafat a également une très grande part de responsabilité dans cet échec. Il a certainement eu tort d'opposer un refus final au plan Clinton, il aurait dû poursuivre les négociations en dépit de tout. C'était dans son intérêt.

En résumé, je considère que les deux parties sont responsables de l'échec, dans des proportions que les historiens détermineront.

Au cours de ces entretiens, nous avons souvent évoqué la psychologie des acteurs, du moins celle qu'on leur prête. Mais, en politique comme en histoire, les intentions ne comptent pas et le jugement ne peut pas s'établir sur une pseudo-analyse de la psychologie des politiciens. Seul le résultat compte et c'est sur ses résultats que l'on doit juger un homme politique. En l'occurrence, peu importent les intentions et les états d'esprit respectifs de Barak et d'Arafat : ce qui compte, c'est qu'ils ont échoué.

Boutros Boutros-Ghali : Tout le monde a reproché à Arafat d'avoir refusé au dernier moment de signer les accords de Taba. Mais c'était lui demander de faire des concessions insupportables, sans avoir la moindre garantie quant à l'application et même la reconnaissance par Israël de ces accords ; plus : en étant même sûr que ces accords ne seraient pas respectés par Israël, puisqu'il était devenu évident que Barak ne serait pas réélu. Et de fait, c'est bien la droite qui reviendra au pouvoir.

André Versaille : Rien ne permet d'affirmer que si des accords de paix avaient été conclus, Barak aurait été réélu. Mais l'échec de cette négociation n'a-t-elle pas finalement aidé la droite à reprendre le pouvoir ? En outre, si des accords avaient été signés, ne devenait-il pas difficile pour le successeur de Barak de ne pas respecter au moins une bonne partie de ceux-ci ? Arafat n'a-t-il pas joué la politique du pire ? Selon vous, qu'est-ce qu'Arafat a gagné à refuser ? L'Intifada qui a suivi, si elle fut meurtrière pour les Israéliens, le fut encore plus pour les Palestiniens.

Boutros Boutros-Ghali : Franchement, je suis incapable de répondre à cette question. L'histoire est faite d'occasions perdues, de malentendus, d'erreurs d'appréciation. De toute façon, la question n'a plus d'intérêt aujourd'hui. Il faut éviter de s'accrocher au passé, de cultiver les regrets. Il faut savoir tourner la page et se projeter dans l'avenir.

André Versaille : Amr Moussa, le ministre égyptien des Affaires étrangères dira plus tard : « *Si le président Clinton avait présenté ses paramètres six mois plus tôt, nous aurions conclu un accord-cadre en décembre. La question est de savoir pourquoi il ne les a pas présentés plus tôt, et pourquoi il n'y a pas eu de rencontre en octobre et novembre.* » Qu'en pensez-vous ?

BOUTROS BOUTROS-GHALI : Je me suis également demandé pourquoi Clinton avait présenté son plan si tard. D'autant que ce qui compte le plus dans un accord, ce n'est pas sa signature, c'est sa mise en œuvre, et surtout son suivi : il est essentiel que le médiateur qui a permis la conclusion de l'accord reste présent pour suivre son application et soutenir les deux parties dans ce difficile chemin. À partir du moment où Clinton a quitté le pouvoir, la signature de l'accord-cadre a perdu beaucoup de sa force.

SHIMON PERES : Oui, mais en même temps, Arafat était opposé à la tenue de cette conférence. Il trouvait qu'elle était prématurée, et que l'on n'aurait pas le temps de la préparer convenablement…

ANDRÉ VERSAILLE : Bill Clinton a échoué. Les Israéliens et les Palestiniens ont raté la paix. De toutes ces longues négociations, de toutes ces rencontres, il ne reste que des dossiers inachevés. Le 6 février 2001, Ariel Sharon, triomphalement élu avec 62,4 % des suffrages, devient le nouveau Premier ministre d'Israël. Les travaillistes ont perdu le pouvoir au profit de la droite, bien moins prête aux concessions.

SHIMON PERES : En déclarant qu'il n'y avait pas de partenaire palestinien crédible pour engager un véritable processus de paix, Barak a ouvert la voie à Ariel Sharon. Sharon avait toujours proclamé qu'il était impossible de négocier avec Arafat : dès lors que Barak déclarait la même chose, il justifiait la position de Sharon et gommait l'alternative travailliste.

BOUTROS BOUTROS-GHALI : Les partisans de la paix, auxquels j'appartiens, sont évidemment désemparés. D'autant plus que les fondamentalistes, qui pratiquent la politique du pire, fêtent leur victoire, persuadés qu'Ariel Sharon bloquera toute avancée vers quelque autonomie que ce soit. Bref, nous sommes revenus à la case départ.

ET DEMAIN ?

La mort d'Arafat – « Un chef révolutionnaire, pas un homme d'État » –
Les trois questions les plus importantes à résoudre : la restitution
des territoires ; le statut de Jérusalem ; le droit au retour pour les exilés
palestiniens ? – « Nous ne sommes pas dans un grand frigo » –
« Ce ne sont pas les accords de paix qui sont déterminants,
mais le Peace Building » – « Le droit au retour a une valeur symbolique »
– Pour les Arabes, admettre un État juif ? – « Israël n'est pas un État
normal » – Quelle réponse face au terrorisme fondamentaliste ? –
Le monde arabe et la modernité – « Notre principal ennemi,
c'est la désertification des terres » – Vers un Marché commun
moyen-oriental ? – Et l'Europe dans tout ça ? – Les erreurs de part
et d'autre – Les imaginaires respectifs – Des leçons de l'Histoire ?

ANDRÉ VERSAILLE : Pendant toute la durée de l'Intifada, Ariel Sharon n'a pas fait un pas vers son vieil ennemi intime, Yasser Arafat. Toutefois, on verra qu'au lendemain de la mort de ce dernier, le Premier ministre israélien change d'attitude et se montre plutôt « accommodant » avec l'Autorité palestinienne.

Avant d'essayer de faire un peu de prospective, je vous propose de revenir une dernière fois sur Yasser Arafat, mort le 11 novembre 2004. Quel jugement portez-vous sur l'homme et son action politique ?

SHIMON PERES : Quoi que l'on pense de lui, Arafat était un symbole national et, aux yeux des Palestiniens, une légende vivante, voire un mythe.

Il a eu une longévité exceptionnelle en tant que chef de l'OLP : il a pris la tête de l'organisation en 1969, et s'y est maintenu jusqu'à sa mort, tenant pendant trente-cinq ans les Palestiniens au centre de l'attention du monde entier. C'est là un exploit qu'on ne peut nier. J'ajouterais qu'il fut le seul chef palestinien *fireproof* : aucun Palestinien n'a jamais tenté de l'assassiner et quelles que soient les critiques, même violentes, qu'il essuya de la part de ses compatriotes, il a toujours suscité leur respect.

Pour ce qui est de sa personnalité, Arafat ne se souciait guère d'avoir une identité claire : selon les circonstances, il se prétendra descendant de Mahomet, puis socialiste, puis n'importe quoi. De même, son lieu de naissance varie au gré du temps ; lisez ses biographies : dans l'une, il est natif de Jérusalem, dans une autre, il serait né au Caire, dans une troisième, ailleurs encore. Ses déclarations ne manquaient pas non plus d'originalité : un jour, interrogé par la télévision américaine, à la question de savoir si cela ne le gênait pas que la secrétaire d'État des États-Unis, Madeleine Albright, soit d'origine juive, il a répondu qu'un bon Musulman se devait d'être d'abord juif, puis chrétien, puis musulman ; il a encore déclaré qu'il pourrait faire la paix entre l'Inde et le Pakistan, et affirmé que Benazir Bhutto était sa fille adoptive... Bref, Arafat ne s'est jamais senti obligé de tenir compte de la réalité des faits. C'était un conteur qui ne manquait pas d'imagination.

Quant à son éducation et à sa culture, elle était plus le produit de ce qu'il avait entendu que de ce qu'il avait lu. Ceci n'est pas sans importance, car lire oblige à réfléchir, alors que quand on écoute, on est l'objet de ses impressions : on reçoit les informations de façon plus émotionnelle qu'on ne les perçoit intellectuellement.

Du point de vue politique, Arafat était indubitablement un patriote palestinien. C'est sa constante. Il a dirigé un mouvement national sans posséder d'armement et sans bénéficier d'un réel soutien du monde arabe (même s'il réussissait à tirer de l'argent des États arabes, leur appui était plus qu'ambigu).

C'était un homme courageux, mais également très manipulateur. C'est en manipulant les uns et les autres et en les opposant qu'il a réussi à se maintenir dans sa position de dirigeant de l'OLP. Cependant, plutôt que de tuer ses ennemis à l'intérieur du mouvement, il les achetait, il utilisait l'argent plutôt que les balles. On ne peut pas dire qu'il fut un corrompu (il ne vivait pas richement), mais il corrompait les autres. L'argent étant la source de son pouvoir, c'est la raison qui l'a fait courir en permanence après l'argent, jusqu'à sa mort.

Boutros Boutros-Ghali : Tout le système d'Arafat reposait sur cette utilisation de l'argent. C'est pratiquement la règle dans les mouvements de libération : c'est l'argent qui permet d'acquérir des armes, de sauvegarder la clandestinité et de régler les conflits entre clans.

Shimon Peres : Le problème, c'est qu'il a toujours cru que l'érection d'un État se faisait dans le prolongement de la vie clandestine et de la guérilla. Ainsi a-t-il continué à payer les gens de la main à la main, à mener ses intrigues, élevant l'un, abaissant l'autre, à corrompre sans arrêt, sans jamais déléguer ne fût-ce qu'une parcelle de son pouvoir. Les rares fois où il s'y est résolu, c'est parce qu'il y fut forcé. C'est ce qui faisait dire à son entourage qu'il était tout aussi impossible de travailler avec lui que sans lui.

Sa mentalité de chef révolutionnaire l'avait amené à créer une coalition de milices, et il n'a jamais compris que, dans un État, il peut y avoir une coalition de partis mais non de milices. C'est en cela qu'après avoir promu l'OLP au plus haut dans l'opinion publique du tiers-monde, et même de l'Occident, Arafat est devenu la faiblesse du mouvement national palestinien.

Je ne sais toujours pas jusqu'où il était désireux d'arriver à une paix avec Israël : d'une part, il ne permettait pas à ses délégués de se retirer des négociations et même lorsqu'ils renâclaient, il les obligeait à revenir à la table ; mais d'autre part, à chaque fois que sa délégation s'approchait d'une quelconque forme d'accord avec nous, il ne pouvait s'empêcher d'en freiner le progrès. Il considérait sans doute que tout accord auquel on parviendrait sans lui affaiblirait son pouvoir et surtout son prestige.

En résumé, je dirais qu'en tant que chef de la révolte palestinienne, il a réussi : je ne crois pas que, dans les mêmes conditions, d'autres auraient pu accomplir ce qu'il a réalisé. Mais ce qui fit sa réussite en tant que chef révolutionnaire a fini par faire sa faiblesse en tant que chef d'État. C'est ce qui m'amène à conclure qu'il n'avait pas l'étoffe d'un chef d'État.

BOUTROS BOUTROS-GHALI : On ne peut pas être un chef d'État si l'on n'a pas d'État ! Il fut le chef d'un mouvement de libération nationale, non d'un État. Son travail, sa mission, consistait à obtenir les contributions financières de différents gouvernements arabes pour financer son combat. Il n'empêche qu'Arafat a eu le mérite de concilier et de réconcilier des chefs palestiniens de tendances différentes. Et bien que dépendant de l'appui politique de multiples souverains, il a su naviguer entre mille esquifs. Cela demande une intelligence et un sens tactique tout à fait exceptionnels.

Mais sans doute a-t-il eu des difficultés à passer de son statut de chef de mouvement de libération à celui de président d'un État en gestation, et il est vrai que jusqu'à la fin, il a continué à signer personnellement toutes les réponses aux demandes, des plus importantes aux plus dérisoires.

J'ai rencontré pour la première fois Yasser Arafat à Beyrouth dans les années soixante-dix. Je participais à un colloque sur le rôle des Chrétiens en Palestine. Le soir, on m'a conduit à travers des ruelles tortueuses jusqu'à l'humble maison où il se trouvait. J'ai été frappé par son amabilité, par l'acuité de son regard, et par la petite taille de ses mains, des mains d'enfant. Par la suite, je l'ai rencontré maintes fois dans des circonstances très différentes et dans des lieux tout aussi différents. Je lui en avais beaucoup voulu d'avoir dansé et fait la fête, à Beyrouth, à l'annonce de l'assassinat de Sadate. Mais je lui ai tout pardonné lorsque je l'ai reçu comme réfugié, descendant d'un vieux bateau délabré à Ismaïlia, ainsi que je vous l'ai raconté.

Je l'ai revu plusieurs fois par la suite : au Caire, à Tunis, à New York. Nous nous sommes rencontrés pour la dernière fois au siège des Nations unies où nous avons eu une longue conversation. C'était à la veille des élections israéliennes lors desquelles vous étiez candidat. Je lui ai demandé qui, à son avis, des travaillistes ou du Likoud l'emporterait. Il m'a répondu sans hésitation : « *Shimon Peres ne l'emportera pas.* » « *Pourquoi ?* », lui ai-je demandé. « *C'est mon sentiment.* » Il était très intuitif, et fondait, d'ailleurs, ses décisions sur l'intuition bien plus que sur le raisonnement. « *Et si Shimon Peres perd, que ferez-vous ? – J'attendrai les prochaines élections.* »

Comme Assad, Arafat pensait en termes de décennies et estimait que le temps jouait en faveur des Palestiniens, et que ceux-ci devaient poursuivre cette traversée du désert, continuer la résistance, parce que la résistance était le destin du peuple palestinien.

Même si ses erreurs sont indéniables – sa conduite en Jordanie en 1970, qui provoquera la guerre civile, son soutien à Saddam Hussein lors de l'invasion irakienne du Koweït –, il ne fait aucun doute qu'il incarnait la Palestine aux yeux du monde entier. Que personne n'ait pu lui ravir ce titre montre bien son absolue légitimité.

Quoi que l'on pense de lui, cet homme était une épopée, et on lui consacrera plus de place dans les livres d'Histoire qu'à bien des chefs d'État. Et je pense que c'est pour conserver son aura et rester la figure emblématique du combat palestinien qu'il a refusé de faire de nouvelles concessions, espérant que l'avenir serait plus favorable aux Palestiniens.

Shimon Peres : Nous sommes d'accord. Lorsque je dis qu'Arafat n'avait pas l'étoffe d'un chef d'État, j'entends par là qu'il s'était figé dans son image de guérillero et qu'il a été totalement incapable d'évoluer, de passer de la guérilla à la diplomatie.

À présent, s'il faut terminer ce bilan sur un élément positif, je dirais pour conclure qu'Arafat a commis de nombreuses erreurs, et même des crimes impardonnables, mais aujourd'hui, ce qui importe, c'est qu'il a accompli les actes historiques essentiels qui devraient nous permettre d'avancer. À Oslo, en effet, Arafat a été le plus loin possible. Il a accepté le plus important compromis historiquement jamais envisagé par les Palestiniens, en consentant à ce que la dimension du territoire de l'État palestinien se base sur les frontières de juin 1967 et non sur celles du plan de partage de 1947, qu'il s'établisse donc non plus sur 45 % de la Palestine, mais sur 22 %. Aucun autre dirigeant n'aurait osé ni pu aller aussi loin. Je reconnais qu'il n'avait pas tort lorsqu'il nous disait : « *Vous avez accepté de renoncer à la totalité des territoires égyptiens occupés, vous les avez totalement restitués, jusqu'au dernier cm². Pourquoi, alors que nous acceptons de nous contenter de 22 % de la Palestine, vous nous marchandez encore quelques pour cent ?* » De plus Arafat a accepté de renoncer officiellement au terrorisme, de même qu'il a fait effacer de la charte de l'Olp les articles appelant à la destruction de l'État d'Israël. Malheureusement, il n'a pas réussi à convaincre les extrémistes palestiniens, et c'est là la tragédie de ce peuple.

André Versaille : Arafat est mort, Abu Mazen a été élu président de l'Autorité palestinienne et il a visiblement envie d'aller de l'avant. De l'autre côté, le gouvernement d'union nationale dont vous, Shimon Peres, faites partie, semble également vouloir faire évoluer les choses. En témoigne le retrait unilatéral d'Israël de la bande de Gaza qui s'est finalement déroulé sans drame. Il s'agit indéniablement d'un pas vers la création d'un État palestinien. Pour autant, le chemin est encore long, car il reste trois questions essentielles à résoudre, et sur celles-ci, les positions ne semblent guère pouvoir se rapprocher : la restitution de la totalité ou de la quasi-totalité des territoires occupés (pour ce qui est de la bande de Gaza, c'est chose faite – encore qu'on ne puisse présumer de l'attitude israélienne en cas de regain d'exactions terroristes –, quant à la Cisjordanie, compte tenu des très nombreuses implantations qui s'y trouvent, une évacuation totale des colonies demeure problématique) ; la question de Jérusalem ; le droit au retour des Palestiniens.

Concernant les territoires occupés, pendant tout un temps, les raisons invoquées par Israël pour les conserver, lorsqu'elles n'étaient pas basées sur des raisons « historiques » ou religieuses, étaient d'ordre stratégique et sécuritaire.

Shimon Peres : Il est vrai que, jusqu'à il y a peu, la profondeur stratégique que nous procuraient ces territoires était importante pour notre sécurité. Aujourd'hui, l'argument ne tient plus : les missiles ont acquis une capacité d'une portée qui dépasse largement les quelques dizaines de kilomètres de distance que nous donne cette profondeur stratégique ; nous l'avons nous-mêmes démontré lorsque nous avons bombardé en 1981 la centrale nucléaire irakienne de Tammouz, et l'Irak nous l'a prouvé à son tour quand, pendant la première guerre du Golfe, il a lancé ses Scuds sur Israël. Mais le plus important pour nous, c'est que l'essentiel du danger ne provient plus de l'extérieur mais de l'intérieur : tout le monde voit bien que, depuis des années, ce sont les exactions terroristes qui mettent en danger notre population, et non plus les États arabes voisins.

Par ailleurs, nous sommes passés d'un monde d'ennemis nationaux à un monde de dangers transnationaux ; il nous faut donc repenser les choses, et nécessairement remettre en cause notre appréhension de la sécurité.

André Versaille : Après le retrait unilatéral de la bande de Gaza par Israël, deux hypothèses sont possibles.

Première hypothèse, celle que redoutent les colons : la restitution de Gaza, de surcroît effectuée sous un gouvernement dirigé par le général Sharon, faucon parmi les faucons, constitue un précédent fatal en ce qu'il désacralise de fait les territoires palestiniens occupés, considérés par les nationalistes et les religieux comme faisant intégralement partie d'Eretz Israël. Dès lors, le principe de la restitution n'étant plus inconcevable, ni tabou, la voie à la restitution totale ou quasi totale de la Cisjordanie est ouverte.

Deuxième hypothèse : en opérant ce retrait, le gouvernement israélien s'est en réalité débarrassé d'un territoire ingérable, berceau de l'Intifada, toujours en proie à des manifestations violentes, et cela au moindre coût, puisqu'il n'était peuplé que de 8 200 Israéliens ; en contrepartie, il est bien entendu que l'on attendra (longtemps) avant d'envisager sérieusement l'évacuation de la Cisjordanie (où l'on continuera à implanter des colonies), même si, à l'intérieur de celle-ci, l'on accorde l'autonomie à quelques villes.

Laquelle de ces deux hypothèses vous semble-t-elle la plus probable ?

Boutros Boutros-Ghali : Je dois avouer que j'ai pris la défense d'Ariel Sharon devant mes collaborateurs, leur rappelant que c'est lui qui avait procédé au retrait des Israéliens de Yamit, d'El Arich, de Charm el-Cheikh et de l'aéroport de Sainte-Catherine. En vain. Ils ont fait montre de la même réaction négative que le reste de la population égyptienne.

Aujourd'hui, je crois plutôt à la seconde hypothèse que vous évoquez et je crains bien que « Gaza, d'abord » ne s'avère « Gaza, point final ». Et ce pour trois raisons. La première tient au comportement d'Ariel Sharon qui a pris cette décision de manière unilatérale, mais qui a également activement milité, en d'autres temps, pour l'implantation de colonies de peuplement à Gaza et en Cisjordanie. L'opinion publique ne s'explique pas ce virage à 180° et a tendance à voir, dans ce revirement, un traquenard destiné à favoriser l'implantation de nouvelles colonies en Cisjordanie.

La deuxième raison tient au fait qu'on assiste effectivement à une implantation toujours plus soutenue de nouvelles colonies en Cisjordanie.

La troisième raison tient au caractère en quelque sorte « incomplet » de l'évacuation des territoires de Gaza. Car, en dernière analyse, cette évacuation devient sans valeur si, dans le même temps, les contacts entre Gaza et la Cisjordanie nécessitent l'autorisation des Israéliens. En outre, les Palestiniens n'ont pas le droit de construire un port à Gaza, ils n'ont pas le droit non plus de rebâtir leur aéroport ; enfin Gaza peut retomber du jour au lendemain aux mains des Israéliens s'ils le décident. Ils en ont militairement les moyens. Par ailleurs, le mur de séparation, ce mur de la honte, n'augure en rien la possibilité d'un rapprochement israélo-palestinien.

J'espère sincèrement me tromper et, parvenu au terme d'une longue carrière, voir surgir enfin la lumière au bout du tunnel. J'aurais aimé pouvoir partager l'optimisme de Shimon Peres. J'escomptais même que son optimisme finirait par déteindre sur moi. Mais les réalités, les obstacles que je viens d'évoquer me laissent peu d'espoir d'embellie, en tout cas pour les prochaines années.

SHIMON PERES : Je pense que vous vous trompez. Lorsque je vous écoute, j'ai l'impression que vous concevez les choses comme si nous étions coincés dans un grand frigo, où tout serait gelé et où rien ne pourrait évoluer sinon le nombre de glaçons. Je crois pour ma part que l'Histoire est en perpétuelle évolution. Bien sûr, il reste de nombreuses inconnues, à commencer par ce qu'il adviendra de l'Autorité palestinienne : la frange modérée dirigée par Abu Mazen parviendra-t-elle à se maintenir en place, ou sera-t-elle renversée et remplacée par le Hamas ? À l'heure où nous parlons, nul ne peut le dire. Néanmoins, je pense que ni les Palestiniens ni les Israéliens n'ont le choix : nous devons poursuivre le processus engagé – et nous le poursuivrons. Même les déclarations lancées de part et d'autre ne pourront rien contre l'évolution des choses. Face au processus historique, qui pourra prétendre tenir les « promesses de résistance » proclamées par les ultras de part et d'autre ? Quoi que l'on dise, nous sommes dans un mouvement évolutif, et c'est ce qui est déterminant.

ANDRÉ VERSAILLE : Et vous pensez qu'un gouvernement israélien pourra restituer la Cisjordanie aux Palestiniens, ce qui implique le démantèlement des implantations ?

SHIMON PERES : Pour toute une série de raisons, dont certaines sont d'ordre sécuritaire, nous ne pourrons pas revenir au tracé strict des frontières de juin 1967. Pour autant, je suis convaincu que nous parviendrons à un accord relatif à la restitution de la Cisjordanie, moyennant des rectifications mineures de frontières, qui seront compensées par des échanges territoriaux. Et cela fera l'objet des prochaines négociations. Mais je reconnais que le démantèlement de toutes les implantations n'ira pas de soi.

ANDRÉ VERSAILLE : Boutros Boutros-Ghali, vous venez d'évoquer la clôture de séparation en la qualifiant de « *mur de la honte* », faisant ainsi allusion au mur de Berlin. Rappelons-nous cependant que lorsque les Soviétiques ont fait bâtir ce mur séparant Berlin-Est de Berlin-Ouest, même si cette initiative a suscité la réprobation générale dans le monde occidental, en réalité, elle a rassuré les chancelleries du « monde libre », puisque, en construisant ce mur, les communistes bornaient eux-mêmes leur expansion. De même, ne peut-on pas dire que, en construisant le mur de sécurité, les Israéliens reconnaissent de fait qu'au-delà de celui-ci, ils ne sont plus « chez eux » ?

BOUTROS BOUTROS-GHALI : Écoutez, je suis par principe contre tout mur qui sépare des peuples. Rappelons, pour commencer, que ce mur rend la vie des Palestiniens absolument impossible en ce qu'il empêche toute mobilité du fait des engorgements aux *check points*. Je rappelle également que ce mur n'est pas construit sur la ligne verte, mais « mord » sur le territoire palestinien, ce qu'a reconnu la Cour de Justice israélienne, qui en a condamné le tracé. Mais, même si celui-ci est rectifié, ce mur restera un énorme obstacle dans la normalisation éventuelle des rapports israélo-palestiniens. Supposons que le processus de paix reprenne et que l'on arrive à de nouveaux accords, c'est à ce moment-là que doit commencer le vrai travail d'institutionnalisation de la paix. Ce ne sont pas les accords de paix qui sont déterminants, mais ce que les Anglo-Saxons appellent le *Peace Building*. Comme après une opération chirurgicale, c'est la convalescence qu'il faut surveiller, c'est après le traité de paix que tout commence : c'est à ce moment-là qu'il faut *instituer* la paix, et créer des organismes qui rapprochent les populations et instaurent le dialogue.

Et puis, il y a aujourd'hui un million d'Arabes israéliens en Israël même, et il me semble évident que toutes les colonies juives ne seront pas démantelées et qu'il restera une population juive en Palestine. Dès lors, il faut que l'ensemble de ces populations puissent avoir des contacts permanents entre elles et que les rapports soient fluides. Reconnaissez que ce mur ne facilitera guère ces rapprochements.

ANDRÉ VERSAILLE : Si la bande de Gaza était peu peuplée d'Israéliens, c'est loin d'être le cas de Jérusalem-Est et de sa banlieue largement investies par les Israéliens depuis 1967. Qui plus est, la Knesset a décrété le 30 juillet 1980 la ville « *unifiée et capitale éternelle d'Israël* ». De leur côté, les Palestiniens veulent que Jérusalem-Est leur soit restituée afin d'en faire la capitale de la Palestine.

Quelle solution serait, selon vous, envisageable ?

SHIMON PERES : Il me semble évident que le climat actuel ne permet pas un dialogue serein sur cette question émotionnellement chargée et ultrasymbolique. Si vous me demandez mon avis personnel, je pense que Jérusalem devrait être ouverte et démilitarisée ; unifiée politiquement mais divisée religieusement : que chacune des religions concernées par des Lieux saints spécifiques en obtienne respectivement la responsabilité. Mais il est inutile d'essayer d'aborder cette question pour l'instant, car aucune des parties n'est mûre pour faire des compromis, et aucun dirigeant politique ne veut perdre les élections… Il y a un temps pour l'inflexibilité et un temps pour l'ouverture. Je crains que le temps de l'ouverture ne soit pas encore arrivé.

ANDRÉ VERSAILLE : Autre point de désaccord profond, la question du droit au retour des Palestiniens en Israël.

BOUTROS BOUTROS-GHALI : Droit qui, je le répète, est garanti par la Déclaration des droits de l'Homme ainsi que par la résolution 194 votée par les Nations unies le 11 décembre 1948.

SHIMON PERES : Avant d'aborder le fond de cette question, je voudrais tout de même rappeler que les États arabes ont renvoyé depuis 1948 une quantité de Juifs à peu près équivalente au nombre des Palestiniens qui ont quitté la Palestine – et qu'il n'est pas question pour ces Juifs de bénéficier d'un quelconque droit au retour dans leur pays arabe d'origine. Il est remarquable de voir que, de manière systématique, les Arabes refusent de prendre en considération leur expulsion des Juifs. La différence entre notre politique et celle des Arabes en matière de réfugiés, c'est qu'Israël a accueilli tous les réfugiés juifs du monde arabe et les a intégrés, alors que, comme vous l'avez dit, les États arabes ont pratiqué une politique cynique de maintien des exilés dans une situation de réfugiés pour en faire cette « bombe atomique démographique ».

Ceci étant dit, il faut être clair : Israël n'a pas l'intention de se suicider pour faire plaisir aux Palestiniens ; si ces derniers devaient obtenir le droit de retour, la spécificité juive d'Israël serait perdue.

BOUTROS BOUTROS-GHALI : D'abord, les Juifs arabes reviennent souvent dans leur pays d'origine comme touristes, comme hommes d'affaires ou même comme résidents. Pour refuser aux Palestiniens ce droit au retour, les Israéliens invoquent systématiquement la possibilité d'une invasion arabe : trois millions de Palestiniens seraient prêts à revenir en Israël. Il s'agit là d'une perception fantasmatique, car un retour général des Palestiniens de la diaspora en Israël est inimaginable. Il n'en demeure pas moins que le droit au retour a une valeur symbolique.

ANDRÉ VERSAILLE : Les Israéliens refusent ce droit au retour pour se prémunir de cette « bombe atomique démographique » dont vous avez parlé. Mais prenons la chose du point de vue palestinien : lorsque l'État palestinien verra le jour, si les Palestiniens de la diaspora choisissent le retour en Israël plutôt qu'en Palestine, ne serait-ce pas un échec ? Sans compter que la solidité d'un État réside aussi dans sa démographie.

Par ailleurs, est-il raisonnable de signer un accord qui prévoit un droit tout en se disant que celui-ci ne sera pas appliqué ?

BOUTROS BOUTROS-GHALI : L'idée est d'accepter au moins le retour d'un certain pourcentage de Palestiniens de façon à permettre à des membres d'une même famille de se réunir. Encore une fois, il s'agit de préserver symboliquement un droit au retour, étant entendu que celui-ci se fera sous le contrôle et dans des conditions déterminées par les gouvernements israélien et palestinien, ensemble. Aux yeux des Palestiniens, la reconnaissance de principe du droit au retour est fondamentale : cela signifierait qu'Israël reconnaît sa responsabilité dans la création du problème des réfugiés palestiniens. Sur le plan du symbole, cette reconnaissance du droit au retour est à mettre en relation avec la reconnaissance par un État des crimes de guerre qu'il a perpétrés, ou du génocide auquel il s'est livré. Dernier point : ce droit au retour implique des compensations à l'instar de celles que les Juifs ont obtenues de l'Allemagne après l'Holocauste.

SHIMON PERES : Je pense que vos comparaisons sont pour le moins abusives. Par ailleurs, excusez-moi, mais vous parlez d'accepter un « certain pourcentage », un « nombre symbolique » : pour quelle raison ? Je rappelle encore une fois que, dans l'idée de permettre des regroupements familiaux, nous avons déjà accepté le retour de cent cinquante mille Palestiniens. Israël est un petit pays, et surtout, il y a vingt et un autres pays arabes voisins : expliquez-moi les raisons de ce refus arabe d'accueillir chez eux leurs frères, une fois la paix établie ? Il faudrait tout de même qu'un jour les pays arabes assument leur responsabilité dans la guerre qu'ils ont déclenchée contre nous en 1948, et qui fut la cause de ce problème de réfugiés. Je veux bien que l'on reproche des tas de choses à Israël, mais je trouve choquante l'incapacité des Arabes d'assumer la moindre de leurs responsabilités.

BOUTROS BOUTROS-GHALI : Mais le refus des Arabes d'accueillir leurs frères palestiniens est une arme diplomatique, préconisée et utilisée par les dirigeants palestiniens eux-mêmes. Une fois l'État palestinien instauré, cette arme n'aura plus sa raison d'être et je peux vous assurer que les pays arabes ne feront aucune difficulté à recevoir des citoyens palestiniens et non plus des réfugiés palestiniens, de la même manière qu'ils accueillent les citoyens égyptiens, jordaniens, libanais… Il y a une différence capitale entre un réfugié et un citoyen étranger. C'est ce que j'ai expliqué à Moshé Dayan lors de notre première rencontre en novembre 1977.

ANDRÉ VERSAILLE : Jusqu'ici, Israël n'a survécu à l'hostilité arabe que parce qu'il est sorti victorieux de toutes les guerres. Pensez-vous qu'un jour, le monde arabe acceptera vraiment l'État juif, non parce qu'il ne peut pas en venir à bout par la force, mais par libre choix ?

BOUTROS BOUTROS-GHALI : De nombreux Palestiniens, ainsi que certains historiens, considèrent Israël comme un accident de l'Histoire, un « épiphénomène » appelé à disparaître dans cinquante ou quatre-vingts ans – je m'empresse de préciser que je ne fais pas partie de ces gens-là : je ne crois pas à la disparition d'Israël.

Pour répondre plus précisément à votre question, si vous pensez à une volonté arabe de « jeter les Juifs à la mer », évidemment non. Je pense que dans l'ensemble, les États arabes ont fini par admettre Israël, mais qu'en même temps, ils ne peuvent pas s'empêcher d'espérer que dans trois ou quatre décennies la démographie finira par arabiser l'État juif.

Je crois que ce qui gêne le plus les Arabes, c'est qu'en plus de ne pas être un État juif arabe, c'est-à-dire un État constitué de Juifs *arabes*, comme il existe des Chrétiens arabes, donc appartenant à la communauté arabe, Israël n'est pas non plus un État « comme les autres », un État « normal », dans la mesure où il veut accueillir tous les Juifs du monde et encourage même leur retour, dans la mesure aussi où il n'a pas de frontières définies, ce qui laisse entendre qu'Israël est un État expansionniste, à la grande crainte des Arabes.

Pour être précis, tant que les frontières définitives de l'État israélien et de l'État palestinien n'auront pas été adoptées et reconnues, les Israéliens comme les Palestiniens seront tentés par l'idée d'étendre leur territoire au détriment de l'autre, ce qui constitue un cauchemar pour chacun des deux protagonistes.

Shimon Peres : Je ne comprends pas cette incapacité d'envisager un avenir qui soit pacifique. D'autant que, je vous le ferais remarquer, le cas des guerres israélo-arabes est unique au Moyen-Orient en ce que, une fois les traités de paix signés, Israël a rendu les territoires conquis.

On entend souvent dire qu'il faut qu'Israël fasse tout pour être accepté par le monde arabe. Avec tout mon respect, dans une relation de voisinage bien comprise, les *deux* partenaires doivent faire en sorte d'être acceptés par l'autre. Si nous devons tout faire pour être acceptés par les Arabes, ces derniers devraient aussi tout faire pour se faire accepter des Israéliens *comme ils sont*. On ne peut pas exiger que le voisin change de nature : il faut mutuellement s'accepter avec nos spécificités respectives. Par contre, nous pouvons changer la relation entre nous.

Pour en revenir à la question d'André Versaille, je dirais qu'en Histoire, rien ne se fait par « libre choix » : tout ce qui se produit est la résultante d'équilibres des forces, de conjonctures. Si l'on ne prend comme facteur que la « bonne volonté », je ne pense pas, en effet, que le monde arabe soit prêt à nous accepter. Une acceptation ne sera possible que si en plus de la bonne volonté, nous restons un pays fort, capable de se défendre.

André Versaille : Mais Israël peut-il compter uniquement sur sa force pour assurer son existence ? Qu'est-ce qui peut vous assurer que l'avance militaire et technologique que vous avez aujourd'hui ne sera pas rattrapée avec le temps ?

Shimon Peres : Si rien ne peut davantage contribuer à la paix que la puissance militaire, rien, en retour, ne peut davantage contribuer à la sécurité que la paix. Le monde évolue, et les questions ne se posent plus seulement en termes de confrontations militaires, idéologiques ou territoriales comme au XXᵉ siècle.

Voyez-vous, avec la chute de l'empire soviétique, le « monde libre » a perdu son vieil ennemi, mais il s'est retrouvé devant une multiplication de problèmes qui n'existaient pas jusque-là : nous sommes passés d'un monde d'ennemis bien identifiés à un ensemble de problèmes et de questions que nous avons beaucoup de mal à déchiffrer et encore plus à résoudre.

Parmi ceux-ci, il y a bien sûr le terrorisme. Pendant la guerre froide, l'équilibre de la terreur nous « protégeait » en quelque sorte, puisque les deux adversaires redoutaient rationnellement le danger. Tous les deux savaient que le premier qui tirerait provoquerait *automatiquement* une violente réponse de l'agressé, qui entraînerait des dégâts épouvantables chez l'agresseur. Aujourd'hui, face aux fondamentalistes, qui n'ont pas cette vision rationnelle du danger, nous ne pouvons plus compter sur ce type d'équilibre. En effet, les fondamentalistes tirent précisément leur force et leur courage d'une vision apocalyptique exaltante du martyre, qui récompense les terroristes mille fois au-delà de la mort. Devenir martyrs de la foi, en se transformant en bombe humaine dans le dessein de détruire le monde moderne qu'ils jugent pervers, leur garantit une place au paradis. Ces fondamentalistes ne menacent pas seulement Israël, les États-Unis ou les États occidentaux, ils s'attaquent de plus en plus fréquemment aux États arabes eux-mêmes. Qu'ils soient sunnites ou chi'ites, nous les entendons prôner l'assassinat de leurs propres dirigeants politiques, qu'ils considèrent vivre dans le péché : voyez l'Arabie saoudite pourtant berceau de l'islam, et l'Égypte, la Jordanie, le Maroc, l'Algérie même, sont également visés.

BOUTROS BOUTROS-GHALI : C'est exact : lorsque l'on parle du terrorisme arabo-islamique, on oublie qu'en réalité, ce sont les pays arabes qui en ont le plus souffert. En Égypte, par exemple, outre le président Sadate, trois Premiers ministres ont été assassinés. Et ce, avec des armes européennes et financées par de l'argent placé dans des banques européennes. Qui plus est, des assassins ont trouvé refuge en Europe sous couvert d'asile politique, notamment en Angleterre…

C'est ce qui explique que la lutte contre le terrorisme soit devenue un thème très mobilisateur dans plusieurs pays arabes et à l'échelle planétaire depuis les attentats du 11 septembre 2001.

SHIMON PERES : Et ce fanatisme intégriste est aujourd'hui susceptible de se doter de l'arme nucléaire. Que faire si cette arme tombe entre les mains d'un État dont les ressortissants acceptent – recherchent même – le martyre et la mort ? À ce danger, je ne vois pas de réponse militaire traditionnelle crédible.

Nos hypothèses de base sont donc devenues caduques, et doivent être réévaluées en fonction de l'évolution de l'ordre mondial et du rôle des grandes puissances responsables de cet ordre. Tout le monde voit bien que nous allons vers la mondialisation, où aucun pays ne sera à l'abri du terrorisme international. Face à un terrorisme mondial, nous aurons donc à répondre par un combat mondial. Dans cette conjoncture, Israël sera un soldat parmi d'autres dans le camp de la lutte contre le fondamentalisme islamique.

ANDRÉ VERSAILLE : Vous dites que contre le fondamentalisme islamique, il n'y a pas de réponse militaire crédible. Quelle autre réponse serait donc imaginable ?

SHIMON PERES : À mon sens, seul un virage du monde arabe vers la modernité pourra faire échec au fondamentalisme. De manière générale, une large partie du monde arabe est malade d'une idéologie anti-occidentale qui est en même temps antimoderniste. Car la haine des Arabes à l'endroit d'Israël est en même temps une haine de la modernité. Ce monde est coincé dans la vision d'un islam mythique, et en réalité rétrograde, qui ne permet ni à sa jeunesse de s'épanouir ni à ses femmes d'être autonomes.

Je suis sûr que les Musulmans se rendront compte que le fondamentalisme n'offre pas de réponse aux problèmes dont la population est victime, qu'il est un chemin oppressif, bordé de messages négatifs, et qu'il ne les aide en rien à améliorer leur existence.

ANDRÉ VERSAILLE : Peut-être. Il n'empêche que de plus en plus de jeunes et de femmes sont touchés par l'islamisme.

SHIMON PERES : Pour l'instant. Dans les sociétés dépourvues de structure moderne et de répartition plus ou moins équitable de la richesse nationale, les malheureux deviennent une proie facile pour l'extrémisme religieux qui les rassure en leur promettant le paradis après la mort. Tant que la population reste aveugle, le fondamentalisme peut progresser. Mais il n'y a pas de raison d'imaginer que cet aveuglement soit éternel. Je suis convaincu qu'il ne sera bientôt plus possible de brider les jeunes qui veulent avoir leur propre vision du monde ni de continuer à nier la moitié de la population que sont les femmes. J'en veux pour preuve les mouvements centrifuges et les mouvements féministes qui se développent aujourd'hui en Iran, en Turquie, en Jordanie, au Pakistan même, ce qui n'existait pas auparavant.

BOUTROS BOUTROS-GHALI : Les Américains, et les Occidentaux de manière générale, parient sur l'installation de la démocratie dans le monde arabe, pensant que cela réduira le fanatisme. Je crains bien que ce soit une illusion. Je pense personnellement que le jour où cette partie du monde sera démocratisée, les anti-Israéliens n'en seront que plus forts : la haine anti-israélienne, on ne le répétera jamais assez, est un phénomène populaire profond, il n'est pas le résultat d'une propagande étatique.

ANDRÉ VERSAILLE : Qu'est-ce qui vous conduit à penser que les Arabes resteraient, dans leur globalité, imperméables à une authentique démocratie, j'entends par là une démocratie tolérante ?

BOUTROS BOUTROS-GHALI : Je n'ai jamais dit que les Arabes sont imperméables à une authentique démocratie, car je tiens la démocratie pour un concept universel qu'il s'agit de protéger face à la mondialisation qui risque d'altérer les démocraties nationales. D'ailleurs, les Arabes sont tolérants de nature et n'ont perdu leur tolérance qu'à cause de ce conflit et de la manière dont sont traités les Palestiniens.

SHIMON PERES : Si l'on regarde l'Histoire, on ne peut pas dire que le monde arabe ait été particulièrement tolérant à l'égard des « dhimmis », des non-Musulmans en général, et à l'égard des Juifs en particulier. Au Yémen, un Juif ne peut même pas monter un âne.

Je pense qu'un jour les Arabes comprendront que leur véritable ennemi n'est pas Israël, mais la vision rétrograde qui les aveugle et les empêche de s'approprier la culture : savez-vous que parmi les vingt-sept nations qui consomment le plus de livres, il n'y a pas un seul pays arabe… Avec cette lacune livresque, donc culturelle, il n'est pas étonnant que le monde arabe privé d'informations ouvertes, libres, reste à la traîne.

Leur deuxième ennemi, c'est l'incapacité de penser leur économie. Celle-ci est essentiellement centrée sur le pétrole qui est une richesse conjoncturelle : dans une vingtaine d'années, le Moyen-Orient ne sera plus le centre de l'énergie pétrolière du monde, celle-ci sera plutôt fournie par les ex-républiques soviétiques comme la Russie ou le Kazakhstan.

BOUTROS BOUTROS-GHALI : Si l'on regarde bien l'Histoire, l'on peut dire que le monde arabe a été bien plus tolérant à l'égard des Juifs que le monde chrétien. Passer sous silence les pogroms du Moyen Âge, l'Inquisition en Espagne et les chambres à gaz en Allemagne, pour s'attacher à rappeler que les Juifs n'ont pas le droit de monter sur un âne au Yémen est pour le moins surprenant. Quant à l'incapacité des Arabes à penser leur économie, c'est un autre mythe qui sous-entend que le salut viendra des Israéliens qui pourront les aider à se moderniser et à adopter les technologies de pointe.

SHIMON PERES : Ce n'est pas ce que je dis ni ce que je sous-entends. Je pense qu'une fois que nous, les Arabes comme les Israéliens, aurons compris que trop de choses sont imbriquées pour imaginer que chaque nation s'en sortira individuellement, et que seule une collaboration régionale multilatérale inscrite dans un cadre de paix aura des chances d'assurer le développement économique, nous pourrons véritablement commencer à mettre en œuvre une politique économique globale.

Notre principal ennemi, Arabes et Israéliens confondus, c'est la progression de la désertification des terres. Le monde arabe possède treize millions de km^2, mais 89 % de ce territoire reste désertique. La population égyptienne a été décuplée au cours du XXe siècle, tandis que le Nil a perdu une partie significative de ses eaux, en même temps que la consommation d'eau par personne s'est naturellement accrue. Aujourd'hui, le désert couvre environ 90 % de l'Égypte, 70 % de la Syrie, 85 % de la Jordanie et 60 % d'Israël. Et la désertification continue de progresser. Le phénomène n'est pas irréversible, mais si nous voulons le freiner, il faut organiser une irrigation adaptée, donc nécessairement régionale. Nous sommes dès lors obligés d'établir le plus rapidement possible des relations pacifiques entre les pays concernés de la région, afin de coopérer à la mise en œuvre de cette politique de planification et de répartition équitable de l'eau.

En Israël, nous avons acquis une avance en matière de recherche fondamentale et appliquée au domaine de la désertification et de l'agriculture. Dans un intérêt mutuel bien compris, il est temps de mettre notre expérience au service de l'ensemble de la région.

ANDRÉ VERSAILLE : En dépit de la situation désespérante, des liens israélo-palestiniens se tissent tous les jours. Ainsi, un exemple entre cent : des troupes de théâtre « mixtes » montent des spectacles qui réunissent des publics également mixtes. Malheureusement, les médias occidentaux n'en parlent jamais, puisqu'il est bien entendu que « les trains qui arrivent à l'heure n'intéressent personne »…

BOUTROS BOUTROS-GHALI : Vous avez raison, et je déplore profondément cette attitude. En ce qui me concerne, je n'ai jamais cessé de déclarer que ce sont la Ligue des droits de l'Homme israélienne et certaines autres associations israéliennes apparentées qui se sont le plus mobilisées pour la défense des Palestiniens. De même, je sais qu'il existe une association israélienne qui aide les Palestiniens à reconstruire leurs maisons détruites par les FDI. Il faut saluer tous ces hommes de bonne volonté. Il ne faut cependant pas s'illusionner sur leur importance : ces îlots de fraternité restent trop marginaux pour laisser espérer un changement en profondeur. En regard des exactions subies par les Palestiniens, le travail de ces hommes et de ces femmes, si remarquable soit-il, ne pèse pas lourd.

ANDRÉ VERSAILLE : Comment voyez-vous l'évolution du Moyen-Orient ?

SHIMON PERES : Regardons autour de nous : l'Union européenne s'élargit en englobant progressivement les pays d'Europe centrale ; de leur côté, les États-Unis tentent d'établir une zone de libre-échange avec le Canada et le Mexique ; il est vraisemblable que, pour sa part, l'Asie va, elle aussi, tendre vers une unité régionale et créer une sorte de Marché commun comprenant la Thaïlande, Singapour, le Sri Lanka, l'Indonésie, etc. Ces marchés régionaux vont dans le sens de l'Histoire.

Comment ne pas voir que si le Moyen-Orient veut éviter la stagnation, il doit, lui aussi, s'orienter vers un système économique régional qui nous ferait passer, les pays arabes et Israël, d'une économie de guerre à une économie de paix.

Faire ce pari demandera évidemment une révolution culturelle, mentale et psychologique, tant de la part des Arabes que de la nôtre, mais lorsqu'on voit la manière dont, après 1945, les Américains ont aidé le Japon, leur ennemi mortel, à reconstruire son économie, je ne vois pas pourquoi une collaboration entre nos voisins arabes et nous serait beaucoup plus utopique.

Jusqu'ici l'économie du Moyen-Orient était envisagée en fonction du poids des budgets élevés de défense et de la fermeture des frontières. En cas de paix, ces deux handicaps seront supprimés.

J'ai eu de nombreuses conversations avec des responsables européens à propos de ce que pouvait devenir le Moyen-Orient. Je me souviens d'une rencontre dans les années cinquante avec Jean Monnet, lors de laquelle, alors qu'on ne parlait que de *Marché* commun, il m'a dit que, pour lui, le Marché commun n'était que la première étape vers une union politique. Et il ne semble pas plus utopique d'imaginer aujourd'hui une réconciliation et une collaboration des pays de la région, que ne l'était, au lendemain de la Seconde Guerre mondiale, le projet d'union européenne. On pourrait reprendre le même processus ici : commencer par la coopération économique, puis travailler à un rapprochement politique.

Je sais que j'ai souvent été traité d'utopiste. Pourtant, tant le président François Mitterrand, le chancelier Helmut Kohl que Jacques Delors me rejoignaient sur cette idée, et même la soutenaient. Elle est si peu utopique que des entreprises européennes ont commencé à s'intéresser à l'avenir d'un Moyen-Orient en voie de pacification : la Banque mondiale a financé de nouveaux chantiers ; des firmes japonaises ont proposé de se charger de l'organisation du tourisme ; des Français et des Allemands, de celle des transports et des communications. Il a même été question de creuser un canal entre la mer Rouge et la mer Morte, chantier dont se serait chargée une société italienne. Des Autrichiens s'intéressent aux questions de l'eau et de l'électricité, et des Britanniques, au libre-échange. Nous avons également reçu des propositions danoises concernant des projets agricoles ; américaines, à propos des ressources humaines, et canadiennes, relatives aux réfugiés.

Ici même, au Moyen-Orient, cette idée de Marché commun fait son chemin, puisque, du côté palestinien, Abu Alaa, l'actuel Premier ministre de l'Autorité palestinienne, a proposé un plan de développement économique très stimulant pour le Moyen-Orient.

BOUTROS BOUTROS-GHALI : Je ne me considère pas comme un pessimiste, mais comme un réaliste : je ne crois pas à la formation prochaine d'un Marché commun moyen-oriental dans lequel participeraient Israël et les États arabes, tant qu'il ne sera pas trouvé une solution juste au problème palestinien. Au moment de la signature des accords d'Oslo, je restais habité par les questions qui allaient se poser : et maintenant, comment les choses allaient-elles s'organiser ? Et j'entrevoyais des difficultés qui ne me paraissaient pas pouvoir se résoudre aussi facilement que vous l'estimez. Ce qui me rend sceptique, c'est la profonde inégalité entre les deux sociétés. Comment établir une coopération égalitaire ? Vous dites qu'il n'y a pas de conflit éternel, et vous avez souvent rappelé que les trois guerres franco-allemandes, si meurtrières, n'ont pas empêché les deux pays de se réconcilier (après environ un siècle, tout de même...). Oui, mais ce qui a permis de jeter les bases d'une réconciliation saine, c'est que les deux sociétés étaient à égalité. Entre les Israéliens et les Arabes, l'inégalité est profonde, comment, dans ces conditions, pensez-vous établir une coopération équilibrée ? Comment monter un authentique partenariat qui ne soit pas entaché de dépendance ?

SHIMON PERES : Je ne pense pas que la paix entre les Français et les Allemands n'ait été possible que parce que les deux pays étaient au même niveau : après tout, ils étaient au même niveau en 1870 et en 1918. Non, ces deux pays ont pu faire la paix parce qu'ils ont compris qu'ils entraient dans une nouvelle ère. Le problème ne vient pas du décalage technologique entre les Arabes et nous, mais entre les Arabes et la modernité. Et je ne vois aucune raison qui empêcherait les Arabes d'entrer dans cette modernité. Vous n'imaginez tout de même pas que la résolution du conflit qui nous oppose passe par une régression d'Israël ? On n'arrête pas la marche du temps. Et rien de ce que nous, Israéliens, avons acquis, n'est hors de portée des Arabes ou des Musulmans. Regardez la Turquie, elle est entrée dans la modernité.

Nous parviendrons à la paix, le jour où nous atteindrons l'âge où il n'y aura plus de raison de faire la guerre.

Jusqu'ici, historiquement, toutes les guerres se sont faites pour des objectifs territoriaux. Mais aujourd'hui, les territoires ne sont plus aussi importants qu'ils le furent, ni politiquement ni économiquement. Ce qui compte aujourd'hui, c'est la science et la technologie. Et leurs domaines ne sont fermés à personne.

BOUTROS BOUTROS-GHALI : Vous pouvez vous permettre de penser à des lendemains radieux, parce qu'à la suite d'une longue carrière politique vous avez vu l'État que vous avez contribué à bâtir se développer et s'affermir pour devenir une petite puissance qui compte. Nous, par contre, malgré un demi-siècle de combats, nous nous retrouvons à la case départ ; quant à l'espace palestinien, il s'est réduit comme une peau de chagrin et nous ne sommes même pas sûrs de voir ce mouvement réducteur s'arrêter. Le drame palestinien qui domine l'imaginaire de mon pays a servi d'alibi pour légitimer nos erreurs et excuser nos abus. Et nous sommes bien loin de nous dégager de cette obsession, de cet abcès de fixation qui rend notre chemin vers la démocratisation et la modernité bien difficile.

ANDRÉ VERSAILLE : L'Europe a été, depuis des années, peu présente, politiquement parlant, dans ce conflit. Pensez-vous qu'il serait bon qu'elle devienne réellement partie prenante dans le processus de paix ?

SHIMON PERES : Oui, parce que je crois que l'Europe de l'Ouest est plus reliée au sud de la Méditerranée et au Moyen-Orient qu'aux pays de l'Est. Dès lors, j'imagine tout à fait une Europe élargie au Moyen-Orient. Il a déjà été proposé qu'Israël et le futur État palestinien soient intégrés à l'Union européenne. Je pense que c'est une bonne idée, mais il faudrait aller plus loin et inclure également l'Égypte, le Liban, la Syrie, l'Irak…

ANDRÉ VERSAILLE : Et vous avez déjà fait cette proposition à des membres de l'Union européenne ?

SHIMON PERES : Oui.

ANDRÉ VERSAILLE : Et quelles furent leur réactions ?

SHIMON PERES : Les États européens sont plutôt peu disposés à envisager une telle Europe. Ils répugnent déjà à intégrer la Turquie, en quoi je pense qu'ils ont tort : l'Union européenne a le choix entre l'immigration d'une masse de travailleurs turcs ou l'intégration d'une Turquie travaillant à ses côtés. Après tout, Malte et Chypre comptent parmi ses membres, et certains pays d'Afrique du Nord ont un statut d'États associés. Je pense donc que l'Union européenne est appelée à faire un pas supplémentaire pour devenir une confédération de nations et une coordination d'économies : vous aurez votre passeport national et votre visa économique, qui lui sera européen.

BOUTROS BOUTROS-GHALI : Je partage votre analyse, mais je voudrais vous rappeler que, dans son ensemble, l'opinion publique israélienne était opposée à toute participation européenne tant dans le conflit que dans les processus de négociation de paix. Les gouvernements israéliens qui se sont succédé depuis très longtemps y étaient encore plus hostiles. Ce fut le cas, tant lors du processus de négociation de paix de Camp David en 1978, que durant la période qui suivit la signature du traité de paix et qui devait voir la mise en application des accords signés. J'ai eu à ce propos un débat avec Moshé Dayan au Parlement européen à Strasbourg en 1979, dans lequel j'appelais de mes vœux une intervention européenne dans le conflit ; lui, au contraire, demandait aux Européens de surtout s'abstenir de toute immixtion qui ne ferait qu'embrouiller une situation suffisamment complexe.

Je ne sais pas s'il est réaliste d'imaginer une véritable intégration de la région moyen-orientale dans l'Union européenne, mais je suis convaincu qu'il est de l'intérêt des deux parties de tisser des liens très solides entre elles, d'établir un véritable partenariat. À cet égard, j'ai créé, il y a quelques années, le club de Monaco qui réunit des représentants de tous les pays méditerranéens, anciens présidents, anciens Premiers ministres, chercheurs, experts, pour discuter de l'avenir de la Méditerranée et rappeler à l'Union européenne que le Sud est plus important pour l'Europe que l'Est. Vous voyez donc que non seulement je partage votre point de vue, mais c'est un domaine dans lequel je me conduis en activiste.

ANDRÉ VERSAILLE : Dans ce conflit vieux de près de soixante ans, quelles furent, selon vous, les erreurs respectivement commises par les Arabes et par les Israéliens ?

SHIMON PERES : La première erreur des Arabes, globalement parlant, et la plus fatale, fut leur refus du plan de partage de la Palestine en 1947. Si, au lieu de s'obstiner à nous faire la guerre, ils avaient accepté ce plan, les Palestiniens auraient eu, depuis 1948, leur État sur 45 % de la surface de la Palestine. L'erreur suivante fut le déclenchement des guerres, qui, si elles nous furent préjudiciables, le leur furent encore bien plus, tant du point de vue humain que du point de vue économique. Si les Arabes nous avaient acceptés, nous nous serions épargné l'importation de la guerre froide dans la région, qui fut surtout néfaste pour les Arabes : le choix de se lier aux Soviétiques leur a fait prendre un retard historique considérable dans la marche vers la modernité. Oui, je crois que s'ils ne s'étaient pas raidis dans leur refus d'Israël, ils auraient beaucoup gagné. Prenez l'Égypte avec laquelle nous nous sommes affrontés quatre fois : nous avons arrêté de nous faire la guerre et nous avons entamé un processus de négociations au bout duquel, en échange de la paix, les Égyptiens ont obtenu tout ce qu'ils ont voulu.

En ce qui concerne plus particulièrement les Palestiniens, je pense que leur erreur fut d'avoir cru qu'ils pouvaient mener simultanément une politique diplomatique et une pratique terroriste. Ce choix de la voie terroriste de l'OLP et des autres mouvements nationalistes fut une erreur tragique dont les Palestiniens ont été les premières victimes. Si les Palestiniens avaient créé un authentique mouvement politique et non une coalition terroriste, ils auraient gagné un temps considérable. Il me paraît évident que l'on obtient beaucoup plus par la négociation que par la violence. De plus, comme je vous l'ai dit, s'ils n'avaient pas utilisé le terrorisme, le monde entier les aurait soutenus et personne n'aurait admis l'occupation israélienne pendant près de quarante ans.

Quant à Israël, notre plus grande faute fut de n'avoir pas été plus imaginatifs après la guerre des Six Jours. Nous nous sommes auto-intoxiqués par notre victoire, nous nous sommes endormis sur nos lauriers, sans comprendre que c'est alors qu'il fallait tout mettre en œuvre pour susciter un dialogue avec nos ennemis. Nous nous sommes sentis tellement forts que nous nous sommes contentés d'attendre que les Arabes viennent à nous. La deuxième erreur fut la multiplication d'implantations juives dans les territoires occupés, ce qui nous a mis dans une situation dont la réversibilité n'est pas acquise. Il est aisé de faire des omelettes à partir d'œufs, il est bien plus difficile de reconstituer des œufs à partir d'une omelette. Et je pense que le Likoud a « omelettisé » la situation.

La politique d'implantation des colonies nous a coûté soixante milliards de dollars depuis 1967 ! Nous aurions été bien mieux avisés de consacrer nos efforts et notre budget à combattre le désert et à développer le Néguev.

BOUTROS BOUTROS-GHALI : Vous nous dites que la première erreur des Arabes fut d'avoir rejeté le plan de partage de la Palestine en 1947. C'est vrai, rétrospectivement ; c'est vrai, aujourd'hui. Mais en 1947, aucun chef d'État arabe n'aurait pu accepter ce plan sans risquer sa vie. Le monde arabe était alors incapable d'accepter le concept même du partage.

Dans le même ordre d'idées, l'OLP, je l'ai rappelé, a refusé notre invitation de participer à une réunion informelle qui devait se tenir au Caire le 26 novembre 1977 et à laquelle étaient conviés des responsables israéliens, américains, soviétiques, ainsi que des responsables des Nations unies et des États arabes directement concernés par le conflit : la Syrie, la Jordanie et le Liban. Cela lui a été reproché, car Arafat aurait manqué cette opportunité de rencontrer des Israéliens. Là encore c'est vrai, mais rétrospectivement : à cette époque, tant les Palestiniens que les Israéliens auraient refusé de se rencontrer, même par personnes interposées. Des « *proximity talks* » étaient alors inconcevables.

La grande erreur des Arabes, c'est d'avoir provoqué la guerre en 1967. La logorrhée, l'emphase phraséologique de Nasser et du maréchal Amer, ont provoqué une défaite humiliante pour l'Égypte. Nous n'avions pas estimé alors que la machine de guerre israélienne, épaulée par les Français et les Anglais en 1956, et en 1967 par les Américains, était nettement supérieure à l'ensemble des armées arabes.

Autre erreur des États arabes, c'est que les alliances, si elles sont difficiles à établir, sont encore plus difficiles à maintenir pendant un conflit militaire, et bien plus encore entre des armées d'États en voie de développement. En réalité, nous avons voulu croire à l'unité et à la solidarité entre États arabes, bien que nous ayons connaissance de leurs arrière-pensées, de leurs ambitions croisées.

Quant à Israël, sa plus grave erreur fut sa méconnaissance du monde arabe, son mépris à l'égard de l'Arabe, et surtout du Palestinien. Ce mépris qui est celui du colonisateur qui vient s'installer dans la terre conquise : les Peaux-rouges, les Noirs d'Afrique, les tribus primitives, sont à éliminer ou à parquer dans des réserves, des bantoustans. Avant on les traitait d'esclaves, et depuis l'abolition de l'esclavage, ils constituent le *lumpen proletariat* pour les nouvelles nations en voie de constitution. Naturellement, il y a une élite israélienne qui ne partage pas cette vue simpliste, mais elle n'a pas pu imposer une vision de la fraternité pour paver le chemin de la paix.

Vous ne mentionnez que le terrorisme arabe musulman, pourquoi passez-vous sous silence le terrorisme israélien, celui des extrémistes juifs du Kach comme Baruch Golstein dont nous avons parlé, l'assassin de Rabin, les assassinats ciblés : ce n'est pas du terrorisme, cela ?

Pour conclure, l'erreur commune fut le fait d'avoir opté pour une stratégie de guerre plutôt que pour une stratégie de paix. Tant que les paroles ne seront pas plus fortes que les balles, pour reprendre une image de Camus, je ne vois pas de solution juste au drame palestinien.

Mais je voudrais soulever un autre point. Anouar el-Sadate se plaisait à dire que ce conflit était à 99 % d'ordre psychologique. Aussi, je crois que si on veut comprendre ce conflit, il faut prendre en compte les imaginaires arabe et israélien, qui en constituent une dimension importante, sinon capitale.

Dans l'imaginaire israélien, l'Arabe musulman est regardé, la plupart du temps, comme un être primitif, fanatique, assoiffé de sang, mû par des sentiments de haine et de rancœur, en butte au refoulement auquel le condamne la décadence du monde islamique. Les Arabes ne voudraient rien moins qu'éradiquer le « pseudo-État israélien » et jeter les Juifs à la mer.

J'avais constitué, à ce propos, voilà quelques années, un « florilège » de déclarations émanant de responsables israéliens sur la volonté de vengeance et de destruction des Arabes. Et j'ai retrouvé, il y a peu, l'article que signait, le 2 juillet 1982, le Dr Herzel Rosanblum, rédacteur en chef du quotidien *Yediot Aharonot*. Il écrivait notamment : « *S'il avait la puissance nécessaire, Arafat nous traiterait d'une manière dont Hitler n'a jamais rêvé… Il couperait la tête de nos enfants en hurlant, il violerait nos femmes avant de les dépecer, il nous jetterait du haut des toits et nous écorcherait à la façon des léopards affamés de la jungle…* »

L'imaginaire israélien trouve évidemment sa source dans les réalités de ce petit pays, qui compte en son sein plus d'un million de Palestiniens, et dont la population juive a vécu l'Holocauste. Les Israéliens se sentent triplement encerclés : par ces trois à quatre millions de réfugiés palestiniens qui rêvent de retourner sur leurs terres ; par ces deux cents millions et quelques d'Arabes hostiles ; par ce milliard de Musulmans solidaires de la cause palestinienne ; enfin par un quatrième cercle, plus diffus, celui-là : l'antisémitisme. On ne s'étonnera pas que les imprécations quotidiennement assénées par les extrémistes appelant à la destruction de l'État d'Israël, et la comparaison avec les royaumes chrétiens de Jérusalem, à l'époque des Croisades, dont on rappelle régulièrement l'anéantissement, soient autant d'éléments psychologiques, géopolitiques, historiques, à même d'alimenter, de développer, de renforcer les craintes israéliennes.

De son côté, l'imaginaire arabe s'est en grande partie forgé en réaction au colonialisme occidental, responsable de la partition, dans un premier temps, du monde arabe en un Machrek et un Maghreb ; puis du Machrek en territoires placés sous mandats français ou britannique. Cet imaginaire s'est ensuite nourri d'un colonialisme d'un type nouveau, que fut l'installation en Palestine de colons juifs venus d'Europe centrale.

Au fil du temps, les Arabes se sont persuadés de la volonté expansionniste d'Israël jusqu'à faire leur la conviction, voire l'obsession, que l'État juif entendait se réaliser de l'Euphrate au Nil, et même que cet impérialisme ne s'arrêterait pas au monde arabe, qu'il comptait s'exercer sur l'ensemble de la planète…

Cette obsession s'est nourrie de certains faits : alors que la résolution 181 de l'Assemblée générale des Nations unies avait prévu le partage de la Palestine en deux États, l'État arabe devant occuper 45 % du territoire, cet État s'est vu drastiquement réduit par la résolution 242, adoptée après la guerre des Six Jours, à la bande de Gaza et à la Cisjordanie, soit à 22 % du territoire. D'autres faits ont renforcé la conviction que l'État juif avait une vocation expansionniste : sa prétention à annexer Jérusalem-Est ; son annonce de l'annexion du Golan ; sa création de l'« État du Sud-Liban libre », appelé à devenir un satellite d'Israël ; sa velléité de partager le Sinaï selon la ligne al-Arich – Ras-Mohammed, pour annexer la moitié de ce désert, et n'en restituer que la moitié ouest à l'Égypte… Ce sont là autant de projets, de potentialités qui continuent de hanter l'imaginaire des Arabes.

L'histoire du Moyen-Orient attise également leurs craintes : qu'il s'agisse de la balkanisation du monde arabe sous la férule de la France et de la Grande-Bretagne au XIXe siècle ; de l'agression anglo-franco-israélienne dans l'affaire de Suez en 1956 ; du soutien inconditionnel de la superpuissance américaine à Israël tout au long de ces dernières années. Autant d'éléments qui montrent qu'Israël, grâce à sa diaspora, détient la capacité de s'assurer l'appui de la communauté internationale. Et *Les Protocoles des Sages de Sion* – document apocryphe forgé de toutes pièces par les services russes au début du siècle passé – finissent par faire figure de document authentique aux yeux de certains Arabes. Ceux-là mêmes qui savent qu'il s'agit d'un faux antisémite vous diront qu'il n'en reflète pas moins la volonté de puissance des Juifs et qu'il revêt donc un caractère prémonitoire.

Le clash presque obligé entre ces deux imaginaires qui s'affrontent plus ou moins violemment selon les moments, risque de rendre toujours plus difficile le rapprochement entre ces deux peuples et ces deux cultures. Sauf à engager un formidable effort d'objectivité, d'éducation et d'apprentissage de l'Autre.

ANDRÉ VERSAILLE : Au terme de ce livre, quelles leçons tirez-vous de la chronique de ce long conflit ?

SHIMON PERES : Je vais peut-être vous sembler iconoclaste, surtout dans la conclusion d'un livre d'Histoire : on parle toujours de la connaissance de l'Histoire pour maîtriser les événements présents ou futurs. Je pense que c'est un leurre : l'Histoire peut enseigner tout et son contraire, selon la manière dont idéologiquement on regarde les choses. Je pourrais aller jusqu'à dire que les leçons de l'Histoire sont parfois encombrantes, en ce qu'elles orientent nécessairement le raisonnement selon une voie déjà arpentée. Peut-être que la rupture avec la vision historique peut permettre une plus grande créativité. D'ailleurs, ceux d'entre nous, les politiciens, qui prennent des responsabilités aujourd'hui, sont différents de leurs prédécesseurs en ce qu'ils n'ont plus les mêmes espoirs ni nécessairement les mêmes références historiques.

La seule leçon que l'on peut tirer, c'est de ne pas tenter de tirer des leçons du passé et d'essayer de réfléchir à l'avenir en termes nouveaux.

Ce que l'on peut demander aux futures générations, c'est de travailler pour leurs enfants, c'est-à-dire à la paix : n'essayez pas de gagner trop, ni militairement ni politiquement, parce qu'alors vous susciterez l'hostilité de vos voisins et ils deviendront vos ennemis. Ne tentez pas de gagner : contentez-vous de coexistez dans le respect des autres.

BOUTROS BOUTROS-GHALI : L'adage dit que l'Histoire est mauvaise conseillère. Je partage le point de vue de Shimon Peres. Si l'on veut progresser sur le chemin de la paix, il faut savoir oublier un peu l'Histoire. Cela dit, les préceptes généreux sur lesquels il conclut ce livre d'Histoire ne doivent pas nous faire oublier les intégrismes croisés qui empoisonnent les populations de part et d'autre. Je voudrais citer Avraham Burg, le fils de mon collègue Yosef Burg, avec qui j'ai négocié des heures durant les « *autonomy talk* » : « *Tant qu'un judaïsme raciste, qui s'appuie sur une colonisation violente et se protège derrière une conception sécuritaire fallacieuse, dominera l'imaginaire israélien, nous ne progresserons pas.* » Cette analyse s'applique avec acuité au monde arabe : tant qu'un islam rétrograde et raciste s'appuiera sur un antisémitisme et que l'élimination d'Israël dominera l'imaginaire des intégristes, nous ne progresserons pas. Or, ces deux fondamentalismes croisés continuent à hanter l'imaginaire des peuples arabe et israélien. Les authentiques partisans du dialogue et de la paix ne sont qu'une minorité, aussi bien dans le camp arabe que dans le camp israélien, qui lutte à contre-courant.

Seul un dialogue non violent, à long terme, et uniquement dans un rejet absolu et commun des plaies malignes qui rongent nos deux peuples, pourra nous réconcilier et nous permettre de coexister et de coopérer. Malheureusement comme Moïse, et Sadate, je ne verrai pas cette terre promise.

TABLE DES MATIÈRES

TÉMOIGNAGES POUR L'HISTOIRE... 7

REMERCIEMENTS... 11

PROLOGUE : L'ÉVEIL À LA POLITIQUE 13

Une vieille famille patricienne copte – « C'est la question éthiopienne qui m'a amené à m'engager en politique » – Pionnier en Palestine – Marx et Lénine, ou les prophètes de la Bible ? – Les Juifs du Yichouv et les Arabes – La famille Boutros-Ghali et la question palestinienne

I – LA SECONDE GUERRE MONDIALE 23

La Palestine dans la tourmente de la Seconde Guerre mondiale – « Nous continuions à prôner l'évacuation des Britanniques, même au prix du sang... » – Juifs et Arabes face à l'avancée allemande – Conférence sioniste extraordinaire à New York – Ben Gourion, le pragmatique, et Begin, l'idéologue – Terrorisme juif – Création de la Ligue arabe – Découverte du génocide

II – NAISSANCE D'ISRAËL, AVORTEMENT DE L'ÉTAT PALESTINIEN 31

Vers le partage de la Palestine – Appui de Truman, hostilité de Marshall – Proclamation de l'État d'Israël – La guerre de 1948 – Climat de méfiance dans le camp arabe – Deir Yassine – Avortement de l'État palestinien – Naissance du problème des réfugiés palestiniens – « La démographie, c'est la bombe atomique arabe »

III – DÉCOLONISATION ET ÉMERGENCE DU TIERS-MONDE.............................. 49

Chute de Farouk – Avènement de Nasser – Israël veut briser l'embargo – Des relations franco-israéliennes étroites – Nasser à Bandung : tiers-mondisme et « non-alignement » – Israël et le tiers-monde – Soutien de Nasser aux Algériens

IV – SUEZ : DE LA CRISE À LA GUERRE.. 63

« Je prends le canal ! » – « Un nouvel Hitler ! » – Israël réfléchit à une guerre préventive – Alliance franco-anglo-israélienne – La campagne de Suez – Nasser : de la défaite militaire à la « victoire politique » – Israël vainqueur, classé « agent de l'impérialisme occidental »

V – ENTRE DEUX GUERRES 75

Évolution de la politique étrangère de Paris au Moyen-Orient – Échec de la République arabe unie – Enlèvement et procès d'Eichmann – Paul VI en Terre sainte, déception des Juifs – Rapprochement difficile entre Israël et les Allemands

VI – LA GUERRE DES SIX JOURS ET SES CONSÉQUENCES 87

Moscou, l'apprenti sorcier ? – Nasser renvoie les Casques bleus... – ... puis interdit le détroit de Tiran à Israël – Gesticulation ou préparation à la guerre ? – « Vous ne serez pas seul, sauf si vous décidez de faire cavalier seul » – Moshé Dayan, ministre de la Défense – Hussein a-t-il été obligé de suivre l'Égypte et la Syrie ? – Une victoire éclair – « Je veux redevenir un simple citoyen »

VII – UNE VICTOIRE EMPOISONNÉE 103

Les leçons de la guerre – « Non à la paix, non à la reconnaissance, non aux négociations » – Ambiguïté de la résolution 242

VIII – OCCUPATION DE LA CISJORDANIE ET DE LA BANDE DE GAZA 109

La politique de colonisation des territoires occupés commence – Une occupation « à visage humain » ? – Israël, « fait colonial » ? – Israël, « allié sûr de Washington »

IX – ESSOR DU MOUVEMENT NATIONAL PALESTINIEN 117

La politique palestinienne des États arabes – Une « exception nostalgique » palestinienne ? – Évolution de la mentalité palestinienne – Multiplication des organisations palestiniennes – La bataille de Karameh – Yasser Arafat, dirigeant de l'OLP – Septembre noir – Jeux olympiques sanglants à Munich – Le terrorisme palestinien se développe

X – LA GUERRE D'OCTOBRE 1973 131

L'avènement d'Anouar el-Sadate – Sadate veut faire bouger les choses – Le Caire renvoie les conseillers soviétiques – « Nous considérions tous Sadate comme un bouffon... » – Dayan ne croit pas que les Arabes oseraient se lancer dans une nouvelle guerre – 6 octobre 1973, les avions égyptiens et syriens attaquent – Humeur sombre en Israël, liesse en Égypte – Bilan de la guerre – Israël a-t-il été en danger ? – Une « fausse guerre » ?

XI – LE VOYAGE DE SADATE À JÉRUSALEM 147

« Kissinger, négociateur redoutable et manipulateur de première » – Premiers signes de détente entre Israël et l'Égypte – Réouverture en grande pompe du Canal – L'ONU assimile le sionisme au racisme – Élections municipales dans les territoires occupés – Chute des travaillistes – « Quels territoires occupés ? Ces terres sont des terres libérées ! » – Dayan rejoint Begin – Les bons offices du chancelier Kreisky – Évolution de l'OLP ? – Rencontre secrète au Maroc – « Je suis prêt à me rendre à la Knesset ! » – Stupeur et condamnation du monde arabe – « Vous venez d'être nommé ministre d'État aux Affaires étrangères » – « N'allez pas à Jérusalem ! Vous serez tué comme votre grand-père » – Sadate acclamé par les Israéliens – Des Arabes pleurent encore la perte de l'Andalousie – Jérusalem couverte de drapeaux égyptiens – Un discours flamboyant – Un dîner plutôt glacial

XII – La paix de Camp David 173

« S'opposer à cette trahison du monde arabe ! » – « Hors quelques détails, tout est réglé ! » – La nouvelle politique du Caire – « Il n'y aura bientôt plus personne pour soutenir l'Égypte » – Les négociations israélo-égyptiennes s'enlisent – Naissance de « La Paix maintenant » – Carter tente une action de la dernière chance – La vie quotidienne à Camp David – Caractères des négociateurs – « Weizmann ne peut pas être juif, c'est mon jeune frère ! » – Contraste saisissant entre Begin et Dayan – « On commence à se sentir comme dans un camp de concentration ! » – Sadate annonce le départ de sa délégation – Psychologie de la négociation – « Pourquoi avez-vous reculé ? Vous n'êtes plus sur vos positions de départ ! » – Les accords de paix sont signés – Déception à Rabat – Âpres débats en Israël – Démantèlement spectaculaire d'une colonie – Quelle autonomie pour les Palestiniens ? – L'option « Gaza first » – La colonisation est relancée – Les « autonomy talks » – « Le Nobel à Begin ? Mais voyons, c'est un Oscar qu'on aurait dû lui décerner... » – « Vous avez abandonné les Palestiniens ! » – Débat à l'Assemblée égyptienne – Boycott arabe, mais soutien financier américain – Barre à droite du nouveau gouvernement israélien – Sadate est assassiné – La paix fragilisée – Une paix froide – Nasser et Sadate, deux perceptions du monde arabe

XIII – La guerre du Liban 215

Les Juifs du Yichouv et le Liban – L'OLP arrive au Liban – La première guerre du Liban – Les Maronites et Israël – Opération « Paix en Galilée » – Les Israéliens à Beyrouth – Arafat et l'OLP chassés du Liban – Béchir Gemayel, « candidat d'Israël » ? – Sabra et Chatila – Démission de Begin, Peres Premier ministre – Le bourbier libanais – Hafez el-Assad, « pacificateur » du Liban ?

XIV – Le Moyen-Orient dans la tourmente............................. 239

Émergence du Hezbollah – La chute du shah et la révolution islamique – Sadate n'est pas inquiet du danger islamiste... – ... et l'Occident encore moins – La guerre irano-irakienne – Négociations secrètes entre Shimon Peres et le roi Hussein – Sabotage de Shamir

XV – Le temps de l'Intifada 253

Soulèvement populaire contre l'occupation israélienne – Les effets de l'occupation – Un peuple discriminé – Les conditions de vie des Palestiniens – Les Palestiniens, la société arabe la plus avancée de la région ? – La répression israélienne surmédiatisée ? – La légitimité de l'OLP menacée par l'Intifada ? – Les effets de l'Intifada – « La répression israélienne affaiblit le camp de la paix arabe » – L'image de Tsahal de plus en plus ternie – La question de la torture – La montée des fondamentalistes a-t-elle été encouragée par les Israéliens ? – Vers une reconnaissance israélienne des droits nationaux palestiniens ?

XVI – Tournants géostratégiques................................... 275

L'avènement de Gorbatchev en URSS – Évolution de l'OLP – « Ni la mer ni les Arabes n'ont changé » – « Le numéro de la Maison-Blanche est le 202-456-1414... » – Saddam Hussein envahit le Koweït – La première guerre du Golfe – Saddam Hussein, le Nasser de la fin du XXe siècle ? – La guerre du Golfe vue d'Israël – Ne pas toucher à l'équilibre régional – Bush veut relancer les négociations de paix – Conférence israélo-arabe à Madrid : une mesure pour rien ? – Rabin, Premier ministre, et Clinton, Président – Vers une nouvelle période d'immobilisme ?

XVII – OSLO, PREMIÈRE ÉTAPE DE LA PAIX ISRAÉLO-PALESTINIENNE 301

Le moment est propice à une avancée – Israël, cause du fondamentalisme arabe ? – Pourparlers secrets à Oslo – Gaza et « quelque chose d'abord » – « Négocier, ce n'est pas marchander, c'est inventer ensemble » – Une poignée de main « insupportable » – Horrifiés par les concessions – Trahison ! – Mettre une nouvelle dynamique en route – Un « Davos » à usage du Moyen-Orient – Traduire les accords sur le terrain – Sécurité d'abord ! – « Cinq cents dollars par mois, et vous changez la donne au Moyen-Orient » – Massacre de Palestiniens à Hébron – Arafat arrive à Gaza – Les kamikazes reprennent du service – Arafat face au Hamas et au Jihad – « Le Premier ministre a été élu par des Arabes » – « Nous avions confiance dans notre service de sécurité » – Des funérailles internationales

XVIII – OSLO DANS L'IMPASSE 337

Poursuivre le processus de paix – « Nous envahirons la Palestine et nous en expulserons les sionistes » – « Le terrorisme impose de recourir à des méthodes de guerre » – Élections palestiniennes : Arafat élu avec 85 % des voix – Le terrorisme reprend – « Mort à Peres, mort aux Arabes » – Un sommet des faiseurs de paix – Opération « Raisins de la colère » – Bombardement de Kfar Kana – « Bibi est bon pour les Juifs » – « Si vous n'arrêtez pas les terroristes, le processus de paix est mort... » – Attentats terroristes et multiplication des implantations

XIX – RETOUR À LA CASE DÉPART ? 353

Ehoud Barak, Premier ministre – « Assad est prêt à vous rencontrer, mais il ne veut pas fixer de date » – Israël retire ses troupes du Liban, au grand dam de Damas – Un plan de paix « tout compris » – Démasquer Arafat – « L'Intifada allait de toute façon se déclencher » – Une nouvelle Intifada dans les territoires occupés – Regain de l'antisémitisme arabe – Escalade de la violence – Clinton propose son plan... trop tard – « C'était lui demander de faire des concessions insupportables »

ET DEMAIN ? 369

La mort d'Arafat – « Un chef révolutionnaire, pas un homme d'État » – Les trois questions les plus importantes à résoudre : la restitution des territoires ; le statut de Jérusalem ; le droit au retour pour les exilés palestiniens ? – « Nous ne sommes pas dans un grand frigo » – « Ce ne sont pas les accords de paix qui sont déterminants, mais le Peace Building » – « Le droit au retour a une valeur symbolique » – Pour les Arabes, admettre un État juif ? – « Israël n'est pas un État normal » – Quelle réponse face au terrorisme fondamentaliste ? – Le monde arabe et la modernité – « Notre principal ennemi, c'est la désertification des terres » – Vers un Marché commun moyen-oriental ? – Et l'Europe dans tout ça ? – Les erreurs de part et d'autre – Les imaginaires respectifs – Des leçons de l'Histoire ?

DES MÊMES AUTEURS

BOUTROS BOUTROS-GHALI

Le Chemin de Jérusalem, Fayard, 1997

Mes Années à la Maison de verre, Fayard, 1998

Démocratiser la Mondialisation. Entretiens avec Yves Berthelot, Le Rocher, 2002

Émanciper la Francophonie, L'Harmattan, 2002

En attendant la prochaine lune…, Carnets 1997-2002, Fayard, 2004

SHIMON PERES

David et sa fronde. L'armement d'Israël, Stock, 1971

La Force de vaincre. Entretiens avec Joëlle Jonathan, Le Centurion, 1981

L'Héritage des sept, Stock, 1981

Le Temps de la paix, Odile Jacob, 1993

Combat pour la paix, Mémoires, Fayard, 1995

Conversations avec Shimon Peres, avec Robert Littell, Gallimard, 1998

Le Voyage imaginaire. Avec Théodore Herzl en Israël, Éditions n°1, 1998

Que le soleil se lève, Odile Jacob, 1999

Un temps pour la guerre, un temps pour la paix, Robert Laffont, 2003

ANDRÉ VERSAILLE

Penser le XXe siècle (dir.), Complexe, 1987

La Bêtise, l'art et la vie – En écrivant Madame Bovary, Complexe, 1991

Dictionnaire de la pensée de Voltaire, préface de René Pomeau, introduction d'Emmanuel Le Roy Ladurie, de l'Académie française, Complexe, 1994

Jean de la Fontaine : œuvres, sources et postérité, préface de Marc Fumaroli, de l'Académie française, Complexe, 1996

Voyage dans le demi-siècle. Entretiens croisés avec Gérard Chaliand et Jean Lacouture, Complexe, 2001

Voltaire, un intellectuel contre le fanatisme, La Renaissance du Livre, 2002

Achevé d'imprimer
en janvier 2006
sur les presses de l'imprimerie Horizon
en France (UE)

Couverture : Vincent Angouillant
Photos : Élodie d'Athis

Responsable de production : Anne Van Hees

www.editionscomplexe.com

© Éditions Complexe, 2006
SA Diffusion Promotion Information
24, rue de Bosnie
1060 Bruxelles

 n° 1000